Texte zur Theorie des Films

Herausgegeben von
Franz-Josef Albersmeier

Philipp Reclam jun. Stuttgart

5., durchgesehene und erweiterte Auflage 2003

RECLAMS UNIVERSAL-BIBLIOTHEK Nr. 9943

Gesamtherstellung: Reclam, Ditzingen. Printed in Germany 2005

ISBN 3-15-009943-9

www.reclam.de

Einleitung

Filmtheorien in historischem Wandel

Sartres Grundfrage »Was ist Literatur?« liegt in analoger Form allen Tendenzen der bisherigen Film/Kino-Theorie zugrunde. »Was ist Film bzw. Kino?« hieß die Frage, die schon Lumière (1864–1948) und Méliès (1861–1938) nicht nur theoretisch vage beunruhigte, sondern zu konkreten und weite Teile der Filmtheorie und -geschichte zugleich programmatisch festlegenden Antworten provozierte. Wenn wir gerade in Deutschland seit Jahren eine Renaissance der Filmwissenschaft erleben, so erfaßt diese, geradezu in Umkehrung der Situation vor dem Zweiten Weltkrieg, primär den Bereich der Filmregisseure, sozusagen die »Autorenforschung«, erst dann von den empirischen Sozialwissenschaften besetzte thematische Komplexe psychologischer und soziologischer Orientierung und nur ganz vereinzelt auch die »Filmtheorie« (wie immer man sie definieren und eingrenzen mag). Will man diese von A. Tudor auch für den angelsächsischen Bereich konstatierte Abstinenz erklären, so ließe sich geltend machen, daß seit etwa Mitte der sechziger Jahre – zu einem Zeitpunkt, als die wissenschaftliche Beschäftigung mit dem Film in Deutschland noch kaum in Gang gekommen war – in Frankreich eine Epoche der filmtheoretischen Reflexion zu Ende gegangen ist, welche der Historiker wohl als die der »klassischen«, das heißt einerseits normativ-systematischen, andererseits unempirisch-intuitiven Filmtheorien wird bezeichnen müssen. Überblickt man (um nur die älteren Filmtheoretiker zu erwähnen) die Arbeiten von R. Canudo, J. Epstein, L. Delluc, G. Dulac oder L. Moussinac in Frankreich; U. Gad, H. Richter, R. Arnheim, E. Iros, B. Balázs oder S. Kracauer in Deutschland; D. Wertow, L. Kuleschow, W. Pudowkin oder S. Eisenstein in der UdSSR; V. Lindsay, H. Münsterberg oder E. Panofsky in den USA; P. Rotha, J. Gierson oder R. Spottiswoode in England; U. Barbaro oder L. Chiarini in Italien – so hat die filmtheoretische Reflexion zu erstaunlichen »Summen«, zu deskriptiven wie normativen Entwürfen geführt, die im deutschen Sprachraum bislang weder umfassend in Übersetzungen verfügbar noch insgesamt schon rezipiert sind. Anders als in Frankreich, England, USA und Italien, wo die wichtigsten Werke der internationalen Filmtheorie übersetzt und aufgearbeitet sind, hat die deutsche Filmtheorie seit Balázs und Arnheim keine größere filmtheoretische Abhandlung hervorgebracht (sieht man von Kracauers Werk ab, das freilich aus dem Amerikanischen übersetzt werden mußte). Nicht nur die Übersetzung der wichtigsten Quellen, auch eine Darstellung der verschiedenen Filmtheorien, wie sie in Italien seit 1960[1] vorliegt, bleibt, trotz der Übersetzung von Tudors Darstellung, im deutschsprachigen Raum ein Desideratum.

Kommen wir zurück auf den um 1965 angesetzten Einschnitt in der internationalen Filmtheorie: J. Mitrys zweibändige *Esthétique et psychologie du cinéma* (1963–65) muß als *die* Summe der »klassischen« Filmtheorie angesehen werden. Christian Metz hat Mitrys Studie in zwei grundlegenden Besprechungen[2] vorgestellt und historisch eingeordnet, indes zugleich angedeutet, inwieweit diese traditionelle Filmtheorie als historisches Paradigma an die Grenzen ihrer Erkenntnis- und Aussagefähigkeit gelangt ist und auf welchen Gebieten eine neuorientierte Filmtheorie weiterzuarbeiten hat. Diese neue Filmtheorie war von vornherein semiotisch-linguistisch-strukturalistisch ausgerichtet, grenzte die Untersuchungsgebiete sinnvollerweise scharf ein und versuchte insgesamt, die Filmtheorie über empirisch exakte Analysen von Teilbereichen überhaupt erst auf eine tragfähige Grundlage zu stellen. Von Metz' erstem programmatischen Aufsatz *Le Cinéma: langue ou langage?* (1964) über J. M. L. Peters' und U. Ecos Arbeiten bis hin zu Metz' Spätwerk hat sich eine analytisch-empirische Richtung der Filmsemiotik durchgesetzt, die sich nicht nur von der »klassischen« Filmtheorie distanziert, sondern diese (leider) kaum noch zur Kenntnis nimmt. Ein unbe-

zweifelbarer Nachteil der von der Filmsemiotik inthronisierten methodischen Spezialisierung liegt darin, daß der Film als zugleich technisch-ästhetisches, ökonomisches und psycho-soziologisches Medium in keinem Werk mehr so umfassend in Angriff genommen wird, wie dies noch Mitry versuchte (der dabei freilich weitgehend in der Kompilation steckenblieb).
Mit der Frage, warum die augenblickliche filmtheoretische Forschung dem abgegrenzten Einzelaspekt mehr vertraut als der fragwürdigen filmtheoretischen Summe vergangener Zeiten, verbindet sich ein ganzes Bündel grundlegender anderer Fragen, welche das methodische Vorverständnis, dem jegliche Filmtheorie unterliegt, umreißen wollen: Was verstanden die einzelnen Autoren, historisch gesehen, überhaupt unter »Filmtheorie«? Können Filmtheorien von spezifischen sprachlichen und ideologischen Traditionen abgeleitet bzw. unter diesem Aspekt systematisiert werden? Wie läßt sich »Filmtheorie« zumal gegen »Filmanalyse« und »Filmkritik«, aber auch gegen »Filmgeschichte« abgrenzen? Keines der vorliegenden Werke zur Filmtheorie hat diese Fragen systematisch behandelt, wenngleich sich ihre Verfasser implizit schon immer der Auseinandersetzung mit solchem Vorverständnis ausgesetzt sahen.
Inwieweit konstituieren die Werke von Arnheim, Balázs, Iros und Kracauer (das einzige Werk, das seine filmtheoretische Ambition im Titel zu erkennen gibt), um nur die frühen deutschsprachigen Versuche zu nennen, überhaupt »Filmtheorie«? Allen gemeinsam ist der Ansatz, möglichst allgemeingültige, das heißt nicht auf einzelne Filme bzw. ein bestimmtes Korpus von Filmen bezogene Aussagen zu machen, statt dessen eine mehr oder weniger systematische Beschreibung einer quasi fiktiven, idealtypisch gesetzten Institution Film zu liefern. Während Arnheims Rezeption der Gestaltpsychologie in das Postulat vom »Film als Kunst« mündet, definiert Balázs das Kino als Ort einer neuen visuellen Kultur (*Der sichtbare Mensch oder die Kultur des Films*, 1924) und leitet die Filmproduktion aus der Ideologie des Kleinbürgers her (*Der Geist*

des Films, 1930). Während Iros' *Wesen und Dramaturgie des Films* (1938) sich von vornherein weniger filmtheoretisch versteht denn als praktische Fibel, als normatives Handbuch des Films, versteift sich Kracauers *Theorie des Films* (1960) auf die Position eines unumstößlichen »Realismus«, für den allein der »realistische« Film als ästhetische Norm gilt. Geht es diesen Filmtheorien allemal darum, den Entwicklungsgesetzen des Films auf die Spur zu kommen, so muß zugleich kritisch vermerkt werden, daß sich die systematisierende Ambition solch theoretischer Bemühungen von Anfang an im Konflikt befand mit der Praxisbedingtheit eines Mediums, das nicht nur technisches Produkt ist, sondern als ästhetisches Instrument der Kommunikation ausgesetzt und in seiner Abhängigkeit von Produktion, Distribution und Rezeption ständigen, theoretisch nur schwer faßbaren Wandlungen unterworfen ist. Vor diesem in seinem Anspruch an den Forscher abschreckenden Faktum mußten alle Filmtheoretiker um so schneller kapitulieren, als außer der russischen (Vertow, Kuleschow, Eisenstein, Pudowkin) und der französischen (Delluc, Epstein, Dulac) Schule sowie gerade noch Balázs keiner die Kluft zwischen praktischer Filmarbeit und theoretischem Diskurs zu überbrücken vermochte. Das »Kino« als sozialer Raum wurde auf den »Film« eingeengt; Folge davon waren zwar eine Reihe von Filmtheorien, aber keine »Theorie des Kinos«.[3]
Angesichts dieser reduzierten Forschungspraxis muß der Begriff »Filmtheorie« zunächst weiterhin global und undifferenziert verwendet werden. Immerhin lassen sich, trotz begrifflicher Konfusion, die vorhandenen Filmtheorien in spezifische Kategorien fassen: Bazin, Kracauer und die »Autorentheorie« der *Cahiers du Cinéma* etwa unterlegen der von ihnen untersuchten Filmpraxis Hypothesen und Argumente, aus denen sie filmanalytische Systeme konstruieren, die ihrerseits Ausdruck bestimmter »Weltanschauungen« sind. Wenn für Bazin der Realismus des neorealistischen Films auf dem Gebrauch der Tiefenschärfe und dem weitgehenden Verzicht auf Montage, durch den die Zersplitterung der aufgenommenen Wirk-

lichkeit auf ein Minimum beschränkt werde, beruht, so postuliert er ein ästhetisches Apriori, dem eine ungerechtfertigte Ausspielung des Montagekinos gegen ein Kino zugrunde liegt, das angeblich auf die Montage verzichten kann. Wenn Kracauer das Kino auf einen nicht näher definierten Realismus (»physische Realität«) festschreiben will, so setzt er ebenfalls ein ästhetisches, angeblich in der Kamerarealität selbst begründetes Apriori, das die Filmpraxis vergewaltigt. Bazins und Kracauers Filmtheorien geben sich als ästhetische Modelle zu erkennen, denen letztlich Werturteile zugrunde liegen. Dieser Richtung sind nun jene Theorien gegenüberzustellen, die zuallererst die empirische Erforschung der Funktionalität des Films intendieren. Ihr bedeutendster Vertreter bleibt Eisenstein. Zu Unrecht auf die Theorie der Montage eingeengt, die ihn im Grunde nur als Teil einer umfassenden psycho-soziologischen Wirkungstheorie interessiert hat, ist Eisenstein der einzige Filmtheoretiker, der Systemtheorie mit unerbittlich weiterforschender Empirie verbindet. Wichtigstes Ingredienz der »Filmsprache« war für ihn die Montage. Insofern als bei Eisenstein die Probleme der Wertung hinter die Ambition der empirischen Beschreibung und Weiterentwicklung zurücktraten, müssen die späteren modellästhetischen Theorien von Bazin und Kracauer gar als filmtheoretischer Rückschritt bezeichnet werden. Ihr Werk verschüttete den Zugang zum (nur fragmentarisch übersetzten) Werk des von ihnen teilweise mißverstandenen großen Vorläufers. In der methodischen Rigorosität sind es die Strukturalisten und Filmsemiotiker, die Eisensteins empirische Ansätze (allerdings weitgehend ohne explizite Bezugnahme auf sein Werk) fortführen. Freilich: die Ära Eisenstein (1923–48) – ihm schwebte eine umfassende und wissenschaftlich fundierte Filmtheorie im Kontext aller anderen Ausdrucksformen vor – wurde von einer Spezialisierung abgelöst, die den Film (vom Kino ganz zu schweigen) aus den Augen verlor und zu einzelwissenschaftlicher Annäherung an ein umfassend nicht mehr greifbares Medium degradierte. Eisenstein hat nicht nur eine erste (fortzuentwikkelnde) Analyse der Filmsprache vorgelegt, seine Einbeziehung der gesellschaftlichen und psychologischen Faktoren in die Filmtheorie mußte auch eine auf breiterer Basis geführte Realismusdebatte affizieren, welche ihrerseits die Filmtheorie auf ungelöste Probleme zurückverwies, die von Eisenstein teilweise schon angedeutet worden waren. Eisensteins auch im engeren Sinne filmtheoretisches Werk läßt sich adäquat nur im Rahmen einer umfassenderen Philosophie der Sprache sowie einer Morphologie kulturell-gesellschaftlicher Ausdrucksformen erfassen.

Lassen sich die verschiedenen Filmtheorien von ästhetischen und ideologischen Axiomen herleiten, so gilt überdies, daß die Filmtheorie sich nicht nur weitgehend parallel zur Entwicklung der Filmgeschichte konstituiert, sondern geradezu als eine (distanziert-kritische bis angepaßte) Dependance der historischen Filmproduktion angesehen werden muß. Die Phasen der Theoriebildung lassen sich anhand eines historisch-ökonomischen Modells gliedern, welches in der *Soziologie des Films* von D. Prokop (1970) erstmals systematisch auf das Kino übertragen worden ist.[4]

In der ersten Phase, der des Polypols (1895–1909), überwiegen die Darstellungen der technischen Entstehung und Entwicklung der »bewegten Fotografie« sowie der Grundlagen ihrer Wahrnehmung. Selbst bei Lumière gerinnt die »Filmtheorie« zu einer Theorie der kinematographischen Projektionen. Die Faszination der Technik resorbiert verständlicherweise die theoretische Aufmerksamkeit; sie durchdringt noch die Theorie und Praxis des »truquage« bei Méliès, obschon bei ihm (wie bei Lumière) die Kamera ganz in den Dienst der weitgehend abfotografierten realen (bei Méliès theatralisch-phantastischen) Welt gestellt wird.

In der zweiten Phase, der des Oligopols (1909–29), wird das Kino von verschiedenen Positionen aus behandelt: In Deutschland fühlen sich vor allem die Soziologie (E. Altenlohs Studie *Zur Soziologie des Kino* von 1914 mit dem Untertitel »Die Kino-Unternehmung und die sozialen Schichten ihrer Besucher« darf noch immer Modellcharakter beanspruchen) und die sogenannte Kino-Reformbewegung (K. Lange) vom Film herausgefordert. In Frankreich begründen Canudos Konzeption von der »usine aux images« sowie seine Bestimmung des Films als »siebente Kunst« neben den erst vor einigen Jahren wieder insgesamt zugänglich gemachten Schriften von Epstein die Filmtheorie im engen Kontakt zur Avantgarde des sogenannten »Impressionismus« (A. Gance, M. L'Herbier, G. Dulac u. a.). Balázs' Theorie einer visuellen, auf den Kleinbürger zugeschnittenen Kultur, Arnheims »Film als Kunst«-Theorie sowie Kracauers Entlarvung des zeitgenössischen Kinos als Ort sozialromantischer Verbrämung entsprechen in ihrem jeweiligen ideologiekritischen, materialästhetischen und sozialpsychologischen Ansatz avantgardistischen Filmformen bzw. Positionen der »Neuen Sachlichkeit«. Allein in der Sowjetunion brachte die politische Umwälzung durch die Oktoberrevolution von 1917 eine Kinematographie hervor, in der Theoriebildung und Filmpraxis zusammenfallen und sich wechselseitig befruchten. Einen Sonderstatus innerhalb dieser Periode darf die Filmtheorie der russischen Formalisten (insbesondere B. Ejchenbaum, J. Tynjanov und V. Šklovskij) für sich beanspruchen, welche untrennbar mit der gleichzeitig entwickelten Literaturtheorie einhergeht. Die Konvergenz von theoretischem Diskurs und künstlerischer Praxis, die bereits als Charakteristikum der sowjetischen Kinematographie der zwanziger Jahre herausgestellt wurde, führt einerseits zum Entwurf einer »Poetik des Films«, deren Hauptarbeitsgebiete das Verhältnis von Poesie und Prosa im Film, Gesetze der Sujetfügung sowie die Semantik des Filmgegenstandes sind; andererseits ermöglicht sie, im Rekurs auf die Literaturtheorie als erkenntnistheoretische Matrix, die Analyse seiner spezifischen Bedeutungen, welche jene damals übliche Reduktion des Films auf den Status einer Spielart der traditionellen Ausdrucksformen aufhebt. Insofern die russischen Formalisten die Frage nach dem sprachlichen Status des Films stellen, nehmen sie die Ausarbeitung der Filmsprache qua »langage« (und nicht »langue«) durch Metz vorweg.[5]

In der dritten Phase, der des Monopols (1930–46), gekennzeichnet durch die alle anderen Nationalkinos beherrschende Stellung Hollywoods, gelingt es der Filmtheorie (etwa bei Benjamin oder Brecht) nur noch vereinzelt, das Niveau apologetischer Festschreibung bestehender Filmstrukturen zu verlassen und die bisherige material-deskriptive Theorie durch eine produktions- und rezeptionsästhetisch orientierte Theorie zu ergänzen. Immerhin liefert Malraux in seiner *Esquisse d'une psychologie du cinéma* (1939) nicht nur Ansätze zu einer Theorie des Films im Kontext der traditionellen Künste, sondern auch eine vielzitierte Analyse des Kinos als bevorzugt mythenbildender Institution. Reflektiert seine These vom Kino als Inkarnation von Mythen die zeitgenössische Vormachtstellung Hollywoods, so stigmatisieren I. Ehrenburgs »Traumfabrik« und R. Fülop-Millers »Phantasiemaschine« (beide von 1931) Hollywoods Filmserien als Produkte, die Phantasie und Traum nur als Evasion oder systemkonformes Verhalten zulassen.

Der Schritt zu einer umfassenderen Theorie des Films bzw. Kinos gelingt erst in der letzten Phase, der des internationalen Monopols (1947 bis etwa 1970), und ist gebunden an die Ausstrahlungskraft bedeutender Filmzeitschriften (*Revue Internationale de Filmologie, Cahiers du Cinéma, Cinéthique; Bianco e Nero, Cinema Nuovo; Sight and Sound; Filmkritik, Film* u. a.). Wie das Beispiel der *Cahiers du Cinéma* zeigt, wird die Wechselbeziehung zwischen Kritik und Praxis der »Autorenpolitik« zum bestimmenden Element der Veränderung festgefahrener kinematographischer Strukturen in Produktion, Distribution und Rezeption. Die genannten Zeitschriften lassen Schulen und Tendenzen zu Wort kommen, in denen strukturalistisch-linguistische (Peters, Barthes, Metz), semiotische (Eco, Garroni, Bettetini), phänomenologische (Bazin, Agel, Ayfre) und materialistische (die Gruppe Cinéthique) Ansätze aus anderen Wissenschaftsgebieten auf den Film übertragen werden. Noch einmal ist hier Kracauer hervorzuheben, dessen

sozialpsychologische Analyse des deutschen expressionistischen Films in *From Caligari to Hitler* (1947) eine ganze Generation von Filmkritikern und -theoretikern ins Brot setzte.
Bedingt durch politische Entwicklungen (Entkolonialisierung, Entdeckung des Kinos durch die Nationen der »Dritten Welt«) und ökonomische Faktoren (Ausbreitung der 16-mm-Filmproduktion etwa im »Cinéma direct«, im englischen »Free Cinema«, im amerikanischen »Independent Cinema« oder im unabhängigen Kino Lateinamerikas; Entwicklung neuer Distributionsformen in den Kooperativen und Kommunalen Kinos), zeichnet sich etwa seit 1970 – die französische Mairevolution von 1968 könnte als historischer Einschnitt bezeichnet werden – eine unzweideutige Tendenz zu einem neuen Polypol ab, gekennzeichnet vor allem durch die Stoßrichtung des politisch-revolutionären und militanten Kinos gegen Hollywoods neu erwachenden Kinoimperialismus. Während die Entwicklung der Apparaturen und die Reflexion über den Film in der ersten Phase des Polypols auf unreflektierte Weise konvergieren, verlaufen Filmproduktion und Filmtheorie in der zweiten Phase des Oligopols zuweilen in kritischer Distanz zueinander; gelegentlich gelingt es der Filmtheorie sogar, in Überwindung der bestehenden Strukturen, neue Ansätze zu einem Kino im Dienste demokratischer Willensbildung zu entwerfen. Fallen Filmproduktion und Theoriebildung in der dritten Phase des Monopols, nicht zuletzt durch das Aufkommen des Faschismus und der verheerenden Folgen seines Übergriffs auch auf das Kino, völlig auseinander, so gelingt es erst in der vierten Phase, der des internationalen Monopols, Filmpraxis und Theoriebildung langsam wieder in sinnvoller Wechselwirkung einander zuzuordnen. Die vorläufige Entwicklung dieser engen Verbindung zwischen Theorie und Praxis ist im politischen und militanten Kino der »Dritten Welt« zu sehen.
Die Entwicklung der Filmproduktion und die Ausarbeitung der Filmtheorie stehen nicht nur in einer historisch fixierbaren

Wechselbeziehung: es läßt sich überdies zeigen, daß in der Filmtheorie von den Anfängen bis zur Gegenwart bestimmte Positionen hartnäckig gegeneinander ausgespielt wurden. Angedeutet wurde bereits das Mißverständnis, dem Eisensteins Filmtheorie ausgesetzt war durch die Tendenz seiner Kritiker, diese Filmtheorie auf den Teilbereich der Montage zu reduzieren. Der Filmtheorie liegt nun von Anfang an ein Antagonismus zwischen Realismus – Naturalismus – äußerster Zurückhaltung des Regisseurs einerseits, Phantastik – Expressionismus – (über die Montage) gestaltendem Eingriff des Regisseurs andererseits zugrunde. Dieser Antagonismus polarisiert die Geburtsstunde des Films in eine »realistische« (Lumière) und eine »phantastische« (Méliès) Variante; er liegt eigentlich schon der Rivalität zwischen Fotografie und Malerei seit der Mitte des 19. Jahrhunderts zugrunde. Der konstruierte Gegensatz Lumière–Méliès setzte sich fort in den frühen Bemühungen nicht nur der ersten Filmtheoretiker, sondern auch einer Strömung wie des »film d'art«, für den Film den Status von »Kunst« zu reklamieren. Alle Theoretiker des Stummfilms gehen implizit von der Annahme aus, daß der stumme Film um so künstlerischer sei, als sich an ihm der schöpferische, bevorzugt auf der Ebene der Montage vorzunehmende Eingriff des Regisseurs offenkundig demonstrieren lasse. Wienes *Caligari* oder Eisensteins *Panzerkreuzer Potemkin* etwa mußten dazu herhalten, diesen Kunststatus eines (zumal aus bürgerlicher Sicht) noch nicht als ausreichend kunstfähig angesehenen Mediums zu verteidigen. Auf einer analogen Ebene mußte der übertriebene Freudsche Symbolismus einiger Filme der französischen Avantgarde (Buñuels *Chien andalou* oder, in weniger reflektierter Ausarbeitung, Dulacs *Coquille et le clergyman*) dazu dienen, die Experimentierfähigkeit des Kinos und damit seine den anderen Ausdrucksformen gleichwertige Wandelbarkeit unter Beweis zu stellen. Auf dem Höhepunkt der Stummfilmzeit verehrte die orthodoxe Filmtheorie Méliès als die Inkarnation der »Filmkunst« und stilisierte Eisensteins Werk zum Brevier empor. Die sich auf Eisenstein berufende orthodoxe Ästhetik übersah indes, daß seine Montagetheorie nicht abziehbar war von psycho-soziologischen Implikationen, welche in Eisensteins Theorie der »Filmsprache« von vornherein mitgedacht waren. Wie unrecht diese Richtung hatte, Eisensteins Filmtheorie der »Film als Kunst«-Schule zuzuschlagen, erwies sich erst in dem Augenblick, als diese Schule (im Gegensatz zu Eisenstein selbst) sich als unfähig erwies, den Tonfilm in ihr enges System zu integrieren.

In dem Maße, wie mit dem Einsetzen der Tonfilmzeit Eisensteins frühere Stummfilmtheorien vorerst aus dem öffentlichen Interesse verdrängt wurden, schlug das Pendel wieder zurück in Richtung auf den »realistischen« Lumière. Der Tonfilm bedeutete für viele Theoretiker ab 1930 den Siegeszug des »Realismus« und des Theaters (Marcel Pagnol) über die früheren Avantgarden bzw. »Film als Kunst«-Richtungen. Die wichtigsten Etappen dieses wiedergewonnenen Realismus verlaufen von den Dokumentaristen der zwanziger Jahre über den »réalisme poétique« der dreißiger Jahre bis hin zum italienischen Neorealismus der vierziger und fünfziger Jahre. Der Anspruch der Filmtheorie, diese durch soziale Spannungen, Krieg und Nachkriegszeit bedingten kinematographischen Strömungen als »realistisch« einzustufen, ging einher mit einer ungerechtfertigten Abwertung Eisensteins als »Formalisten«. Seine empirisch offenen Modelle wurden in starre Formeln umgedeutet, dergestalt, daß sich Bazin und Kracauer motiviert fühlten, das Wiederaufleben des realistischen Kinos etwa im italienischen Neorealismo mit umständlichen und einseitigen neo-»realistischen« Theorien zu rechtfertigen (als ob Eisensteins Werk nie realistisch – im Sinne von gesellschaftsbezogen – gewesen wäre).

Das skizzierte Hin und Her zwischen Realismus und Formalismus (»Kunst«), Nicht-Montage und Montage führte die Filmtheorie in eine Sackgasse, aus der sie vorübergehend nur von Theoretikern wie Arnheim, Benjamin, Brecht, Grierson, Panofsky u. a. herausgeführt wurde, die den von Eisenstein aus methodischen Gründen provisorisch vernachlässigten psycho-soziologischen Problemen wieder mehr Aufmerksamkeit schenkten. Nicht diese vereinzelten Ansätze allerdings beherrschten die filmtheoretische Diskussion, sondern die von Bazin und Kracauer neu entfachten ästhetischen Diskussionen um das sogenannte Realismus-Problem. Den Knoten eines sterilen, letztlich auf subjektiven Bewertungskategorien beruhenden Antagonismus von Montage- und Anti-Montage-Theorie zerschnitten erst die empirisch-deskriptiven Verfahren der Strukturalisten, Linguisten und Semiotiker (freilich auf Kosten der schon angedeuteten Nachteile, die solche methodische Beschränkung notwendigerweise mit sich bringt). Wenn dieser historische Abriß eines filmtheoretischen Prozesses, der im wesentlichen durch das Ausspielen von »realistischen« gegen »anti-realistische« Positionen charakterisiert ist, den Fakten gerecht wird, so läßt sich folgern, daß der langjährige Realismusstreit nicht nur den Blick auf Eisensteins Gesamtwerk verstellt hat, sondern daß die Filmtheorie gerade in der Verbindung von Theorie und Praxis eben bei Eisenstein wieder neu anzusetzen hätte.

Die Frage, inwieweit den wichtigsten Filmtheorien sprachliche bzw. allgemeiner ideologisch vermittelte Vorstellungsmuster zugrunde liegen, ist bislang nur andeutungsweise behandelt worden. Der Begriff »Filmtheorie« mußte, angesichts einer verwirrenden Vielzahl von Theoremen, die das Korpus vorhandener Filmtheorien bereitstellt, undifferenziert, etwa im Sinne einer Addition ganz unterschiedlicher theoretischer Ansätze, gebraucht werden. Dennoch gibt es eine Kategorie, welche all diese Ansätze untereinander verbindet: die Sprache. Die eingangs gestellte Grundfrage »Was ist Film bzw. Kino?« enthält bei allen Autoren, wenn auch zumeist nur implizit, die präzisere Frage: Wie wird das Material, die »Sprache« des Films verwendet? Und: Was bedeuten die einzelnen Teile, aus denen der Film zusammengesetzt ist, und der Film als Ganzes? Allen in diesem Band abgedruckten Texten liegt diese doppelte Frage nach Sprache und Bedeutung des Films oder doch wenigstens ein Vorverständnis über diese beiden zentralen Kategorien zugrunde. Am deutlichsten wird dies wiederum bei Eisenstein und den russischen Formalisten. Die semiotische Weiterentwicklung der Bazin-Tradition durch Metz sowie die Anleihen der Filmanalyse bei der strukturalen Linguistik implizieren ebenfalls eine Übernahme von Sprachvorstellungen. Eine vage Vorstellung von »Filmsprache« liegt auch den sogenannten »Filmgrammatiken« (A. Berthomieu, A. Bataille, J. Roger, R. Spottiswoode u. a.) zugrunde. Deren Systematik beruhte sozusagen auf einem mißverstandenen Wertow, insofern sie sich auf eine angeblich schon bei ihm angelegte Analogie von Film und Sprache, eine »ciné-langue«, beriefen. Spätestens die Arbeiten von Metz stellten die linguistische Unmöglichkeit solch vorschneller Assimilation von Einstellung und Wort, Sequenz und Satz usw. unter Beweis. Anerkannte schon Wertows Prinzip des »Kino glaz« die Existenz eines autonomen, auf der freien Rhythmisierung und Sonorisierung aufgenommener Wirklichkeitsausschnitte beruhenden Kinos, so blieb es Eisenstein vorbehalten, die Systematisierung der Filmsprache zu dynamisieren durch die Frage nach dem »Pathos«: welche formalen Eigenschaften des Films lösen die erwünschte Reaktion aus? Die Entwicklung einer auf der Vorstellung des Rhythmus beruhenden und in seine Montagetheorie eingebauten »Poetik des Films« ist leider unvollständig geblieben. Allerdings sind auch die neueren strukturalistischen, linguistischen und semiotischen Beschreibungsverfahren *insgesamt* nicht über Eisenstein hinausgekommen. Aber die Methoden für eine exakte Beschreibung von Filmen entstammen der Linguistik. Selbst wenn sich die Hoffnung auf ein filmisches Äquivalent zu Chomskys Transformationsgrammatik insofern als trügerisch erweist, als die Übertragung linguistischer Strategien auf den Film dessen kognitive Substanz überbewertet, so war es doch unbestreitbar die linguistisch orientierte Filmsemiotik, welche die Beschreibung von Filmen ein wesentliches Stück vorangebracht hat. Freilich können die frühen filmsemiotischen Ansätze nicht immer überzeugen. Wollens Übertragung der Peirceschen Unterscheidung von

ikonischen, indexikalischen und symbolischen Zeichen auf den Film sei als Beispiel einer »von außen« an den Film herangetragenen Nomenklatur genannt, deren Praxisrelevanz im umgekehrten Verhältnis zur plakativen Programmatik steht. Längst sind auch, jenseits der ideologischen Kritik an *Langage et cinéma* von seiten der Gruppe Cinéthique, erhebliche Zweifel an der Logik und Praktikabilität der »großen Syntagmatik des narrativen Films« von Metz geäußert worden.
Im Anschluß an oder in kritischer Auseinandersetzung mit Metz bildete sich in den siebziger und achtziger Jahren eine heterogen bleibende französische Schule von Filmsemiotikern (»sémiologie du film«) heraus, welche die Metzschen Vorgaben in Richtung auf eine allgemeine Kultursemiotik (mit Schwerpunkt »Film«) weiterentwickelt haben (Jacques Aumont, Yveline R. Baticle, Jean-Louis Baudry, Raymond Bellour, Alain Bergala, Pascal Bonitzer, Dominique Chateau, Michel Chion, Michel Colin, Jean Collet, André Gardies, André Gaudreault, François Jost, Thierry Kuntzel, Jean-Louis Leutrat, Michel Marie, Roger Odin, Jean-Pierre Oudard, Daniel Percheron, Marie-Claire Ropars-Wuilleumier, Jean-Louis Schéfer, Francis Vanoye, Marc Vernet u. a.) und von deren teilweise richtungsweisenden Arbeiten wir nur den einen oder anderen Titel in unsere Bibliographie aufnehmen konnten. Wenigstens hingewiesen sei hier auf die »cinéma/peinture«-Studien von Aumont, die kognitivistischen Arbeiten von Colin, die Semiopragmatik von Odin oder die Sprache/Literatur-Film-Arbeiten von Gaudreault, Jost, Ropars-Wuilleumier und Vanoye. Die Filmsemiotik büßte freilich mit den Jahren ihren Anspruch auf theoretische Alleinherrschaft ein. Metz selbst, seinem Lehrer Roland Barthes folgend, wich aus in Fragestellungen der allgemeinen Semiotik (*Essais sémiotiques*, 1977) sowie in die Problematik psychoanalytischer Filmanalyse (*Le signifiant imaginaire. Psychanalyse et cinéma*, 1977; vorausgegangen war die Sondernummer der Zeitschrift *Communications*, Nr. 23, 1975, zum Thema »Psychanalyse et cinéma«). Sein letztes Werk (*L'énonciation impersonnelle ou le site du*

film, 1991) befaßt sich mit dem Problem der filmischen »Enunziation« als eines Diskurses, der sich vor allem im metasprachlichen Bereich ausdrückt, mit anderen Worten: dem alten Modell der simplen Übertragung sprachlicher Begriffe und Aussagen auf den Film abschwört.
Jean Mitrys Streitschrift *La semiologie en question. Langage et cinéma* (1987), die bislang am besten fundierte Auseinandersetzung mit der Metzschen Filmsemiotik, bildet den vorläufigen Abschluß einer Kontroverse zwischen »alter« und »neuer« Filmtheorie, an deren Ende die Beantwortung der Frage, welche Fortschritte denn die Filmsemiotik in der wissenschaftlichen Auseinandersetzung mit dem Film gebracht habe, die Dimension eines Glaubenskrieges annahm. Mitry hielt Metz vor, seine »sémiologie du film« könne zwar mit ihrer der (wort- und schriftsprachlich orientierten) Linguistik entlehnten Begriffsbildung Filmstrukturen beschreiben, sei indes unfähig, deren Bedeutungen zu erklären und allgemein gültige Gesetzmäßigkeiten aufzuzeigen. Vor allem hat Metz verkannt, daß der (Spiel-)»Film« der »Literatur« viel näher steht als der »Sprache«. Unbestreitbar bleibt allerdings der Erkenntnisschub, den die französische Filmsemiotik gerade auch außerhalb Frankreichs bewirkt hat – bis hinein in die zu Recht stark verbreiteten Arbeiten amerikanischer Forscher zur Narrativik des Films (David Bordwell, Edward Branigan, Seymour B. Chatman, Frank McConnell, Kristin Thompson u. a.). Erst die international breit gestreute Rezeption der französischen Filmsemiotik hat das Bewußtsein dafür geschärft, daß »Filmtheorie« und »Filmanalyse« zwei Seiten ein und derselben Medaille sind. Hier liegt wohl ein spezifischer Mangel unserer Textauswahl von 1979, denn es hat sich gezeigt, daß nicht nur »Filmtheorie« und »Filmanalyse«, sondern auch »Filmgeschichte« und »Filmkritik« eine Einheit bilden – folglich: wer von »Theorie« redet, immer auch kritische Analyse in historischem Horizont meint. Diesem Bewußtsein von der Vernetzung filmtheoretischer, -analytischer, -historischer und -kritischer Ansätze sind die besten Arbeiten aus den beiden

letzten Jahrzehnten verpflichtet. Bezeichnenderweise ist in ihnen der Begriff »Analyse« stärker vertreten als die älteren Begriffe »Theorie«, »Kunst« oder »Ästhetik«; und selbst da, wo »Theorie« steht (wie bei Aumont/Leutrat, 1980), ist gelegentlich »Analyse« gemeint.

Théorie du cinéma et crise dans la théorie ou le cinéma à travers ses champs disciplinaires – vielleicht verdeutlicht der erste Teil dieses Titels einer 1989 erschienenen Sondernummer der Zeitschrift *Hors Cadre* am sinnfälligsten die momentane Schwierigkeit einer verläßlichen Orientierung im Dschungel der Theoreme. Es gibt viele Ansätze, aber keine richtungweisende Theorie, welche, die weiland die Filmsemiotik, ein ganzes Heer von Forschern ins Brot zu setzen vermöchte. Tendenziell läßt sich die Verlagerung der filmtheoretischen Diskussion von den älteren Konzepten (»Film als Kunst«, »Film als Sprache«) hin zu einem Verständnis von Film als Interaktion von Produktion, Distribution und Rezeption, von Technik, Botschaft und Zuschauer diagnostizieren. Längst haben sich Philosophie, Soziologie, Psychologie und Psychoanalyse des Mediums Film bemächtigt; Rhetorik, Literatur- und Theaterwissenschaft sowie Kunstgeschichte haben begriffen, daß der Film ein Kommunikationssystem mit ästhetischem Potential ist, ohne dessen Kenntnis ihre Disziplinen kaum noch auskommen. Insofern ist das Gerede vom »Elend der Filmtheorie« genauso obsolet wie die litaneiartige Beschwörung des Films als »Kunst«. Zentrale Axiome Eisensteinscher Montagetheorien sind dem heutigen Kulturwissenschaftler ebenso geläufig wie Marshall McLuhans (im übrigen fragwürdige) Ineinssetzung von Medium und Botschaft (*Understanding Media*, 1964). Es ist hier nicht der Ort für eine kritische Sichtung des filmtheoretischen Ertrags der letzten zwei bis drei Jahrzehnte. Einige wenige »Stichproben«, ergänzt durch weiterführende bibliographische Hinweise, mögen genügen.

Aus der Fülle neuerer Theorieansätze lassen sich drei Forschungskomplexe schwerpunktmäßig ausgliedern: Psychologisch und/oder psychoanalytisch orientierte Filmtheorien – die seit den siebziger Jahren mit feministischen Ansätzen gekoppelt werden und auch in übergeordneten Netzwerken (»Gender Studies«, »Popular Culture«, »Cultural Studies«) auftreten; die Renaissance philosophischer Fragestellungen im Gewand der Filmtheorie; schließlich inter- und multimedial angelegte Filmtheorien. Im Sinne von Interdisziplinarität/Transdisziplinarität sind alle drei Komplexe an Grenzüberschreitungen gebunden, anhand derer sich der hybride Status des Mediums Film (wie der Teildisziplin »Filmtheorie«) ablesen läßt.

Ging es der »klassischen« Filmtheorie lange Zeit vor allem um die Legitimierung des »Films als Kunst«, so versucht filmtheoretisches Denken seit den siebziger Jahren das »Wesen« des Mediums Film aus der Dialektik von Inhalt/Form und Wirkung/Rezeption zu ergründen. Es geht dabei nicht allein um die traditionelle Frage, wie Film funktioniert, sondern darüber hinaus um die kognitiven und emotionalen Effekte, die er im Zuschauer auszulösen vermag.

Schon in den älteren Arbeiten von Hugo Münsterberg, Rudolf Arnheim, Martha Wolfenstein / Nathan Leites und Jean Mitry spielte die *Psychologie* (zumal Arnheims »Gestaltpsychologie«) eine herausragende Rolle zur Beschreibung und Erklärung von filmischen Wahrnehmungsmustern. Die kognitionspsychologisch fundierten Ansätze von David Bordwell, Peter Wuss und Peter Ohler beruhen auf präziseren Ausgangsfragen: Wer sieht laufende Bilder unter welchen Bedingungen in welcher Form und mit welchem Inhalt? Während die Werkschichtungsstrukturanalysemodelle (kurz: »Werkmodelle«) von Wuss den Ort der Narrativik innerhalb des Filmerlebens und -verstehens fokussieren, versucht der experimentell arbeitende Kognitionspsychologe Ohler zu erklären, was »passiert«, wenn wir audiovisuelles Material in uns aufnehmen. Beide Wissenschaftler verfolgen das Ziel, die kognitive Psychologie als Teil einer übergreifenden Psychosemiotik zu verankern.[6]

Weit kontroverser erscheint die Stellung der *Psychoanalyse* als international bevorzugtes filmtheoretisches und -pragmati-

sches Bezugsparadigma. In Anlehnung an Freuds Ablehnung des Films als modische Erscheinung blieb das Verhältnis vieler Psychoanalytiker/innen zu dem neuen Medium lange Zeit distanziert. Mitte der siebziger Jahre gelingt es Jean-Louis Baudry und Christian Metz in zwei mittlerweile klassischen filmtheoretischen Arbeiten,[7] das Verhältnis von Film und Traum zu rekonstruieren, wobei sie von der regressiv lusterzeugenden Funktion des Filmerlebnisses ausgehen. Seitdem ist die Psychoanalyse als Basismodell für die Erklärung von Identifikations- und Aneignungsmustern, welche den Zuschauer mit filmischen Inhalten und Formen kontextualisieren, aus der Filmtheorie nicht mehr wegzudenken. Unter Berufung auf Freud, Lacan und die marxistische Theorie Althussers bilden sich unterschiedliche, ihre Leser in Anhänger und Gegner spaltende Lager heraus (siehe die Bestandsaufnahmen bei Alain Dhote, August Ruhs / Bernhard Riff / Gottfried Schlemmer und Mechthild Zeul). Angesichts ihrer mitunter apodiktisch vertretenen Positionen hat sich die psychoanalytische Filmtheorie mehr als jede andere Richtung entschiedene Kritik zugezogen (siehe Noël Carroll, Thilo Rudolf Knops, David Norman Rodowick, Berry Salt, Karl Sierek sowie der Beitrag von Kristin Thompson im vorliegenden Band).
Im Horizont einer zunehmenden Verquickung semiotischer und strukturalistischer Ansätze einerseits, psychoanalytischer Fragestellungen andererseits formierte sich seit den späten siebziger Jahren zunächst in den angelsächsischen Ländern und dann auch in Deutschland eine *feministisch* profilierte Filmtheorie, deren methodische Ausdifferenzierung noch nicht abgeschlossen ist. An ihrem Anfang steht Laura Mulveys bahnbrechender Aufsatz *Visual Pleasure and Narrative Cinema* (1975), den wir im vorliegenden Band abdrucken, obwohl er keineswegs den neuesten Stand feministisch-filmtheoretischer Kontroversen widerspiegelt. Während Mulvey, unter Berufung auf Lacans These vom Ausschluß der Frauen aus dem Sprachsubjekt, die Ausblendung weiblicher Subjektivität an der Verwendung filmsprachlicher Mittel in ausgewählten Werken von Alfred Hitchcock und Josef von Sternberg veran-

schaulichte und dabei die Freudsche Psychoanalyse als politisches Mittel zur Kritik an patriarchalischen Strukturen des Hollywoodkinos instrumentalisierte, rückte bei ihren Kritikerinnen (Mary Ann Doane, Gertrud Koch, E. Anne Kaplan, Teresa de Lauretis, Kaja Silverman u. a.) die Inszenierung des »weiblichen Blicks« ins Zentrum der Untersuchungen. Hier und da hat sich freilich die Überzeugung durchgesetzt, daß ein Theoriekonzept multipler Identifikationen der individuellen Situation des Zuschauers / der Zuschauerin eher gerecht wird als die Fixierung auf den geradezu labormäßig isolierten männlichen oder weiblichen Blick.[8] Gegen die Dominanz des »Mulveyschen Paradigmas« und die mit ihm einhergehende Bevorzugung der Psychoanalyse revalorisiert die »Frauen und Film«-Equipe (Annette Brauerhoch, Heike Klippel, Gertrud Koch, Renate Lippert, Heide Schlüpmann) alternative Positionen der »Kritischen Theorie« der Frankfurter Schule, die Philosophie Bergsons sowie feministische Positionen zur Problematik der Männlichkeit, ohne die Revision von Filmgeschichte/theorie/analyse aus dezidiert feministischer Sicht aus den Augen zu verlieren.[9]

Seit den achtziger Jahren werden unterschiedliche Forschungsrichtungen wie feministische Filmtheorie (unter Einschluß historischer, analytischer und kritischer Fragestellungen), Textanalyse, Soziologie, Psychologie und Psychoanalyse unter Nomenklaturen wie »Gender Studies«, »Popular Culture« und »Cultural Studies« zu neuen Theoriekonstellationen verdichtet. Der Zwillingsbegriff »Geschlechterdifferenz und Film« (parallel zu »Geschlechterdifferenz und Literatur« entwickelt) weckt unsere Aufmerksamkeit für Organisationsformen menschlicher Kultur, die im Spannungsfeld von biologischem und sozialem Körper einerseits und den die Gesellschaft bewegenden Diskursen andererseits stehen. In Filmen (wie in literarischen Texten) entfalten Prägemuster des Weiblichen und Männlichen, geschlechtsspezifisch Bewußtes wie Unbewußtes ihre medienspezifisch konditionierte Wirkung; Vorstellungen von Geschlechterdifferenz werden in fiktiven

Diskursen erprobt, verworfen und immer wieder neu gestaltet. Zur Diskussion steht die Wiederkehr des (filmischen) Körpers als Medium kultureller Erinnerung (Stephen Shaviro) – als Teilaspekt einer angloamerikanischen kulturellen Erneuerungsbewegung, an deren Entfaltung von filmtheoretischer Seite her John Fiske (»Popular Culture«) und David Morley (»Cultural Studies«) entscheidenden Anteil haben.[10] Während in einer wieder verstärkt dem Irrationalen zugewandten Zeit Psychologie und Psychoanalyse eine Art Schlüsselfunktion zur Beschreibung und Erklärung unbewußter respektive unterbewußter Filmstrukturen beanspruchen können, mutet der Rekurs auf die gute alte *Philosophie* zunächst anachronistisch an. Um so erstaunlicher wirken die Versuche gerade der fruchtbarsten filmtheoretischen Ansätze, den Dialog zwischen Philosophie und Film, der schon 1902–03 von Bergson in seinem Collège de France-Kolleg über die Idee der Zeit und dann 1907 in desselben Autors Abhandlung *L'évolution créatrice* initiiert worden war, fortzuspinnen. So beruft sich Gilles Deleuze – Autor der womöglich wichtigsten neueren Filmtheorie seit Kracauer – bei seinem Versuch der Klassifizierung von Bildern und Zeichen einerseits auf die Zeichentheorie von Charles S. Pierce, andererseits auf die philosophischen Reflexionen eben eines Henri Bergson zum Verhältnis von Zeit und Bewegung. Die sich auf die Psychologie Maurice Merleau-Pontys sowie auf die Transzendental-Phänomenologie Edmund Husserls berufende phänomenologische Filmtheorie interessiert sich für jene Prozesse, denen die Transformation von Gegenständen der Wahrnehmung in Bewußtseinsinhalte unterworfen ist. So untersucht Mathias Winkler (ähnlich wie Allan Casebier) bei seinem Versuch einer Klärung des Phänomens »Filmerfahrung«, im Rückgriff auf die von Husserl entwickelte Analysemethode der phänomenologischen Reduktion, vor allem die Bedeutung von Alltagserfahrungen für die grundlegenden intentionalen Sinngebungsaktivitäten des Zuschauers im Kino. Und wenn David Norman Rodowick das technische Medium Film auf sinnliche

Arbeitsprozesse zurückzuführen sucht, dann nähert er sich der Position eines Rainer Matzker an, der wahrnehmungs- und erkenntnistheoretische Aspekte der Medientheorie wie der Filmgeschichte untersucht. Thorsten Lorenz verfolgt gar das ehrgeizige Projekt einer »Philosophie des Kinos« als synoptischer Zusammenschau psychologischer und semiotischer Theoreme. Schließlich entwickelt Anke-Marie Lohmeier, in kritischer Distanz besonders zu filmsemiotischen Ansätzen, erstmalig eine von hermeneutischen Kategorien gespeiste Theorie des Films – unter Berücksichtigung der Konsequenzen einer solchen geistesgeschichtlich fundierten Orientierung für Filmanalyse und -interpretation. Längst ist die von Schriftstellern und Intellektuellen in grauen Stummfilmzeiten formulierte Vorstellung obsolet, der Film befriedige zwar oberflächliche »Schaulust«, verweigere sich indes dichterischer und philosophischer Tiefenschau. Vielmehr ist der philosophische Streit um die Bedeutung des Sehens für die Prozesse filmischer Wahrnehmung und Erkenntnis aktueller denn je. Mit den Worten eines Philosophen, der zugleich Filmtheoretiker ist: »Das Kino ist eine neue Praxis der Bilder und Zeichen, und es ist Sache der Philosophie, zu dieser Praxis die Theorie (im Sinne begrifflicher Praxis) zu liefern. Denn keinerlei technische Bestimmung, sei sie angewandt (Psychoanalyse, Linguistik) oder reflexiv, reicht aus, um die Begriffe des Kinos hervorzubringen.«[11]

In seiner Abhandlung *Romantik und Realismus* (1933)[12] weist der Romanist Erich Auerbach darauf hin, daß der »tragische Realismus« seit Beginn des 20. Jahrhunderts neben dem Roman auch das Kino erfaßt habe, da das lesende Jahrhundert immer mehr ein schauendes werde. Nur drei Jahre später entwickelt Walter Benjamin in seinem berühmten »Kunstwerk«-Aufsatz die materialistische Grundlage für die von Auerbach nur schemenhaft beschriebene Veränderung der menschlichen Sinneswahrnehmung. Seitdem sind die Adjektiva *»interkulturell«*, *»intertextuell«*, *»intermedial«* sowie *»multimedial«* auf geradezu inflationäre Weise in aller Munde. Multimedia und Internet vereinnahmen Begriffe wie »Medienwechsel« und »Intermedialität«, die lange sinnvoll auf Prozesse der Transposition von einem Medium (etwa der Literatur im Medium des Buches) in ein anderes (etwa Film, Fernsehen oder Video) oder auf Konstellationen wechselseitiger Beeinflussung zwischen traditionellen Künsten und elektronisch produzierten Medien anwendbar erschienen, für die neuen Kontexte des Hetero-Textuellen/Medialen/Kulturellen. Seit langem führen Literatur- und Medienwissenschaftler erbitterte Diskussionen um die adäquate Unterscheidung zwischen »Intertextualität« und »Intermedialität« – wobei der Begriff »Intramedialität« (zur Bezeichnung jener Prozesse, die zur Ein*schreib*ung bzw. Ein*bild*ung eines Mediums A, oder gleich mehrerer Medien, in einem Medium B führen) weitgehend ausgeklammert wird. Je nachdem wie eng oder wie weit man die Termini »Intertextualität« bzw. »Intermedialität« faßt, ergeben sich völlig unterschiedliche Zuweisungen. Begnügen wir uns mit einer einfachen Unterscheidung: »Intertextualität« (in seinem klassischen sprachlich-literarischen Sinn) bezeichnet den Rückverweis eines Textes auf einen oder mehrere Prätexte sowie die dialogischen Beziehungen zwischen diesen unterschiedlichen Texten; »Intermedialität« hat zu seiner Voraussetzung den interaktiven Bezug zwischen Texten aus unterschiedlichen Medien – unabhängig davon, ob »Medienwechsel« vorliegt oder nicht. Was die neuen wissenschaftlichen Perspektiven von »Intermedialität« im Horizont einer historisch fundierten Analyse medialer Transformationsprozesse angeht, sei auf Joachim Paechs Beitrag im vorliegenden Band verwiesen.[13] So unterschiedlich die einzelnen Konzepte und Analysestrategien von Intermedialität auch immer sein mögen, wissenschaftsgeschichtlich aufschlußreich erscheint der Umstand, daß im Sog von Inter- und Multimedialität alte Theoriekonzepte (wie die Debatte um die »wechselseitige Erhellung der Künste« aus den zwanziger Jahren), erprobte kulturwissenschaftliche Paradigmata (wie Rhetorik und Stilistik) sowie altbekannte filmtheoretische und darüber hinaus allgemeinmethodologische Dichotomien (wie Theorie–Praxis, Theorie–Kritik, Form–Funktion; Expressionismus/Formalismus–Realismus; normativ–deskriptiv, deduktiv–induktiv; Paradigma–Syntagma, Signifikant–Signifikat, Denotation–Konnotation u. a.) auf überraschende Weise wieder auf dem (medienwissenschaftlichen) Prüfstand stehen.[14] Solche Umorientierungen zeichnen sich bereits in jenen immer stärker intermedial bzw. multimedial ausgerichteten Film und Theater/Literatur/bildende Künste/Musik-Arbeiten ab, die dem Film seinen irritierenden Rang als privilegierter Schnittpunkt »alter« und »neuer« Medien zurückgewinnen wollen – Ricciotto Canudo sprach noch selbstbewußt von der »siebten Kunst«, Jean Cocteau gar von der »zehnten Muse«. Ein solcher Geist der inter- und multimedialen Perspektivenvielfalt weht durch die Studien eines Jacques Aumont, Raymond Bellour, François Jost, Christian Metz, Jean Mitry oder Paul Virilio. Hierzulande haben sich zahlreiche Wissenschaftler (Wolfgang Gast, Heinz B. Heller, Knut Hickethier, Klaus Kanzog, Friedrich Knilli, Helmut Kreuzer, Jürgen E. Müller, Joachim Paech, Karl Prümm, Volker Roloff, Helmut Schanze, Irmela Schneider, Karl Sierek u. a.) um die Erforschung der vielfältigen intermedialen Bezüge zwischen Theater/Buchliteratur/Bildenden Künsten und Film/Fernsehen/Video verdient gemacht. Besonders hervorgehoben sei in diesem Zusammenhang das von Klaus Kanzog und seiner »Münchener Schule« entwickelte »Filmphilologie«-Konzept. Und die Sammelbände von Theodor Elm und Hans H. Hiebel, Jochen Hörisch und Michael Wetzel, Jürgen E. Müller, Joachim Paech und Michael Wetzel/Herta Wolf sowie die Studien von Werner Faulstich, Friedrich A. Kittler, Helmut Korte, Siegfried Zielinski u. a. haben unser Bewußtsein dafür geschärft, daß der Film nur ein Medium unter anderen ist und vor allem von seinen technischen bzw. gesellschaftlichen Grundvoraussetzungen her verstanden werden muß. Neue Medientechnologien, von denen die zunehmende »Digitalisierung« (Florian Rötzer) unsere Medienlandschaft am nachhaltigsten verändert hat (und weiter verändern wird), ziehen neue »Medien-Wirkungen« (Dieter Prokop) nach sich. Und längst ist die Sprengung des alten Schriftmonopols der »Gutenberg-Galaxis« durch neue Bild/Ton/Text-Vernetzungen Bestandteil unserer Alltagswelt. Der bloße Hinweis auf die zitierten Namen und ihre in der Bibliographie verzeichneten Studien mag andeuten, wie fließend die Grenzen zwischen einer »Filmwissenschaft« im engeren Sinne und einer in inter- bis multimedialen Zusammenhängen argumentierenden »Medienwissenschaft« geworden ist, deren »Hypermedium« (wahrscheinlich auf unabsehbare Zukunft hin) der Computer sein wird.

Die Landkarte der internationalen Filmtheorie hält Entdeckungen bereit, die über unsere Trias theoriegeschichtlicher Schwerpunkte hinausgehen. Zwei besonders wichtige Richtungen seien abschließend freilich nur noch andeutungsweise vorgestellt.

Die *poststrukturalistische* Filmtheorie hat sich in Frankreich (Cinéthique, Tel Quel) und England (Screen) zunächst um Zeitschriften herum entwickelt. Ihre wichtigsten französischen Vertreter (Gilles Deleuze, Jacques Derrida, Jean-François Lyotard u. a.) weisen insofern eine Nähe zu *postmodernen* Theorien auf, als sie (im Anschluß an Nietzsche) systematischer Theoriebildung ablehnend gegenüberstehen. Ihre Distanz zu neomarxistischen Positionen (Jürgen Habermas, Frederic Jameson) ist markant. Die von Jean-Louis Baudry und Pascal Bonitzer entwickelten Apparatus- und Dispositif-Theorien haben großen Einfluß auf bestimmte Tendenzen der deutschsprachigen Filmtheorie ausgeübt (siehe Joachim Paech, Hartmut Winkler sowie der Sammelband von Philip Rosen). Noël Carroll, der schärfste Kritiker poststrukturalistischer Filmtheorien (*Mystifying Movies: Fads and Fallacies in Contemporary Film Theory*, 1988), unterzieht auch die älteren Filmtheorien bis zum Aufkommen von Semiotik und Strukturalismus einer zuweilen blindwütigen Polemik (*Philosophical Problems of Classical Film Theory*, 1988).

Für die Entwicklung der internationalen Filmtheorie muß das »Wisconsin-Projekt«[15] als noch bedeutender und einflußreicher angesehen werden. Seine Mitarbeiter (David Bordwell, Edward Branigan, Noël Carroll und Kristin Thompson) knüpfen bewußt an die Filmtheorie der russischen Formalisten aus den zwanziger Jahren an. Ihr ehrgeiziges Forschungsprojekt beruht auf drei Eckpfeilern: *neoformalistische* Filmanalyse (siehe der Beitrag von Kristin Thompson im vorliegenden Band), kognitiv orientierte Filmtheorie sowie der Entwurf einer historischen Poetik des Films als Basis für eine Geschichte der filmischen Stile.

Wenn dem interessierten Leser seit Jahren eine stattliche Anzahl historisch-kritischer Abrisse zur Filmtheorie[16] sowie etliche Spezialuntersuchungen zu einzelnen Filmtheoretikern[17] zur Verfügung stehen, so bliebe nur noch einmal – aus dem Munde von Béla Balázs, zitiert von einem filminteressierten Kritiker namens Robert Musil[18] – auf die Bedeutung der Theorie für die Weiterentwicklung unseres Verständnisses von Film hinzuweisen: »Noch nie ist eine Kunst groß geworden ohne Theorie.«

Bonn/Fulda, im März 1998 *Franz-Josef Albersmeier*

Anmerkungen

1 G. Aristarco, *Storia delle teoriche del film*, Turin: Einaudi, 1960, ^{2}1963.

2 »Une étape dans la réflexion sur le cinéma«, in: *Critique* 214 (März 1965) S. 227–248: »Problèmes actuels de théorie du cinéma«, in: *Revue d'Esthétique* 2/3 (1967) S. 180–221.

3 Vgl. K. Witte (Hrsg.), *Theorie des Kinos*, Frankfurt a. M.: Suhrkamp, ^{2}1973, S. 7.

4 Die Darstellung der Phasen der Theoriebildung und ihrer Interdependenz mit der Entwicklung der Filmproduktion folgt Witte (s. Anm. 3), S. 9–11.

5 Vgl. W. Beilenhoff, *Filmtheorie und -praxis der russischen Formalisten*, in: W. B. (Hrsg.), *Poetik des Films*, München: Fink, 1974, S. 139, 141 f.

6 Vgl. dazu Peter Stolle, *Tempelspringen im Imaginären. Bemerkungen über das Verhältnis der Psychologie zum Film*, in: Karl Sierek/ Gernot Heiss (Hrsg.), *und². Texte zu Film und Kino*, Wien: PVS Verleger, 1992, S. 43–52, sowie Ludger Kaczmarek, *»Verstehen Sie Film?« Zwei neuere deutschsprachige Arbeiten zur kognitiven Filmpsychologie*. In: montage/av 2 (1996) H. 5, S. 89–107. Zu Bordwell siehe Anm. 15.

7 Jean-Louis Baudry, *Le dispositif: approches métapsychologiques de l'impression de réalité*, sowie Christian Metz, *Le film de fiction et son spectateur. Etude métapsychologique*. Beide zuerst erschienen in: *Communications* (1975) H. 23, S. 56–72 sowie 108–135. Dt. Übers.: *Das Dispositif: Metapsychologische Betrachtungen des Realitätseindrucks*, sowie: *Der fiktionale Film und sein Zuschauer. Eine metapsychologische Untersuchung*, in: *Psyche* (1994) H. 11, S. 1047–74 sowie 1004–46.

8 Vgl. Renate Lippert, *»Ist der Blick männlich?« Texte zur feministischen Filmtheorie*, in: *Psyche* (1994) H. 11, S. 1088–99.

9 Vgl. die Aufsätze von Heide Schlüpmann (»Die Wiederkehr des Verdrängten. Überlegungen zu einer Philosophie der Filmgeschichte aus feministischer Perspektive«), Heike Kippel (»Bergson und der Film«) und Renate Lippert (»Die Schatten der Phantasie. Psychoanalyse, Phantasie und Narrationstheorie«) in: *Frauen und Film* Nr. 56/57 (Febr. 1995) S. 41–58, 89–97, 99–114.

10 Vgl. die beiden montage/av-Sondernummern 2 (1993) H. 1 (»Populärkultur/John Fiske«) und 6 (1997) H. 1 (»Cultural Studies / David Morley«).

11 Gilles Deleuze, *Das Zeit-Bild. Kino 2*, Frankfurt a. M.: Suhrkamp, 1991, S. 358 f.

12 Erschienen in: *Neue Jahrbücher für Wissenschaft und Schulbildung* (Berlin) 9 (1933) S. 143–153, hier S. 152 f.

13 Vgl. außerdem Jürgen E. Müller, *Intermedialität und Medienwissenschaft. Thesen zum State of the Art*, in: montage/av 3 (1994) H. 2, S. 119–138.

14 Vgl. dazu James Monaco, *Film verstehen. Kunst, Technik, Sprache, Geschichte und Theorie des Films und der Medien. Mit einer Einführung in Multimedia*, Reinbek bei Hamburg: Rowohlt, 1995 (Teil 5: *Filmtheorie: Form und Funktion*, S. 399–442). Allerdings münden

Monacos »Dichotomien« letzten Endes in eine ahistorisch-abstrakte Kategorienbildung, die den historisch nachweisbaren »Theoriemischungen« nicht gerecht wird.

15 Vgl. Hans J. Wulff, *Das Wisconsin-Projekt: David Bordwells Entwurf einer kognitiven Theorie des Films (1)*, in: *Rundfunk und Fernsehen* (1991) H. 3, S. 391–405.

16 Vgl. die in der Bibliographie aufgeführten Titel von Agel, Andrew, Aristarco, Carroll, Casetti, Kerambon, Lapsley/Westlake, Magny/Hennebelle, Monaco und Tudor. Ergänzend: der Artikel »Filmtheorie« von Britta Hartmann und Hans J. Wulff in: Rainer Rother (Hrsg.), *Sachlexikon Film*, Reinbek bei Hamburg: Rowohlt, 1997, S. 125–128.

17 Vgl. die in der Bibliographie aufgeführten Titel zu Adorno/Lukács/Kracauer/Bazin (Thal), Bordwell/Wuss (Meyer), Canudo (Dotoli), Deleuze (Fahle/Engell), Derrida (Brunette/Willis), Epstein (Liebman), Kracauer (Beyse, Koch, Schlüpmann), Kuleschow (Albéra) sowie zu den russischen Formalisten (Albéra, Beilenhoff).
Wir verzichten auf Angaben zu Eisenstein, weil eine Spezialbibliographie zu seinem (filmtheoretischen) Werk bereits eine kleine Bibliothek füllen würde. Empfohlen seien hier gleichwohl drei Werke: Viktor Schklowski, *Eisenstein. Romanbiographie*, Berlin: Verlag Volk und Welt, 1986 (russ. Orig.: Moskau: Iskusstvo, 1976); Jacques Aumont, *Montage Eisenstein*, Paris: Albatros, 1979; François Albéra, *Eisenstein et le constructivisme russe*, Lausanne: L'Age d'Homme, 1989.

18 *Ansätze zu neuer Ästhetik. Bemerkungen über eine Dramaturgie des Films (März 1925).* In: Robert Musil, *Gesammelte Werke*. Bd. 8. Reinbek bei Hamburg: Rowohlt, 1978, S. 1137.

DZIGA VERTOV

Wir. Variante eines Manifestes

1922

Wir nennen uns »Kinoki« im Unterschied zu den »Kinematographisten« – der Herde von Trödlern, die nicht übel mit ihren Lappen handelt.
Wir sehen keine Bindung zwischen der Gerissenheit und Berechnung des *Handels* und der echten *Filmsache.*
In unseren Augen ist das von der Sicht und den Erinnerungen der Kindheit belastete psychologische russo-deutsche Kinodrama Humbug.
Dem amerikanischen Abenteuerfilm, dem Film des optischen Dynamismus, den Inszenierungen der amerikanischen Pinkertonovščina – das Danke des Kinoks für die Schnelligkeit des Bildwechsels und für die Großaufnahmen! Gut, aber regellos, nicht auf das genaue Studium der Bewegung gegründet. Eine Stufe höher als das psychologische Drama, aber dennoch ohne Fundament. Schablone. Eine Kopie der Kopie.
Wir erklären die alten Kinofilme, die romantizistischen, theatralisierten u. a. für aussätzig.
– Nicht nahekommen!
– Nicht anschauen!
– Lebensgefährlich!
– Ansteckend!
Wir bekräftigen die Zukunft der Filmkunst durch die Ablehnung ihrer Gegenwart.
Der Tod des »Kinematographen« ist notwendig für das Leben der Filmkunst.
Wir rufen dazu auf, seinen Tod zu beschleunigen.
Wir protestieren gegen die *Ineinanderschiebung* der Künste, die viele eine Synthese nennen. Die Mischung schlechter Farben ergibt, auch wenn sie im Idealfall nach dem Farbenspektrum ausgewählt worden sind, keine weiße Farbe, sondern Dreck.

Zur Synthese im *Zenit* der Errungenschaften jeder Kunstgattung – aber nicht früher.
Wir säubern die Filmsache von allem, was sich einschleicht, von der Musik, der Literatur und dem Theater; wir suchen ihren nirgendwo gestohlenen Rhythmus und finden ihn in den Bewegungen der Dinge.
Wir fordern auf:
Weg
von den süßdurchfeuchteten Romanzen,
vom Gift des psychologischen Romans,
aus den Fängen des Liebhabertheaters,
mit dem Rücken zur Musik!
Weg
ins reine Feld, in den Raum der vier Dimensionen (drei + Zeit)!
Auf zur Suche nach ihrem Material, ihrem Jambus, ihrem Rhythmus!
Das »Psychologische« stört den Menschen, so genau wie eine Stoppuhr zu sein, es hindert ihn in seinem Bestreben, sich mit der Maschine zu verschwägern.
Wir sehen keinen Grund, in der Kunst der Bewegung dem heutigen Menschen das Hauptaugenmerk zu widmen.
Die Unfähigkeit des Menschen, sich zu beherrschen, ist vor den Maschinen beschämend; aber was tun, wenn uns die fehlerlosen Funktionsweisen der Elektrizität mehr erregen als die regellose Hetze aktiver und die zersetzende Schlaffheit passiver Leute.
Uns ist die Freude tanzender Sägen einer Sägemaschine verständlicher und vertrauter als die Freude menschlicher Tanzvergnügen.
Wir schließen den Menschen als Objekt der Filmaufnahme deshalb zeitweise aus, weil er unfähig ist, sich von seinen Bewegungen leiten zu lassen.
Unser Weg – *vom sich herumwälzenden Bürger über die Poesie der Maschinen zum vollendeten elektrischen Menschen.*
Die Seele der Maschine enthüllen, den Arbeiter in die Werkbank verlieben, den Bauern in den Traktor, den Maschinisten in die Lokomotive!

Wir tragen die schöpferische Freude in jede mechanische Arbeit. Wir verbinden den Menschen mit der Maschine.
Wir erziehen neue Menschen.
Der neue Mensch, befreit von Schwerfälligkeit und linkischem Wesen, wird mit den genauen und leichten Bewegungen der Maschinen ein dankbares Objekt für die Filmaufnahme sein.
Mit offenen Augen, des maschinellen Rhythmus bewußt, begeistert von der mechanischen Arbeit, die Schönheit chemischer Prozesse erkennend, komponieren wir das Filmpoem aus Flammen und Elektrizitätswerken, begeistern wir uns an der Bewegung der Kometen und Meteoriten und den Strahlen der Scheinwerfer, die die Gestirne blenden.
Jeder, der seine Kunst liebt, sucht das Wesen ihrer Technik zu erfahren.
Die erlahmten Nerven der Kinematographie brauchen das strenge System genauer Bewegungen.
Der Jambus, das Tempo, die Bewegungsart, ihre genaue Disposition im Hinblick auf die Achsen der Einstellungskoordinaten, vielleicht aber auch zu den Weltachsen der Koordinaten (drei Dimensionen + die vierte – Zeit) müssen vom Filmschöpfer berücksichtigt und untersucht werden.
Notwendigkeit, Präzision und Geschwindigkeit – drei Forderungen an die Bewegung, die der Aufnahme und Wiedergabe wert ist.
Der geometrische Extrakt der Bewegung, gepackt vom Wechsel der Darstellungen, ist die Forderung an die Montage.
Die Filmsache ist die Kunst der Organisation der notwendigen Bewegungen der Dinge im Raum und – angewandt – das rhythmische künstlerische Ganze, entsprechend den Eigenschaften des Stoffes und dem inneren Rhythmus jeder Sache.
Der Stoff – die Elemente der Bewegungskunst – sind die *Intervalle* (die Übergänge von einer Bewegung zu anderen) und keinesfalls die Bewegungen selbst. Sie (die Intervalle) geben auch der Handlung die kinetische Lösung.
Die Organisation der Bewegung ist die Organisation ihrer Elemente, d. h. der Intervalle in Sätzen.

In jedem Satz gibt es einen Aufschwung, Errungenschaft und Fall der Bewegung (eine Enthüllung auf dieser oder jener Stufe). Das Werk baut sich ebenso aus Sätzen auf wie der Satz aus Intervallen.
Um ein Kinopoem oder eine Sequenz in sich reifen zu lassen, muß der Kinok sie genau aufzeichnen können, um ihnen unter günstigen technischen Bedingungen das Leben auf der Leinwand geben zu können.
Das vollendetste Szenarium kann diese Aufzeichnung nicht ersetzen, ebensowenig, wie das Libretto die Pantomime ersetzen kann, ebensowenig, wie die literarischen Erläuterungen zum Werk Skrjabins eine Vorstellung von seiner Musik vermitteln können. Um auf einem Blatt Papier eine dynamische Studie zu entwerfen, bedarf es graphischer Zeichen der Bewegung.
Wir sind auf der Suche nach dem Filmalphabet.
Wir fallen und wachsen hoch im Rhythmus der Bewegung verlangsamter und beschleunigter Dinge,
die sich von uns entfernen, neben uns sind, über uns,
um uns, sich gerade oder in Ellipsenform bewegen,
von rechts und links, versehen mit einem Plus und Minus: die Bewegungen verkrümmen, korrigieren, teilen, zerschroten, multiplizieren sich miteinander, durchschießen geräuschlos den Raum.
Das Kino ist ebenso *die Kunst der Erfindung der Bewegung* der Dinge im Raum, die den Forderungen der Wissenschaft entsprechen, die Erfüllung des Traums des Entdeckers, sei dies ein Gelehrter, Künstler, Ingenieur oder Zimmermann, die Verwirklichung des im Leben nicht zu Verwirklichenden durch die Filmsache.
Zeichnungen in Bewegung. Konstruktionsentwürfe in Bewegung. Projekte der Zukunft. Die Relativitätstheorie auf der Leinwand.
Wir begrüßen die gesetzmäßige Phantastik der Bewegungen.
Auf den Flügeln der Hypothesen stürmen unsere durch Propeller angetriebenen Augen in die Zukunft.
Wir glauben, daß der Augenblick nicht fern ist, da wir Orkane

von Bewegungen in den Raum schleudern können, die am Lasso unserer Taktik hängen.
Es lebe die dynamische Geometrie, es leben die Abläufe der Punkte, Linien, Flächen, Volumina!
Es lebe die Poesie der bewegenden und sich bewegenden Maschinen, die Poesie der Hebel, Räder und stählernen Flügel, der eiserne Schrei der Bewegung, die verblendeten Grimassen glühender Strahlen.
Im Namen der ersten konstituierenden Versammlung der Kinoki.

DZIGA VERTOV

Kinoki – Umsturz

1923

»... Ich möchte lediglich feststellen, daß das, was wir bisher im Film gemacht haben, eine hundertprozentige Verirrung und genau das Gegenteil von dem darstellt, was wir hätten machen müssen ...« *Dziga Vertov*

Aus dem Manifest von Anfang 1922

... *Ihr* – Kinematographisten:
Regisseure und Künstler *ohne Beschäftigung,*
verwirrte Kameraleute
und über die ganze Welt *verstreute* Drehbuchautoren,
ihr – geduldiges Publikum der Filmtheater mit der Zähigkeit von Maultieren unter der Last überschwenglicher Gefühle,
ihr – ungeduldige Besitzer noch nicht bankrotter Kinos, *die ihr gierig nach den Brocken schnappt,* die vom deutschen und seltener vom amerikanischen Tisch fallen –
ihr wartet,
entkräftet durch Erinnerungen, sehnt ihr euch seufzend nach dem *Mond* der Aufführung eines neuen Sechsakters ... (nervöse Leute werden gebeten, ihre Augen zu schließen),
ihr wartet auf das, was *nicht sein wird*
und worauf das Warten *nicht lohnt.*

Ich warne freundschaftlich:
VERGRABT NICHT DIE KÖPFE *wie der Vogel Strauß,*
erhebt eure Augen,
SEHT UM EUCH –
DA!
Ich sehe

und jedes Kindes Auge sieht:
DIE EINGEWEIDE FALLEN HERAUS.
DAS GEDÄRM DER ERLEBNISSE
AUS DEM BAUCH DER KINEMATOGRAPHIE
GESCHLITZT
DURCH DAS RIFF DER REVOLUTION,
schleppt sich dahin
läßt eine blutige Spur auf der Erde zurück,
die ERZITTERT *vor Entsetzen und Ekel.*
ALLES IST ZU ENDE.

Dziga Vertov

Aus dem Stenogramm:
Dem Rat der Drei – Dziga Vertov

...Egal, ob ein psychologischer, satirischer, detektivischer oder Landschaftsfilm: wenn man alle Sujets aus ihm herausschneidet und nur die Zwischentitel beläßt, erhält man das literarische Skelett des Films. Zu diesem literarischen Skelett können wir beliebige andere Filmsujets aufnehmen – realistische, symbolische, expressionistische. Die Dinge ändern sich dadurch nicht. Das Verhältnis ist das gleiche: *literarisches Skelett plus Filmillustration.*
So sind fast ausnahmslos *alle unsere Filme* und die ausländischen beschaffen...

Aus dem Manifest vom 20. 1. 1923
»An die Kinematographisten – Der Rat der Drei«

...Fünf vollblütige welterschütternde Jahre sind durch euch hindurchgegangen, ohne eine einzige Spur zu hinterlassen. Vor-

revolutionäre »künstlerische« Bilder *hängen in euch* wie Ikonen, und allein zu ihnen streben eure frommen Eingeweide hin. Das Ausland fördert euch noch in eurer Verirrung, indem es *unvergängliche Reliquien von Filmdramen,* angerichtet in exzellenter technischer Sauce, in das erneuerte Rußland schickt.
Der Frühling naht. Erwartet wird die Erneuerung der Arbeit in den Filmfabriken. Mit unverhohlenem Bedauern beobachtet der Rat der Drei, wie die Filmproduzenten die Literatur auf der Suche nach zur Inszenierung geeigneten Stücken durchblättern. Schon schwirren die Titel der zur Inszenierung vorgeschlagenen Theaterdramen und Dichtungen durch die Luft. In der Ukraine und hier in Moskau werden schon mehrere Filme gedreht, die alle Anzeichen der Impotenz aufweisen.
Die große technische Rückständigkeit, die in der Zeit des Müßiggangs verlorene Fähigkeit zum aktiven Denken, die Orientierung auf das 6aktige Psychodrama, d. h. die Orientierung auf den eigenen Hintern, verurteilen im vorhinein jeden derartigen Versuch zum Scheitern.
Der Organismus der Kinematographie ist durch das fürchterliche Gift der *Gewohnheit* zersetzt. *Wir fordern, daß man uns die Möglichkeit gibt, an diesem dahinsiechenden Organismus mit dem gefundenen Gegengift zu experimentieren.* Wir schlagen den Ungläubigen vor, sich zu überzeugen: wir sind einverstanden, unsere Medizin prophylaktisch an den »Versuchskaninchen« Filmetüden zu erproben...

Der Rat der Drei

Resolution des Rats der Drei
vom 10. 4. 1923

Die Lage an der Filmfront muß als ungünstig bezeichnet werden. Die ersten uns gezeigten neuen russischen Filminszenierungen erinnern, wie zu erwarten war, in dem Maß an die alten »künstlerischen« Vorbilder, wie die NEP-Leute an die alte Bourgeoisie erinnern.

Das bei uns und in der Ukraine geplante Produktionsrepertoire für den Sommer flößt nicht das geringste Vertrauen ein.
Die Perspektiven einer ausgedehnten experimentellen Arbeit stehen im Hintergrund.
Alle Anstrengungen, Seufzer, Tränen und Hoffnungen, alle Gebete gelten nur ihm – dem 6aktigen Filmdrama.
Aus diesem Grund setzt sich der Rat der Drei, ohne die Produktionserlaubnis für die Kinoki abzuwarten, ohne Berücksichtigung ihres Wunsches, die eigenen Projekte selbst zu verwirklichen, zum gegenwärtigen Zeitpunkt über das Autorenrecht hinweg und beschließt: unverzüglich sind zum allgemeinen Nutzen die Grundsätze und Losungen des bevorstehenden *Umsturzes durch die Filmchronik* zu veröffentlichen; zu diesem Zweck wird in erster Linie der Kinok Dziga Vertov beauftragt, in Übereinstimmung mit der Parteidisziplin jene Abschnitte aus dem Buch »*Kinoki-Umsturz*« zu veröffentlichen, die hinlänglich den Kern des Umsturzes erklären.

Der Rat der Drei

In Ausführung des Beschlusses des Rats der Drei vom 10. 4. d. J. veröffentliche ich die nachstehenden Abschnitte:

1.

Nach dem Ansehen der Filme, die aus dem Westen und aus Amerika zu uns gekommen sind, und unter Berücksichtigung der Informationen, die wir über die Arbeit und die Versuche des Auslands sowie bei uns haben, komme ich zu der Schlußfolgerung:
Das Todesurteil, das die Kinoki 1919 über ausnahmslos alle Filme gefällt haben, gilt bis auf den heutigen Tag.
Die sorgfältigste Prüfung hat
nicht einen einzigen Film gefunden, nicht einen einzigen

Legalisierte Kurzsichtigkeit

Versuch aufrichtiger Bemühung um eine *Befreiung der Kamera,* die der bedauerlichen Sklaverei des *unvollkommenen* und beschränkten menschlichen Auges unterworfen ist.
Wir sind nicht dagegen, wenn der Film unter Literatur und Theater vergraben wird, wir haben vollstes Verständnis für die Verwendung des Films in allen Gebieten der Wissenschaft, betrachten jedoch diese Funktionen des Films als Nebenlinien und Abzweigungen.

Das Grundlegende und Wichtigste ist:
Die filmische Wahrnehmung der Welt.

Weg frei für die Maschine!

Der Ausgangspunkt ist: *die Nutzung der Kamera als Kinoglaz, das vollkommener ist als das menschliche Auge, zur Erforschung des Chaos von visuellen Erscheinungen, die den Raum füllen.* Kinoglaz lebt und bewegt sich in Raum und Zeit, nimmt Eindrücke auf und fixiert sie ganz anders als das menschliche Auge. Die Verfassung unseres Körpers während der Beobachtung, die Anzahl der von uns in einer Sekunde wahrgenommenen Momente dieser oder jener Erscheinung sind in keinster Weise verbindlich für die Kamera, die um so

Nieder mit den 16 Aufnahmen pro Sekunde

mehr und besser wahrnimmt, je vollkommener sie ist.
Unsere Augen können wir nicht besser machen, als sie sind; die Kamera jedoch können wir unendlich vervollkommnen.
Bis auf den heutigen Tag ist der Kameramann mehr als einmal kritisiert worden, wenn ein laufendes Pferd sich auf der Leinwand unnatürlich langsam bewegte (bei schnellem Drehen der Kamerakurbel) oder wenn umgekehrt ein Traktor das Feld zu schnell umpflügt (bei langsamem Drehen der Kamerakurbel) usw.

Zufällige Auflösung und Konzentration der Auflösung

Das sind natürlich Zufälle, aber wir bereiten ein System vor, ein durchdachtes System solcher Fälle, ein System *scheinbarer* Ungesetzmäßigkeiten, die die Erscheinungen erforschen und organisieren.
Bis auf den heutigen Tag haben wir die *Kamera vergewaltigt und sie gezwungen, die Arbeit unseres Auges zu kopieren.* Und je besser die Kopie war, desto höher wurde die Aufnahme bewertet.

Kopiert nicht das menschliche Auge

Von heute an werden wir die Kamera befreien und werden

sie in entgegengesetzter Richtung, weit entfernt vom Kopieren, arbeiten lassen.
Alle Schwächen des menschlichen Auges an den Tag bringen! Wir treten ein für *Kinoglaz, das im Chaos der Bewegungen die Resultante für die eigene Bewegung aufspürt, wir treten ein für Kinoglaz mit seiner Dimension von Raum und Zeit, wachsend in seiner Kraft und in seinen Möglichkeiten bis zur Selbstbehauptung.*

DIE MASCHINE
und ihre Karriere

2.

...Ich lasse den Zuschauer so sehen, wie es mir für dieses oder jenes visuelle Phänomen am geeignetsten scheint. Das Auge un-

System aufeinanderfolgender Bewegungen

terwirft sich dem Willen der Kamera und wird von ihr auf jene folgerichtigen Handlungsmomente eingestellt, die auf knappstem und deutlichstem Wege die Filmphrase zur Höhe oder Tiefe ihrer Lösung führen.

Beispiel: Aufnahme eines Boxkampfes nicht aus dem Blickwinkel eines Zuschauers, der dem Wettkampf beiwohnt, sondern Aufnahme der aufeinanderfolgenden Bewegungen (Verfahren) der Boxenden.

Beispiel: Aufnahme einer Gruppe von Tanzenden nicht aus dem Blickwinkel eines Zuschauers, der im Saal sitzt und vor sich auf der Bühne ein Ballett hat.

Denn der Betrachter eines Balletts folgt wahllos einmal der gesamten Gruppe der Tanzenden, ein andermal einzelnen beliebigen Gesichtern, dann wieder irgendwelchen Beinchen – *eine Reihe unzusammenhängender Wahrnehmungen, die bei jedem einzelnen Zuschauer unterschiedlich ausfallen.*

die ungünstigste
die unökonomischste
Vorführung einer Szene
Die theatralische Vorführung

Dem Filmzuschauer darf man dies nicht präsentieren. Das System der aufeinanderfolgenden Bewegungen erfordert eine Aufnahme der Tanzenden oder Boxenden in der Ordnung der einander ablösenden festgelegten Verfahren mit einer *gewaltsamen* Verlagerung der Augen des Zuschauers auf jene Abfolge von Details, die man unbedingt sehen muß.
Die Kamera bugsiert die Augen des Filmzuschauers von den Händchen zu den Beinchen, von den Beinchen zu den Äuglein in der vorteilhaftesten Ordnung und organisiert die Details zu einer gesetzmäßigen Montageetüde.

3.

...Du gehst durch eine Straße, heute im Jahre 1923, doch ich lasse dich den verstorbenen Genossen Volodarskij grüßen, der im Jahre 1918 durch eine Straße Petrograds geht und deinen Gruß erwidert. Noch ein Beispiel: Särge von Nationalhelden werden in die Gräber gesenkt (aufgenommen 1918 in Astrachan),

Montage
in Zeit
und Raum

die Gräber werden zugeschaufelt (Kronstadt 1921), Salut aus den Kanonen (Petrograd 1920), ewiges Gedenken, die Mützen werden abgenommen (Moskau 1922) – solche Dinge verbinden sich miteinander sogar bei einem wenig ergiebigen, nicht speziell aufgenommenen Material (vgl. *Kinopravda* Nr. 13). Hierhin gehören sowohl die Montage der Menschenmassen als auch die Montage der Maschinen, die Lenin zujubeln und die an unterschiedlichen Orten, zu verschiedenen Zeitpunkten aufgenommen wurden.

. . . .

... Ich bin Kinoglaz. Ich bin ein Baumeister. Ich habe dich, heute von mir geschaffen, in die wunderbarste, bis zu diesem Augenblick nicht existierende und ebenfalls von mir geschaffene Kammer gesetzt.

Diese Kammer hat 12 Wände, die ich in verschiedenen Teilen der Welt aufgenommen habe.

Indem ich die Aufnahmen der Wände und der Details untereinander verbunden habe, ist

Die Menschheit der Kinoki

DER RAT DER DREI

Moskau, Saal der Intervalle

Heute 3 Heute

April

Vortrag von DZV über das

Thema

Kammer Kino ---- PHRASE

Beginn: 8.15 abends

es mir gelungen, sie in eine Ordnung zu bringen, die dir gefällt, ist es mir gelungen, auf den Intervallen fehlerlos eine Kino-Phrase zu konstruieren, die nichts anders als diese Kammer ist...

....

Ein elektrischer Jüngling

Ich bin Kinoglaz, ich schaffe einen Menschen, der vollkommener ist als Adam, ich schaffe Tausende verschiedener Menschen nach verschiedenen, vorher entworfenen Plänen und Schemata.
Ich bin Kinoglaz.
Von einem nehme ich die stärksten und geschicktesten Hände, von einem anderen die schlankesten und schnellsten Beine, von einem dritten den schönsten und ausdrucksvollsten Kopf und schaffe durch die Montage einen neuen, vollkommenen Menschen.

4.

...Ich bin Kinoglaz. Ich bin ein mechanisches Auge.
Ich, die Maschine, zeige euch die Welt so, wie nur ich sie sehen kann.
Von heute an und in alle Zukunft befreie ich mich von der menschlichen Unbeweglichkeit. *Ich bin in ununterbro-*

chener Bewegung, ich nähere mich Gegenständen und entferne mich von ihnen, ich krieche unter sie, ich klettere auf sie, ich bewege mich neben dem Maul eines galoppierenden Pferdes, ich rase in voller Fahrt in die Menge, ich renne vor angreifenden Soldaten her, ich werfe mich auf den Rücken, ich erhebe mich zusammen mit Flugzeugen, ich falle und steige zusammen mit fallenden und aufsteigenden Körpern.

Aufnahme in Bewegung

Ich, die Kamera, habe mich auf die Resultante geworfen, manövrierend im Chaos der Bewegungen, eine Bewegung nach der anderen in den kompliziertesten Kombinationen aufzeichnend.
Befreit von der Verpflichtung, 16 bis 17 Bilder in der Sekunde aufzunehmen, befreit von zeitlichen und räumlichen Eingrenzungen, *stelle ich beliebige Punkte des Universums* gegenüber, unabhängig davon, wo ich sie aufgenommen habe.
Dies ist mein Weg zur Schaffung einer neuen Wahrnehmung der Welt. So dechiffriere ich aufs neue die euch unbekannte Welt.

5.

...Einigen wir uns nochmals darauf: Auge und Ohr.
Das Ohr beobachtet nicht heimlich, das Auge belauscht nicht.
Teilung der Funktionen.
Radio-Ohr – das montagehafte »Ich höre!«
Kino-Auge – das montagehafte »Ich sehe!«
Das, Bürger, fürs erste anstelle von Musik, Malerei, Theater, Kinematographie und sonstiger kastrierter Ergüsse.

....

Im Chaos vorbeilaufender, weglaufender, gegeneinanderlaufender, kollidierender Bewegungen geht das *Auge* einfach in das Leben hinein.

Ein Tag mit seinen visuellen Eindrücken ist vorüber. Wie die Eindrücke des Tages in ein wirksames Ganzes, in eine visuelle Etüde umsetzen?

Die Organisation der Beobachtungen des menschlichen Auges

Würde man alles, was das Auge gesehen hat, auf einen Film aufnehmen, käme natürlich Tohuwabohu heraus. Wenn man geschickt das Fotografierte montiert, so wird es klarer. Wenn man den störenden Abfall wegwirft, wird es noch besser. Wir erhalten ein organisiertes Merkblatt der Eindrücke eines *gewöhnlichen Auges.*

Das mechanische Auge, die Kamera, ablehnend die Nutzung des menschlichen Auges als Gedächtnisstütze, zurückgestoßen und angezogen von den Bewegungen, spürt im Chaos visueller Ereignisse den Weg für seine eigene Bewegung oder Schwingung auf und experimentiert, indem es die Zeit dehnt, Bewegung zergliedert oder umgekehrt Zeit in sich absorbiert, Jahre verschluckt und so langdauernde Prozesse ordnet, die für das menschliche Auge unerreichbar sind…

die Organisation der Beobachtungen *des mechanischen* Auges

Das Gehirn

...Der Helfer des Maschinenauges ist der *Kinok-Pilot,* der nicht nur die Bewegung des Apparats lenkt, sondern ihm auch bei Experimenten im Raum vertraut; später wird dies der *Kinok-Ingenieur* sein, der die Apparate aus der Entfernung steuert.
Ergebnis dieser gemeinsamen Aktion von befreiter und perfektionierter Kamera und strategischem menschlichem Gehirn, das steuert, beobachtet und berechnet, wird eine außergewöhnlich frische und deshalb interessante Darstellung sogar der alltäglichsten Dinge sein...

....

...Wie viele sind es, die, auf das Schauspiel versessen, in den Theatern ihre Hosen verschlissen haben?
Sie flüchten vor dem Alltag, vor dem »prosaischen« Leben. Dabei ist das Theater fast immer nur ein billiger Ersatz ebendieses Lebens plus einem närrischen Konglomerat aus balletthaften Verrenkungen, musikalischem Gequieke, Beleuchtungseffekten, Dekorationen (von den hingepinselten bis zu den konstruierten) und gelegentlich guter Arbeiten der Meister des Worts, die durch all diesen Blödsinn verdorben sind. Einige Meister des Theaters zerstören es von innen heraus, indem sie mit den alten Formen brechen und neue Losungen für die Arbeit am Theater verkünden; sie holen sich die Biomechanik zu Hilfe (an sich eine gute Übung), den Film (ihm sei Ehre und Ruhm), die Literaten (an sich sind sie nicht dumm), Konstruktionen (es gibt gute), Automobile (wie könnte man Automobile nicht verehren) und Gewehrfeuer (an der Front etwas sehr Gefährliches und Eindrucksvolles), aber alles in allem kommt dabei nichts heraus.
Theater und sonst nichts.
Nicht nur keine Synthese, sondern nicht einmal eine organische Mischung. Es kann gar nicht anders sein.

Wir, die Kinoki, entschiedene Gegner einer verfrühten Synthese (»zur Synthese im Zenit der Errungenschaften!«), verstehen, daß es zwecklos ist, die Krumen der Errungenschaften zu vermengen: die Kleinen gehen sofort wegen Raummangel und Unordnung zugrunde. Und überhaupt

Die Arena ist klein

Kommt ins Leben!
Hier arbeiten wir – die Meister der Sehkraft – die Organisatoren des sichtbaren Lebens, bewaffnet mit dem überall hineilenden Kinoglaz. Hier arbeiten die Meister des Wortes und des Tons, die geschicktesten Monteure des hörbaren Lebens. Und ich erkühne mich, sie ebenfalls mit einem allgegenwärtigen Ohr und Sprachrohr auszurüsten, mit dem Radio-Telefon.

Was ist das?

das ist die **Film – Chronik**

und **Radio – Chronik**

Ich verspreche, eine Parade der Kinoki auf dem Roten Platz zu arrangieren, wenn die *Futuristen* die erste Nummer ihrer montagemäßig hergestellten Radio-Chronik herausbringen.
Dies wird keine Filmchronik vom Typ »Pathé« oder »Gaumont« (Zeitungschronik) und selbst nicht die »Kinopravda« (politische Chronik) sein, sondern eine echte kinokische Chronik – *eine jagende Übersicht mittels der Kamera dechiffrierter VISUELLER Ereignisse, Stücke WIRKLICHER Energie* (die sich von der des Theaters unterscheidet), *zusammengefaßt in Intervallen zu einem sich steigernden Ganzen durch die große Meisterschaft der Montage.*
Eine solche Struktur der Filmsache gestattet die Entwicklung eines beliebigen Themas, sei es ein komisches, tragisches, trickhaftes oder was immer.

Das Ganze ist eine Frage dieser oder jener Gegenüberstellung visueller Momente, eine Frage der Intervalle.
Die ungewöhnliche Flexibilität des Montageaufbaus ermöglicht, in eine Film-Etüde beliebige politische, ökonomische oder andere Motive einzuführen. Das ist der Grund, weshalb
VON HEUTE AN *das Kino keine psychologischen oder detektischen Dramen mehr braucht,*
VON HEUTE AN *auf Film aufgenommene theatralische Inszenierungen überflüssig sind,*
VON HEUTE AN *Dostoevskij oder Pinkerton nicht mehr inszeniert werden müssen.*
All dies ist einbeschlossen in die neue Konzeption der Filmchronik. In die Konfusion des Lebens treten entschlossen ein: 1) *Kino-glaz,* das die visuelle Vorstellung von der Welt durch das menschliche Auge anficht und sein eigenes »Ich sehe!« anbietet und 2) der *Kinok-Monteur,* der zum erstenmal die *auf diese Weise* wahrgenommenen Minuten des Lebensaufbaus organisiert.

DZIGA VERTOV

»Kinoglaz«

1924

Unsere Richtung nennt sich »Kinoglaz« (»Filmauge«). Wir, die wir für die Idee des Kinoglaz kämpfen, nennen uns »Kinoki«. Den Terminus »Filmkunst« gebrauchen wir möglichst nicht ebenso wie jede gebräuchliche oder zufällige Wortzusammensetzung. Deshalb benutzen unsere Gegner sie so gern.
Und wir haben viele Feinde. Anders geht es nicht. Das stört natürlich bei der Verwirklichung unserer Ideen, aber dafür stärkt es uns im Kampf und schärft die Gedanken.
Wir treten der künstlerischen Kinematographie entgegen, aber sie erweist sich uns hundertmal überlegen. Mit den Geld-Krümeln, die vom Tisch der künstlerischen Kinematographie fallen, aber manchmal auch gänzlich ohne Mittel, bauen wir unsere bescheidenen Filmchen zusammen.
Der *Kinoprawda* wurden die Filmtheater verschlossen, aber sie konnte nicht aus dem öffentlichen Bewußtsein und aus dem Bewußtsein der unabhängigen Presse vertrieben werden. Die *Kinoprawda* erscheint unzweideutig als Wendepunkt in der Geschichte der russischen Kinematographie.
Erfolg oder Mißerfolg dieses oder jenes unserer Filmwerke hat nur kommerzielle Bedeutung und ist nur wichtig für die Durchschlagskraft unserer Bestrebungen; einen Einfluß auf unsere Ideen werden sie nicht nehmen. Für uns sind unsere Filmarbeiten – ob sie nun gelungen sind oder nicht – gleich wertvoll, insofern sie die Idee des Kinoglaz weiterführen und insofern alle 100 bis 200 Meter mißlungener Aufnahmen für die nächsten – gelungenen – 200 Meter eine Lehre sind.
Die erste Serie von *Kinoglaz* ist deshalb von den Kinoki sehr richtig *Kinoglaz tastet sich vorwärts* genannt worden. Damit ist die Behutsamkeit der Filmkamera bei der Erkundung des Lebens gemeint, denn ihre Hauptaufgabe ist es nicht, sich im

Chaos des Lebens zu verlieren, sondern sich in der Umgebung zurechtzufinden, in die sie geraten ist.
Die Aufgabe der folgenden Serien wird es sein, diese Erkundung des Lebens bis zu einem möglichen Maximum zu steigern und die Aufmerksamkeit ununterbrochen im technischen Sinne zu vertiefen.
Alle Menschen sind in einem mehr oder weniger strengen Maße – Dichter, Maler, Musiker.
Oder es gibt überhaupt keine Dichter, Maler oder Musiker.
Schon der millionste Teil der Erfindungen, die jeder Mensch bei seiner alltäglichen Arbeit macht, schließt in sich bereits ein Element der Kunst ein, wenn es auch nicht mit diesem Namen belegt zu werden pflegt.
Wir ziehen die trockene Chronik dem konstruierten Szenarium vor, wenn wir über die Lebensgewohnheiten und die Arbeit der Menschen berichten. Wir mischen uns niemals in das Leben ein. Wir nehmen Fakten auf, organisieren sie und bringen sie über die Filmleinwand in das Bewußtsein der Arbeitenden. Wir berücksichtigen, was die Welt erklärt, was uns klar macht, wie sie ist – das ist unsere Hauptaufgabe.
Kinoglaz stellte sich die Aufgabe, den ausgedehnten Kampf mit der bürgerlichen Kinematographie aufzunehmen, und wir bezweifeln sehr, daß es in der Folgezeit möglich sein wird, – ungeachtet der neuen weltpolitischen Situation – unserem revolutionären Ansturm ernsthaften Widerstand entgegenzusetzen.
Eine andere Gefahr. Die Gefahr der Entstellung unserer Ideen. Gefährliche Surrogate und Gegenströmungen, die wie Seifenblasen aufquellen, bis sie, wie Seifenblasen, platzen.
Das ist die Aufgabe aller Arbeitenden – wachsam den einmal begonnenen Kampf fortzusetzen, sich immer von Betrug fernzuhalten und nie die süßlichen Kopien mit den harten Originalen zu verwechseln.

Aus dem Reglement der Kinoki

Allgemeine Hinweise für alle Aufnahmen: die Kamera ist unsichtbar.

1. Schnappschuß – alte Kriegsregel: Augenmaß, Geschwindigkeit, Abdrücken.
2. Aufnahme von einem öffentlichen Beobachtungsposten aus, der von Kinok-Beobachtern vorbereitet wurde. Geduld, absolute Stille, im geeigneten Moment – sofortiger Angriff.
3. Aufnahme vom verborgenen Beobachtungsposten aus. Geduld und absolute Aufmerksamkeit.
4. Aufnahme ohne naturalistische Gesichtspunkte.
5. Aufnahme ohne künstlerische Gesichtspunkte.
6. Aufnahme auf Entfernung.
7. Aufnahme von Bewegung.
8. Aufnahme von oben.

SERGEJ M. EISENSTEIN / WSEWOLOD I. PUDOWKIN / GRIGORIJ W. ALEXANDROW

Manifest zum Tonfilm

1928

Der Traum vom Tonfilm ist Wirklichkeit geworden. Mit der Erschaffung eines brauchbaren Tonfilms haben die Amerikaner den ersten Schritt seiner substantiellen und schnellen Realisierung unternommen. Deutschland arbeitet intensiv in der gleichen Richtung. Die ganze Welt spricht von dem schweigenden Gegenstand, der sprechen gelernt hat.

Wir, die wir in der UdSSR arbeiten, sind uns der Tatsache bewußt, daß wir uns in der näheren Zukunft mit unserem technischen Potential nicht auf eine praktische Verwirklichung des Tonfilms zubewegen. Zugleich sehen wir es als opportun an, auf eine Anzahl prinzipieller Prämissen theoretischer Natur hinzuweisen, zumal aus den Berichten über die Erfindung ersichtlich ist, daß dieser Fortschritt für den Film auf einem unrichtigen Kurs vorangetrieben wird. Eine falsche Auffassung von den Möglichkeiten innerhalb dieser neuen technischen Entdeckung könnte nicht nur die Entwicklung und Perfektionierung des Films als Kunst behindern, sondern sie droht auch alle seine gegenwärtigen formalen Leistungen zu zerstören.

Gegenwärtig übt der mit visuellen Bildern arbeitende Film einen mächtigen emotionalen Effekt auf die Menschen aus und hat berechtigterweise eine der führenden Positionen unter den Künsten eingenommen.

Es ist bekannt, daß das elementare (und einzige) Mittel, das dem Film eine solch mächtige Kraft verliehen hat, die MONTAGE ist. Die Anerkennung der Montage als vorrangigem Gestaltungsmittel ist zum unbestreitbaren Axiom geworden, auf dem eine weltweite Filmkultur errichtet wurde.

Der Erfolg der sowjetischen Filme in den Kinos der Welt ist – bis zu einem bedeutenden Grad – auf jene Methoden der Montage

zurückzuführen, die sie zuerst offenbarten und konsolidierten.
Für die weitere Entwicklung des Films werden daher nur solche Momente von Bedeutung sein, die mittels der Methoden der Montage den Zuschauer ansprechen. Untersucht man jede neue Entdeckung von diesem Gesichtspunkt aus, dann ist es leicht zu zeigen, wie bedeutungslos Farbe und stereoskopischer Film im Vergleich mit der großen Wichtigkeit des Tons sind.
Die Aufzeichnung von Ton ist eine zweischneidige Erfindung. Es ist sehr gut möglich, daß sie sich auf dem Wege des geringsten Widerstandes weiterentwickelt, d. h. auf dem Wege der *Befriedigung einfacher Neugier.*
Zunächst werden wir es mit der kommerziellen Ausbeutung der verkaufsträchtigsten Ware zu tun haben: des Tonfilms. In ihm wird die Klangaufzeichnung naturalistisch durchgeführt werden, also in einer Weise, die genau mit der Bewegung auf der Leinwand korrespondiert und eine gewisse *Illusion* sprechender Menschen oder hörbarer Objekte etc. vermittelt.
Eine anfängliche Periode von Sensationen hält die Entwicklung einer neuen Kunstform nicht wirklich auf. Es ist in diesem Falle vielmehr die zweite Periode, die an die Stelle des naiven Gebrauchs der neuen technischen Möglichkeiten deren automatische Nutzbarmachung für *hochkultivierte Dramen* und andere fotografierte Bühnenaufführungen setzen wird.
Den Ton in diesem Sinne zu verwenden, würde aber die Zerstörung der Montage-Kultur bedeuten, denn jegliche Übereinstimmung zwischen dem Ton und einem visuellen Montage-Bestandteil schadet dem Montagestück, indem es dieses von seiner Bedeutung löst. Dies wird sich zweifellos als nachteilig für die Montage erweisen, da es sich in erster Linie nicht auf die Montage-Teile auswirkt, sondern ihre Überlagerung.
Nur eine kontrapunktische Verwendung des Tons in Beziehung zum visuellen Montage-Bestandteil wird neue Möglichkeiten der Montage-Entwicklung und Montage-Perfektion erlauben.

Die erste experimentelle Arbeit mit dem Ton muss auf seine deutliche Asynchronisation mit den visuellen Bildern ausgerichtet werden. Nur eine solche Operation kann die notwendige Konkretheit herbeiführen, die später zur Schaffung eines orchestralen Kontrapunktes visueller und akustischer Bilder führen wird.
Diese neue technische Entdeckung ist kein zufälliges Moment in der Geschichte des Films, sondern ein Ausweg aus der umfassenden Serie von Engpässen, die der kultivierten Avantgarde des Films so hoffnungslos erschienen. Der erste Engpass ist der Zwischentitel: alle jene fruchtlosen Versuche, ihn in die Montage-Komposition zu integrieren, und zwar seinerseits als Montage-Teil (etwa durch Verlegung in Sätze und sogar Wörter, durch Vergrößerung oder Verkleinerung des verwendeten Buchstabenformats, durch Gebrauch der Kamerabewegung, Trick usw.).
Der zweite Engpass sind die erläuternden Passagen (zum Beispiel bestimmte eingeblendete Großaufnahmen), die die Montage-Komposition belasten und das Tempo verzögern.
Die Aufgaben für Thema und Handlung werden von Tag zu Tag komplizierter; Versuche, diese ausschließlich mit Methoden der *visuellen* Montage zu lösen, führen entweder zu ungelösten Problemen oder zwingen den Regisseur, zu zweifelhaften Montage-Strukturen Zuflucht zu nehmen und damit die Gefahr von Bedeutungslosigkeit und reaktionärer Dekadenz in Kauf zu nehmen.
Der Ton wird, wenn er als neues Montage-Element verstanden wird (als ein vom visuellen Bild getrennter Faktor), zwangsläufig gewaltige Möglichkeiten zum Ausdruck und zur Lösung der kompliziertesten Aufgaben mit sich bringen, die wir jetzt, mit den Mitteln einer mangelhaften Filmmethode, nämlich der ausschließlichen Arbeit mit visuellen Bildern, nicht lösen können.
Die kontrapunktische Methode für die Konstruktion des Tonfilms wird das internationale Kino nicht schwächen, sondern statt dessen seine Bedeutung zu unvergleichlicher Kraft und kultureller Höhe steigern. Eine derartige Methode würde

sich nicht, wie das Abfilmen von Dramen, auf einen nationalen Markt beschränken müssen, sondern wird wie niemals zuvor die Möglichkeit bieten, eine filmisch gestaltete Idee weltweit zu verbreiten.

SERGEJ M. EISENSTEIN

Montage der Attraktionen

Zur Inszenierung von A. N. Ostrovskijs »Eine Dummheit macht auch der Gescheiteste« im Moskauer Proletkult[1]

1923

I. Die Linie der Theaterarbeit des Proletkult

In wenigen Worten. Das Theaterprogramm des Proletkult besteht nicht in der »Verwertung der Werte der Vergangenheit« oder im »Erfinden neuer Formen«, sondern in der Abschaffung der Institution des Theaters als solchem. Es wird zu einem Ort werden, wo die Hebung des Niveaus der *Qualifizierung und Ausstattung der Massen für ihr Alltagsleben* demonstriert wird. Die Organisation der Werkstätten und die Ausarbeitung eines wissenschaftlichen Systems zur Hebung dieser Qualifikation ist die unmittelbare Aufgabe der wissenschaftlichen Abteilung des Proletkult für den Theaterbereich.

Alles übrige, was gemacht wird, steht im Zeichen der Vorläufigkeit; stellt die Erfüllung nebensächlicher, zusätzlicher, nicht der Hauptaufgaben des Proletkult dar. Dieses »Vorläufig« bewegt sich auf zwei Linien unter dem gemeinsamen Kennzeichen des revolutionären Inhalts.

1. *Das abbildend-erzählende Theater* (statisch, milieuschildernd – der rechte Flügel) *Morgenröte des Proletkult*[2], *Lena*[3] und eine Reihe von nichtrealisierten Aufführungen des gleichen Typs – die Linie des ehemaligen Arbeitertheaters beim ZK des Proletkult.

2. *Das Agitationstheater der Attraktionen* (dynamisch und exzentrisch – der linke Flügel) – die Linie, die ich gemeinsam mit Boris Arvatov[4] als Grundprinzip für die Arbeit der Wandertruppe des Moskauer Proletkult vorgeschlagen habe.

In Ansätzen, jedoch mit genügender Deutlichkeit zeichnete sich

dieser Weg schon im *Mexikaner* ab – einer Inszenierung des Autors des vorliegenden Artikels zusammen mit V. S. Smyšljaev[5] (im Ersten Studio des MChT). Danach gerieten wir in völligen prinzipiellen Widerspruch miteinander bei der folgenden gemeinsamen Arbeit (*Über der Schlucht* von V. Pletnëv)[6]. Das führte zum Bruch und zur getrennten Weiterarbeit, die gekennzeichnet ist durch den *Gescheitesten* und... *Der Widerspenstigen Zähmung*[7], ganz zu schweigen von der *Theorie des Aufbaus des Bühnenschauspiels* von Smyšljaev[8], dem alles Wertvolle an dem im *Mexikaner* Geleisteten entgangen ist.
Ich halte diese Abschweifung für notwendig, weil alle Rezensionen des *Gescheitesten,* die versuchen, eine Gemeinsamkeit mit irgendwelchen Inszenierungen festzustellen, absolut den *Mexikaner* (vom Januar bis März des Jahres 1921) zu erwähnen vergessen. Dabei stellt der *Gescheiteste* und die ganze Theorie der Attraktion eine Ausarbeitung und logische Weiterentwicklung dessen dar, was ich in jene Inszenierung eingebracht habe.
3. Der *Gescheiteste* wurde in der Wandertruppe (Peretru[9]) begonnen (und nach dem Zusammenschluß beider Truppen abgeschlossen) als die erste Agitationsarbeit auf der Grundlage einer neuen Methode des Aufbaus einer Theateraufführung.

II. Die Montage der Attraktionen

wird hier zum ersten Mal benutzt und bedarf einer Erläuterung. Als Hauptmaterial des Theaters wird der Zuschauer herausgestellt; die Formung des Zuschauers in einer gewünschten Richtung (Gestimmtheit) – die Aufgabe jedes utilitären Theaters (Agitation, Reklame, Gesundheitsaufklärung usw.).
Werkzeug zur Bearbeitung sind alle Bestandteile des Theaterapparats (das »Gemurmel« Ostuževs[10] nicht mehr als die Farbe des Trikots der Primadonna, ein Schlag auf die Pauke ganz genauso wie der Monolog Romeos, die Grille hinter dem Ofen[11] nicht weniger als die Salve unter den Sitzen der Zuschauer), die in all ihrer Verschiedenartigkeit auf eine Einheit zurückführbar

sind, die ihr Vorhandensein legitimiert, auf ihren Attraktionscharakter.

Eine Attraktion (im Theater) ist jedes aggressive Moment des Theaters, d. h. jedes seiner Elemente, das den Zuschauer einer Einwirkung auf die Sinne oder Psyche aussetzt, die experimentell überprüft und mathematisch berechnet ist auf bestimmte emotionelle Erschütterungen des Aufnehmenden. Diese stellen in ihrer Gesamtheit ihrerseits einzig und allein die Bedingung dafür dar, daß die ideelle Seite des Gezeigten, die eigentliche ideologische Schlußfolgerung, aufgenommen wird. (Der Weg der Erkenntnis »über das lebendige Spiel der Leidenschaften« ist der spezifische Weg des Theaters.)

Einwirkung auf die Sinne und die Psyche natürlich in jenem Verständnis von unmittelbarer Realität, in dem zum Beispiel das Guignol-Theater[12] damit arbeitet: das Ausstechen von Augen oder Abhauen von Händen und Füßen auf der Bühne oder die Beteiligung eines auf der Bühne Agierenden per Telefon an einem schrecklichen Geschehen, Dutzende Kilometer entfernt, oder die Situation eines Betrunkenen, der seinen Tod nahen fühlt, dessen Bitte um Hilfe aber als Rauschphantasie abgetan wird. Jedoch nicht im Sinne der Entfaltung psychologischer Probleme, wo schon das Thema als solches eine Attraktion darstellt, das – wenn es genügend Aktualität besitzt – auch *außerhalb* der vorliegenden Theaterhandlung besteht und wirkt (ein Fehler, in den die meisten Agit-Theater verfallen, sich mit Attraktionen nur solcher Art zufriedenzugeben).

Eine Attraktion im formalen Sinne bestimme ich als selbständiges und primäres Konstruktionselement einer Aufführung – als die molekulare (d. h. konstitutive) Einheit der *Wirksamkeit* des Theaters und des *Theaters überhaupt.* Ganz analog zu den Montageteilen der Bilder von George Grosz[13] oder den Elementen der Foto-Illustrationen von Rodčenko[14].

»Konstitutiv« insofern, als es schwierig ist abzugrenzen, wo das Gefesseltsein durch die edle Gesinnung des Helden aufhört (das psychologische Moment) und das Moment seiner Anmut als Person beginnt (d. h. seine erotische Wirkung). Der lyrische Effekt einer Reihe von Szenen bei Chaplin ist nicht zu trennen von der Attraktivität der spezifischen Mechanik seiner Bewegungen; ebenso ist schwer die Grenze zu ziehen, wo in den Martyriumsszenen des Mysterientheaters das religiöse Pathos in sadistische Befriedigung übergeht usw.

Die Attraktion hat nichts mit einem Kunststück oder Trick zu tun. Ein Trick (es wird Zeit, diesem falsch verwendeten Terminus seinen ihm zukommenden Platz zuzuweisen), eine vollendete Leistung innerhalb einer bestimmten Meisterschaft (hauptsächlich der Akrobatik), ist nur eine von vielen Formen der Attraktionen in ihrer entsprechenden Darbietungsweise (oder im Zirkusjargon – der bestimmten Art, »sie zu verkaufen«). In seiner terminologischen Bedeutung steht der Begriff – da er etwas Absolutes und *in sich* Vollendetes bezeichnet – in direktem Gegensatz zur Attraktion, die ausschließlich auf etwas Relativem basiert, nämlich der Reaktion des Zuschauers.

Dieser Zugang verändert in radikaler Weise die Möglichkeiten in den Konstruktionsprinzipien einer »wirkenden Konstruktion« (das Schauspiel als Ganzes). An die Stelle der statischen »Widerspiegelung« eines aufgrund des Themas notwendig vorgegebenen Ereignisses und der Möglichkeit seiner Lösung einzig und allein durch Wirkungen, die logisch mit einem solchen Ereignis verknüpft sind, tritt ein neues künstlerisches Verfahren – die freie Montage bewußt ausgewählter, selbständiger (auch außerhalb der vorliegenden Komposition und Sujet-Szene wirksamen) Einwirkungen (Attraktionen), jedoch mit einer exakten Intention auf einen bestimmten thematischen Endeffekt – die Montage der Attraktionen.

Ein Weg, der das Theater vollständig aus dem Joch der bis heute ausschlaggebenden, unumgänglichen und einzig möglichen »illusionistischen Abbildhaftigkeit« und »Anschaulichkeit« befreit, gleichzeitig aber – durch das Übergehen zur Montage von »real gemachten Dingen« – die Einbeziehung von ganzen »abbildenden Stücken« in die Montage sowie eine zusammenhängende Sujetintrige erlaubt, jedoch nicht mehr als etwas Selbstwertiges und Allbestimmendes, sondern als bewußt ausgewählte, stark wirkende Attraktion mit einer bestimmten Zielintention, insofern nicht die »Aufdeckung der Absicht des Dramatikers«, die »richtige Deutung des Autors«, die »getreue Darstellung der Epoche« usw., sondern nur die Attraktion und das System der Attraktionen die einzige Grundlage der Wirkung einer Inszenierung darstellten.

Von jedem routinierten Regisseur wurde die Attraktion nach Gespür so oder so verwendet, aber natürlich nicht im Sinn der Montage oder der Konstruktion, sondern einzig und allein zur »harmonischen Komposition« (von daher sogar ein besonderer Jargon – »Schlußeffekt«, »ein Auftritt, der viel hergibt«, ein »guter Gag« usw.). Wesentlich aber ist, daß das nur im Rahmen der logischen Wahrscheinlichkeit des Sujets (vom Stück her »gerechtfertigt«) gemacht wurde, und, was das Wichtigste ist, unbewußt und in Verfolgung von etwas ganz anderem (irgend etwas von dem anfangs Aufgezählten). Man muß nur bei der Ausarbeitung des Konstruktionssystems einer Aufführung das Zentrum der Aufmerksamkeit auf das Gebührende, das, was früher als etwas Akzessorisches, Schmückendes angesehen wurde, was aber faktisch den Hauptvermittler der von der Norm abweichenden inszenatorischen Absichten darstellt, verlegen, und, ohne sich logisch – durch Pietät gegenüber der Umweltschilderung und der literarischen Tradition zu binden, *diese Art des Herangehens als Inszenierungsmethode einführen.* (Seit Herbst 1922 wird so in den Werkstätten des Proletkult gearbeitet.)

Die Schule der Montage ist der Film und vor allem das Varieté und der Zirkus, denn eine (vom formalen Standpunkt) gute Aufführung zu machen heißt eigentlich, ein gutes Varieté bzw. Zirkusprogramm aufzubauen, ausgehend von den Situationen, die man dem Stück zugrunde legt.

Als Beispiel das Verzeichnis eines Teils der Nummern aus dem Epilog des *Gescheitesten*[15].

1. Einleitungsmonolog des Helden. 2. Ein Stück Kriminalfilm (Erklärung zu P. 1 – Diebstahl des Tagebuchs). 3. Musikalisch-exzentrisches Entree: Die Braut und die drei abgewiesenen

Bräutigame (im Stück eine Person) in der Rolle von Brautführern; eine Szene der Wehmut durch die Couplets »Eure Finger duften nach Weihrauch« und »Mag das Grab...« (mit der Idee, daß die Braut wie auf einem Xylophon auf sechs Schellenbändern, den Knöpfen der Offiziere, spielt).
4,5,6. Drei parallele Clowns-Entrees mit jeweils zwei Sätzen (das Motiv der Bezahlung für die Organisation der Hochzeit). 7. Entree des Stars (des Tantchens) und drei Offiziere (das Motiv des Hinhaltens des abgewiesenen Bräutigams) mit einem Wortspiel (durch die Erwähnung des Pferdes) zu einer Nummer einer dreifachen Volte auf ein ungesatteltes Pferd (wegen der Unmöglichkeit, es in den Saal zu führen – ein traditionelles Pferd »aus drei Mann«). 8. Im Chor gesungene Agit-Couplets: »Der Pope hat einen Hund«, währenddessen bildet der Pope als »Kautschuknummer« die Form eines Hundes (das Motiv des Beginns der kirchlichen Trauung). 9. Unterbrechung der Handlung (die Stimme eines Zeitungsverkäufers bewirkt den Abgang des Helden). 10. Das Erscheinen des Bösewichts in der Maske – ein Stück eines komischen Kinofilms (ein Resumee der 5 Akte des Stücks in verschiedenen Verwandlungen – das Motiv der Veröffentlichung des Tagebuchs). 11. Fortsetzung der (unterbrochenen) Handlung in anderer Gruppierung (gleichzeitige kirchliche Trauung mit den drei Abgewiesenen). 12. Antireligiöse Couplets »Allah verdy« (ein Wortspielmotiv, die Notwendigkeit der Heranziehung eines Mullas angesichts der großen Zahl von Bräutigamen bei nur einer Braut) – ein Chor und eine neue, nur in dieser Nummer besetzte Figur – ein Solist im Kostüm eines Mullas. 13. Gemeinsamer Tanz. Spiel mit dem Plakat »Religion ist Opium für das Volk«. 14. Eine Farcen-Szene: die Frau und die drei Männer werden in einen Kasten gesteckt und auf dem Deckel Tontöpfe zerschlagen. 15. Sitten und Bräuche parodierendes Trio mit dem Hochzeitslied »Wer aber bei uns jung ist«. 16. Jähe Unterbrechung, Rückkehr des Helden. 17. Flug des Helden an einer Longe bis unter die Kuppel (Motiv des Selbstmords aus Verzweiflung). 18. Unterbrechung – Rückkehr des Bösewichts – der Selbstmord wird aufgehalten.

19. Degenkampf (Motiv der Feindschaft). 20. Agit-Entree des Helden und des Bösewichts zum Thema NEP. 21. Akt an einem abschüssigen Drahtseil: Passage von der Manege über die Köpfe der Zuschauer weg auf einen Balkon (Motiv der »Abreise nach Rußland«). 22. Clowneske Parodierung dieser Nummer (durch den Helden) und Absprung vom Seil. 23. Fahrt eines Clowns vom Balkon aus an dem Drahtseil entlang, wobei er sich nur mit den Zähnen festhält. 24. Finales Entree der zwei Clowns, die sich gegenseitig mit Wasser begießen (traditionell), abschließend mit der Erklärung »Ende«. 25. Eine Salve unter den Sitzen der Zuschauer als Schlußakkord.

Anmerkungen

Erstdruck: »Montaž attrakcionov«, in: *Lef* 3 (1923) S. 70–75; jetzt in: S. M. E., *Izbrannye proïzvedenija v šesti tomach* (Ausgewählte Werke in sechs Bänden), Moskau 1964–71, Bd. 2, S. 269–273. Übers.: Karla Hielscher (gleichzeitiger Übersetzungsabdruck in: *Ästhetik und Kommunikation* 13 (1973) S. 76–78).

1 *Na vzjakogo mudreca dovol'no prostoty* (Eine Dummheit macht auch der Gescheiteste). »Agitbuffonade in fünf Akten« nach dem gleichnamigen Theaterstück von Aleksandr Nikolaevič Ostrovskij (1823–86) aus dem Jahre 1868. Textbearbeitung: Sergej M. Tret'jakov und A. G. Archangel'skij; Montage der Attraktionen; S. M. Eisenstein; Assistenz: G. Mormonenko [d. i. G. V. Aleksandrov]; Trainage [Training der Zirkusattraktionen]: Rudenko; Musikalischer Teil: Listov und Golubencov. Erstaufführung: 25. 11. 1923 im »Ersten Arbeitertheater des Proletkult«, Moskau.

2 *Zori Proletkul'ta* (Morgenröte des Proletkult), eine Proletkult-Aufführung mit dramatisierten Gedichten von Arbeiterdichtern, die sich polemisch gegen Meierholds Inszenierung von E. Verhaerens (1855–1916) *Les aubes* (7. 11. 1920 im Pervyj Teatr RSFSR, Moskau) wandte.

3 *Lena:* Theaterstück von V. F. Pletnëv über die Lenaer Ereignisse von 1912, auf die Eisenstein im letzten Zwischentitel von *Streik* anspielt. Mit *Lena* wurde das Moskauer Erste Arbeitertheater des Proletkult

am 11. 10. 1921 eröffnet. Diese Inszenierung stattete Eisenstein zusammen mit dem Bühnenbildner Nikitin aus.

4 Boris I. Arvatov (1896–1940), führender Lef-Theoretiker und Propagandist einer »Produktionskunst«. Seine ersten beiden Bücher *Iskusstvo i klassy* (Kunst und Klassen) und *Iskusstvo i proizvodstvo* (Kunst und Produktion) erschienen 1923 bzw. 1926 im Verlag des Moskauer Proletkult. Vgl. B. Arvatov, *Kunst und Produktion*, hrsg. und übers. von Hans Günther und Karla Hielscher, München 1972.

5 Valentin S. Smyšljaev (1891–1936), Schauspieler und Regisseur des Ersten MChAT-Studios, arbeitete während der zwanziger Jahre als Regisseur im Moskauer Ersten Arbeitertheater des Proletkult.

6 *Nad obryvom* (Über der Schlucht), Bühnenstück von V. I. Pletnëv, das im Moskauer Ersten Arbeitertheater des Proletkult 1922 aufgeführt wurde.

7 Im März 1923 inszenierte V. S. Smyšljaev zusammen mit A. Čeban und V. Gotovcev Shakespeares *The taming of the shrew* (Der Widerspenstigen Zähmung, 1594) in Vachtangov-Nachfolge als »freie schöpferische Improvisation im Geiste der Commedia dell'arte«, wobei »sie Elemente der Buffonade und Exzentrik entwickelten« (Rudnickij u. a. [Hrsg.], *Istorija sovetskogo dramatičeskogo teatra,* Bd. 2, Moskau 1966, S. 60).

8 V. S. Smyšljaev, *Technika obrabotki sceničeskogo zrelišča* (Die Technik der szenischen Bühnenbearbeitung), Moskau: Verlag des Allrussischen Proletkult, 1922.

9 Peretru: Abkürzung für »*Pere*dvižnaja *tru*ppa Moskovskogo Proletkul'ta« (Wandertruppe des Moskauer Proletkults).

10 Aleksandr A. Ostužev (1874–1953) spielte in dem 1923 von Rynda-Alekseev geschriebenen (lt. *Istorija sovetskogo dramatičeskogo teatra,* S. 77 f. ein »effekthaschendes, oberflächliches Stück«) und im gleichen Jahr vom Moskauer Malyj teatr aufgeführten Drama *Železnaja stena* (Die eiserne Wand) einen – Marquis Posa nachempfundenen – Prinzen.

11 Die Wendung »Grille hinter dem Ofen« bezieht sich auf eine Dikkens-Dramatisierung des Ersten MChAT-Studio aus dem Jahre 1915.

12 Le Théâtre Guignol oder Le Grand Guignol: eines der Pariser Boulevardtheater der zweiten Hälfte des 19. Jahrhunderts, das einen auf den früheren Pantomimen-Vorführungen (vgl. J. Kuznezow, *Der Zirkus der Welt,* Berlin [Ost] 1970, S. 19 ff.) und dem Panoptikum aufbauenden Stil des »Gruseltheaters« entwickelte, einen Stil also, der bewußt auf die Publikumsreaktion zugeschnitten war.

13 Georg Grosz (1893–1959), deutscher Grafiker und Maler, studierte 1909 bis 1911 in Dresden, bis 1916 in Berlin, 1918 Dada Berlin (Freundschaft mit John Heartfield), 1920 Verismus, 1924 »Rote Gruppe« Berlin, emigrierte vor dem Faschismus nach New York.

14 Aleksandr M. Rodčenko (1891–1956), sowjetischer Graphiker, Fotograf (Fotomonteur), Bühnenbildner und Produktionskünstler (Entwürfe neuer Arbeitskleidung etc.). Lef-Mitglied und Konstruktivist. Arbeitete vor allem mit Meierhold, Majakovskij und Tret'jakov zusammen; entwarf zahlreiche Fotomontagen und konstruktivistische Fotoaufnahmen für die Zeitschrift *Lef.* Vgl. L. Volkov-Lannit, *Aleksandr Rodčenko risuet, fotografiruet, sporit* (A. R. zeichnet, fotografiert, streitet), Moskau 1968.

15 Im Anmerkungsapparat zu diesem Aufsatz wird in *Izbrannye proizvedenija v šesti tomach*, Bd. 2, S. 258 f., eine Rekonstruktion des Epilogs angeführt, die unter der Leitung von M. M. Štrauch zusammen mit den übrigen 1964 noch lebenden Teilnehmern dieser Inszenierung erstellt wurde:

1. Auf der Szene [Manege] – Glumov, der in einem »expositiven« Monolog davon redet, daß ihm sein Tagebuch gestohlen wurde und ihm daher Bloßstellung drohe. Glumov entschließt sich, augenblicklich Mašen'ka zu heiraten, und ruft zu diesem Zwecke »Manefa« [einen Clown] herbei, dem er die Rolle des Popen zu spielen vorschlägt.

2. Das Licht verlischt. Auf der Leinwand: Der Raub des Tagebuchs durch einen Mann in schwarzer Maske, durch Golutvin (Parodie auf den amerikanischen Kriminalfilm).

3. Licht im Saal. Mašen'ka erscheint im Kostüm eines sportlichen Autofahrers mit Brautschleier. Hinter ihr her die drei von ihr abgewiesenen Freier – Offiziere [in Ostrovskijs Stück eine einzige Gestalt: Kurcaev], die zukünftigen Trauzeugen auf Glumovs Hochzeit. Es wird die [in der russischen Hochzeitszeremonie vorkommende] »Abschiedstrauer« (von Eltern und Jungfernschaft) gespielt: Mašen'ka singt die erschröckliche Romanze »Mag das Grab mich bestrafen« [Parodie auf die altrussische Hochzeitszeremonie und die zeitgenössische Estrade], die Offiziere singen – Vertinskij parodierend – »Ihre Hände duften nach Weihrauch«. [Ursprünglich hatte Eisenstein diese Szene als exzentrische Musiknummer mit Xylophon geplant, wobei Mašen'ka auf den als Quasi-Knöpfe angenähten Schellen an den Uniformen der drei Offiziere spielen sollte.]

4., 5., 6. Nachdem Mašen'ka und die drei Offiziere abgetreten sind, ist Glumov wieder allein auf der Bühne. Aus dem Zuschauerraum stür-

zen – einer hinter dem anderen – Gorodulin, Joffre und Mamiljukov – drei Clowns – auf ihn zu. Jeder dieser Clowns spielt seine Zirkusnummer [Jonglieren mit Kugeln, akrobatische Sprünge] und fordert dafür Bezahlung. Glumov weigert sich und geht ab [»Zweiphrasen-Clownsentrée«: Bei jedem Abtreten zwei Textphrasen: die Repliken des Clowns und Glumovs].
7. Es erscheint die Mamaeva, gekleidet mit provozierendem Luxus [»Etoîle«] und mit einer Zirkuspeitsche in der Hand. Ihr folgen die drei Offiziere. Die Mamaeva will die Heirat Glumovs verhindern, tröstet die abgewiesenen Freier und knallt nach einer Replik über Pferde [»da wiehert ja meine berühmte Stute«, dt. etwa: »Nachtigall, ik hör dir trapsen«] mit der Zirkuspeitsche, worauf die Offiziere rund um die Manege laufen: Zwei bilden ein Pferd, der dritte den Reiter.
8. Auf der Szene erscheint der Pope [»Manefa«]. Es beginnt die »Trauung«. Alle Anwesenden singen »Ein Pope hatte 'nen Hund« [traditionelle »Častuška«, Scherzlied]. »Manefa« führt eine Zirkusnummer vor [»Kautschuk«]: Er mimt einen Hund.
9. Aus einem Schalltrichter: Der Ausruf eines Zeitungsverkäufers. Glumov läßt die Trauung Trauung sein und läuft weg, um zu erfahren, ob sein Tagebuch nicht in der Presse erschien.
10. Es erscheint der Räuber des Tagebuchs mit schwarzer Maske [Golutvin]. Das Licht verlischt. Auf der Filmleinwand – das Tagebuch Glumovs; im Film wird über dessen Verhalten vor großen Gönnern erzählt und gleichzeitig gezeigt, wie er sich vor ihnen in verschiedene dadurch bedingte Bilder verwandelt [in einen Esel vor Mamaev, in einen Panzersoldaten vor Joffre usw.].
11. Die Trauung fängt von neuem an. Den Platz des geflüchteten Glumov nehmen die drei abgewiesenen Offiziere »Kurčaev« ein.
12. Angesichts der Tatsache, daß Mašen'ka sich gleichzeitig mit drei Bräutigamen verheiratet, tragen vier Uniformierte aus dem Zuschauersaal einen auf einer Tafel sitzenden Mulla auf die Bühne. Der setzt die begonnene Trauung fort und singt dabei parodistische Couplets auf Alltagsthemen – »Alla verdy« [»a la Verdi« – aber wohl auch Anklingen von »Allah perdu«].
13. Nachdem er seine Couplets zu Ende gesungen hat, tanzt der Mulla eine Lesginka, an der sich alle beteiligen, und erhebt die Tafel, auf der er saß: Auf ihrer Rückseite steht die Aufschrift »Religion ist Opium fürs Volk«. Der Mulla geht mit dieser Tafel in den Händen ab.
14. Mašen'ka und ihre drei Bräutigame werden in Kisten gelegt [von wo aus sie – für den Zuschauer unbemerkt – verschwinden]. Die Teilnehmer der Hochzeitszeremonie schlagen – die altertümliche Hoch-

zeitszeremonie des »Verpackens der Jungvermählten« parodierend – Tongeschirr auf einer Kiste entzwei.
15. Drei Teilnehmer der Hochzeitszeremonie [Mamiljukov, Mamaev, Gorodulin] singen das Hochzeitslied: »Wer aber unter uns jung und noch unverheiratet ist...«
16. Das Hochzeitslied wird vom hereinstürmenden Glumov unterbrochen, der eine Zeitschrift in der Hand schwenkt: »Hurra! In der Zeitung ist nichts drin!« Alle lachen ihn aus und lassen ihn allein.
17. Nach Bekanntwerden seines Tagebuches und seiner mißglückten Hochzeit ist Glumov verzweifelt. Er beschließt, Selbstmord zu begehen, und bittet einen Uniformierten um einen »Strick«. Von der Decke wird eine »Longe« [Laufleine für Pferde in der Manege] herabgelassen. Glumov befestigt »Engelsflügel« an seinem Rücken und erhebt sich mit einer brennenden Kerze in den Händen langsam zur Decke. Der Chor singt »Am Himmel ein Engel um Mitternacht flog« nach der Melodie »Das Herz eines schönen Mädchens« [Parodie auf Weihnachtsliturgie und Estrade]. Die gesamte Szene parodiert die Himmelfahrt.
18. Auf der Bühne erscheint Golutvin [»der Übeltäter«]. Glumov erblickt seinen Feind, überschüttet ihn mit Flüchen, läßt sich auf die Bühne herab und wirft sich auf den »Übeltäter«.
19. Glumov und Golutvin kämpfen mit Schlagdegen [»Spaden«]. Glumov siegt, Golutvin fällt hin, und Glumov zieht aus seinem Bauch eine große Collage mit dem Untertitel »NEP«.
20. Golutvin singt Couplets über die NEP, Glumov begleitet ihn. Beide tanzen. Golutvin schlägt Glumov vor, »ihm zur Hand zu gehen« und mit ihm nach Rußland zu fahren.
21. Golutvin balanciert mit einem Regenschirm über ein Seil, das über die Köpfe der Zuschauer gespannt ist, zum Balkon weg – »er reist nach Rußland«.
22. Glumov entschließt sich, seinem Beispiel zu folgen, hangelt sich auf das Seil hoch, stürzt aber ab [Zirkus-»Kaskade«], und mit den Worten »Ach wie glatt, ach wie glatt, ich machs lieber auf Seitengäßchen« folgt er Golutvin auf einem weniger gefährlichen Weg – durch den Zuschauerraum – »nach Rußland«.
23. Auf der Bühne erscheint ein Rothaariger [ein Clown]. Der weint und spricht dabei vor sich hin: »Sie sind weggefahren, haben aber diesen Menschen hier vergessen.« Vom Balkon läßt sich ein zweiter Clown mit den Zähnen am Seil herab [Zahnkrafttrick].
24., 25. Zwischen beiden »Rothaarigen« entwickelt sich ein Wortgeplänkel; einer überschüttet den anderen mit Wasser, der andere fällt

vor Überraschung hin. Einer von beiden verkündet »Ende« und verneigt sich verabschiedend vor dem Publikum. In diesem Moment gehen unter den Sitzen »Knallfrösche« hoch.

[Die Ziffern 1. bis 25. entsprechen genau den 25 »Attraktionen«, aus denen der Epilog bestand und die auch Eisenstein in seinem Aufsatz anführt. In den eckigen Klammern werden Erläuterungen des Herausgebers angeführt, der diesen Textteil auch übersetzte.]

WSEWOLOD I. PUDOWKIN

Filmregie und Filmmanuskript

Einführung zur ersten deutschen Ausgabe

1928

Die Grundlage der Filmkunst ist die Montage. Diese Parole galt für den jungen Film in Sowjetrußland, und sie hat bis heute nichts an Bedeutung und Kraft eingebüßt.
Es muß dazu gesagt werden, daß der Ausdruck »Montage« nicht immer richtig verstanden und sinngemäß interpretiert wird. Manche sind dabei der naiven Auffassung, es handle sich um ein Zusammenfügen der Film-Einstellungen in ihrer richtigen Zeitfolge. Andere wieder kennen nur zwei Arten der Montage: eine rasche und eine langsame, und vergessen dabei – oder haben nie gelernt –, daß der Rhythmus, das heißt die Wirkung, die durch den Wechsel kurzer und langer Bildfolgen entsteht, keineswegs alle Möglichkeiten der Montage erschöpft.
Um Ihnen, geneigter Leser, das Wesen der Montage und ihre Zukunftsmöglichkeiten klar vor Augen zu führen, möchte ich einen Vergleich aus einer andern Kunstform, der Literatur, heranziehen. Das Rohmaterial in den Händen der Dichter und Schriftsteller ist das Wort. Dieses kann jedoch, je nach seiner Stellung im Satzgefüge, die verschiedensten Bedeutungen annehmen. Indem es von der Deutung des Satzgefüges abhängig ist, bleibt es in seiner eigenen Deutung wandelbar, bis ihm die künstlerische Formulierung des Satzes seinen bestimmten Gehalt gibt.
Dem Filmregisseur dient jede Szene des gedrehten Films in der gleichen Weise wie dem Dichter das Wort. Er steht vor den einzelnen Aufnahmen, prüft, wählt, weist zurück und nimmt wieder auf, und durch die bewußte künstlerische Gestaltung dieses Rohmaterials entstehen die »Montage-Sätze«, die einzelnen Szenen und Episoden, und endlich, Schritt für Schritt, das vollendete Werk, der Film.

Der Ausdruck, der Film werde »gedreht«, ist irreführend und sollte aus dem Sprachgebrauch verschwinden. Der Film wird nicht gedreht, er wird aus den einzelnen Einstellungen, die sein Rohmaterial sind, gebaut. Nimmt der Schriftsteller ein Wort, zum Beispiel »Buche«, so ist dieses Wort allein ein sozusagen nackter, statistisch wahrnehmbarer Begriff ohne inneren Gehalt oder Bedeutung. Nur im Zusammenhang mit anderen Wörtern, im Rahmen einer komplizierteren Form, wird es lebendig und wirklich. Schlage ich ein Buch auf und lese: »das zarte Grün einer jungen Buche«, so braucht das nicht unbedingt gute Prosa zu sein, kann aber als Beispiel dienen für den Unterschied zwischen der Bedeutung des einzelnen Wortes und des Wortgefüges, in welchem der Begriff »Buche« keine bloße Tatsache, sondern Teil einer bestimmten literarischen Idee geworden ist. Das tote Wort ist durch die Kunst zum lebendigen Begriff geworden. Ich behaupte, daß jeder Gegenstand, der nach einem bestimmten Gesichtspunkt aufgenommen und dem Zuschauer auf dem Bildschirm gezeigt wird, tot ist, auch wenn er sich vor der Kamera bewegt hat. Das sich vor der Kamera bewegende Objekt bedeutet noch lange keine Bewegung im Film, es ist nicht mehr als das Rohmaterial, aus dem durch den Aufbau, die Montage, die eigentliche Bewegung in der Komposition der verschiedenen Einstellungen entsteht. Nur wenn der Gegenstand zwischen andere Einzelobjekte gesetzt wird, um zusammen mit ihnen eine Bildsynthese zu bilden, gewinnt er filmisches Leben. Wie das Wort »Buche« unseres Vergleichs verwandelt er sich dadurch aus einer bloßen fotografischen Naturkopie in einen Teil der filmischen Form.

Jeder aufgenommene Gegenstand muß durch die Montage nicht fotografische, sondern kinematographische Wirklichkeit erlangen.

Man sieht, daß sich die Bedeutung der Montage und der Aufgaben, die sie dem Filmregisseur stellt, durchaus nicht in der Herstellung der chronologisch richtigen Reihenfolge der Aufnahmen noch in der Einhaltung eines zeitlichen Rhythmus erschöpft. Die Montage ist das eigentliche schöpferische Moment, kraft dessen aus den leblosen Fotografien (den einzelnen Filmbildchen) die lebendige filmische Einheit geschaffen wird. Es ist dabei charakteristisch, daß zur Bildung dieser Einheit Material zur Verwendung gelangen kann, dessen Art und Herkunft in keinerlei Zusammenhang zu der schließlich dargestellten Wirklichkeit zu stehen braucht. Ein Beispiel aus meinem letzten Film, *Die letzten Tage von St. Petersburg,* mag dies zeigen.

Zu Beginn jenes Teiles der Handlung, welcher einer Darstellung des Krieges gewidmet ist, wollte ich eine große Explosion zeigen. Um die Wirkung dieser Explosion vollkommen lebensecht darzustellen, ließ ich eine Menge Dynamit im Boden vergraben und sprengen und nahm die Sprengung auf. Die Explosion war wirklich fürchterlich – filmisch jedoch war sie nichts, eine leblose, langweilige Angelegenheit. Später, nach vielen vergeblichen Versuchen, gelang es mir, die Explosion und die von mir gewünschte Wirkung zu »montieren«; allerdings verwendete ich dabei keine einzige Aufnahme der Explosion, die ich eigens zu diesem Zweck gefilmt hatte. Ich nahm einen Flammenwerfer, der dichte Rauchschwaden entwickelte; um den Einschlag wiederzugeben, montierte ich in raschem Hell-Dunkel-Rhythmus Aufnahmen eines Magnesiumblitzes und fügte dazwischen die vor längerer Zeit gemachte Aufnahme eines Flusses, die mir ihrer besonderen Lichtstimmung wegen passend erschien. In dieser Weise entstand langsam die Bildwirkung, die ich suchte. Die Bombenexplosion war nun auf der Leinwand; sie bestand aus allem möglichen, nur nicht aus den Elementen einer wirklichen Explosion.

Ich will mit diesem Beispiel sagen, daß die Montage Schöpferin filmischer Wirklichkeit ist und daß die Natur uns nur das Rohmaterial zu unserer Arbeit gibt. Dies ist das eigentliche Verhältnis von Wirklichkeit und Film.

Das gleiche gilt in jeder Beziehung für den Schauspieler. Der Mensch, der aufgenommen wird, ist nicht mehr als Rohmaterial für die spätere, durch die Montage geschaffene Komposition seiner Filmerscheinung. Als sich mir in *Die letzten Tage von St. Petersburg* die Aufgabe stellte, einen Großindustriellen dar-

zustellen, suchte ich das Problem dadurch zu lösen, daß ich das Reiterstandbild Peters des Großen dazumontierte. Ich behaupte, daß die so geschaffene Komposition von ganz anderer Realität ist als die Mimik eines Schauspielers, die gewöhnlich den Stempel des Theaters trägt.
In meinem früheren Film *Die Mutter* versuchte ich, das Mitgefühl der Zuschauer nicht durch die psychologisch gestaltete Darstellung eines Schauspielers, sondern durch die plastische Synthese der Montage zu erwecken. Der Sohn befindet sich im Gefängnis. Heimlich wird ihm nun ein Zettel zugesteckt mit der Nachricht, daß er am nächsten Tag befreit werde. Es ging darum, den Ausdruck seiner Freude filmisch zu gestalten. Eine bloße Aufnahme seines freudestrahlenden Gesichtes wäre matt und wirkungslos geblieben. Statt dessen zeigte ich das erregte Zucken seiner Hände und eine Großaufnahme der unteren Hälfte seines Gesichtes, den lächelnden Mund. Diese Aufnahmen montierte ich zusammen mit verschiedenem anderem Material, Aufnahmen eines rasch dahinplätschernden Frühlingsbächleins, das Spiel von Sonnenflecken auf dem Wasser, Vögel auf einem Dorfteich und schließlich ein lachendes Kind. Damit schien mir der Ausdruck »Freude des Gefangenen« gestaltet. Ich weiß nicht, wie das Publikum mein Experiment aufnahm – ich selbst war von seiner Ausdruckskraft überzeugt.
Die Möglichkeiten des Films wachsen von Tag zu Tag, und sie sind unerschöpflich. Man darf aber nicht vergessen, daß der Film sich erst dann zu einer selbständigen Kunstform entwickeln kann, wenn er sich aus seiner Abhängigkeit von anderen Kunstformen, zum Beispiel vom Theater, befreit hat. Der Film muß sich seine Zukunft auf dem Fundament seiner eigenen Methoden bauen.
Der Wille, durch die Technik der Montage die Gedanken und die Anteilnahme des Zuschauers zu führen und zu beeinflussen, unter Verzicht auf theatermäßige Methoden, ist von entscheidender Bedeutung. Ich bin davon überzeugt, daß dies der Weg ist, auf dem sich die große, internationale Filmkunst weiterentwickelt.

WSEWOLOD I. PUDOWKIN

Über die Montage

Anfang der vierziger Jahre

Daß Lichtspielfilme aus einer großen Anzahl einzeln aufgenommener, vergleichsweise kurzer Teilstücke, die zusammengeklebt sind, bestehen, weiß jeder. Daß der gewöhnliche Zuschauer im Filmtheater die Schnitte, die Klebstellen zwischen den einzelnen Teilstücken, auf die sich die Filmszene bei ihrer Aufnahme verteilt, nicht bemerkt, ist auch eine allgemein bekannte Tatsache.

Das Filmschauspiel wird als kontinuierliche Handlung aufgefaßt, obwohl die Abbildungen, die auf der Leinwand vorbeifliegen, scharf voneinander getrennt sind, sei es durch räumliche, sei es durch zeitliche Lücken. Ein Kind, das eben noch dem Lehrer in der Grundschule zuhört, empfängt nach dem Bruchteil einer Sekunde schon als junger Mann ein Universitätsdiplom. Er verabschiedet sich von dem geliebten Mädchen in Moskau, und nach dem Bruchteil einer Sekunde drückt er Menschen die Hand, die ihn auf dem Bahnhof in Wladiwostok begrüßen. Mehr noch, ein Mann setzt vor dem Spiegel in seiner Wohnung seinen Hut auf, und nach dem Bruchteil einer Sekunde nimmt er ihn ab, um auf der Straße einen Bekannten zu grüßen. Mehr noch, ein Angeklagter, der sein Verhalten rechtfertigen will, beginnt einen Satz mit: »Ich hätte niemals so gehandelt, wenn...«, und nach dem Bruchteil einer Sekunde beweist er, um zehn Jahre und tausend Kilometer nach Norden oder Süden zurückversetzt, durch sein Verhalten die Ungerechtfertigtheit der Anklage. Die Rückkehr in den Gerichtssaal gegen Ende des Satzes erfolgt wieder durch einen großen Sprung durch Zeit und Raum.

Überall Trennungen, Lücken verschiedenster Art, mitunter gemessen nach Minuten und Metern, mitunter nach Tausenden von Kilometern und Dutzenden von Jahren. Trennungen und

Lücken dringen sehr tief ein. Die scheinbar einfachste Handlung oder Bewegung eines Schauspielers kann sich als in Teile getrennt herausstellen. Ein Schauspieler wendet den Kopf, um einen Menschen anzusehen, der neben ihm steht. Die Wendung des Kopfes beginnt in einem Teilstück, in dem beide Schauspieler zu sehen sind, der aufmerksame Blick jedoch schon im nächsten, wo es die große Abbildung des Schauspielerkopfes gestattet, besonders gut den Augenausdruck zu erkennen. Der Schauspieler beginnt zu sprechen. Die ersten Worte seines Satzes sind mit seiner Abbildung gekoppelt, und plötzlich ist das Ende des Satzes bloß zu hören und auf der Leinwand schon der andere Schauspieler zu sehen, der nicht spricht, sondern zuhört.
Im Durchschnitt kann man in Lichtspielfilmen Hunderte bis Tausende von Schnitten antreffen, gleichzeitig jedoch faßt der Zuschauer, wenn der Film von guten Meistern gemacht wird, seine Bewegung als kontinuierliches Ganzes auf. Nur Mißlungenheit oder Unvermögen können das Gefühl eines Bruches in der Bewegung, unangenehme Stöße beim Wechsel der Abbildungen oder einer Irritation beim schroffen Wechsel von Handlungszeit und -ort aufkommen lassen. Die Kunst, einzelne aufgenommene Teilstücke so zu vereinigen, daß der Zuschauer im Resultat den Eindruck einer ganzen, kontinuierlichen, fortlaufenden Bewegung bekommt, sind wir gewohnt, Montage zu nennen. Die Engländer nennen sie einfacher und gröber »cutting«, das heißt Schneiden. Im Grunde sind sowohl der eine als auch der andere Terminus jetzt gleich ungeeignet geworden, nachdem die fünfzigjährige Erfahrung der Filmkunstentwicklung gezeigt hat, daß der Prozeß der Schaffung des kontinuierlichen Filmganzen aus einzelnen, an verschiedenen Orten und zu verschiedener Zeit aufgenommenen Teilstücken keineswegs ein mechanisches Zusammenbauen oder Zusammenkleben ist, das nur handwerkliche Fertigkeit und Können verlangte. Die Wörter »monter« (bauen, zusammensetzen) und »cut« (schneiden), die nur den technischen Sinn der Zusammensetzung des Films aus Teilstücken definieren, beziehen sich auf jene Zeit, als man den Film noch nicht tief genug verstanden und analysiert hatte

als eine eigentümliche und – und das ist die Hauptsache – fortschrittliche Kunst, die nicht nur über Neuheit, sondern auch über riesige Zukunftsaussichten verfügte.
Versuchen wir, uns folgerichtig am Grunde der Arbeit an der Montage (oder des »cutting«) von schon aufgenommenen, entwickelten und abgezogenen Teilstücken des künftigen Films zurechtzufinden. Damit auf der Leinwand ein Teilstück ohne Gefühl eines Bruches, eines Sprunges oder einer beliebigen Art sinnloser Irritation unmittelbar auf das andere folgen kann, muß unbedingt ein klar erkennbarer Zusammenhang zwischen diesen Teilstücken bestehen. Dieser Zusammenhang kann tief sinnbestimmt sein, gegründet auf den Wunsch, einen abstrakten Gedanken zu vermitteln. Beispiel – der Gerichtssaal: der zu Unrecht Angeklagte hört das grausame Urteil; plötzlich erscheint auf der Leinwand die Darstellung der wahren Umstände des Verbrechens, die den Angeklagten völlig freisprechen. Die Wahrheit der Tatsachen entfaltet sich unter den schallenden Worten des Fehlurteils. Der offenkundige Widerspruch der verknüpften Teilstücke eröffnet den abstrakten Gedanken von der Voreingenommenheit des Gerichts. Die Verknüpfung zwischen den Teilstücken kann auch eine rein formale, äußerliche Verknüpfung sein. Zum Beispiel – ein Gewehrschuß in einem Teilstück und das Auftreffen der Kugel im Ziel im anderen.
Zwischen der tiefen ideell-philosophischen Verknüpfung und der Verknüpfung äußerlich-formaler Art kann eine zahllose Menge von Zwischenformen von Verknüpfungen bestehen, doch müssen sie alle in den vereinigten Teilstücken unbedingt vorliegen, damit die Montage (oder das »cutting«) auf der Leinwand einen kontinuierlichen, sich entwickelnden Begriff und eine sinnerfüllte Handlung hervorbringt. Zwei Teilstücke können, wenn eines von ihnen nicht in irgendeinem Sinne oder von irgendeiner Seite her die unmittelbare Fortsetzung des anderen darstellt, nicht zusammengeklebt werden. Hier ist natürlich die weiteste Spanne von Verknüpfungsformen bis hin zum scharfen Kontrast und Widerspruch gemeint, die mitunter die treffendste Form der Vereinigung zweier oder mehrerer Teil-

stücke in der kontinuierlichen Entwicklung einer einheitlichen Idee ist. Lose, undeutliche, manchmal geradezu sinnlose Vereinigung von Teilstücken in der Filmmontage ist, nebenbei gesagt, eine durchaus nicht seltene Erscheinung, besonders im Bereich der Montage von sogenannten Dokumentarfilmen und Wochenschauen (news-reals).
Somit geht das Notwendigste für die Hervorbringung eines ganzheitlichen, kontinuierlich sich entwickelnden Films – der innere Zusammenhang zwischen den einzelnen Teilstücken – gewissermaßen aus den Händen des Menschen hervor, der das Zusammenkleben besorgt. Er ist nicht der Schöpfer dieses Zusammenhangs und auch nicht sein Herr. Schöpferische Geburt und formale Sanktionierung dieses Zusammenhangs erfolgen weitaus früher. Die erste – beim Schreiben des Drehbuchs, die zweite – bei der regielichen Aufnahme des Films. Ich möchte meinen, daß man sich bei der theoretischen Betrachtung dessen, was wir nicht treffend genug Montage nennen, natürlich nicht mit den Kunstmitteln des Klebens zu beschäftigen hätte, sondern mit dem, was diese Kunstmittel aufgeben. Ich bin gezwungen, vorerst den Terminus Montage zu verwenden, doch halte ich es für notwendig, den Inhalt voranzuschicken, den ich diesem Terminus beigebe.
Montage bezeichnet in meiner zeitlichen Definition nicht den Zusammenbau eines Ganzen aus Teilen, nicht das Zusammenkleben des Films aus Teilstücken, nicht das Schneiden der aufgenommenen Szene in Teilstücke und nicht, diesem Wort den ziemlich verschwommenen formalen Begriff »Komposition« zu unterschieben. Die Montage definiere ich für meine Zwecke als ein allseitiges, mit allen möglichen Kunstmitteln zu verwirklichendes Aufdecken und Aufklären von Zusammenhängen zwischen Erscheinungen des realen Lebens in Filmkunstwerken. Filmmontage in diesem Sinne bedingt ein Niveau allgemeiner Kultur des Regisseurs, das ihm erlaubt, das Leben nicht nur zu kennen, sondern auch richtig zu verstehen. Sie bedingt ebenso auch seine Fähigkeit, das Leben zu beobachten, sich in den Beobachtungen zurechtzufinden und selbständig über sie nachzu-

denken. Sie bedingt endlich eine Stufe seiner Begabung als Künstler, die ihm erlaubt, den inneren, verborgenen Zusammenhang der realen Erscheinungen in einen gewissermaßen entblößten, klar sichtbaren, unmittelbar ohne Erklärungen aufzufassenden Zusammenhang zu verwandeln. Wenn auf der Leinwand neben Bergen von aus kommerziellen Erwägungen aufgenommenem Weizen vom Hunger ausgemergelte Kinder ruinierter Farmer erscheinen, so ist das Montage. Der mit dem Verstand zutage geförderte Zusammenhang frappiert durch das unmittelbare Schauspiel eines empörenden Widerspruchs (Paul Rotha). Wenn in einer Episode, die den Ersten Weltkrieg darstellte (*Das Ende von Sankt Petersburg*) kurze Szenen hektischer Agiotage in der Börse erschienen, die immer wieder mit tragischen Teilstücken vom Untergang von Soldaten, die in eine verzweifelte Attacke gingen, abwechselten, so war das Montage. Der Zusammenhang zwischen den Interessen der Effektenbörse des zaristischen Rußland und den imperialistischen Kriegszielen wurde im schnellen Wechsel kurzer Teilstücke aufgedeckt, und der Zornschrei der Armee »Wofür kämpfen wir!?« wuchs daraus als organische, unvermeidliche Schlußfolgerung empor. Wenn die Filmhandlung plötzlich stehenbleibt, in ferne Vergangenheit zurückgeht, um unverzüglich wieder zur Gegenwart zurückzukehren und weiterzugehen, ist das auch Montage. Aufgedeckt und klargemacht wird so der Zusammenhang des Verhaltens des Helden in der Gegenwart mit den realen Umständen seines vergangenen Lebens.

Wenn in einem Teilstück ein vor Erregung blasser Mann an Bord eines Dampfers steht, der von einer Eismeerinsel ablegt, er im zweiten abgemagert und unrasiert in der Kabine eines Flugzeugs sitzt, das eine Gebirgskette überquert, derselbe Mann, schon stoppelbärtig, hastig die Tür ins Zimmer der kranken Tochter aufstößt, so ist das auch Montage, die über der ganzen Schwierigkeit einer vielleicht sehr langen Reise den einen kontinuierlichen und deshalb alles miteinander verbindenden Wunsch des Mannes, rechtzeitig zu seiner sterbenden Tochter zu kommen, hervortreten läßt. Beliebige Bewegungsformen von Menschen, Tieren oder Dingen können mit Kunstmitteln der Montagedarbietung beschrieben werden. Der Sprung eines Pferdes, ein Zugunglück oder der Sprung eines Fallschirmspringers können im Aufnahmeprozeß in einzelne Teilstücke zerlegt werden, die nachher in bestimmter Ordnung zusammengeklebt werden, zur Erreichung tiefster Beeindruckung. Eine beliebige Naturerscheinung: statische Landschaft, Gewitter, Regen, Morgen, Nacht oder Dämmerung können auf der Leinwand mehr oder minder gut abgebildet werden in Abhängigkeit davon, welches Montagekunstmittel vom Regisseur bei der schöpferischen Hervorbringung der Aufnahmeeinstellung gefunden wird. Die formal-deskriptive Montage ist die allerelementarste Montageart, doch trägt auch sie immer dasselbe obligatorische Merkmal in sich – Findung und Sanktionierung einer klaren Verknüpfung, wenn schon nicht zwischen den einzelnen Erscheinungen, so doch zwischen den einzelnen Seiten oder Details ein und derselben Erscheinung. Wenn es der Regisseur nicht versteht, und sei es intuitiv, die Erscheinungen zu analysieren, die er aufnehmen will, wenn er es nicht versteht, in ihre Tiefe einzudringen, Details aufzugreifen und gleichzeitig den wechselseitigen Zusammenhang zu verstehen, der sie zu einem organischen Ganzen verschmelzt, dann versteht er nicht, eine klare und treffende Darstellung dieser Erscheinung auf der Leinwand zu geben.

Der grundlegende Zusammenhang, der die bestimmte Form und Richtung eines beliebigen sich entwickelnden Prozesses bedingt, nennen wir sein Gesetz. Man kann mit hinlänglicher Begründetheit sagen, daß man, um gut zu montieren, das heißt, einzelne Teilstücke einer beliebigen Erscheinung richtig aufzunehmen, klar die Gesetze ihrer Entwicklung kennen muß. Man kann auch darauf verzichten, sich mit der Analyse, der Findung von Details und Zusammenhängen zu beschäftigen. Man beschäftigt sich dann, sozusagen, mit dem einfachen, ehrlichen Fotografieren dessen, was die Augen eines beliebigen Menschen erblicken können, der nicht zur Nachdenklichkeit neigt. Wenn ein Abend dargestellt werden soll, kann man die allen bekannte

Sonne am Horizont aufnehmen, die einen Streifen auf dem Wasser und die schwarzen Silhouetten der Bäume im Vordergrund beleuchtet.
Wenn das Gespräch zweier Leute aufgenommen werden soll, kann man sie vor die Kamera setzen oder stellen – mögen sie reden, solange sie nicht aufhören. Damit es nicht gar zu langweilig wird, kann man die redenden Leute veranlassen, auf einer Treppe auf- und abzugehen oder durch schön eingerichtete Zimmer zu laufen, oder einen Spaziergang im Wald erfinden und den Schauspielern dabei mit kompliziert bewegter Kamera folgen. Die Aufnahme mit bewegter Kamera, die sogenannte Panorama-Aufnahme, wird von vielen naiven Regisseuren ehrlich für einen vollkommenen Ersatz der Montage einzelner Teilstücke gehalten. Hinter dieser »kontinuierlichen« Aufnahme kann man sich mit demselben Erfolg verstecken wie hinter der sogenannten Totale. Sowohl in diesem wie im anderen Falle ist das Verhalten des Regisseurs gleich. Es läuft auf die Abneigung hinaus, die Aufnahmearbeit zu komplizieren durch Aufteilung der Szene in Teilstücke, um im folgenden dann diese Teilstücke wieder zusammenzukleben, um Einheit und Kontinuität der Wahrnehmung zu erreichen. Warum sollte man das auch machen, wenn die Kontinuität der Handlung schon in der aufgestellten Szene besteht? Man muß sich einfach bemühen, sie ganz so aufzunehmen, daß alles gut zu sehen ist. Es mag scheinen, diese Überlegung sei sehr vernünftig, leider wird ihre Vernünftigkeit jedoch sehr zweifelhaft, wenn man die Filmkunst ernst und tief genug nimmt, wenn man den Film für eine in erster Linie fortschrittliche Kunst hält, die dazu berufen ist, im kulturellen Leben der Menschheit nicht eine kleinere, sondern eine bedeutend größere Rolle zu spielen als jede andere von den existierenden Künsten, sei das die Malerei, die Musik, die Literatur oder das Theater.
Wir vergessen oft, daß der Film tatsächlich eine vorgeschobene, fortschrittliche Kunst ist. Er muß es sein vor allem aufgrund seiner erst kürzlichen Entstehung und der kolossalen Geschwindigkeit seiner Entwicklung. Auftreten und Entwicklung des

Films hängen eng mit den höchsten, mit den letzten Errungenschaften technischen Erfindungsgeistes zusammen. Es ist ein großer Fehler zu denken, daß der Film irgendeine »synthetische«, genauer gesagt, summarische Kunst sei, die die verschiedenen Künste, wie Vögel im Käfig, in Gestalt ihrer Vertreter in sich vereinigte.

Architektur und Malerei – den bildenden Künstler; Musik – den Komponisten; Literatur – den Drehbuchautor; Theater – den Schauspieler und so weiter. Die Arbeit am Film vereinigt tatsächlich alle diese Leute, aber nicht einer von ihnen kann und soll in Wirklichkeit nicht einfach Ausführender sein, der mechanisch die Traditionen seiner Kunst auf die Leinwand überträgt. Man kann sie, wenn es erlaubt ist, nur die Träger dieser Traditionen nennen, die sich in der Filmpraxis einem radikalen Bruch unterwerfen, einer tiefen qualitativen Veränderung, bei denen nur die allgemeinen Merkmale, die allen Künsten zukommen, erhalten bleiben. Solche, zum Beispiel, wie: organische Ganzheit, Wahrheit, rhythmisches und harmonisches Ebenmaß und so weiter. Der Film ernährt sich gewissermaßen von den Traditionen der anderen Künste, indem er sie in eigene, neue umschafft. Wenn ein Mensch, der Tiere und Pflanzen ißt, deren Körper in Gewebe seines eigenen Körpers umschafft, kann ich mir nicht denken, daß deshalb irgendeines Menschen Körper zutreffend bestimmt wird als eine Synthese von Kuh und Kartoffel aufgrund dessen, daß er sich von Beefsteaks ernährt. Der Film besitzt, genauer gesagt, kann besitzen sein eigenes neues Verhalten im Gebiet der Kunst. Der Film verfügt schon, gewiß erst in embryonaler Form, über seine eigene neue Methode der Aufdeckung der realen Wirklichkeit, auf dem Wege der äußeren Beschreibung ebenso wie auch auf dem Wege tiefer innerer Erforschung. Gerade auf dem Gebiet der Methodenentwicklung, auf dem Gebiet der kontinuierlichen Erfindung neuer Kunstmittel, die die Möglichkeiten dieser Methode erweitern, liegt auch die riesige, gerade erst beginnende Zukunft der Filmkunst. Den Wesenskern dieser Methode habe ich in meinen anfänglichen Definitionen unter dem Terminus »Mon-

tage« zusammengefaßt. Ich wiederhole, daß dieser Terminus dank dem neuen, erweiterten Inhalt einen völlig anderen, ungewohnten Sinn bekommt.
Die Montage ist eine neue, von der Filmkunst gefundene und entwickelte Methode der Manifestation und klaren Präsentation aller – von oberflächlichen bis zu den tiefsten – Zusammenhänge, die in der realen Wirklichkeit existieren. Eine beliebige Handlung, Szene oder Landschaft von einem Ort aus – ganz so, wie sie auch ein einfach beobachtender Zuschauer hätte erblikken können – aufzunehmen, heißt den Film für eine primitive, rein technische, sozusagen protokollarische Aufzeichnung zu benutzen, und nicht mehr. Doch muß und soll von der untätigen Beobachtung abgegangen werden, die im realen Leben statthat. Man kann versuchen, mehr zu erblicken, als man von einem Punkt aus sehen kann. Man kann sozusagen nicht nur schauen, sondern auch anschauen, nicht nur sehen, sondern auch verstehen, nicht nur wiedererkennen, sondern auch erkennen. Und hier kommen denn auch die Kunstmittel der Montage zu Hilfe.
Stellen Sie sich folgende Szene vor: Ein Mann erzählt vom tragischen Tod einer ihm unbekannten Frau, dessen zufälliger Zeuge er geworden ist. Sein schweigsamer Zuhörer erkennt in der Beschreibung der Umgekommenen seine Tochter wieder, deren Ankunft er schon lange erwartet. Nehmen wir an, daß nach dem Sujet des Films das Umkommen der Tochter eine entscheidende Rolle im Leben des Vaters spielt. Solange der Regisseur den Zuschauer nur auf dieser in der Tiefe der Handlung verborgenen Linie des Sujets führen will, kann er sich des gewöhnlichen Kunstmittels des Montageschnitts der Szene bedienen.
Der erzählende Mann wird nur deshalb in Erscheinung treten, um den Zuschauer von seiner völligen Ahnungslosigkeit über die schreckliche Bedeutung seiner Erzählung zu überzeugen. Die auf der Leinwand erscheinende Großaufnahme des Hörenden führt und entwickelt das Drama. Die Szene wird natürlich nicht deshalb in Teilstücke aufgeteilt, weil es interessant wäre, den einen oder anderen im Verlauf des Gesprächs zu sehen,

sondern um deutlich die eine verknüpfende Linie des Sujets aufzudecken. Das ist ein sehr einfaches Beispiel, aber auch darin ist zu sehen, daß die Montagebehandlung und Aufnahme der Szene das Resultat ihrer genau bestimmten gedanklichen Erfassung ist. Die Montage ist nicht zu trennen vom Denken. Vom analysierenden, kritischen, synthetisierenden Denken, vom zusammenfassenden und verallgemeinernden.

Hier kommen wir zum Wesentlichsten, was es in der Natur der Montage an den Tag zu bringen gilt. Wenn wir die Montage im allgemeinsten Aspekt als Aufdeckung innerer Zusammenhänge definieren, die in der realen Wirklichkeit existieren, dann setzen wir gewissermaßen ein Gleichheitszeichen zwischen sie und jeden Denkprozeß in einem beliebigen Gebiet. Sind nicht etwa die zusammenhängende menschliche Rede und der mit ihr identische Prozeß menschlichen Denkens eine direkte Reproduktion von Erscheinungen der realen Wirklichkeit, vor allem in ihrem wechselseitigen Zusammenhang? Ist denn nicht Grundmerkmal eines hochstehenden Werkes einer beliebigen Kunst sein ideeller Gehalt, das heißt wiederum tiefe Aufdeckung von Zusammenhängen und Gesetzen, die im Leben existieren? Ja, auf diese Fragen muß man zustimmend antworten. Die allgemeinste Definition der Montage erweist sich als auf jedes Betätigungsfeld menschlicher Erkenntnis und schöpferischer Formgebung ihrer Resultate anwendbar. Eisenstein hat recht, wenn er, über die Natur der Montage handelnd, als Beispiel Verse Puschkins und Gemälde Leonardo da Vincis heranzieht. Ich meine, daß man auch weitergreifende Beispiele nehmen kann, über die Grenzen der Kunst hinaus, zum Beispiel sogar aus dem Gebiet rein wissenschaftlicher Forschungen. Wir haben das Recht, Kunst von einer ihrer Seiten her zu bestimmen als einen Akt kollektiver Erkenntnis der Wirklichkeit. Ich sage »kollektiver Erkenntnis«, weil das Kunstwerk erst dann vollständig zu existieren beginnt, wenn das Resultat der individuellen Anstrengungen des Künstlers zum Besitz aller geworden ist, für die er sein Werk geschaffen hat.

Der Künstler schafft, um viele mit sich und untereinander zu verbinden und zusammenzuschließen. Der objektive Sinn seines Schaffens ist derselbe, der im Prozeß des Auftretens und der Entwicklung der menschlichen Rede beziehungsweise des Denkens enthalten ist. Ebendeshalb finden wir einen engen, gewissermaßen genetischen Zusammenhang in der Reihe: Sprache – Denken – Montage. Die allgemeinste Definition der Montage konstatiert die Tiefe ihrer Herkunft. Aber sie fordert weitere Entwicklung, damit das Wesen der praktisch gefundenen Kunstmittel der Montage klargemacht wird, die unmittelbar nur mit dem Film und den Wegen seiner künftigen Entwicklung zusammenhängen. Ich habe aus Platzmangel nicht die Möglichkeit, eine ganze Reihe unerläßlicher Positionen zu beweisen, und bin deshalb gezwungen, sie in der Form nackter Thesen auszusprechen. Die vollkommenste Form des Denkens, die von der Menschheit bis jetzt erarbeitet worden ist, ist das dialektische Denken. Es ist die vollständigste Widerspiegelung aller uns bekannten Prozesse, die in der objektiven Wirklichkeit vor sich gehen.

Eine der Grundeigenschaften des dialektischen Denkens ist: Jede Erscheinung wird vor allem in ihrer Bewegung betrachtet, in ihrer kontinuierlichen Entwicklung, das heißt, jede Erscheinung wird in ihrer Gegenwart nur dadurch wahrhaft begreiflich, wenn sie als Teil ihrer eigenen Geschichte, die Vergangenheit und Zukunft hat, betrachtet wird. Dies als erstes. Zweitens, jede Erscheinung wird im dialektischen Denken im unmittelbaren organischen Zusammenhang, nach Möglichkeit mit allen sie umgebenden Erscheinungen betrachtet. Jede Besonderheit bekommt nur dann einen klaren, realen Sinn, wenn sie als Ausdruck eines Allgemeinen zu verstehen ist. Völlig ebenso bekommt jede beliebige Verallgemeinerung einen realen Sinn, nur wenn sie im einzelnen ausgedrückt ist. Bewußt berühre ich jetzt nicht die andere grundlegende Eigenschaft des dialektischen Denkens, die Analyse der Natur jeglichen Entwicklungsprozesses. Die Ausmaße dieses Aufsatzes zwingen mich, nur auf das hinzuweisen, was mir für die Klärung der streng definierten Eigenschaften der Filmkunst unerläßlich ist. Wir sind schon übereingekommen, daß Sprache – Denken – Kunst gesetzmäßig, real in der Geschichte der Menschheit nebeneinander existent sind. Wir sind auch übereingekommen, daß die Kunst (ebenso wie die Sprache) ein Akt kollektiver Erkenntnis der Wirklichkeit ist, der unbedingt die Vermittlung durch den Künstler und des Resultats seines Denkens an viele erfordert. Jetzt können wir von diesen Positionen aus eine Anzahl verschiedener Künste betrachten, darunter den Film. Im Prozeß der Widerspiegelung der objektiven Wirklichkeit im Bewußtsein des Menschen spielt eine ungeheuere Rolle das Sehvermögen, das unmittelbare Sehen einer beliebigen Erscheinung. Das Umfassen der Erscheinung durch den lebendigen einheitlichen Blick ist gewissermaßen der Prototyp der Verallgemeinerung, das heißt eine Bestätigung der Erscheinung in ihrer kontinuierlichen Ganzheit. Historisch entspricht das Sehbild einerseits den bildlichen Formen des primitiven Denkens an den Quellen der Menschheitsentwicklung, und andererseits existiert das Sehbild bis heute, besonders in der Kunst, als unmittelbarer sinnlicher Impuls, der der Realität jeder beliebigen Abstraktion Überzeugungskraft verleiht.

In der Kunst einen Denkprozeß und sein Resultat sinnlich voll empfindbar zu machen bedeutet, ein vollwertiges Kunstwerk zu schaffen. In diesem Sinne haben Malerei und Bildhauerei viel erreicht, indem sie eine bewußtgemachte und vom Künstler durchdachte Wirklichkeit darstellten. Aber auch Malerei und Bildhauerei geben gewissermaßen einen feinen Schnitt der dargestellten Erscheinung in ihrem Zeitablauf. Gemälde und Statue können die Bewegung in der Zeit nicht darstellen. Die Vergangenheit und die Zukunft der Szene, die vom Künstler dargestellt wird, können nur dazugedacht werden – sie sind nicht zu sehen. Um den Inhalt des »Heiligen Abendmahls« von Leonardo oder des »Moses« von Michelangelo ganz zu erfassen, muß man die Bibel kennen. Damit Repins »Mord Iwans des Schrecklichen an seinem Sohn« nicht nur als eine dramatisierte, durch seine intensive Farbskala ausdrucksvolle Gruppe erfaßt wird, muß man die Geschichte kennen oder die entsprechende

Erklärung zum Bild hören. Nicht umsonst haben sowohl Gemälde als auch Skulptur immer einen von ihnen nicht zu trennenden Namen, der das ergänzt, was nicht in die Darstellung eingeführt werden kann.
Malerei und Bildhauerei geben ein verallgemeinertes Bild ohne seine Bewegung in der Zeit. Fast polar im Verhältnis zur Malerei steht die Musik. Ihr Element ist die Zeit im sinnlichen Ausdruck ihrer Bewegung, im Rhythmus. Wenn in der Malerei die Bewegung in der Zeit nicht dargestellt wird, so wird in der Musik aber auch nur sie dargestellt. Die visuelle, sichtbare Verallgemeinerung fehlt in ihr. Sie kann nur als Resonanz aufkommen ebenso wie in der Malerei die Resonanz musikalischer Harmonie. Die Musik lebt und entwickelt sich in einem Bereich bewußten Abgehens von den realen Beobachtungen zum Versuch ihrer Verallgemeinerung. Die Musik liefert die Geschichte der menschlichen Gefühle und Gedanken ohne reale Gegenstände, die diese Gefühle und Gedanken hervorrufen. Die Musik gibt im Unterschied zur Malerei die unmittelbare Empfindung der Bewegung in der Zeit, Geschichte ohne reale, räumliche Bilder, die nur dazugedacht werden können.
Jetzt die Literatur. Der Literatur liegt die menschliche Rede zugrunde, das heißt das, was in Wirklichkeit genetisch völlig mit dem Denken identisch ist. Die Literatur schafft mit Hilfe der Beschreibung gewissermaßen mit einem einzigen Blick erfaßte, sichtbar werdende Bilder. Die Literatur, die das Sujet entwikkelt, schafft gewissermaßen die unmittelbar beobachtbare Bewegung der Menschen und Ereignisse in der Zeit. Die Literatur kann schließlich, indem sie Beschreibung und Urteil komponiert, den Zusammenhang von Besonderem und Allgemeinem, von Gesetz und Zufall aufdecken, das heißt, letzten Endes alles das darstellen, was die Inhaltsfülle des Lebens ausmacht. Aber die ganze Sache liegt in dem von mir zweimal wiederholten Ausdruck »gewissermaßen«.
Das verallgemeinerte Bild, das von der literarischen Beschreibung geschaffen wird, ist nicht unmittelbar zu sehen, sondern entsteht als Ergebnis eines zusätzlichen Denkprozesses. Das-

selbe kann man auch von der Aufdeckung allgemeiner Zusammenhänge in der Einheit der lebendigen Wirklichkeit sagen. Die Literatur entbehrt völlig der Möglichkeit, unmittelbare Wahrnehmungen von den Erscheinungen der Wirklichkeit in derartiger Ganzheit zu verwenden, wie sie der beobachtende menschliche Blick gibt. Nicht umsonst sind mitunter talentvolle Illustrationen zum Buch eine wertvolle Ergänzung. Die direkte Dekkung von Literatur und Sprache dient gleichzeitig der grandiosen Erweiterung der Möglichkeiten der Literatur in der Vollständigkeit der Denkensvermittlung im Vergleich zu Malerei, Musik und Bildhauerei, gleichzeitig jedoch schränkt das Fehlen sichtbarer Bilder die Möglichkeiten der Literatur im Bereich der unmittelbaren, sinnlichen Vermittlung des Dargestellten an den Leser oder Hörer ein.

Ich gehe zum Theater über. Das Theaterschauspiel verfügt über ein sehr großes Arsenal darstellender Mittel. Vor allem nehmen es Auge und Ohr unmittelbar wahr. Das Schauspiel ist zu sehen, wie die lebendige Wirklichkeit zu sehen ist. Das lebendige menschliche Wort ist mit all seinen feinsten Intonationen zu hören, die von der Literatur nur beschrieben werden. Nicht nur das Schauspiel der Handlung nimmt der Zuschauer wahr, sondern auch die alles erklärende, aufdeckende und präzisierende menschliche Sprache. Das Theater beschreibt nicht nur, sondern zeigt auch unmittelbar die lebendige Bewegung in der Zeit, die lebendige Geschichte. Die Schnitte zwischen den Akten gestatten, enorme Zeitzwischenräume zu übergreifen. Im modernen Theater werden sogar Versuche einer freien Bewegung in der Zeit gemacht, sozusagen Kehrtwendungen in der Zeit, um tiefere und genauere Vermittlung der Grundidee zu erreichen (Priestley).

Im Theater setzt die Literatur gewissermaßen das lebendige Fleisch der sichtbaren und hörbaren Realität an. Die Ideen, die im Theaterschauspiel verkörpert werden, verfügen über eine riesige Kraft unmittelbarer sinnlicher Einwirkung auf den Zuschauer, ähnlich wie die Einwirkung des Gemäldes oder der Skulptur, aber gleichzeitig verfeinert und vertieft erstens durch die Bewegung in der Zeit, zweitens durch die erläuternde menschliche Sprache. Das Theater erweitert gewissermaßen die Grenzen der Malerei und Bildhauerei. Die sichtbaren Bilder bewegen sich in der Zeit. Die Kunstmittel der Musik, die mit dem Rhythmus zusammenhängen, fügen sich natürlich in die Kunstmittel des Schauspielaufbaus ein. Endlich bringt das lebendige Wort dem Theater die Möglichkeit direkter Darbietung des Denkens ein, die der Literatur eigen ist. Wenn man sich jetzt an das erinnert, was ich oben über das dialektische Denken gesagt habe, erweist sich, daß das Theater mit seinen Möglichkeiten der Wirklichkeitsdarstellung in der ganzen Fülle des Daseins, das vom dialektischen Denken aufgedeckt wird, am nächsten kommt. Der Zusammenhang einer beliebigen Erscheinung mit ihrer Entwicklung in der Zeit und der Zusammenhang einer beliebigen Erscheinung mit der Umwelt können im Theater aufgedeckt und gezeigt werden. Von Bild zu Bild, von Akt zu Akt sehen wir, verläuft die Handlung in der Zeit. Wir können, wenn es erforderlich wird, in die Vergangenheit zurückgehen oder in die Zukunft schauen. Ein Bild kann in Moskau spielen und das nächste in Amerika.

Wir entdecken und zeigen den Zusammenhang zwischen dem, was an verschiedenen Orten, die durch einen großen Raum voneinander getrennt sind, vor sich geht. Die Aufführung kann so aufgebaut sein, daß sich vor dem Zuschauer ein Leben entfaltet, das der Künstler nicht nur gesehen, sondern das er auch erforscht hat, und zwar so erforscht, wie das die fortschrittlichste Forschungsmethode zu machen gestattet, die dialektische Methode. Aber die Möglichkeiten des Theaters sind trotz allem begrenzt. Das Theater kann bei weitem nicht alles zeigen. Vieles kann es nur mit Hilfe des Wortes erzählen, wie das die Literatur tut. Der Hauptausdrucksträger des Schauspielinhalts wird im Theater immer der handelnde und sprechende Schauspieler sein. Hauptsächlich durch ihn, durch seine Rede erfährt der Zuschauer alles, was für die Vollständigkeit der Darstellung des Lebens nötig ist und gleichzeitig nicht unmittelbar gezeigt werden kann.

Im griechischen Theater gab es traditionelle Boten, deren Bestimmung war, über Ereignisse zu berichten, die für die Entwicklung des Sujets wichtig waren, die jedoch auf der Bühne nicht gezeigt werden konnten. Jetzt gibt es diese Boten nicht mehr, aber die Notwendigkeit ihrer Funktionen ist unweigerlich geblieben. Im modernen Schauspiel wird die Erzählung dessen, was nicht gezeigt werden kann, verschiedenen handelnden Personen, Briefen, Telegrammen, Telefonanrufen und so weiter übertragen. Das Theater strebte in seiner Entwicklung danach, seine Möglichkeiten unmittelbarer Präsentation zu erweitern, nicht nur die des Schauspielerspiels, sondern auch die des ganzen Lebensreichtums, des Reichtums objektiver Vorgänge, die den Schauspieler umgeben, die mit seinem Innenleben zusammenhängen und es bedingen. Das Theater vernichtete die Einheit von Ort und Zeit und führte zusammengesetzte Bühnenbilder ein. Mit Hilfe aller möglichen technischen Kniffe führte es deren schnellen Wechsel ein, die Grenzen seiner Möglichkeiten werden jedoch immer deutlicher. Wenn das Stück nur über Leute spricht, über ihre innere Welt, über ihre gegenseitigen Beziehungen, kann das Theater eine perfekte Aufführung schaffen. Aber versuchen Sie, den Reichtum und die Vollständigkeit der Lebensbeschreibung so zu erweitern, wie das in der Literatur die Romangattung macht.
Versuchen Sie, eine Vielzahl handelnder Personen einzuführen, von denen jede ihr Leben an verschiedenen Orten in ihren persönlichen Verhältnissen lebt: eine im Norden, die andere im Süden, die dritte im Ausland, die vierte an der Front und so weiter. Alle treffen an einem bestimmten Ort zusammen. Alle sind sie nur mit dem Verlauf des allgemeinen Gedankens des Autors verknüpft. Versuchen Sie, das lebendige Atmen der Natur in die Handlung einzuführen: den winterlichen Frost, die Hitze des Sommers, die frühen Morgen, Dämmerung, Gewitter und Regengüsse, Meer und Flüsse, Berge und Ebenen – alles, was im einheitlichen, breiten Strom eines Romans unweigerlich da ist. Das Theater hält das nicht aus. Es kann sich auf Andeutungen dieses realen Lebensreichtums in bedingten Bühnenbildern be-

schränken oder seine Darstellung durch verbale Erzählung ergänzen. Für das Theater gilt immer die Losung, alles durch den Menschen zu zeigen, durch seine Beziehungen zu anderen, durch seine persönliche Einstellung zu seiner Umwelt. Der objektive Blick auf die ganze Vielschichtigkeit der Welt, in der der Mensch kämpft, die er erkennt und umgestaltet, ist dem Theater in seinem vollen Maße versagt.
Im Vergleich zur Literatur ist das Theater ausdrucksvoller, seine unmittelbar beeindruckende Kraft ist größer, aber die Spannweite des ganzen Reichtums realen Lebens ist beim Theater kleiner als bei der Literatur. Der nächste Schritt zum maximal Beeindruckenden in der Ebene der Kunst und damit zugleich zur maximal breiten Umspannung objektiver Wirklichkeit ist der Film.
Ich ziehe Bilanz über die schematischen Definitionen der Möglichkeiten verschiedener Künste.
Malerei und Bildhauerei – Kraft unmittelbarer Einwirkung des Sehbildes, aber nicht dessen Bewegung und Entwicklung in der Zeit.
Musik – Kraft der unmittelbaren Empfindung der Bewegung und Entwicklung in der Zeit, aber keine Sehbilder.
Literatur – erschöpfende Vollständigkeit der Widerspiegelung der wirklichen Welt mit allen ihren Zusammenhängen, Entwicklungsgesetzen, aber keine unmittelbare Einwirkung, weder durch Sehbild noch durch Lautintonation der lebendigen Sprache.
Theater – Sehbild, lebendige Sprache, aber scharf begrenzte Möglichkeiten vollständiger Präsentation der objektiven Wirklichkeit.
Jetzt der Film. Was sind seine Möglichkeiten? Er besitzt in vollem Maße die Kraft unmittelbarer Beeindruckung durch das Sehbild. Seine freie Bewegung in der Zeit kann in vollem Maße die Formen des Rhythmus verwenden und entwickeln, die von Musik und Poesie entdeckt worden sind. Er kann in vollem Maße die ganze Vielschichtigkeit der Welt darstellen, tiefe Zusammenhänge zwischen den Erscheinungen klarmachen, indem

er sich leicht im Raum versetzt und leicht in der Zeit umwendet. Er sieht gleich deutlich sowohl das Detail als auch das Allgemeine, zu dem es gehört.
Der große Umfang der objektiven Wirklichkeit, der dem literarischen Roman offensteht, steht auch ganz dem Film offen. Mehr noch, die Unmittelbarkeit der Wahrnehmung des Sehbildes (statt seiner literarischen Beschreibung) und die Flexibilität der Montagekunstmittel erlauben dem Film, leicht mit Aufgaben fertig zu werden, die für die Literatur fast unlösbar sind.
Der Film verfügt in vollem Maße über den lebendigen sichtbaren Menschen samt seiner intonierten Rede. Daher finden sich alle Möglichkeiten des Theaters zu seiner Verfügung, wobei es für den Film im Unterschied zum Theater nicht obligatorisch ist, alles durch den Menschen oder mittels des Menschen zu zeigen.
Der Film verfügt über alle Möglichkeiten des Theaterschauspiels plus neue riesige technische und schöpferische Möglichkeiten, die erlauben, dieses Schauspiel bis zum äußersten Umfang des Inhalts eines literarischen oder sogar eines wissenschaftlichen Werkes auszudehnen. Das ist der Film in seinen Möglichkeiten. Er faßt alle bisher geschaffenen Künste in sich.
Wenn wir jetzt wieder zum dialektischen Denken zurückkehren, zeigt sich, daß gerade der Film auf der Leinwand ein vollständiges unmittelbar beeindruckendes Bild des Lebens geben kann, indem er es als einen dialektischen Prozeß von größter Vielschichtigkeit darstellt.
Der Zuschauer, der einen ideell gehaltvollen Film sieht, ergreift gewissermaßen mit einem Blick das Allgemeine, registriert den wechselseitigen Zusammenhang des Besonderen mit dem Allgemeinen, sieht die Veränderung und fühlt deren Gesetz, kehrt in die Vergangenheit zurück, um es zu prüfen, und geht weiter in die Zukunft, um das Gesetz endgültig zu bestätigen. Eine so vollständige Darstellung der Wirklichkeit und eine so allseitige Aufdeckung der gesetzmäßigen Zusammenhänge wird im Film mit Hilfe von Montagekunstmitteln erreicht.

Ich habe oben versprochen, eine speziellere, allein mit der Filmkunst zusammenhängende Definition des Inhalts der Montage zu geben anstatt der allgemeinsten Definition, die, wie sich gezeigt hat, auch auf andere Künste und auf den Denkprozeß überhaupt sich beziehen kann. Jetzt kann man das machen. Die Offenlegung und Klärung der gesetzmäßigen Zusammenhänge, die in der lebendigen Wirklichkeit existieren, ist allen Künsten eigen, aber wenn man die ganze von mir erwähnte Reihe von Künsten, von der Malerei bis zum Film, verfolgt, kann man sehen, wie die Methode der Darstellung dieser Zusammenhänge sich in der Entwicklung verändert. In der Malerei und Bildhauerei bleiben sie in ein kontinuierliches Ganzes verschmolzen, wobei diese Kontinuität eine sichtbare, also eine unmittelbar fühlbare Kontinuität bleibt. In der Musik wird diese unmittelbar fühlbare Kontinuität schon verletzt. In den schwierigsten Formen der Musik, zum Beispiel der Symphonie, treten Trennungen, Schnitte auf. Die Symphonie besteht aus Teilen. An den Schnittstellen wird die sozusagen physische Empfindung der Kontinuität durch eine Kontinuität ersetzt, die intellektuell erfaßt wird. Der äußerliche, oberflächliche Zusammenhang vertieft sich gewissermaßen. An der Trennstelle wird der gedachte innere Zusammenhang gewissermaßen entblößt. In der Literatur geht diese Methode des Schnitts, der Trennung zur Äußerung der gefundenen Zusammenhänge noch weiter. Der Roman teilt bei der Darstellung der Wirklichkeit diese sowohl in der Zeit als auch im Raum. An den Schnittstellen strebt er danach, zahlreiche Zusammenhänge besonderer Erscheinungen untereinander und ihren Zusammenhang mit größeren allgemeinen Gesetzen des sich bewegenden Lebens bloßzulegen.
Im Film erreicht die Methode der Trennung, des Schnitts ihre vollkommensten Formen.
Vermöge der technischen Möglichkeiten des Films kann alles geteilt und kann alles vereinigt werden, um lebendige Zusammenhänge, die in der Wirklichkeit existieren, zu klären und unmittelbar zu zeigen. Wo auch immer ein solcher Zusammenhang vom Künstler gefunden worden sein mag, er kann, wenn er den

Schnitt gemacht hat, ihn unmittelbar dem Zuschauer vorführen. Er kann ein Faktum nehmen, das heute in Paris geschehen ist, und ein Faktum, das vor zehn Jahren in Washington geschehen ist, und, indem er sie bis zur direkten Nachbarschaft zusammenschiebt, ihren inneren Zusammenhang zeigen. Er kann eine ganze Erscheinung nehmen, aus ihr nur das herausheben, was am genauesten den inneren Auftrag ihrer Entwicklung bestimmt, und nach Vereinigung der ausgeschnittenen Teilstücke dem Zuschauer mittelbar den Gedanken vermitteln. Zum Beispiel kann man eine Industriestadt nehmen, die Pracht der Dinge zeigen, die von den Arbeitern hergestellt werden, und daneben die Bettelarmut der Dinge stellen, die die Arbeiter selbst benutzen müssen. Oder man kann eine Menschenmenge nehmen, die sich auf der Straße bewegt, und nach Heraushebung eines Dutzends typischer Vertreter verschiedener Gruppen sowohl ihre Zusammensetzung als auch das Ziel ihrer Bewegung bestimmen. Oder man kann ein Gespräch von zwei Menschen nehmen und seinen wahren Inhalt aufzeigen, indem man nicht das zeigt, was einer beim anderen sieht, sondern das, was einer vor dem anderen verbirgt. Das kann man erreichen, indem man einzeln aufgenommene Details ineinanderschneidet, zum Beispiel eine Faust, die sich zusammenpreßt und hinter dem Rücken verborgen ist, oder den Blick, der auf den Revolver gerichtet ist, der an der Seite liegt.

Die Methode der Trennung und Verbindung, die durch die technischen Möglichkeiten des Films bis zu hohen Formen der Perfektion entwickelt ist, nennen wir auch Filmmontage.

Die Bestrebung des Regisseurs bei der Bearbeitung des Drehbuchs und bei der Aufnahme der Szenen, die Handlung durchdacht und zielstrebig in einzeln aufgenommene Teilstücke zu trennen, ist eine progressive Bestrebung, die unmittelbar mit der Kultur des Regisseurs zusammenhängt, mit der Stufe seiner Begabung und – und das ist die Hauptsache – mit dem Grad des Wunsches, die lebendige Wirklichkeit mit all ihrem tiefen inneren Gehalt möglichst vollständig widerzuspiegeln.

Die größten Resultate erreichte die Kunst der Filmmontage im

Bereich der Montage visueller Darstellungen. Das erklärt sich natürlich durch die langwährende Existenz der Stummfilmzeit. Es genügt, an einige der größten Stummfilme zu erinnern, etwa *Panzerkreuzer Potemkin,* um zu verstehen, welche riesige ideelle Sprengkraft und welche Kraft durchdachter visueller Einwirkung sie in ihren wortlosen, bis an den Rand mit lebendigem Denken angefüllten Formen trugen.

Mit der Montage des Tonfilms steht es schon bei weitem schlechter. In den besten Filmen der Tonzeit, solchen wie *Tschapajew* oder einigen Arbeiten J. Fords, wurden traditionelle Kunstmittel der Stummfilmzeit bewahrt und verwendet. Aber leider begannen in den meisten Filmen sogar die alten, bekannten Anwendungsformen der Montage von der Leinwand zu verschwinden.

Womit erklärt sich das? Natürlich nicht damit, daß die Montage ausgedient hätte und durch etwas anderes, Bedeutenderes ersetzt worden wäre. Die Natur der Montage ist allen Künsten eigen, und im Film hat sie lediglich vollkommenere Formen bekommen und wird sich unweigerlich weiterentwickeln. Der Stillstand in der Entwicklung der Montagekunstmittel erklärt sich anders. Die Sache ist die, daß mit dem Ton die Theateraufführung auf die Leinwand zurückkehrte mit ihren Traditionen, mit ihren Schauspielern und ihren Möglichkeiten, das Leben zu zeigen.

Eine Theateraufführung, die auf der Bühne gespielt wird, kann ein prächtiges Werk der Theaterkunst sein, aber mechanisch auf die Leinwand übertragen, wird es kein Kunstwerk. Ein erstklassiges Automobil kann prima auf der Erde fahren, aber wenn man Flügel und Propeller daranmacht, wird es deshalb nicht fliegen. Ich habe schon gesagt, daß das Theater seine Möglichkeiten und seine Grenzen hat. Der Film hat größere Möglichkeiten und weitere Grenzen. Wenn man sie nicht ausnutzt, hört die Filmkunst auf, Kunst zu sein, und verwandelt sich in ein System zur Aufzeichnung der Resultate einer anderen Kunst.

Die Theatralisierung der Filmkunst ist besonders scharf in der dem Umfang nach enormen amerikanischen Produktion zu bemerken. Es erscheint eine Vielzahl von Filmen, die ein Stück ganz und gar mit seiner Bühneneinrichtung nehmen. Weshalb sollte man denn auch Kräfte auf irgendeine Umarbeitung verschwenden, wenn das Theater schon alles Nötige getan hat, damit das Stück sich gut anschauen läßt, interessiert und erregt? Richtig, die Gedanken des Autors werden mit reinen Theatermethoden aufgedeckt. In der Hauptsache wird gesprochen, alles wird erzählt und wenig gezeigt. Aber letzten Endes wird der Zuschauer nicht die Methode sehen, sondern das Stück.

Das ist alles irgendwie vernünftig, hauptsächlich vom kommerziellen Gesichtspunkt aus. Es kommt so etwas in der Art einer kommerziell vorteilhaften Ökonomie schöpferischen Denkens und schöpferischer Kräfte zum Vorschein. Aber so eine Lage kann nicht bleiben und bleibt auch nicht. Wenn der Filmregisseur danach verlangt, sich mit der mechanischen Übertragung der Theateraufführung auf die Leinwand unter Zusetzung eines Dutzends von Naturlandschaften statt Bühnenbildern zufriedenzugeben, dann wird er zum Handwerker und zählt nicht. Wenn der Regisseur danach verlangt, Geld zu verdienen, Filmchen zur leeren Unterhaltung des kleinbürgerlichen Publikums dreht, vom Typ Musik-und-Tanz-Film oder dumm-komischer Film, so ist natürlich für solche Filme keinerlei vernünftige Montage notwendig. So ein Regisseur kann sich mit den Schablonen früher gefundener Kunstmittel zufriedengeben, das heißt zu demselben Handwerker werden. Er zählt auch nicht.

Wenn der Regisseur sich Aufgaben stellt, die von einer hohen Idee zusammengehalten werden, und er sie so auszuarbeiten wünscht, wie das moderne fortgeschrittene menschliche Denken gestattet, wird er unbedingt zu der mächtigen Methode der Montage greifen.

Je weiter die Idee, je tiefer ihre Ausarbeitung, desto größer wird das Bedürfnis, nicht nur die schon gefundenen Montagekunstmittel zu verwenden, sondern auch neue zu erfinden. Die Rahmen der Theaterbedingtheiten werden für ihn unerträglich eng. Der Schauspieler und sein Spiel allein können nicht alles fassen, was er vor dem Zuschauer in dem von ihm dargestellten Leben aufdecken möchte.

Die Verwendung der Montagekunstmittel und die Erfindung neuer hängen eng mit der Tätigkeit des erkennenden Denkens des Regisseurs zusammen und mit dem schöpferischen Bestreben, seine Resultate dem Zuschauer in einer äußerst klaren, stark beeindruckenden Form zu vermitteln.
Die Entwicklung der Montage ist der Weg in die Zukunft der Filmkunst. Vieles von mir Gesagte bezieht sich weitaus mehr auf diese Zukunft als auf die Erfahrung, die bisher gesammelt worden ist. Viel wird mit Farbe zu arbeiten sein. Im Bereich einer zielstrebigen durchdachten Montage farbiger Teilstücke ist buchstäblich noch nichts gemacht worden. Man kann zum Beschluß nur eines sagen: Je kultivierter, je erfüllter von fortschrittlichen Ideen die Aufgaben werden, die von der Filmkunst zu lösen sind, um so wichtiger, reicher und vollkommener wird das Arsenal der Kunstmittel der machtvollen Methode der Filmkunst werden – der Montage.

BORIS M. EJCHENBAUM

Probleme der Filmstilistik

1927

1

Künste an sich, als Erscheinungen der Natur, gibt es nicht – es gibt ein dem Menschen eigenes Bedürfnis nach Kunst. Dieses Bedürfnis wird auf verschiedene Weise befriedigt in verschiedenen Epochen, bei verschiedenen Nationalitäten, in verschiedenen Kulturen. Einzelne, in den Aufbau des menschlichen Alltags eingehende Elemente der Natur werden isoliert und werden – einer bestimmten Kultur ausgesetzt – zur Grundlage dieser oder jener Kunst. Als Material der Kunst müssen diese Elemente gewisse Eigenschaften oder ›Fähigkeiten‹ besitzen und in gewissen besonderen Beziehungen zum Alltag stehen. Diese Beziehungen ändern sich, es ändern sich sowohl die Formen selbst der Kunst als auch deren Gruppierung.
Der Film wurde nicht von heute auf morgen zur Kunst. In seiner Geschichte muß man zwei Phasen unterscheiden: die Erfindung der Filmkamera, dank derer die Reproduktion von Bewegung auf der Leinwand möglich wurde, und die Nutzung dieser Filmkamera für die Verwandlung des fotografischen Filmstreifens in einen Film. Im ersten Stadium war der Film lediglich ein Apparat, ein Mechanismus; im zweiten Stadium wurde er zu einer Art Instrument in den Händen des Kameramanns und Regisseurs. Das eine wie das andere trat selbstverständlich nicht zufällig auf. Das erste war das natürliche Resultat technischer Perfektionierungen auf dem Gebiet der Fotografie; das zweite das natürliche und notwendige Resultat neuer künstlerischer Forderungen. Das erste gehört zum Bereich der sich nach den Gesetzen ihrer eigenen Logik entwickelnden Erfindungen; das zweite kann man eher der Zahl der Entdeckungen zurechnen: es zeigte sich, daß die Filmkamera zur Organisierung einer neuen Kunst *ge-*

nutzt werden konnte, und zwar einer solchen Kunst, nach der schon seit langem ein manifestes Bedürfnis bestanden hatte.
Die Erfinder der Filmkamera dachten wohl kaum daran, daß sie die Bedingungen für die Organisierung einer neuen Kunst schufen. Charakteristischerweise vergingen ungefähr zwanzig Jahre, ehe die Filmtechnik als Technik der Filmkunst begriffen wurde. In den ersten Jahren konzentrierte sich das Interesse auf die Illusion selbst der Bewegung. Der Film wurde als technischer Trick aufgefaßt und überschritt nicht das Prinzip belebter Fotografie. Man sprach weder von Drehbüchern noch von Montage und dachte bis 1897 nicht einmal daran, die Filmstücke aneinander zu kleben. Im Mittelpunkt des Interesses stand die technische Perfektionierung der Kamera als solcher.
Der Filmstreifen, dessen Länge 17 Meter nicht überschritt, reproduzierte irgendeine einzelne Szene z. B. der Art: »La Sortie des Ouvriers de l'Usine Lumière«[1]. Lange Zeit belegten solche ›Ansichts‹-Filme, eine Art bewegter Fotografie, im Kinorepertoire den ersten Platz. Dies war das primitive Stadium alltäglicher Szenen und Landschaften (man stellte, unter anderem, die ›Fotogenität‹ des Wassers fest). Zu diesen ursprünglichen Gattungen stießen bald die Filmkomödien, die in entscheidendem Maße dem Film verhalfen, sich als eine Kunst zu verstehen: dank dem Wesen selbst des Komischen kamen sie ohne komplizierte Motivationen und handlungsmäßige Verwicklungen aus und schufen, indem sie mit gewöhnlichem Alltagsmaterial arbeiteten, gleichzeitig die erste Grundlage für die zukünftigen Filmtricks und arbeiteten eine Reihe typischer, für das Film-ABC notwendiger Schablonen aus. Jedoch war auch in diesem Stadium das Prinzip der bewegten Fotografie immer noch das führende und einzige.
Im Grunde genommen hat die Erfindung der Filmkamera neues Leben in das bis dahin sehr beschränkte Gebiet der Fotografie selbst gebracht. Die gewöhnliche Fotografie konnte, trotz all ihrer Versuche, ›künstlerisch‹ zu werden, keinerlei eigenständigen Platz innerhalb der Künste gewinnen, da sie statisch und deswegen nur ›darstellend‹ war. Neben der dem Künstler zur Realisie-

rung vielfältiger Ideen genügend Freiheit gewährenden Grafik erwies sich die Fotografie natürlich als bloßes Hilfsmittel, als rein technischer, keine Stileigenschaften besitzender Vorgang. Deswegen wurde sie auch in so hohem Maße zu einem Gebrauchs- und Alltagsgegenstand ohne irgendwelche anderen Perspektiven. Die Filmkamera dynamisierte die fotografische Aufnahme, indem sie sie aus einer geschlossenen, statischen Einheit zum *Filmbild,* zu einem unendlich kleinen Teil eines sich bewegenden Stroms verwandelte. Ebendadurch konnte zum erstenmal in der Geschichte eine ihrer Natur nach ›darstellende‹ Kunst sich in der Zeit entwickeln und stand somit außerhalb von Konkurrenz, Klassifikation und Analogien. Durch ihre verschiedenen Elemente in Verbindung stehend sowohl mit dem Theater als auch der Grafik, der Musik und der Literatur, war sie gleichzeitig etwas völlig Neues. Die mechanischen Mittel der Fotografie (Helldunkel, Unschärfe, die Dimensionen der Aufnahme) erhielten, zu Mitteln einer besonderen Film-Sprache geworden, eine neue Bedeutung. Gleichzeitig mit der Entwicklung der Filmtechnik und dem Bewußtwerden der mannigfaltigen Möglichkeiten der Montage bildete sich die für jede Kunst notwendige und charakteristische Unterscheidung zwischen Material und Konstruktion. Es trat m. a. W. das Problem der Form auf.

Vor dem Hintergrund des Films wurde der Bereich der einfachen Fotografie definitiv als elementarer, alltäglicher, angewandter bestimmt. Die Beziehungen zwischen Fotografie und Film sind in gewisser Hinsicht von der Art der Beziehung zwischen praktischer und poetischer Sprache. Die Filmkamera ermöglichte es, Effekte zu entdecken und auszunutzen, die die einfache Fotografie weder hätte verwerten können noch verwerten wollen. Es trat das Problem der ›Fotogenität‹ auf (L. Delluc[2]); ihre Hauptbedeutung bestand darin, daß sie für den Film ein Prinzip der *Auswahl* des Materials nach spezifischen Merkmalen darstellte.

Die Kunst lebt dadurch, daß sie – keine praktische Anwendung besitzend – sich dem alltäglichen Gebrauch entzieht. Der alltägliche Wortgebrauch läßt große Mengen lautlicher, semantischer und syntaktischer Nuancen ungenutzt, die dann ihren Platz in der Wortkunst finden (Viktor Šklovskij). Der Tanz beruht auf Bewegungen, die im gewohnten Gehen nicht vorkommen. Wenngleich die Kunst das Alltägliche auch nutzt, so nutzt sie es doch als Material mit dem Ziel, es in einer unerwarteten Interpretation oder Verschiebung, unter einem deformierten Aspekt (Groteske) zu vermitteln. Daher die beständige ›Konventionalität‹ der Kunst, die selbst die extremsten und konsequentesten Naturalisten – soweit sie Künstler bleiben – nicht überwinden können.

Die ursprüngliche Natur der Kunst ist das Bedürfnis nach Entladung jener Energien des menschlichen Organismus, die aus dem Alltag ausgeschlossen sind oder nur teilweise in ihm zur Wirkung kommen. Dies ist auch ihre biologische Grundlage, die ihr die Macht eines Befriedigung suchenden Lebensbedürfnisses verleiht. Diese im Grund spielerische und mit keinem genau ausgedrückten ›Sinn‹ verbundene Grundlage verwirklicht sich in jenen eigenwertigen, ›Zaum'‹-Tendenzen[3], die in jeder Kunst durchschimmern und als ihr organisches Ferment erscheinen. Die Verwendung dieses Ferments mit dem Ziel, es in ›Ausdruck‹ umzuwandeln, organisiert die Kunst als soziales Phänomen, als eine ›Sprache‹ besonderer Art. Diese ›eigenwertigen‹ Tendenzen werden oft bloßgelegt und zur revolutionären Losung; dann beginnt man von ›Zaum'‹-Dichtung, von ›absoluter‹ Musik usw. zu sprechen. Die ständige Inkongruenz zwischen den Ebenen ›Zaum'‹ und ›Sprache‹ ist die innere Antinomie der Kunst und lenkt ihre Evolution.

Der Film wurde zu einer Kunst, als die Bedeutung dieser beiden Momente in ihm bestimmt wurde. Das *Fotogene* ist eben die – in diesem Sinn der musikalischen, sprachlichen, malerischen, motorischen und anderen ›Zaum'‹-analoge – ›Zaum'‹-Essenz des Films. Wir beobachten sie auf der Leinwand, außerhalb jeden Zusammenhangs mit dem Sujet, in den Gesichtern, in den Gegenständen und in der Landschaft. Wir sehen die Dinge neu und empfinden sie als Unbekannte. Delluc sagt: »Die Lokomotive, der Ozeandampfer, das Flugzeug, die Eisenbahn sind, dem Charakter ihrer Struktur nach, fotogen. Jedesmal, wenn auf der Leinwand Bilder der ›Film-Wahrheit‹ dahinjagen, die uns die Bewegung einer Flotte oder eines Schiffs zeigen, schreit der Zuschauer vor Begeisterung auf.«[4] Der Grund hierfür liegt natürlich nicht in der ›Struktur‹ des Gegenstandes selbst, sondern in seiner Darbietung auf der Leinwand. Es ist eine Frage der Methode und des Stils, ob ein beliebiger Gegenstand fotogen sein kann. Der Kameramann ist der Künstler des Fotogenen. Als ›Ausdruck‹ genutzt, verwandelt sich das Fotogene in die ›Sprache‹ der Mimik, Gesten, Dinge, Aufnahmewinkel, Aufnahmedistanzen usw., die die Grundlage der Filmstilistik sind.

2

Seit langem schon ist das Bedürfnis nach einer neuen Massenkunst offenkundig, das Bedürfnis nach einer in ihren künstlerischen Mitteln der ›Masse‹ – vor allem der keine eigene ›Folklore‹ besitzenden städtischen Masse – verständlichen Kunst. Diese sich an die Massen wendende Kunst mußte auftreten als ein neuer ›Primitiver‹, der sich revolutionär den alten, isoliert lebenden Künsten entgegenstellte. Diese ›Primitivität‹ konnte verwirklicht werden auf der Grundlage einer Erfindung, die, indem sic in den Vordergrund ein neues künstlerisches Element stellte und es zur konstruktiven Dominante machte, eine besondere Form der Verschmelzung (der Synkretisierung) der einzelnen Künste ermöglichte.
Die Evolution der als etwas Einheitliches verstandenen Kunst drückt sich in den beständigen Schwankungen zwischen Isolierung (Differenzicrung) und Verschmelzung aus. Jede einzelne Kunst existiert und entwickelt sich sowohl als gesonderter Aspekt wie auch als Spielart auf dem Hintergrund der anderen Künste. In den verschiedenen Epochen versucht diese oder jene Kunst, Massenkunst zu werden, begeistert sich für das Pathos eines *Synkretismus* und strebt danach, die Elemente der ande-

ren Künste sich einzuverleiben. Differenzierung und Synkretisierung sind beständige und gleichermaßen bedeutsame Prozesse in der Geschichte der sich korrelativ entwickelnden Künste. Synkretistische Formen sind keineswegs, wie man früher dachte, ein Attribut lediglich der Kunst der Wilden oder des ›Volkes‹; die Tendenz zu ihrer Bildung ist ein beständiges Faktum der künstlerischen Kultur. Die musikalischen Dramen Wagners oder die symphonischen Tänze der Erneuerer des Balletts sind einzelne Manifestationen synkretistischer Tendenzen der letzten Zeit. Diesen Versuchen fehlte jedoch der Geist revolutionärer ›Primitivität‹, der unumgänglich ist dafür, daß eine neue Form die Bedeutung einer Massenkunst gewinnen kann, einer Kunst, die sich den anderen gerade durch die Reichweite ihres Einflusses entgegenstellt. Der uns in vielem zu den Prinzipien des frühen Mittelalters zurückführende allgemeine Wendepunkt der Kultur hat eine entscheidende Forderung gestellt: eine neue, von den Traditionen freie, ihren ›sprachlichen‹ (bedeutungsmäßigen) Mitteln nach primitive und ihren Möglichkeiten einer Beeinflussung der Massen nach grandiose Kunst zu schaffen. Dem Technizismus gemäß, unter dessen Zeichen die Kultur unserer Epoche steht, mußte diese Kunst geboren werden aus dem Schoß der Technik selbst.
Eine solche Kunst war in seinem Anfangsstadium auch der Film. Es ist charakteristisch, daß der Film in seinen ersten Jahren (wohl bis zum Ersten Weltkrieg) als vulgäre, ›gemeine‹, nur für die Masse geeignete Kunst bewertet wurde. Seine Anfangspositionen eroberte der Film sich in der Provinz und den Randgebieten der Großstädte. Von der Reklame zum Filmbesuch verführt, fühlte sich der Intellektuelle peinlich berührt, wenn er einen anderen Intellektuellen traf: »Auch du hast dich umgarnen lassen?« dachte jeder für sich. Wer hätte damals geglaubt, daß der große Saal des Leningrader Konservatoriums eines Tages ein Kino sein würde? So verläuft eben die Evolution der Künste und einzelnen Gattungen.
Auf dem Hintergrund der anderen Künste nahm sich der Film gleichsam primitiv, fast abgeschmackt, den guten Geschmack

verletzend aus. Das Faktum selbst der Bildung einer neuen Kunst auf der Grundlage der Fotografie verletzte die gewohnten ›hohen‹ Vorstellungen vom Schöpfungsakt. Die Filmkamera stellte sich zynisch dem scheinbar ›Handwerklichen‹ der alten Künste entgegen und verlieh ihnen (besonders dem Theater) bis zu einem gewissen Grad einen archaischen Zug. In die von Traditionen geschützte Domäne der Künste drang ein dreister Neuling ein und drohte, die Kunst auf eine einfache Technik zu reduzieren. Die Filmvorführung war gewissermaßen eine totale ›Degradierung‹ der Theateraufführung, beginnend mit dem gleichsam en passant eingetretenen, mantelbekleideten Zuschauer bis zu der Vorhang und Bühne ersetzenden nackten Leinwand. Alles schockierte: die mechanische Reproduktion, die mechanische Wiederholung (2 bis 3 Vorführungen pro Abend), die industrielle Fabrikation usw. usw. Es ist ganz natürlich, daß die in der Mehrzahl in den Traditionen der alten künstlerischen Kulturen erzogene Intelligenz anfänglich den Film als eine mechanische, primitive und nur zur Befriedigung der ›Straße‹ fähige Kunst ignorierte.
Daß Weltkrieg und Revolution den Prozeß der Verbreitung des Films unter den Massen beschleunigt haben, liegt auf der Hand. Unter anderen historischen Bedingungen hätte der Film wahrscheinlich einen weit langwierigeren und schwierigeren Kampf durchstehen müssen. Nebenbei ist es interessant, daran zu erinnern, daß noch vor dem Weltkrieg, in der Zerfallsepoche des Symbolismus, Theoretiker des Theaters und Regisseure fasziniert waren von der Idee eines ›kollektiven‹ Theaters.[5] Eine gewisse Verarmung machte sich im Leben des Theaters spürbar, und man versuchte, sie experimentell durch eine gezielte Renaissance des ›alten Theaters‹, der Commedia dell'arte usw. zu überwinden. Neben der Idee eines ›kollektiven‹ Theaters tritt als subtiles, von der Theaterkrise zeugendes Paradox die Idee eines ›Theaters um des Theaters willen‹ auf (N. Evreinov), und Theaterparodie steht hoch im Kurs.[6] Unterdessen aber verlor sich mehr und mehr nicht nur seitens der Zuschauer, sondern auch der Schauspieler das Interesse am Theater.

Die Träume von der ›Kollektivität‹ erlitten Schiffbruch und wurden zum charakteristischen historischen Symptom der Epoche des Theaterzerfalls. Unerwartet jedoch trat eine neue, die Massen erreichende und in diesem Sinn eine Art ›kollektive‹ Kunst auf. Ja mehr noch: sie war kollektiv nicht nur hinsichtlich des Zuschauers (›die Straße‹), sondern auch hinsichtlich der Produktion selbst. Als synkretistische Form und als technische Erfindung sammelte der Film Mengen verschiedener Spezialisten um sich und wurde über lange Zeit dem Zuschauer vollkommen namenlos, ohne jede ›Autorschaft‹, als Frucht der vereinten Anstrengungen eines ganzen Kollektivs gezeigt.
Jedoch liegt zwischen dieser ›Kollektivität‹ und der, wovon die Symbolisten träumten, eine weite Strecke: es ist eine gegenläufige Kollektivität. Selbst der Begriff des ›Massencharakters‹ fordert hinsichtlich des Films eine ganze Reihe von Vorbehalten. Wir, Zeugen der ›Geburt des Films‹, sind natürlich in gewissem Grade geneigt, ihn zu romantisieren. Doch wenn man in aller Ruhe darüber nachdenkt, so zeigt sich, daß der Massencharakter des Films weniger ein qualitativer als ein quantitativer, nicht mit seinem Wesen zusammenhängender Begriff ist. Er ist das Symptom des Erfolgs des Films, d. h. eines rein sozialen Phänomens, das durch eine ganze Reihe historischer und mit dem Film als solchem nicht zusammenhängender Umstände bedingt ist. Hingegen fordert der Film an sich in keinster Weise die Anwesenheit einer Masse, wie zu einem gewissen Grad das Theater. Jeder, der einen Projektor besitzt, kann sich zu Hause einen Film anschauen und so Teil der Masse der Filmzuschauer sein, ohne auch nur einen Fuß in ein Kino zu setzen. Darüber hinaus fühlen wir uns im Grunde, wenn wir im Kino sitzen, nicht als Teil einer Masse, als Teilnehmer an einem Massenschauspiel, die Bedingungen der Filmvorführung ermöglichen dem Zuschauer, sich gleichsam vollkommen isoliert zu fühlen, und dieses Gefühl ist einer der spezifischen psychologischen Reize der Filmwahrnehmung. Der Film erwartet keinerlei Beifall von uns, es gibt – abgesehen vom Vorführer – niemanden, dem zu applaudieren wäre. Die Disposition des Zuschauers gleicht einer intimen Ein-

zelbetrachtung, er beobachtet gleichsam den Traum eines anderen. Das geringste, nicht zum Film gehörende Nebengeräusch ärgert ihn weit mehr als im Theater. Sprechen der Nachbarn (lautes Lesen der Zwischentitel z. B.) hindert ihn, sich auf die Bewegung des Films zu konzentrieren; sein Ideal ist, keinerlei Anwesenheit anderer Zuschauer zu spüren, allein mit dem Film zu sein, taubstumm zu werden.
Der Film kann also, bei all seinem Massencharakter, Kammerkunst par excellence sein. Natürlich intendieren bestimmte Filmgattungen auf Grund ihres eigenen Charakters die Anwesenheit der Masse; jedoch darf man dieses Spezifikum einzelner Gattungen nicht auf den Film insgesamt übertragen. Man darf nicht übersehen, daß die ›Massen‹-Periode des Films – die Periode in der der Film sich einen Platz unter den anderen Künsten eroberte und seine sozio-ökonomische Bedeutung konsolidierte – schon der Vergangenheit angehört. Immer wieder erscheinen Filme, die Resultat künstlerischen Experimentierens sind und als solche auf keinen Massenzuschauer ausgerichtet. Der Film hat schon seine nicht nur kommerzielle, sondern auch künstlerische Geschichte: die Geschichte der Stile und Schulen. Darüber hinaus hat der Filmzuschauer schon eine gewisse Geschmackskonvention entwickelt und sich an Topoi gewöhnt, auf die er ungern verzichten möchte. Und eben hierdurch hat sich schon jene für die Kunst charakteristische Beziehung zweier Seiten herausgebildet. Als für die Massenzuschauer gedachter Film war *Das Kabinett des Dr. Caligari*[7] in ganz Europa ein Fehlschlag, während er in der Geschichte des Films einen Bruch darstellt, dessen Einfluß in einer Reihe späterer Filme festzustellen ist. Der Film *Our Hospitality*[8] mit Buster Keaton, der aufs neue das Problem der Grotesken im Film stellte (groteskes Verhalten des Helden in tragischen Situationen), erwies sich ganz einfach als ein zu intelligenter, der Idee nach zu komplizierter Film, um unter den Zuschauern auf grenzenlose Begeisterung stoßen zu können; die weitaus elementarere Komik in *Go West*[9] hingegen fand spontane Zustimmung. Es ist höchst wahrscheinlich, daß der irrsinnige kommerzielle Erfolg des Films, der seine Spuren der

ganzen Geschichte seiner ›goldenen Kindheit‹ aufgedrückt hat, schon kurz vor einer Krise steht; der Film tritt in sein zwar weitaus schwierigeres, aber auch vielversprechenderes Knabenalter. Allein in der Perspektive dieser Hoffnung lassen sich jene komplexen theoretischen Fragen stellen, die ich in diesem Aufsatz zu skizzieren versuche.

3

In dem von uns als Augenzeugen miterlebten gegenwärtigen Stadium stellt der Film eine neue synkretistische Form der Kunst dar. Die Erfindung der Filmkamera ermöglichte das Ausschließen der Dominante des Theatersynkretismus, des *hörbaren Wortes,* das durch eine neue Dominante ersetzt wurde: *durch die im Detail sichtbare Bewegung.* Das auf dem hörbaren Wort aufgebaute System des Theaters wurde also umgestülpt. Der Filmzuschauer steht unter völlig neuen, dem Prozeß des Lesens entgegengesetzten Rezeptionsbedingungen: vom Gegenstand, von der sichtbaren Bewegung kommt er zu deren Sinngebung, zum Aufbau der inneren Rede. Der Erfolg des Films hängt zum Teil mit diesem im Alltag keinerlei Entfaltung findenden neuen Typ von Gehirntätigkeit zusammen. Soweit von der Kunst die Rede ist, kann man von unserer Epoche sagen, sie sei alles andere als eine sprachliche Epoche. Als Zeichen ihrer Zeit steht die Filmkultur im Gegensatz zur Herrschaft der Wortkultur – der im Buch und der auf dem Theater – des vorigen Jahrhunderts. Der Filmzuschauer sucht Erholung vom Wort, er will einfach nur sehen und enträtseln.

Den Film jedoch eine ›stumme‹ Kunst zu nennen ist falsch: es geht gar nicht um seine ›Stummheit‹, sondern um die Abwesenheit des *hörbaren* Wortes, um eine neue Korrelation von Wort und Gegenstand. Die Korrelation im Theater, bei der Mimik und Gestik das Wort begleiten, ist aufgehoben, während das Wort als artikulatorische Mimik seine Wirkung beibehält. Der Filmschauspieler spricht während der Dreharbeit, und dies hinterläßt seine Spuren auf der Leinwand. Der Filmzuschauer scheint sich tatsächlich in einen Taubstummen zu verwandeln (auf das Problem der Musik kommen wir später), was jedoch keineswegs die Funktion des Wortes aufhebt, sondern es lediglich auf eine andere Ebene überführt. Man kennt die Geschichte von den Taubstummen, die sich einen Film in einem englischen Kino anschauten: sie protestierten gegen den Inhalt der von den Schauspielern artikulierten Sätze, die in keinster Weise den auf der Leinwand dargestellten Szenen entsprachen. Für sie war also der Film in weit höherem Grad eine ›sprachliche‹ Kunst als das Theater, wo sie infolge der Aufführungsbedingungen selbst (Distanz zwischen Bühne und Zuschauer) die Bewegung der Sprechorgane nicht klar hätten erkennen können. Der normale Filmzuschauer erfaßt natürlich nicht die Artikulation als solche; vielmehr hat sie auch für ihn Bedeutung in dem Maße, in dem die Schauspieler nicht als Taubstumme auf der Leinwand agieren und keine Pantomime aufführen. Die Ausarbeitung einer artikulatorischen Mimik auf der Leinwand ist eine Frage der Zukunft, auf keinen Fall aber darf sie passiver Rest der Dreharbeiten sein.

Noch viel wichtiger jedoch ist ein anderes Faktum, der Prozeß der *inneren* Rede des Zuschauers. Für das Studium der Gesetze des Films (vor allem der Montage) ist es sehr wichtig zu erkennen, daß Wahrnehmung und Verstehen des Films unauflöslich verbunden sind mit der Bildung einer inneren, die einzelnen Einstellungen untereinander verbindenden Rede. Außerhalb dieses Prozesses können lediglich die Zaum'-Elemente des Films wahrgenommen werden. Der Filmzuschauer hat hinsichtlich der Verkettung der Einstellungen (die Konstruktion von Filmsätzen und Filmsequenzen) eine komplizierte Gehirntätigkeit zu leisten, die im Alltagsgebrauch fast vollkommen fehlt, wo das Wort die anderen Ausdrucksmittel entweder übertönt oder verdrängt. Ununterbrochen muß er eine Kette von Einstellungen zusammensetzen, weil er sonst überhaupt nichts versteht. Nicht ohne Grund gibt es Menschen, für die die filmische Gehirntätigkeit schwierig, ermüdend, ungewohnt und unangenehm ist. Eine der Hauptaufgaben des Regisseurs ist, so zu arbeiten, daß eine Einstellung beim Zuschauer ›ankommt‹, d. h. daß dieser den Sinn einer Sequenz errät oder, m. a. W., ihn in die Sprache seiner inneren Rede übersetzt; folglich ist diese Rede ein bei der Konstruktion des Films selbst zu berücksichtigender Faktor.

Der Film fordert vom Zuschauer eine gewisse spezielle Technik des Enträtselns, die natürlich im Lauf der Entwicklung des Films komplizierter wird. Schon jetzt verwenden Regisseure häufig Symbole oder Metaphern, deren Sinn sich direkt auf geläufige Sprachmetaphern stützt. Ein ununterbrochener Prozeß innerer Rede begleitet das Filmsehen. Wir haben uns schon an eine ganze Reihe typischer Topoi der Filmsprache gewöhnt; die kleinste Innovation auf diesem Gebiet überrascht uns nicht weniger als das Auftreten eines neuen Wortes in der Sprache. Man kann unmöglich den Film als eine außersprachliche Kunst behandeln. Diejenigen, die den Film gegenüber einer ›Literarisierung‹ verteidigen, vergessen oft, daß zwar das hörbare Wort, jedoch nicht der Sinn, d. h. die innere Rede aus dem Film ausgeschlossen ist. Die Untersuchung der Spezifika dieser Filmsprache ist eines der wichtigsten Probleme in der Theorie des Films.

Im Zusammenhang mit der Frage nach der inneren Rede entscheidet sich auch die Frage nach den Zwischentiteln. Der Zwischentitel ist einer der notwendigen Bedeutungsakzente des Films, jedoch kann man unmöglich von Zwischentiteln ›im allgemeinen‹ sprechen. Man muß ihre Formen und Funktionen im Film unterscheiden. Die ärgerlichste und dem Film fremdeste Form der Zwischentitel ist jene *erzählenden* Charakters, jene ›vom Autor‹ gesetzten Zwischentitel, die erklären und nicht ergänzen. Sie *ersetzen,* was gezeigt und dem Wesen des Films entsprechend vom Zuschauer *erraten* werden muß. Deswegen zeugen sie entweder von Unzulänglichkeiten des Drehbuchs oder von unzureichender filmischer Imagination des Regisseurs. Ein solcher Zwischentitel unterbricht nicht nur die Bewegung des Films auf der Leinwand, sondern auch den Fluß der inneren

Rede; denn er zwingt den Zuschauer, sich für einen Moment in einen Leser zu verwandeln und *sich das einzuprägen,* was der ›Autor‹ ihm in Worten mitteilt. Etwas anderes sind die unter Berücksichtigung der Besonderheiten des Films abgefaßten und zum richtigen Zeitpunkt eingesetzten *dialogischen* Zwischentitel. Kurze Zwischentitel, die bestimmte und charakteristische Gesten der Schauspieler begleiten in Augenblicken, wo auf der Leinwand ein Dialog stattfindet, werden als völlig natürliches Element des Films wahrgenommen. Wenn sie den Gesetzen des Films gemäß gemacht sind (hierbei spielt die Grafik der Zwischentitel eine große Rolle), ersetzen sie weder, was auch hätte anders gemacht werden können, noch zerschneiden sie das Filmdenken. Wenn ein Dialog vom Zuschauer verstanden werden muß, ist die Hilfe von Zwischentiteln unumgänglich. Dialogische Zwischentitel als solche füllen keineswegs die Leere des Sujets und führen auch keinen erzählenden ›Autor‹ in den Film ein, sondern vervollständigen und akzentuieren nur das, was der Zuschauer auf der Leinwand sieht.

Übrigens zeigt die Erfahrung, daß Filmkomödien in höherem Grade als andere Filme dialogischer Zwischentitel bedürfen; solche Zwischentitel steigern manchmal in beträchtlichem Maß den Effekt des Komischen; es genügt, an die Zwischentitel in *Evrejskoe sčast'e*[10] (Das Judenglück), *The mark of Zorro*[11] (Haben Sie schon einmal etwas Ähnliches gesehen?) und *Go West* (Setzen Sie sich!) zu erinnern. Dieser Effekt beruht darauf, daß das Komische generell ein semantisches und daher eng mit dem Wort zusammenhängendes Phänomen ist. Eine Filmkomödie basiert gewöhnlich auf den Details einzelner Situationen; diese Details jedoch können den Zuschauer nur mit Hilfe von Zwischentiteln ›erreichen‹.

Wenn der Film also keine Spielart der Pantomime ist und das Wort nicht generell eliminiert, so sind die Zwischentitel in jedem Fall ein legitimer Teil des Films; das ganze Problem besteht nur darin, sie nicht Literatur werden zu lassen, sondern sie in den Film als dessen natürliches, filmisch verstandenes Element eingehen zu lassen.

Eine andere Frage, die ebenfalls auf der einen Seite mit dem Problem der Filmwahrnehmung und auf der anderen Seite mit dem Faktum der Eliminierung des hörbaren Wortes verbunden ist, ist die nach der Musik im Film. Diese Frage ist theoretisch fast überhaupt noch nicht geklärt, während sie praktisch kaum irgendwelche Zweifel hervorruft. Das eliminierte hörbare Wort verlangte nach einem Ersatz, und als Äquivalent einiger Seiten des Wortes trat die Musik auf. Die Musik übernimmt die Rolle eines emotionalen Verstärkers und begleitet den Prozeß der inneren Rede. Jedoch werden hiermit bei weitem noch nicht die Fragen nach dem Charakter der Musik im Film und nach den möglichen Beziehungen zwischen dem Film und seiner musikalischen Illustrierung entschieden. Welcher Art müssen oder können die Prinzipien dieser Illustrierung sein?
In Frankreich ist die Idee des ›musikalischen Films‹ sehr populär; von ihr sagt mit großem Pathos, jedoch ohne hinreichende Präzision z. B. L. Moussinac: »...les ›phrases‹ lumineuses devant se confondre avec les phrases melodiques, les rythmes devant se combiner, se pénétrer, se compléter avec rigueur et synchroniquement.«[12] Es ist interessant, diesen ausdrucksvollen Satz mit der zu einer entgegengesetzten Lösung dieser Frage kommenden Bewertung von Béla Balázs zu konfrontieren: »Denn auffallend ist ja, daß wir nur das Fehlen der Musik sofort merken, ihr Dasein beachten wir gar nicht. Jede Musik wird uns zu jeder Szene passen... Denn die Musik weckt andere Visionen, welche die des Films nur dann stören, wenn sie zu nah zueinander kommen.«[13] Weit größere Hoffnungen setzt Balázs auf die umgekehrte Verbindung: das Schaffen von Filmen, die musikalische Werke begleiten.
Balázs' Beobachtung ist sehr genau und richtig. Ein guter Film absorbiert unsere Aufmerksamkeit in einem Maße, daß wir die Musik gleichsam nicht bemerken; gleichzeitig scheint uns aber ein Film ohne musikalische Begleitung verarmt. Ist dies nun lediglich einfache Gewohnheit oder aber ein mit der Natur des Films selbst zusammenhängendes Bedürfnis? Mir scheint, daß die Lösung dieser Frage verbunden ist mit dem, was ich von der

Intimität der Filmwahrnehmung, von der Betrachtung des Films wie einen Traum gesagt habe. Diese Besonderheiten der Wahrnehmung verlangen, den Film mit einer emotional bedingten Atmosphäre zu umhüllen, deren Gegenwart ebenso unbemerkbar sein kann wie die der Luft, gleichzeitig jedoch ebenso notwendig ist. Die innere Rede des Filmzuschauers ist weit fließender und unbestimmter als die artikulierte Rede, und die Musik trägt, da sie ihren Fluß nicht unterbricht, zu ihrer Gestaltung bei. Der intime Gestaltungsprozeß der inneren Rede verbindet sich mit der musikalischen Begleitung und bildet etwas Einheitliches. Es ist noch anzumerken, daß bis zu einem gewissen Grad die Musik zur Übersetzung der durch die Leinwand hervorgerufenen Emotionen in die Welt gerade der künstlerischen Emotionen beiträgt: ein Film ohne Musik hinterläßt manchmal einen unheimlichen Eindruck. Man kann folglich behaupten, daß die musikalische Begleitung des Films den Gestaltungsprozeß der inneren Rede *erleichtert* und gerade deswegen nicht an sich wahrgenommen wird.

In diesem komplexen Problem gibt es noch eine unklare Seite, die Frage nämlich nach dem Rhythmus des Films und dessen Übereinstimmung oder Verwandtschaft mit dem musikalischen Rhythmus. Diejenigen, die gern vom Rhythmus der Einstellungen oder der Montage sprechen, spielen oft mit einer Metapher oder verwenden den Begriff Rhythmus in jenem allgemeinen und wenig ergiebigen Sinne, in dem man auch vom Rhythmus der Architektur, Malerei usw. spricht. Im zeitgenössischen Film haben wir keinen *Rhythmus* im genauen Sinne des Wortes (wie in der Musik, im Tanz, im Vers), sondern eine gewisse allgemeine *Rhythmizität,* die in keinerlei Beziehung zur Frage nach der Musik im Film steht. Zwar kann die Länge der Einstellungen bis zu einem gewissen Grad als Grundlage zur Konstruktion eines Filmrhythmus dienen, aber dies ist eine Sache der Zukunft, über die jetzt nur schwer entschieden werden kann. Es ist möglich, daß in der weiteren Evolution des Films (wenn er aus dem Knabenalter in das Jugendalter eintritt) seine rhythmischen Möglichkeiten sich klarer abzeichnen werden; dann wird man möglicherweise besondere rhythmische Gattungen mit einer Ausrichtung nicht auf die Fabel, sondern auf das Fotogene bestimmen können. Möglicherweise wird diese Form (eine dem Vers analoge) gerade aus den Erfahrungen mit Filmillustrierung musikalischer Werke entstehen. Dann wird sich auch das Problem der Musik im Film genauer bestimmen lassen. Vorläufig ist ihre Funktion typisch gerade für das synkretistische Stadium.

4

Der Film wurde also als die Kunst des ›Fotogenen‹ bestimmt, die sich der Sprache der Bewegungen (Gesichtsausdrücke, Gesten, Posen usw.) bedient. Auf diesem Terrain trat er in einen Wettbewerb mit dem Theater – und hat gesiegt. Eine bedeutende Rolle spielte bei diesem Sieg folgender Umstand: dem Filmzuschauer wurde die Möglichkeit gegeben, Details zu sehen (von Gesichtsausdrücken, Dingen usw.) und mit einer der Phantasie vergleichbaren Leichtigkeit von einem Ort zu einem anderen zu wechseln, Menschen und Dinge in verschiedenen Aufnahmedistanzen, unter verschiedenen Aufnahmewinkeln, verschiedener Beleuchtung usw. vor sich zu sehen. Die auf der Leinwand sich entwickelnde Filmdynamik besiegte das Theater, indem sie es zum Repräsentanten der ›guten alten Zeit‹ machte. Das Theater muß aufs neue sich seiner selbst bewußt werden, und zwar nicht als synkretistischer Form, sondern als einer isolierten Kunst, in der das Wort und der Körper des Schauspielers von allem übrigen befreit sein müssen.
Einer der wesentlichsten Defekte des Theaters als einer synkretistischen Kunst, ein unter den Bedingungen des Theaterschauspiels nur partiell eliminierbarer Defekt, war die Immobilität des Bühnenraums und die hiermit verbundene Immobilität des Gesichtspunkts und der ›Aufnahmedistanzen‹. Die visuellen Effekte einer Theateraufführung (Mimik, Gestik, Dekoration, Requisiten) kollidieren unausweichlich mit dem Problem der *Distanz* zwischen immobiler Bühne und Zuschauer. Ein Spiel

mit visuellen Details ist im Theater beinahe unmöglich; ebendadurch sind Mimik und Gestik in ihrer Entfaltung gebunden, und ein Schauspieler, der gerade ein mimisches Talent hat, kann es im Theater nicht entwickeln. Die Immobilität der Bühne zwingt den Schauspieler, vor einem Hintergrund von positionell fixierten Dekorationen zu spielen; dies beengt auch den Dramaturgen und belädt die sprachliche Dynamik des Theaters mit etwas Fremdem, Überflüssigem und Statischem. Im Theater spielt das Ding eine völlig passive Rolle, es ist ein fremder Zeuge und Spion des Schauspielers und langweilt den Zuschauer durch seine Gegenwart. Die Aufteilung des Theaterraums in Abschnitte (durch Beleuchtungseffekte), die Verwendung von Drehbühnen usw., all das verändert in keiner Weise etwas am Grundlegenden und wird als klägliche Imitation des Films aufgefaßt. Was für den Film als dessen Grundlage und Natur erscheint, nimmt sich im Theater plump und schwerfällig aus wie die Anstrengungen eines Menschen, geistreich sein zu wollen, ohne es sein zu können. Das Theater muß selbstverständlich einen anderen Weg gehen: den einer Verwandlung des Bühnenraums in eine Arena ausschließlicher Aktivität des Schauspielers, den einer Aufhebung des Theaterraums als eines bestimmten Handlungs*ortes,* m. a. W. den Weg einer Rückkehr zu den Prinzipien des Shakespeareschen Theaters.

Der Film hat die Frage selbst nach dem Bühnenraum, nach seiner Immobilität und der Distanz zwischen ihm und dem Zuschauer ad absurdum geführt. Die Leinwand ist ein imaginärer Punkt, und ihre Immobilität ist ebenfalls nur eine imaginäre. Die Distanz zwischen Zuschauer und Schauspieler verändert sich ununterbrochen, sie existiert im Grunde gar nicht; es gibt lediglich Maßstäbe, Aufnahmedistanzen. Das Gesicht eines Schauspielers kann in hyperbolischen, die kleinste Muskelbewegung enthüllenden Dimensionen gezeigt werden; wenn es für den Gang eines Films erforderlich ist, nimmt der Zuschauer das kleinste Detail einer Geste, eines Kostüms, einer Situation wahr. Nichts bedarf einer festen Reihenfolge und erwartet sie auch nicht: sowohl Handlungsorte als auch Bühnenteile und deren visuelle Erfassung (von der Seite, von oben usw.) verändern sich. All diese technischen Möglichkeiten machten den Film zu einem Rivalen nicht nur des Theaters, sondern auch der Literatur. Bis zur Erfindung des Films und bis zur Bewußtwerdung der Montage war als einzige Kunst die Literatur in der Lage, komplexe Sujetkonstruktionen zu entfalten, Fabel-Parallelen zu entwickeln, den Handlungsort beliebig zu wechseln, Details zur Geltung zu bringen usw. Vor dem Hintergrund des Films haben nun viele dieser Privilegien der Literatur ihr Monopol verloren. Die Filmdynamik erwies sich auch hier als genügend mächtig. Wie das Theater hat auch die Literatur, indem sie den Film befruchtete und zu seiner Entwicklung beitrug, gleichzeitig ihren früheren Status verloren und muß in ihrer weiteren Evolution der Existenz einer neuen Kunst Rechnung tragen.

Wenn man über das Gesagte hinaus den zwischen Film und bildenden Künsten bestehenden Zusammenhang in Erwägung zieht (ein Thema, das eine besondere Untersuchung erfordert), so scheint die Charakterisierung des zeitgenössischen Films als synkretistische Form gerechtfertigt. Tatsächlich hat der Film auf diese oder jene Art das ganze System der alten, isolierten Künste getroffen und zeigt – sich von ihnen abstoßend – gleichzeitig einen entscheidenden Einfluß auf ihre weitere Evolution. Wir stehen vor einem neuen Faktum: das Fotogene und die Montage haben eine Dynamik visueller Bilder ermöglicht, wie sie von keiner anderen Kunst erreicht werden kann. Diese Dynamik, deren Perspektiven bei weitem noch nicht erschöpft sind, hat fürs erste die anderen Künste gezwungen, sich um einen neuen Fokus zu sammeln und ihn zu entwickeln. Verschiedene Filmstile beginnen sich in Abhängigkeit von dieser oder jener Methode der Materialverarbeitung, von dieser oder jener ›Tendenz‹ zu bilden. Spezifische Filmstile zeichnen sich erst ab, und die Theorie hat diese Frage nahezu noch gar nicht aufgegriffen.

Es ist zur Gewohnheit geworden, vom ›Naturalismus‹ des Films zu sprechen und ihn für seine besondere Qualität zu halten. Diese Meinung ist natürlich in ihrer primitiv kategorischen

Form naiv, und man muß sich ihr widersetzen, weil sie die spezifischen Gesetze des Films als einer Kunst verschleiert. Es ist völlig natürlich, daß der Film in seinem frühen Stadium, als die ›sprachlichen‹ Mittel selbst noch nicht bestimmt waren, sich seiner künstlerischen Möglichkeiten noch nicht bewußt war und sich ausschließlich auf das Schaffen von Illusion, auf eine Annäherung an die ›Natur‹ konzentrierte. Später verlor dann, gleichzeitig mit der Verwendung der Filmkamera als Instrument, die Totale als am stärksten ›naturalistisches‹, noch eng mit den Prinzipien der Fotografie verbundenes Moment ihre anfängliche Bedeutung; der Film begann seine bedingten, von primitivem Naturalismus weit entfernten Möglichkeiten zu entwikkeln wie: Großaufnahme, Überblendung, Aufnahmewinkel usw.

Das Prinzip des ›Fotogenen‹ hat das gänzlich spezifische und bedingte Wesen des Films bestimmt. Von nun an nahm die *Deformation der Natur* im Film ihren natürlichen Platz ein. In den Händen des Kameramanns fungiert die Filmkamera schon genauso wie die Farbe in denen des Malers. Von verschiedenen Punkten aus, in verschiedenen Aufnahmedistanzen und in unterschiedlicher Beleuchtung aufgenommen, wird ein und dieselbe Natur verschiedene stilistische Effekte erzielen. In der letzten Zeit werden immer häufiger Außenaufnahmen durch Studioaufnahmen ersetzt, und zwar deswegen, weil die Natur der Durchführung eines bestimmten stilistischen Valeurs im Wege steht. Die Regisseure kümmern sich nicht nur um die Komposition des Films (die Montage), sondern auch um die Komposition einzelner Filmbilder und richten sich nach den schon rein gestaltenden Prinzipien der Symmetrie, Proportion, des allgemeinen Wechselverhältnisses der Linien, der Verteilung des Lichts usw. Wenn also die Rede von Filmstilen und der Komposition der Filmbilder ist, dann stellt der vielberufene ›Naturalismus‹ lediglich einen, dazu noch genauso konventionellen Stil wie die übrigen dar. Die Forderungen nach ›Typisierung‹ und in Zusammenhang damit das Problem des Filmschauspielers (der Schauspieler und die ›Natur‹) stellten sich keineswegs auf Grund des naturalistischen Charakters des Films, sondern auf Grund der Bedingungen der Filmprojektion: Großaufnahme und die Besonderheiten des Fotogenen verhindern, Schminke so einzusetzen, wie es im Theater geschieht. Das ist die Ursache für die völlig anderen Prinzipien des Ausdrucks und des Spiels selbst im Film.

Der Naturalismus ist also im Film nicht weniger konventionell als in der Literatur oder im Theater. Freilich kann im Film reale Natur gezeigt werden, was z. B. im Theater unmöglich ist. Der Filmregisseur kann eine Art ›Notizbuch‹ führen, in dem er nebenbei aufgenommene Alltagsszenen aufhebt mit dem Ziel, sie bei der Montage irgendeines Films (z. B. in einem Film ›physiologischen‹ Typs) zu verwerten; jedoch kann er genau wie der Schriftsteller dies nur unter der Bedingung einer stilistischen Unterordnung dieses Materials unter den allgemeinen stilistischen Tenor des Films und dessen Gattungsmerkmale tun.

5

Entscheidende Bedeutung für die Frage nach diesem oder jenem Filmstil haben der Charakter des Filmbildes (Aufnahmedistanzen, Aufnahmewinkel, Beleuchtung, unterschiedliche Blenden) und der Montagetyp. Bei uns ist zur Gewohnheit geworden, die Montage lediglich als ›Sujetfügung‹ zu verstehen, während doch ihre fundamentale Rolle eine stilistische ist. Die Montage ist vor allem ein System der *Einstellungsführung* oder der *Einstellungsverkettung*, sie ist eine Art Syntax des Films.

Die Sujetfügung an sich wird bestimmt durch das Drehbuch oder sogar allein durch das Exposé; wenn sie auch von der Montage abhängt, so doch bloß in dem Maße, in dem die Montage ihr durch Motivierung der Aufeinanderfolge von Parallelen, durch Vermittlung dieses oder jenes Tempos, durch Verwendung von Großaufnahmen und anderen Aufnahmetechniken diese oder jene stilistische Färbung gibt. Der Film hat seine eigene Spra-

che, d. h. seine eigene Stilistik und seine eigenen phraseologischen Verfahren. Ich gebrauche diese Termini natürlich nicht deshalb, um den Film der Literatur anzunähern, sondern auf Grund einer völlig legitimen Analogie, die z. B. auch gestattet, von einer ›musikalischen Phrase‹, von einer ›musikalischen Syntax‹ usw. zu sprechen. Das für die Filmwahrnehmung charakteristische Phänomen der inneren Rede gibt mir das volle Recht zur Verwendung dieser Terminologie, ohne dabei gegen die spezifischen Besonderheiten des Films zu verstoßen.
S. Timošenko[14] hat versucht, die grundlegenden Montageverfahren ›aufzuzählen‹ und sie zu ›beschreiben‹. Vor dem Aufzählen und Beschreiben (sofern dies überhaupt in allgemeiner Form möglich ist) muß jedoch eine Theorie der Montage entwickelt werden, was in seinem Buch nicht der Fall ist. In dieser Aufzählung (es sind 15 Verfahren angegeben) werden erstens rein stilistische Verfahren wie das des ›Kontrastes‹ vermischt mit Verfahren, die eine andere Bedeutung haben, und zweitens wird die Montage als solche, d. h. die Frage nach den Prinzipien und Verfahren der Einstellungsführung, in keiner Weise berücksichtigt. Zum Beispiel ist der ›*Wechsel des Ortes*‹ an sich weder ein Verfahren noch Montage; es ist eine durch die Filmkamera und die Leinwand gegebene Möglichkeit derselben Art wie der ›Wechsel des Aufnahmepunktes‹ oder der ›Wechsel der Aufnahmedistanz‹. Die Montage ist das Verfahren der *Nutzung* dieser Möglichkeiten, und die Varianten der Montage hängen sowohl von der Gattung eines Films wie auch dem persönlichen Stil eines Regisseurs ab. Das grundlegende Montageproblem bei einem vom Sujetverlauf eines Films geforderten Ortswechsel liegt darin, *wie von einem Ort zu einem anderen, von einer Parallele zu einer anderen überzuwechseln ist.* Dies ist ein Problem der Stilistik (der Logik) und der Motivation.
Wenn wir auch in jedem beliebigen Film einen Ortswechsel sehen, so unterscheidet sich gerade ein Regisseur vom anderen durch die *Montage* dieses Wechsels, durch die Verfahren seiner Vorbereitung und Durchführung.
Die Bewegung des Films wird nach dem Prinzip zeitlicher und

räumlicher Verkettung aufgebaut. Die Dynamik des Films, die dem Regisseur das Recht gibt, Ort, Aufnahmedistanzen und Aufnahmewinkel beliebig umzustellen und das Tempo zu verändern, stellt gleichzeitig damit Forderungen, die in dieser Art weder die Literatur noch das Theater kennen: Forderungen zeitlicher und räumlicher Kontinuität. Dies ist jene Besonderheit des Films, die Balázs treffend ›visuelle Kontinuität‹ nennt. Im Zusammenhang filmischer Adaptionen literarischer Werke vermerkt Balázs, daß in ihnen immer etwas Lebloses, Fragmentarisches stecke: »Eine in sprachlicher Form geplante Erzählung überspringt gerade eine Menge solcher Momente, die in einem Film auf keinen Fall übersprungen werden dürfen. Das Wort, der Begriff, der Gedanke existieren außerhalb der Zeit. Der Film dagegen hat die konkrete Macht des Anwesenden und lebt nur in ihm ... Deswegen fordert der Film, vor allem bei einer Darstellung seelischer Bewegungen, eine vollkommene Kontinuität der einzelnen Momente.«
Hier stößt der Regisseur auf den ›Widerstand des Materials‹, den er auf die eine oder andere Art bezwingen muß: der Film fordert eine solche Montage, durch die sich – wenngleich auch nur im Rahmen bestimmter Teile – beim Zuschauer eine *Empfindung der Zeit,* d. h. einer kontinuierlichen Aufeinanderfolge der Sequenzen herausbildet. Es geht nicht um jene ›Einheit der Zeit‹, wie sie im Theater verstanden wurde, sondern darum, daß die zeitlichen Beziehungen der einzelnen Momente empfunden werden. Jedes von ihnen kann beliebig gekürzt oder gestreckt werden (dies ist einer der grundlegenden rhythmischen Effekte der Montage), und in dieser Hinsicht besitzt der Film die reichsten konstruktiven Möglichkeiten; allerdings muß jedes Moment in einer bestimmten zeitlichen Beziehung zum vorhergehenden stehen. Es kommt eben darauf an, daß die *benachbarten* Einstellungen als *vorhergehende* und *folgende* wahrgenommen werden: dies ist ein allgemeines Gesetz des Films. Der Regisseur muß sich diesem Gesetz fügen und es zur Konstruktion der Zeit ausnutzen, d. h. die Illusion einer Kontinuität erstellen.
Wenn eine handelnde Person ein Haus verläßt, dann kann man

in der folgenden Einstellung unmöglich zeigen, wie sie ein anderes Haus betritt: dies widerspräche sowohl der Zeit als auch dem Raum. Daher die Notwendigkeit der sog. ›Passagen‹, die in den Händen unerfahrener Regisseure den Film gewöhnlich belasten, weil sie überflüssige und ebendadurch sinnlose Details einführen. Gerade in diesen Punkten wird vom Regisseur Scharfsinn und Imagination gefordert; gerade hier zeigt sich die Kunst der Montage: die von der Natur des Materials diktierte *Notwendigkeit* als ein stilistisches *Verfahren* zu nutzen (indem man den Zuschauer täuscht und die Macht des ›Gesetzes‹ vor ihm verbirgt). Alle diese ›das ist unmöglich‹ sind natürlich, wie in jeder Kunst, relativ und können jeden Augenblick zu einem ›das ist möglich‹ werden. Geschehen kann dies allerdings nur unter bestimmten stilistischen und gattungsmäßigen Bedingungen. Ein Gesetz der Kunst zu übertreten ist möglich, es jedoch einfach zu *umgehen* ist unmöglich. Wenn es keine positive Motivierung gibt, dann muß es eine negative geben.
Wir kommen also von hier aus zum Begriff der Montage als Film-Stilistik. Realität und Bedeutung dieses Problems sind, wie mir scheint, durch das begründet, was ich über die ›innere Rede‹ des Filmzuschauers und über die Gesetze der Einstellungsführung (›visuelle Kontinuität‹) gesagt habe. Indem S. Timošenko die Fragen nach den Prinzipien der Montage umgeht, beraubt er sich ebendadurch der Möglichkeit, die Verfahren selbst so einzuteilen, daß sie sich nicht kreuzen und nicht vermischt werden. Das ›Verfahren des Kontrastes‹ z. B. ist ein gängiger Fall der Motivierung bei einem Ortswechsel; es ist mit anderen Worten eines der Montageverfahren, das einen rein stilistischen Wert hat. Schauen wir uns das von Timošenko angeführte Beispiel an: »Ein reicher Amerikaner setzt sich nach einem üppigen Mittagsmahl in einen bequemen Sessel. Nächste Einstellung: Im Gefängnis. Ein Verbrecher (einer der Arbeiter aus der Fabrik dieses Reichen) setzt sich auf den elektrischen Stuhl. Der reiche Amerikaner drückt einen elektrischen Schalter: ein luxuriöser Lüster entflammt – im Gefängnis drückt man auf einen Schalter: elektrischer Strom fließt durch den Körper des Arbeiters« usw.

In Timošenkos System der ›Aufzählung‹ sind das ›Verfahren des Ortswechsels‹ und das ›Verfahren des Kontrastes‹ simultaneisiert, und beide beziehen sich auf die ›Sujetfügung‹. In Wirklichkeit jedoch ist dies entweder eine Motivierung eines Ortswechsels (wenn das Sujet dies erfordert) oder ein Ausnutzen des Kontrastes mit ideologischem Ziel, eine Art oratorisches Verfahren der Gegenüberstellung. Der Sinn eines Verfahrens hängt eben ab von seiner Funktion.

Ergänzend zu dem, was ich oben über die zeitliche Aufeinanderfolge gesagt habe, ist noch anzumerken, daß eine auf dem Prinzip der *Simultaneität* der Sequenzen aufgebaute Montage dem nicht widerspricht. Dies ist nicht die z. B. von der Literatur her uns bekannte Simultaneität, wenn der Autor, von einer Person zur anderen wechselnd sagt: »Zur gleichen Zeit, als...« usw. In der Literatur spielt die Zeit die völlig konventionelle Rolle der Verbindung: sie zeigt lediglich an, und der Autor kann, da er erzählt, mit ihr nach Belieben umgehen. Im Film ist die Simultaneität dieselbe Aufeinanderfolge, realisiert aber mittels der Kreuzung von Parallelen (mit Absicht spreche ich so, ungeachtet des geometrischen Begriffs der Parallelen). Die eine Aufeinanderfolge wird deswegen unterbrochen, um an einem anderen Material weitergeführt zu werden. Dies ermöglicht dann, nicht nur die Illusion einer Kontinuität, sondern auch in verschiedener Weise die Zeit selbst zu schaffen, und dies noch um so mehr, weil sie darüber hinaus mit dem Raum verbunden ist. Auf die Details dieser Frage im Zusammenhang mit der Frage nach dem Rhythmus komme ich später im Kapitel über die Filmsequenz zurück.

Ich gehe jetzt über zu den Fragen der Filmstilistik im engen Sinne dieses Wortes, d. h. zu den Fragen der Filmsyntax (der Begriff des Filmsatzes, die Montage der Filmsequenzen) und der Filmsemantik (die bedeutungshaften Zeichen des Films, Metapher usw.).

Diese Fragen erfordern natürlich eine gesonderte Untersuchung am Material einzelner Filme; ich will mich hier fast ausschließlich auf das Stellen dieser Fragen beschränken.

6

Jede Kunst, deren Wahrnehmung in der Zeit verläuft, muß eine gewisse Artikulation besitzen in Abhängigkeit davon, in welchem Grad sie ›Sprache‹ ist. Anfangend mit den kleinen, die Natur des Materials selbst bildenden Teilen, kann man weitergehen und zu Aufgliederungen kommen, die schon bestimmte, real wahrnehmbare konstruktive Teile bilden. So sind die Versfüße im Gedicht eine mechanische, abstrakte Aufgliederung, obwohl sie bei der Verskonstruktion zweifellos teilhaben; in der Wahrnehmung jedoch existieren nicht sie, sondern Gruppen von durch rhythmische Akzente umfaßten und verbundenen Elementen.

Im Film muß man *das Positiv* (den Filmstreifen) und *seine Projektion auf der Leinwand* unterscheiden. Das Positiv hat eine vollkommene mechanische Aufteilung. Es besteht aus Rechtecken (Filmbildern) mit der Höhe 1/52 m; ein solches Bild ist, einzeln genommen, der kleinste Teil einer einzigen, in der Natur kontinuierlichen und nicht aufgeteilten Bewegung. Dies ist eine mechanische und in diesem Sinne abstrakte (auf der Leinwand nicht wahrnehmbare) Aufteilung und keine Artikulation. Es ist die technische Grundlage des Films, außerhalb derer er nicht existieren könnte.

Wie jede Kunst entwickelt sich der Film auf der Grundlage seiner spezifischen, künstlich geschaffenen, bedingten, ihrer Art nach *sekundären* Natur, die entstanden ist als Resultat einer Transformation von Natur in Material. Die künstlich in abstrakte Teilchen (Filmbilder) zerlegte Bewegung setzt sich vor den Augen des Zuschauers auf der Leinwand aufs neue zusammen, jedoch auf eine spezifische, den Gesetzen des Films gemäße Art. Der Film entstand dank der zwei Möglichkeiten, die seine spezifische, sekundäre Natur bilden: einer technischen (die Natur der Bildkamera) und einer psycho-physiologischen (die Natur der menschlichen Wahrnehmung) Möglichkeit. Erstere teilt auf und unterbricht, was in der Wirklichkeit ununterbrochen ist; die zweite verleiht aufs neue der Bewegung der einzelnen Filmbilder die Illusion der Kontinuität.

Die Filmbilder sind auf dem Filmstreifen also gerade deswegen isoliert, um auf der Leinwand aufgehoben zu werden, um in eine einzige Bewegung zusammenzufließen. Das Bild *auf dem Filmstreifen* (›Fotogramm‹) ist m. a. W. für den Zuschauer eine fiktive, abstrakte Aufgliederung, eine Art Atom des Films. Hieraus entspringt auch die charakteristische Doppelbedeutung des Terminus ›Kadr‹ im Sprachgebrauch der Filmpraktiker: das einzeln nur auf dem Filmstreifen existierende Filmbild und die Einstellung, die S. Timošenko definiert als »einzelnes Filmstück, von Klebestelle zu Klebestelle, aufgenommen mit ein und demselben Objektiv, von ein und demselben Punkt aus in ein und derselben Aufnahmedistanz«.
Es ist offenkundig, daß für die Frage nach der Artikulation der Filmsprache grundlegende Bedeutung nicht die Fotogramme, sondern die Einstellungen haben, denn sie allein werden ja als reale Teile wahrgenommen. Gerade sie bilden, indem sie untereinander in Zusammenhang treten, das System der Einstellungsführung, das ja auch grundlegendes Problem der Filmstilistik ist. Man muß in diesem System offensichtlich mehr oder weniger große Aufgliederungen unterscheiden in Übereinstimmung damit, wie sich die innere Rede des Filmzuschauers bildet. Die Montage ist ja gerade Montage und nicht einfaches Zusammenkleben, insofern ihr Prinzip das Schaffen bedeutungshafter Einheiten und deren Verkettung ist. Die fundamentale Einheit dieser Verkettung ist der *Filmsatz.*
Wenn man unter ›Satz‹ generell eine gewisse, tatsächlich als Segment (sprachliches, musikalisches usw.) wahrgenommene fundamentale Aufgliederung sich bewegenden Materials versteht, dann kann man ›Satz‹ definieren als Gruppe von um einen akzentualen Kern gesammelten Elementen. Z. B. wird der musikalische Satz gebildet durch eine Gruppierung der Töne um einen rhythmisch-melodischen oder harmonischen Akzent, hinsichtlich dessen die vorhergehende Bewegung eine Vorbereitung ist. Eine analoge Rolle spielt im Film die Gruppierung verschiedener Aufnahmedistanzen und Aufnahmewinkel.
Im Film haben wir drei grundlegende Bewegungen auf der

Leinwand: Bewegung am Zuschauer *vorbei,* auf den Zuschauer *hin* und vom Zuschauer *weg* in die Tiefe. Die erste von ihnen, die man panoramatische nennen könnte, ist eine elementare und für den Film nicht charakteristische Bewegung; sie dominierte im frühen Stadium des Films (›Ansichts‹-Bilder), als alles in Totale, ohne Montage, gezeigt wurde und der Film lediglich bewegte, den Prinzipien der Laterna Magica noch nahestehende Fotografie war. Gleichzeitig mit dem Übergang von der bewegten Fotografie zum Film wurde die Bedeutung der Montage nicht nur als Sujetform, sondern auch als stilistische Form (Einstellungsführung) bestimmt. Das Entwickeln der Filmsprache mit ihrer besonderen Semantik erforderte die Setzung akzentualer Momente, durch deren Hervorhebung auch die Filmsätze entworfen wurden. Eben hierdurch wurde auch die stilistische Bedeutung der Aufnahmedistanzen und Aufnahmewinkel bestimmt.
Rein technische Mittel der Fotografie wurden als artikulatorische Mittel der Filmsprache eingesetzt. Die Totale wurde als lediglich orientierendes Element des Filmsatzes, als – in der alten grammatikalischen Terminologie – eine Art ›Umstandsbestimmung des Ortes oder der Zeit‹ beibehalten. Die akzentualen Satzglieder werden durch Vordergrundeinstellungen und Großaufnahmen geschaffen, die eine Art Subjekt und Prädikat des Filmsatzes sind. *Die Bewegung der Aufnahmedistanzen* (von der Totale zum Vordergrund und danach zur Großaufnahme oder auch in anderer Reihenfolge), in deren Zentrum die Großaufnahme als grundlegender stilistischer Akzent steht, ist das fundamentale Konstruktionsgesetz des Filmsatzes; Abweichungen hiervon sind natürlich genauso möglich, wie in jeder Kunst eben Abweichungen von jedem ›Gesetz‹ möglich sind. Hierzu kommt der Wechsel der Aufnahmewinkel (eine Art Nebensatz), der in das Schema des Filmsatzes zusätzliche Akzente einführt. Man zeigt eine Szene in einer Totalen, danach dieselbe Aufnahmedistanz, jedoch in einem anderen Aufnahmewinkel (von oben) usw.
Lassen sich im gegenwärtigen Stadium bestimmte filmsyntaktische Typen skizzieren? Natürlich wäre dafür eine weit detaillier-

tere, am Schneidetisch an einzelnen Einstellungen durchgeführte Untersuchung dieser Frage erforderlich. Wenngleich wohl kaum eine abstrakte Klassifizierung ergiebig sein dürfte, so lassen sich dennoch darüber einige Aussagen machen. Für den Filmzuschauer ist der Unterschied zwischen einem langen und einem kurzen Filmsatz völlig klar. Die Montage eines Filmsatzes kann man lang oder kurz halten. In bestimmten Fällen kann eine Totale eine wichtige Bedeutung haben: ihr Hinausdehnen vermittelt den Eindruck eines langen, sich langsam entwickelnden Satzes; in anderen Fällen besteht, im Gegenteil, der Satz aus schnell alternierenden Vordergründen und Großaufnahmen und führt so zum Eindruck des Fragmentarischen, Lakonischen. Darüber hinaus hängt ein wesentlicher Unterschied in der stilistischen Konstruktion eines Filmsatzes vom Ablauf seiner Aufnahmedistanzen ab: von den in Großaufnahme gezeigten Details zum Panorama oder umgekehrt. Im ersten Fall erhält man eine Art Aufzählung, die zu folgendem Ergebnis führt: der Zuschauer ist, in Unkenntnis des Ganzen, auf die Details fixiert, indem er von Anfang an lediglich deren Fotogenität und gegenständliche Bedeutung erfaßt: ein hoher Zaun, ein riesiges Torschloß, ein angeketteter Hund. Dann öffnet sich ein Panorama, und er versteht: der Hof eines gestrengen patriarchalischen Kaufmannshauses. Dieser Satztyp verlangt vom Zuschauer, die Details *nach* der Totalen zu verstehen, auf sie wieder zurückzukommen. Es ist m. a. W. ein *regressiver* filmsyntaktischer Typ. Seine Besonderheit liegt nicht nur in der Aufeinanderfolge der Aufnahmedistanzen, sondern auch darin, daß die Details mit einer besonderen semantischen Symbolik versehen sein müssen, deren Sinn der Zuschauer nicht vor dem Schlußakzent errät. Die Montage eines solchen Satzes verläuft nach dem Prinzip des Rätsels. Der andere, *progressive* filmsyntaktische Typ führt von der Totalen zu den Details, und zwar so, daß der Zuschauer selbst sich gleichsam dem Bild nähert und mit jeder Einstellung sich immer genauer an den auf der Leinwand ablaufenden Ereignissen orientiert. Man kann noch hinzufügen, daß der erste Satztyp eher beschreibend, während der zweite mehr erzählend

ist. Es ist natürlich, daß diese filmsyntaktischen Typen mit besonderer Klarheit und Logik vor allem *am Anfang* eines Films auftreten, wenn der Zuschauer in die Atmosphäre des Films eingeführt werden muß.
Der Filmsatz wird also entworfen durch die Gruppierung von Einstellungen auf der Grundlage einer durch akzentuale Momente verbundenen Bewegung der Aufnahmedistanzen und Aufnahmewinkel. Der stilistische Unterschied der Filmsätze hängt ab von den Montageverfahren.

7

Vom Filmsatz gehen wir über zur Frage nach der Verkettung der Sätze, nach der Konstruktion der Filmsequenz. Eine einmal begonnene Bewegung der Einstellungen fordert eine bedeutungsmäßige Verkettung nach dem Prinzip räumlicher und zeitlicher Kontinuität. Es handelt sich hier natürlich um die *Illusion* der Kontinuität, d. h. darum, daß die räumliche und zeitliche Bewegung auf der Leinwand *konstruiert* sein muß, damit der Zuschauer sie empfinden kann. Die räumlich-zeitlichen Relationen spielen im Film die Rolle eines grundlegenden bedeutungsmäßigen Zusammenhangs, außerhalb dessen sich der Zuschauer nicht in der Bewegung der Einstellungen orientieren kann.
Im Theater hat, in Zusammenhang mit seiner räumlichen und zeitlichen Flächigkeit und Statik, das Problem des Raumes und der Zeit eine völlig andere Bedeutung. In dieser Hinsicht ist das Theater weit ›naturalistischer‹ als der Film. Die Zeit im Theater ist passiv, sie deckt sich einfach mit der realen Zeit des Zuschauers. Natürlich kann der Dramaturg das Handlungstempo beschleunigen oder in einen einzelnen Akt weit mehr Handlungen aufnehmen, als in der Wirklichkeit möglich ist; jedoch kann dies nur unter der Bedingung gemacht werden, daß Zuschauer und Leser die Zeit vergessen und indifferent gegenüber der Motivierung sind. Eine *bedingte* Kontinuität kann das Theater nicht

vermitteln: die Zeit wird im Theater ausgefüllt und nicht konstruiert. Wenn eine handelnde Person gemäß dem Gang des Stückes einen Brief schreiben muß, so bleibt ihr nichts anderes übrig, als diesen Brief vor den Augen des Zuschauers zu schreiben; der Handlungsparallelismus, mit dessen Hilfe der Filmregisseur die Filmzeit konstruiert, ist im Theater ein partikularer Fall und seine Funktion eine gänzlich andere. Die ›Einheit der Zeit‹ ist in Wirklichkeit für das Theater nicht ein Problem der Zeit, sondern ein Problem des Sujets. Im Film nun kann das Sujet an sich beliebig viel Zeit umfassen (ein Jahr, viele Jahre, ein ganzes Leben), hingegen ist die ›Einheit der Zeit‹ als Problem der Montage (der zeitlichen Kontinuität einzelner Teile) eben ein Problem der Konstruktion der Zeit.

Im Film wird die Zeit nicht ausgefüllt, sondern gemacht. Durch das Zerstückeln der Szenen und durch den Wechsel der Aufnahmedistanzen und Aufnahmewinkel kann der Regisseur nicht nur das Handlungstempo verlangsamen oder beschleunigen, sondern auch das Tempo des Films selbst (der Montage); er schafft somit eine durch und durch spezifische Empfindung der Zeit. Die Effekte der Griffithschen Finale (*Intolerance*[15], *Orphans of the Storm*[16]) sind bekannt: das Handlungstempo wird fast bis zur Unbeweglichkeit verlangsamt, das Tempo der Montage hingegen wird beschleunigt und erreicht eine wahnsinnige Schnelligkeit.[17] Im Film haben wir also *zwei* Arten des Tempos: das der Handlung und das der Montage. Durch eine Kreuzung dieser beiden wird auch die spezifische Filmzeit geschaffen. Sie können sowohl zusammenfallen wie auch auseinandergehen. Der erste Teil von *Čertovo Koleso*[18] (Das Teufelsrad) z. B. bietet lediglich die Exposition und den Knoten (die Matrosen der »Aurora« gehen ins kommunale Kulturzentrum und Šorin lernt Valja kennen); die Handlung entwickelt sich sehr langsam auf Kosten von Details (amerikanische Berge, das Rad), die in einem sehr schnellen Tempo montiert sind.

Die Zeit im Film ist untrennbar verbunden mit dem Raum (Balázs gebraucht die Begriffsfusion ›Zeitraum‹). Im Theater tritt ein Schauspieler, der die Bühne verläßt, im selben Moment auch hinter die Grenzen des Bühnenraums, d. h. hinter die Grenzen des einzigen Theaterraums. Die Bühne bleibt leer, und wenn der Akt nicht zu Ende ist, so muß irgendein anderer den Weggegangenen – wenigstens bis zu seiner Rückkehr – ersetzen. Dies ist die Ursache der für die Theatermontage typischen ›Koinzidenz‹ von Abgang und Auftritt, die eine unumgängliche Konvention des Theaters ist. Der Theaterraum ist m. a. W. ebenso passiv wie die Zeit und hat als solcher nicht teil an der Dynamik des Stükkes, sondern wird lediglich ausgefüllt. Der Filmzuschauer denkt räumlich, der Raum existiert für ihn über die handelnden Personen hinaus. Der Theaterschauspieler ist mit dem Bühnenraum verbunden und darf ihn nicht verlassen, denn dahinter ist Leere, ein für den Zuschauer nicht existierender negativer Raum, der Filmschauspieler ist ein Geschöpf, das von einem grenzenlosen Raum umgeben ist und frei in ihm den Platz wechseln kann. Tritt er aus einem Haus, dann muß – sogar abgesehen von den Bedingungen der Filmzeit – der Zuschauer auf diese oder jene Weise sehen, wie er an einen anderen Ort geht. Der Raum hat im Film m. a. W. weniger eine Sujet- als vielmehr eine stilistische (syntaktische) Bedeutung. Daher die Notwendigkeit der ›Passagen‹: dies ist kein ›Naturalismus‹, sondern die spezifische Logik des Films, die auf dem Prinzip räumlich-zeitlicher Kontinuität basiert.

Durch dieses Prinzip wird auch die Montage der Verkettung der Filmsätze bestimmt, insofern es sich gerade um die stilistische Funktion der Montage handelt. Die Filmsequenz, deren Größe natürlich sehr unterschiedlich sein kann, wird als ein gewisser geschlossener Teil gerade insofern empfunden, als die Bewegung der sie bildenden Einstellungen verbunden ist durch die Kontinuität räumlich-zeitlicher Relationen. Die Ausarbeitung einzelner räumlich-zeitlicher Momente (Filmsätze) und deren Verkettung wird durch eine gewisse Zusammenfassung dieser Momente, durch das Festsetzen bedeutungshafter Relationen zwischen ihnen abgeschlossen. Wenn der Zuschauer sich einen Film anschaut, so sieht er zunächst nur einzelne Stücke; nach zwei oder drei Filmsätzen beginnt er die Beziehungen zwischen

den Personen, den Ort der Handlung, den Sinn ihrer Taten und Gespräche zu verstehen, jedoch immer noch nur bruchstückhaft. Danach tritt der Moment ein, wo für ihn die bedeutungsmäßigen Beziehungen aller das Montagematerial des gegebenen Teils bildenden Elemente klarwerden; geschlossen wird die Filmsequenz durch die Kreuzung der Einstellungen in einem bestimmten Punkt, der den gegenseitigen Zusammenhang der vorhergegangenen Stücke klärt und ihre Bewegung beendet. Als Abschlußmoment figuriert gewöhnlich eine Großaufnahme in einer dem musikalischen ›fermato‹ analogen Rolle: der Zeitfluß kommt gleichsam zum Stehen, der Film hält seinen Atem an, der Zuschauer versenkt sich in die Betrachtung.
Aus dieser allgemeinen Charakteristik der Filmsequenz folgt, daß das stilistische Moment ihrer Montage in der Motivierung der Übergänge von einem Filmsatz zum anderen besteht. Die Sujet-Motivierung an sich löst dieses Problem nicht, da sie in keiner Verbindung mit der Frage nach Rhythmus der Montage und Konstruktion räumlich-zeitlicher Beziehungen steht. Die stilistischen Verfahren der Montage zeigen sich gerade darin, wie der Regisseur, indem er ein Sujetmoment mit dem anderen verbindet, die Einstellungen führt. Hier vor allem zeigt sich der Unterschied zwischen einer fließenden, langsamen, die Filmzeit in kleine, konsequent eins ans andere gekettete Teile zerstükkelnden Montage (z. B. eine auf alltäglichen Details oder der Verschiedenartigkeit der Aufnahmewinkel aufgebauten Szene) und einer schnellen Montage, die einen Grad des ›Flüchtigen‹ oder ›Zerrissenen‹ erreichen kann, wenn in einer kurzen Meterlänge dem Zuschauer isolierte Momente gezeigt werden. Dies ist eine Seite der Filmsyntax. Die andere zeigt sich darin, wie der Regisseur von einer Szene zur folgenden übergeht.
Jede Szene wird ja dem Zuschauer stückweise, in Sprüngen gegeben. Vieles sieht er überhaupt nicht: die Intervalle zwischen den Sprüngen werden durch die innere Rede gefüllt. Damit aber diese innere Rede sich einstellt und dem Zuschauer den Eindruck der Fülle und Logik vermittelt, müssen die Sprünge in irgendeinem bestimmten Zusammenhang stehen und die Über-

gänge hinlänglich motiviert sein. Nicht wenige umgeschnittene Filme sind bis zu einem solchen Grade entstellt, daß die Montage sich gleichsam in eine Grimasse verwandelt und folglich beim Zuschauer sich keinerlei innere Rede einstellt, er also nichts versteht (ein Beispiel aus dem Repertoire des letzten Herbst ist *Zirkuszwillinge* mit Werner Krauss und ein älteres ist *Die freudlose Gasse*[19] mit Asta Nielsen und Gregori Chmara). Wenn eine handelnde Person sich von einem Punkt zu einem anderen begibt, so kann der Regisseur in Abhängigkeit von dieser oder jener stilistischen Absicht unterschiedlich vorgehen: er kann uns ihren Weg detailliert zeigen, er kann aber auch einige Augenblicke überspringen und diese Lücken mit Material aus einer anderen Sequenz ersetzen. Die Montage wird generell nach Art solcher Substitutionen gemacht; ihre Bewegung ist multilinear. Die Illusion räumlich zeitlicher Kontinuität wird nicht durch eine tatsächliche Kontinuität, sondern durch deren Äquivalente geschaffen: *während* die Familie zu Mittag ißt, passiert an einem anderen Platz irgend etwas. Die Parallelen werden nach dem Prinzip sich bewegender Simultaneität genutzt; sie kreuzen sich in der inneren Rede des Zuschauers als in der Zeit zusammenfallende.

Hier tritt nun auch das Problem der Motivierung auf. An welchem Punkt muß man eine Linie unterbrechen, und wie muß man zur anderen übergehen? Durch welche logischen Beziehungen muß man, m. a. W., Parallelen oder Stücke einer Filmsequenz verbinden, damit die Notwendigkeit eines Übergangs zu einer stilistischen Gesetzmäßigkeit wird?

Teilweise habe ich schon oben, im Zusammenhang mit dem Buch Timošenkos, darüber gesprochen. Hier zeigt sich auch die Bedeutung solcher Verfahren wie Kontrast, Koinzidenz, Vergleich usw. Die Vielfältigkeit auf diesem Gebiet ist unerschöpflich, jedoch dient als allgemeine Grundlage diese oder jene *Verknüpfung.* Manchmal setzt man natürlich hierfür Zwischentitel ein, nur ist dies eben der Fall, wo ein Zwischentitel am wenigsten erwünscht ist. *Die Verknüpfungsverfahren der Teile einer Sequenz* – das ist das fundamentale stilistische Problem der Montage.

Ich bleibe bei dieser Schlußfolgerung stehen, weil die weitere Untersuchung dieses Problems wiederum am Schneidetisch gemacht werden müßte. Tritt doch jetzt unvermeidbar die Frage nach den Stil- und Gattungsunterschieden des Films auf, die ich bewußt fast gar nicht hier tangiere.

8

Mir bleibt noch zu sprechen (natürlich gleichfalls in sehr allgemeiner Form) von den grundlegenden Besonderheiten der Filmsemantik, d. h. von jenen Signalen, mittels derer der Film den Zuschauer den Sinn des Leinwandgeschehens verstehen läßt. Dies ist m. a. W. die Frage danach, wie die einzelnen Momente des Films den Zuschauer ›erreichen‹.
Ich habe schon davon gesprochen, daß der Filmzuschauer vieles erraten muß. Letzten Endes ist der Film wie jede andere Kunst ein besonderes System der Allegorie (insofern er im allgemeinen als eine ›Sprache‹ benutzt wird). Das hauptsächliche Spezifikum des Films besteht darin, daß er ohne die Hilfe des hörbaren Wortes auskommt. Wir haben es also mit der Sprache des Fotogenen zu tun. Regisseur, Schauspieler und Kameramann ist die Aufgabe gestellt, ›sich ohne Worte auszudrücken‹, dem Zuschauer ist die Aufgabe gestellt, dies zu verstehen. Hier liegen sowohl die ungeheuren Vorzüge des Films als auch die ungeheuren Schwierigkeiten, deren Überwindung eine besondere Erfindungskraft und Technik erfordert.
Die Filmsprache ist nicht weniger konventionell als jede andere Sprache. Die Grundlage der Filmsemantik bildet jener Vorrat mimischer und gestischer Ausdrucksfähigkeit, den wir uns im Alltag angeeignet haben und der deswegen auf der Leinwand ›unmittelbar‹ verständlich ist. Nun ist dieser Vorrat aber erstens allzu dürftig, um einen Film damit machen zu können, und zweitens – was entscheidend ist – relativ *vieldeutig.* Darüber hinaus tendiert der Film wie jede andere Kunst dazu, gerade die Elemente dieser Semantik zu kultivieren, die gewöhnlich nicht ge-

nutzt werden. Der Film hat nicht nur seine Sprache, sondern auch seinen für Nichteingeweihte schwer zugänglichen ›Jargon‹.

Eine Geste oder ein Gesichtsausdruck sind, isoliert genommen, genauso wie ein isoliert genommenes ›Wörterbuch‹-Wort vieldeutig und unbestimmt. Dem entspricht völlig die von Tynjanov bei der Analyse der Verssemantik entwickelte Theorie primärer und sekundärer (schwankender) Bedeutungsmerkmale.[20] »Das Wort hat nicht eine einzige determinierte Bedeutung. Es ist ein Chamäleon, bei dem jedesmal nicht nur verschiedene Nuancen, sondern manchmal auch verschiedene Farben auftreten. Die Abstraktion ›Wort‹ ist gleichsam ein Kreis, der jedesmal aufs neue gefüllt wird in Abhängigkeit von der lexikalischen Struktur, in die es eintritt, und den Funktionen, die jedes Sprachelement trägt. Das Wort ist gleichsam ein Querschnitt dieser verschiedenen lexikalischen und funktionalen Strukturen.«

All dies behält seinen Wert auch bei einer Untersuchung der Filmsemantik. Das einzelne Fotogramm ist eine Art ›wörterbuchhaftes‹, isoliertes Film-Wort. Die Semantik einer Fotografie, die keinen ›Kontext‹ besitzt, außerhalb eines ›Satzes‹ steht und deswegen außerhalb jeder ›lexikalischen Ebene‹, ist arm und abstrakt. Das klassische »Bitte lächeln!«, womit manche Fotografen die Aufnahme ankündigen, ist diktiert durch das Fehlen eines semantischen Auftrags, durch das Fehlen eines ›Kontextes‹. Der Schaukasten eines Fotografen ist ein ›Wörterbuch‹, ein Schaukasten mit Filmaufnahmen hingegen ist eine Sammlung von Zitaten. Es ist aufschlußreich, den von diesen Aufnahmen evozierten Eindruck *vor* und *nach* einer Filmvorführung zu vergleichen: im ersten Fall kann man selbst den allgemeinsten Sinn einzelner Szenen nur erraten – »sie küssen sich«, »er folgt ihm« usw.; im zweiten Fall beleben sich die Aufnahmen, wie sich ein Zitat aus einem bekannten Werk belebt, weil man den Film, den ›Kontext‹ kennt.

Aus all dem kann man den Schluß ziehen, daß es im Film eine Semantik der *Bilder* und eine Semantik der *Einstellungen* gibt.

Isoliert tritt die Semantik eines Bildes als solche selten auf; jedoch besitzen einige, gerade mit dem Fotogenen zusammenhängende Details in der Komposition eines Bildes manchmal einen eigenständigen semantischen Wert. Die grundlegende semantische Rolle fällt allerdings der Montage zu, da sie ja die Bilder über ihren allgemeinen Sinn hinaus mit Bedeutungsnuancen färbt. Bekannt sind die Fälle, wo bei dem Umschnitt eines Films dieselben Bilder, in einen neuen Montage-›Kontext‹ gesetzt, einen völlig neuen Sinn bekommen. Genauso kann ein Bild aus einer Wochenschau (wo ja ausschließlich die Semantik der Bilder hervortritt, weil die Montage keine eigenständige Bedeutungsrolle spielt) in einem Film verwendet werden; sein Sinn aber wird ein völlig anderer sein, weil es in die Semantik der Montage eintritt. Denn der Film ist ja von den Bildern bis hin zu den Einstellungen eine gänzlich *sukzessive*[21] Kunst: der Sinn der einzelnen Bilder wird schrittweise klar aus ihrer Nachbarschaft und Abfolge. Die Grundmerkmale ihrer Bedeutung sind an sich extrem unbeständig und werden im Rahmen des Films selbst zu Bedeutungsschablonen, bei denen die Aufmerksamkeit eines erfahrenen Filmzuschauers sich schon nicht mehr aufhält.
Die Sukzessivität des Films gewinnt ihren besonderen Charakter in Zusammenhang damit, daß die Montage keine totale, sondern eine unterbrochene Abfolge gibt. Die Mimik im Film z. B. ist in keiner Weise identisch mit der im Theater. Die Mimik des Theaterschauspielers begleitet die von ihm artikulierten Worte; der Theaterschauspieler *mimt* wirklich, und zwar ununterbrochen und nicht nur an den zentralen Punkten. Der Filmschauspieler muß in keinster Weise die ganze mimische *Skala,* deren Ausarbeitung für den Theaterschauspieler unumgänglich ist, liefern. Es gibt im Film Mimik in diesem Sinne des Wortes überhaupt nicht, sondern es gibt nur einzelne Gesichtsausdrükke, Posen oder Gesten als Signale dieses oder jenes Sinns. Gerade deswegen ist die Filmmimik gleichzeitig reicher und ärmer als die Theatermimik; sie arbeitet auf einer völlig anderen Ebene und gehorcht völlig anderen Ausdrucksgesetzen. Die mimische Manier Chaplins oder Keatons hat ihren semanti-

schen Effekt nur im Film in der Verbindung mit Großaufnahmen und anderen Montagebesonderheiten. Die Theatermimik wird auf der Leinwand als ›Übertreibung‹ gerade deswegen wahrgenommen, weil sie für den Film zu zerstückelt, zu sehr nach dem Prinzip der Ausdrucksskala aufgebaut ist. Die Filmmimik ist weit statischer, da die Dynamik in der Montage konzentriert ist. Wichtig im Film ist die bedeutungsmäßige Klarheit einzelner Gesichtsausdrücke, wichtig ist die Typisierung, in keinster Weise jedoch ist wichtig und notwendig das Mimen an sich. Wir sehen auf der Leinwand Sprünge, flimmernde Augenblicke; sie müssen sich als solche ins Gedächtnis eingraben, ihre Bedeutungsnuancen hingegen werden vom ›Kontext‹ des Films, von der Semantik seiner Bilder geliefert.

Es bleibt noch eine generelle Frage, die die Fälle betrifft, wo der Regisseur diesen oder jenen Moment des Films oder den Film insgesamt kommentieren muß, d. h., wenn im Film etwas ›von seiten des Autors‹, etwas außerhalb des Sujets an sich Stehendes auftreten muß. Das einfachste Mittel solcher Kommentierung sind Zwischentitel. Jedoch versucht der zeitgenössische Film schon, mit anderen Mitteln zu arbeiten. Ich meine das Auftreten der Metapher im Film, die manchmal sogar den Charakter einer Symbolik gewinnt. Vom semantischen Gesichtspunkt her ist das Einführen der Metapher in den Film gerade interessant dadurch, daß hiermit noch einmal die tatsächliche Bedeutung der inneren Rede als nicht zufälliges, psychologisches Element der Filmwahrnehmung, sondern als konstruktives Element des Films selbst unterstrichen wird. Die Filmmetapher ist möglich nur vorbehaltlich der Stütze auf eine Sprachmetapher. Nur dann kann der Zuschauer sie verstehen, wenn in seinem sprachlichen Paradigma ein korrespondierender metaphorischer Ausdruck existiert. Gewiß sind in der weiteren Entwicklung des Films Bildungen spezifischer semantischer Schablonen möglich, die dann als Grundlage für das Schaffen eigenständiger Filmmetaphern dienen können – die Sache selbst aber wird hiermit nicht prinzipiell geändert.

Die Filmmetapher ist eine Art visuelle Realisierung der

Sprachmetapher. Als Material für Filmmetaphern können selbstverständlich nur geläufige Sprachmetaphern verwandt werden; der Zuschauer versteht sie gerade deswegen sofort, weil sie ihm vertraut sind und sich daher leicht als Metaphern lösen lassen. Das Wort ›Fall‹ z. B. wird in der Sprache metaphorisch eingesetzt zur Bezeichnung des Weges, der in den Untergang führt; das ermöglichte in *Čertovo koleso* folgende Metapher: in der Kneipe, in die der Matrose Sorin gerät, wird ein Billardtisch gezeigt, die Billardkugel *fällt* ins Loch. Das völlig Episodische dieser Szene gibt dem Zuschauer zu verstehen, daß der Sinn dieser Szene kein handlungsmäßiger, sondern ein kommentierender ist: der ›Fall‹ des Helden setzt ein. Ein weiteres Beispiel stammt aus *Šinel*[22] (Der Mantel): in der Szene zwischen Akakij Akakievič und der ›bedeutenden Persönlichkeit‹ werden entgegengesetzte Aufnahmewinkel eingesetzt: von unten, wenn Akakij Akakievič die ›bedeutende Persönlichkeit‹ anschaut, von oben, wenn die ›bedeutende Persönlichkeit‹ Akakij Akakievič anbrüllt. ›Von unten – von oben‹ sind hier aus einer Sprachmetapher entnommen (›jemanden von oben herab anschauen‹). Das letzte Beispiel gibt unter anderem Grund zu vermuten, daß der Filmmetapher eine große Zukunft bevorsteht, da sie mit den Verfahren der Aufnahmewinkel, Beleuchtung usw. aufgebaut werden kann.

Außerordentlich interessant ist bei dieser ganzen Frage, daß die Sprachmetapher an sich nicht die Grenzen rein sprachlicher Semantik überschreitet, es sei denn, der Autor verleiht ihr mittels besonderer Tendenzen einen Sinn des Komischen. Immer wieder ist darauf hingewiesen worden, daß die Entwicklung oder Realisierung einer Sprachmetapher in der Literatur vorzugsweise durch ein parodistisches Verfahren auftritt (vgl. z. B. Majakovskij). Die Filmmetapher ist gleichsam eine authentische, auf der Leinwand durchgeführte Realisierung einer Sprachmetapher; weshalb nun kann sie dann überhaupt verständlich sein? Offensichtlich deshalb, weil wir uns im Film erstens nicht im Rahmen sprachlicher, sondern filmischer Motivierung bewegen, und zweitens die auf Grund der Einstellungen

sich bildende innere Rede des Filmzuschauers nicht in Gestalt exakter sprachlicher Formulierung realisiert wird. Ein umgekehrtes Verhältnis stellt sich ein: wenn die Sprachmetapher im Bewußtsein des Lesers nicht bis zu einem klaren visuellen Bild hin entwickelt wird (der buchstäbliche Sinn also durch den metaphorischen verdeckt wird), dann wird die Filmmetapher im Bewußtsein des Filmzuschauers nicht bis zu der Grenze eines vollwertigen Sprachsatzes hin entwickelt.
Man könnte noch eine Menge über die semantischen Zeichen des Films (Überblendung, Weichzeichner, Doppelbelichtung usw.) sagen, deren Sinngebung verbunden ist entweder mit aufs neue metaphorisierten Sprachschablonen oder mit für den Zuschauer geläufigen Schablonen der Fotografie oder Grafik. Die Filmsemantik ist ein neues und kompliziertes Thema, das eine gesonderte Untersuchung erfordert. Für mich war wichtig zunächst nur, die semantische Rolle der Montage festzustellen und die Bedeutung der Filmmetapher als Verwendung sprachlichen Materials auf der Leinwand zu unterstreichen.

Anmerkungen

Soweit nicht anders gekennzeichnet, sind die Anmerkungen vom Herausgeber eingesetzt mit der Intention, eine rein datenmäßige Präzisierung der als Argumentationsbasis manifesten Filmkenntnis zu geben. Da im Original in den meisten Fällen die Filmtitel ohne irgendwelche Angaben (Regie, Land, Produktionsjahr usw.) genannt sind und bloße Verleihtitelübersetzungen auch nicht weiterhalfen, konnten einige Filme nicht entschlüsselt werden.
Die Abkürzungen sind: R (Regie), K (Kamera), D (Drehbuch), Da (Darsteller).

1 G. Michel Coissac, *Histoire du cinématographe,* Paris 1925. Leider bietet dieses Buch in keinster Weise eine Geschichte des Films, sondern stellt vielmehr eine Reklame der frz. Filmindustrie dar [Anm. d. Aut.]. Louis Lumière (1864–1948), Auguste Lumière (1862–1954). Der angeführte Film wurde am 22. 3. 1895 von den Brüdern Lumière vor der »Société d'Encouragement pour l'Industrie Nationale« gezeigt.

2 L. Delluc (1890–1924). Frz. Filmer und Theoretiker, entwickelte den Begriff des ›Fotogenen‹ in seinem Buch *Photogénie,* Paris 1920. Zusammen mit A. Gance (geb. 1889), Marcel L'Herbier (geb. 1890), Jean Epstein (1897–1953) und Germaine Dulac (1882–1942) bildete er die ›erste frz. Avantgarde‹, die auch ›Impressionistische Schule‹ im Gegensatz zum deutschen ›Expressionistischen Film‹ genannt wird.

3 Zaum': Vernunft überschreitende bzw. vor der Vernunft liegende Sprache. Von den russischen Futuristen (A. Kručenych, V. Chlebnikov, I. Zdanevič, V. Kamenskij u. a.) propagierter Terminus für sprachexperimentelles Arbeiten vor allem auf lautlicher Ebene. Geläufige Übersetzungen wie ›transmental, metalogisch, transrational‹ verdunkeln eher den im vorliegenden Kontext klaren Sinn dieses Wortes.

4 L. Delljuk, *Fotogenija kino.* Übers. von T. Sorokin, Moskau 1924, S. 94. [Anm. d. Aut.]

5 Vgl. z. B. die Aufsätze in dem Sammelband *Teatr. Kniga o novom teatre* (Das Theater. Ein Buch über das neue Theater), Petersburg 1908, die Arbeiten von Sologub, Čertkov, Lunačarskij u. a. [Anm. d. Aut.]

6 B. V. Kazanskij, *Metod teatra. Analiz sistemy N. N. Evreinova* (Die Methode des Theaters. Eine Analyse des Systems von N. N. Evreinov), Leningrad 1925. [Anm. d. Aut.]

7 Deutschland 1919. R: R. Wiene (1881–1938); K: W. Hameister; D: C. Mayer und H. Janowitz; Da: W. Krauss, K. Veidt, F. Feher, Lil Dagover, H. H. von Twardowski.

8 USA 1923. R: Buster Keaton (1896–1966) und J. Blystone; K: W. McGann und Elgin Lessley; D: J. C. Havez, J. A. Mitchell, C. Bruckman; Da: B. Keaton, Margaret Leahy, Wallace Beery, Joe Roberts, Lilian Lawrence, Horace Morgan, Oliver Hardy.

9 USA 1925. R: B. Keaton; K: E. Lessley und Bert Haines; D: Raymon Cannon; Da: B. Keaton, Howard Truesdall, Kathleen Myers, Brown Myers.

10 UdSSR 1925. R: Boris L. Leonidov (1892–1958); K: E. Tisse; D: B. L. Leonidov und Grigorij Gričer.

11 USA 1920. R: Fred Niblo (1874–1948) und Douglas Fairbanks (1883–1939); Da: Marguerite de La Motte, Douglas Fairbanks, Noah Barry, Walt Whitman.

12 L. Mussinak, *Roždenie kino* (Die Geburt des Films), übers. von S. Mokul'skij und T. Sorokin, Leningrad 1926 [Anm. d. Aut.]. Leon Moussinac, »Naissance du cinema«, in: L. M., *L'âge ingrat du cinéma,*

Paris 1967, S. 66. L. M. (1890–1964), frz. Filmkritiker und -theoretiker.

13 Béla Balázs, *Der sichtbare Mensch oder die Kultur des Films*, Wien/Leipzig 1924, S. 143. (Eine russische Übersetzung erschien Moskau 1925 unter dem Titel *Vidimyj čelovek*). [Anm. d. Aut.]

14 S. Timošenko, *Iskusstvo kino i montaž fil'ma* (Die Filmkunst und die Montage des Films), Leningrad 1926. [Anm. d. Aut.]

15 USA 1916. R: D. W. Griffith (1875–1948); K: G. W. Bitzer; Da: Mae Marsh, Lillian Gish, Howard Gaye, Margery Wilson, Constance Talmadge.

16 USA 1921. R: D. W. Griffith; K: Hendrick Sartov; Da: Lillian Gish, Dorothy Gish.

17 Vgl. dazu Balázs und bei Timošenko (Anm. 14, S. 42–44). [Anm. d. Aut.]

18 UdSSR 1926. R: Grigorij Kozincev (geb. 1905), Leonid Trauberg (geb. 1902); K: Andrej Moskvin; D: Adrian Pitrovskij; Da: Sergej Gerasimov, Evgenij Enej, Janina Žejmo.

19 Deutschland 1925. R: G. W. Pabst (1885–1967); K: G. Seeber; D: Willy Haas; Da: Asta Nielsen, Greta Garbo, Werner Krauss.

20 Vgl. sein Buch *Problema stichotvornogo jazyka* (Probleme der Verssprache), Leningrad 1924, S. 48 ff. [Anm. d. Aut.]

21 Vgl. ebd., S. 40. [Anm. d. Aut.]

22 UdSSR 1926. R: Grigorij Kozincev und Leonid Trauberg; K: A. Moskvin; D: Jurij Tynjanov; Da: S. Gerasimov, A. Kapler, A. Kostričkin, E. Gal', B. Plotnikov, A. Evremeeva.

JURIJ N. TYNJANOV

Über die Grundlagen des Films

1927

1

Die Erfindung des Kinematographen wurde ebenso freudig begrüßt wie die Erfindung des Grammophons. In dieser Freude war etwas von der Empfindung des Urmenschen, der zum erstenmal auf der Klinge seiner Waffe den Kopf eines Leoparden abgebildet und zur gleichen Zeit gelernt hatte, sich die Nase mit einem Stäbchen zu durchstechen. Der Zeitungslärm ähnelte dem Chor der Wilden, der diese ersten Erfindungen mit einem Hymnus feierte.
Der Urmensch überzeugte sich wahrscheinlich schnell davon, daß ein Stäbchen in der Nase keine wer weiß wie aufregende Erfindung ist; aber er brauchte jedenfalls mehr Zeit dazu, als der Europäer brauchte, um über das Grammophon in Verzweiflung zu geraten. Das Entscheidende ist offenbar nicht, daß der Kinematograph eine bestimmte Technik, sondern daß der Film eine Kunst ist.
Ich erinnere mich an die Klagen, der Film sei flächig und farblos. Nun zweifle ich nicht daran, daß auch zu dem Urerfinder, der einen Leopardenkopf auf der Klinge dargestellt hatte, ein Kritiker hinzutrat und auf die geringe Ähnlichkeit der Darstellung hinwies und daß nach ihm ein zweiter Erfinder dem ersten riet, auf das Bild echtes Leopardenfell zu kleben und ein echtes Auge einzusetzen. Jedoch ließ sich das Fell auf dem Stein wohl schlecht aufkleben, und aus dem flüchtig aufgezeichneten Leopardenkopf entstand die Schrift; ihre Flüchtigkeit und Ungenauigkeit hinderten die Zeichnungen nämlich nicht daran, sondern *halfen* ihr, sich in ein Zeichen zu verwandeln. Die ›zweiten‹ Erfinder haben gewöhnlich keinen Erfolg, und die Perspektiven des Tonfilms, des stereoskopischen und des Farbfilms begei-

stern uns denn auch wenig. Einmal deswegen, weil sowieso kein echter Leopard dabei herauskommt, zum andern deswegen, weil die Kunst mit echten Leoparden nichts anzufangen weiß. Die Kunst strebt, ebenso wie die Sprache, nach Entgegenständlichung ihrer Mittel. Deswegen kann ihr auch nicht jedes Mittel recht sein.

Als der Mensch den Tierkopf auf der Klinge darstellte, ging es ihm nicht nur um ein *Darstellen.* Er erwarb dadurch auch eine magische Tapferkeit: sein Totem war mit ihm, auf seiner Waffe, sein Totem drang ein in die Brust seines Feindes. Mit andern Worten: seine Zeichnung hatte zwei Funktionen, eine reproduktiv-materiale und eine magische. Es ergab sich dann zufällig, daß der Leopardenkopf auf allen Waffen des gesamten Stammes erschien – so wurde er zu einem Zeichen, das die eigenen Waffen von den feindlichen unterschied, zu einem mnemotechnischen Zeichen und daraus wieder zu einem Ideogramm, zu einem Buchstaben. Was war geschehen? Ein bestimmtes Ergebnis der Entwicklung wurde stabilisiert, und die Funktionen wurden zugleich umgepolt.

In dieser Weise verläuft auch der Übergang von technischen zu künstlerischen Mitteln. Die belebte Fotografie, deren primäre Bestimmung die Ähnlichkeit mit der dargestellten Natur war, wurde zur Filmkunst. Dabei wurde die Funktion aller Mittel umgepolt: es waren nun nicht mehr Mittel schlechthin, sondern von der Kunst geprägte Mittel. Und hier erwies sich die ›Armut‹ des Films, seine Flächigkeit und Farblosigkeit, als *positives* Mittel, als echtes künstlerisches Mittel, genauso wie ja auch die Unvollkommenheit und Primitivität des urzeitlichen Totembildes positive Mittel waren bei der Entwicklung der Schrift.

2

Die Erfindung des Tonfilms und des stereoskopischen Films waren Erfindungen, die am Anfang des Films standen und denen eine reproduktiv-materiale Funktion, ›die Fotografie als solche‹, als Ziel vorschwebte. Ihr Ausgangspunkt war nicht die einzelne Einstellung als Trägerin dieses oder jenes bedeutungshaften Zeichens in Abhängigkeit von der integrierenden Gesamtdynamik der Einstellungen, sondern die Einstellung als solche.

Vermutlich empfinden die Zuschauer eine weitgehende Ähnlichkeit mit der Natur, wenn sie im stereoskopischen Film plastische Hausmauern und plastische Gesichter sehen; jedoch würden solche in der Montage einander ablösenden plastischen Formen, solche einander überblendenden plastischen Gesichter gleichwohl als ein aus wahrscheinlichen Details zusammengesetztes unwahrscheinliches Chaos erscheinen.

Vermutlich würden Natur und Mensch sehr echt wirken, wenn sie in natürlichen Farben erschienen; ein riesiges, natürlich getöntes Gesicht in Großaufnahme wäre dennoch eine ungeheuerliche, durchaus entbehrliche Überzogenheit, ungefähr wie eine bunt bemalte Statue mit Augen, die sich in Scharnieren bewegen. Ganz abgesehen davon, daß die Farbe eines der Hauptstilmittel, den Wechsel verschiedener *Beleuchtungen* eines einfarbigen Materials, verdrängt.

Der wirklich ideale Tonfilm müßte sich einer so höllisch exakten Technik bedienen, daß die Schauspieler die für ihre Rolle (aber nicht für den Film) unentbehrlichen Töne völlig unabhängig von den Gesetzen produzierten, nach denen sich das filmische Material entfaltet. Es würde nicht nur ein Chaos entbehrlicher Reden und Geräusche entstehen – es würde dadurch auch der gesetzmäßige Wechsel der Einstellungen seiner Glaubwürdigkeit beraubt.

Man braucht sich nur das Verfahren der Überblendung auf den Fall angewandt vorzustellen, daß ein Sprechender sich an ein anderes Gespräch erinnert, um gleichgültig gegenüber jenem geschätzten Erfinder zu bleiben. Die ›Armut‹ des Films ist in Wirklichkeit sein konstruktives Prinzip. Es ist wahrlich schon lange an der Zeit, dem säuerlichen Kompliment ›der große Stumme‹ ein Ende zu setzen. Wir klagen ja auch nicht darüber, daß den Gedichten keine Fotografien der besungenen Schönen beigegeben werden, und niemand nennt die Poesie den ›großen Blinden‹. Jede Kunst benutzt irgendein einzelnes Element der sinnlich wahrnehmbaren Welt als tonangebendes, konstruktives Element, die anderen bringt sie unter seinem Vorzeichen als nur vorgestellte ein. So werden die anschaulichen und malerischen Vorstellungen nicht aus dem Bereich der Dichtung verbannt, es wird ihnen vielmehr ihre besondere Qualität und ihre besondere Verwendung zugewiesen: im deskriptiven Poem des 18. Jahrhunderts z. B. werden die Gegenstände der Wirklichkeit nicht beim Namen genannt, sondern mit Hilfe von Bezügen und Assoziationen aus anderen Reihen metaphorisch ›umschrieben‹. Um zu sagen »der aus dem Teekessel fließende Tee«, hieß es in einem solchen Poem: »der kochende und duftende Strahl, sprudelnd aus funkelndem Kupfer«. Eine malerische, anschauliche Vorstellung liegt hier somit nicht vor, eine solche dient vielmehr als Motivierung der Verknüpfung einer Vielzahl verbaler Reihen, deren Dynamik auf dem aufgegebenen Rätsel fußt. Es braucht kaum gesagt zu werden, daß bei einer solchen Verknüpfung wiederum keine echten, anschaulichen Vorstellungen vorliegen, sondern verbale Vorstellungen, an denen die Bedeutungsnuancen der Worte und das Spiel dieser Nuancen wichtig sind – nicht aber die Gegenstände selbst. Würde man die verbalen Reihen durch Reihen echter Gegenstände ersetzen, so entstünde ein unwahrscheinliches Chaos von Dingen und nichts weiter.

So benutzt auch der Film die Worte lediglich als Motivierung für die Verknüpfung der Einstellungen oder als Element, das eine – kontrastierende oder illustrierende – Rolle im Hinblick auf eine bestimmte Einstellung spielt, und wollte man den Film mit Worten anfüllen, so entstünde ein Chaos von Worten und nichts weiter.

Es gibt auch für den Film als Kunst keine Erfindungen als solche, sondern lediglich technische Mittel, die seine vorgegebenen Möglichkeiten ausbauen, die jeweils danach ausgewählt sind, inwieweit sie mit seinen grundlegenden Verfahren in Einklang stehen. Damit ergibt sich eine der anfänglichen völlig entgegen-

gesetzte Wechselwirkung zwischen der Technik und der Kunst: die Kunst selbst *gibt* nunmehr *die Impulse* für die technischen Verfahren, sie wählt in ihrer fortschreitenden Entwicklung unter ihnen aus, sie verändert ihre Anwendung, ihre Funktion und verwirft sie schließlich – die Technik aber gibt der Kunst keine Impulse.
Die Filmkunst hat schon ihr Material. Dieses Material kann differenziert und ausgebaut werden. Aber weiter auch nichts.

3

Die ›Armut‹ des Films, seine Flächigkeit und Farblosigkeit, ist also in Wirklichkeit sein konstruktives Prinzip; sie fordert nicht neue Verfahren als ihre Ergänzung, vielmehr werden die neuen Verfahren von ihr geschaffen, wachsen sie auf ihrer Grundlage. Die Flächigkeit des Films (die ihn keineswegs der Perspektive beraubt) – ein technischer ›Mangel‹ – wird in der Filmkunst zum positiven, konstruktiven Prinzip der *Simultaneität* (Gleichzeitigkeit) mehrerer Reihen visueller Vorstellungen. Auf dieser Grundlage gewinnen Geste und Bewegung völlig neue Bedeutung.
Nehmen wir das allen bekannte Verfahren der Überblendung: Finger halten ein mit einer leuchtenden Schrift bedrucktes Blatt Papier; die Schrift verblaßt, die Umrisse des Papiers verschwimmen, und durch es hindurch beginnt eine neue Einstellung sich abzuzeichnen – die Umrisse sich bewegender Gestalten, die immer konkreter werden, bis sie schließlich die Einstellung des mit der Schrift bedruckten Papiers völlig verdrängen. Es ist klar, daß eine solche Verknüpfung der Einstellungen nur dank ihrer Flächigkeit möglich ist: wären die Einstellungen plastisch, reliefartig, so wäre diese ihre gegenseitige Durchdringung, diese ihre Simultaneität, ihre Gleichzeitigkeit nicht plausibel. Allein auf der Grundlage der Nutzung einer solchen Simultaneität wird eine Komposition möglich, die nicht nur Reproduktion von Bewegung ist, sondern auch selbst auf den Prin-

zipien dieser Bewegung aufbaut. Der Tanz muß innerhalb einer Einstellung nicht nur als ›Tanz‹ vorgeführt werden, sondern auch in einer ›tanzenden‹ Einstellung, vermittels einer ›sich bewegenden Kamera‹ oder einer ›sich bewegenden Einstellung‹. In einer solchen Einstellung schwankt alles, eine Reihe von Menschen tanzt in der anderen. Damit ist eine besondere Simultaneität des Raumes verwirklicht. Das Gesetz der Undurchlässigkeit der Körper ist überwunden durch die zwei Dimensionen des Films, durch seine Flächigkeit und Abstraktheit.

Nun sind aber auch die Gleichzeitigkeit und Gleichräumigkeit nicht wichtig an sich – sie sind wichtig als bedeutungshaftes Zeichen der Einstellung. Eine Einstellung folgt auf die andere, und jede trägt in sich das bedeutungshafte Zeichen der ihr vorangehenden, ist durch sie in ihrer ganzen Dauer bedeutungsmäßig eingefärbt. Eine nach den Prinzipien der Bewegung *aufgebaute,* konstruierte Einstellung ist von materialer Reproduktion einer Bewegung weit entfernt – sie vermittelt eine bedeutungsmäßige Vorstellung der Bewegung. (Manchmal ist der Satzbau bei Andrej Belyj so angelegt: der Satz ist nicht durch seinen unmittelbaren Sinn wichtig, sondern durch die bloße Satzkontur.)

Die Farblosigkeit des Films ermöglicht ihm eine nicht materiale, sondern *bedeutungsmäßige* Konfrontation der Größen, eine ungeheure perspektivische Disproportion. In einer Erzählung von Čechov zeichnet ein Kind einen großen Menschen und neben ihm ein kleines Haus. Vielleicht ist das auch das Verfahren der Kunst: eine Größe löst sich von ihrer reproduktiv-materialen Basis und wird eines der bedeutungshaften Zeichen der Kunst. Eine alle Gegenstände vergrößernde Einstellung wird abgelöst durch eine Einstellung mit perspektivischer Verkleinerung; eine Einstellung von oben, auf einen kleinen Menschen, wird abgelöst durch eine auf einen anderen Menschen gerichtete Einstellung von unten (siehe, z. B., die Einstellung mit Akakij Akakievič und der bedeutenden Persönlichkeit in der Streitszene in »*Šinel*«[1] (Der Mantel). Die natürliche Farbe würde hier die zugrundeliegende Intention, die bedeutungsmäßige Bezugnahme auf die Größe, verwischen. Die Großaufnahme, die den Gegenstand aus der räumlichen und zeitlichen gegenständlichen Korrelation herauslöst, verlöre bei natürlicher Farbe ihren *Sinn*. Die Stummheit des Films schließlich, richtiger: die konstruktive Unmöglichkeit, die Einstellungen mit Worten und Geräuschen anzufüllen, enthüllt die Eigenart seiner Konstruktion: der Film hat seinen eigenen ›Helden‹ (sein spezifisches Element) und seine eigenen Mittel der Verschweißung.

4

Über diesen ›Helden‹ kommt es zu widersprüchlichen Aussagen, die für das Wesen des Films selbst bezeichnend sind. Seinem Material nach steht der Film den bildenden, räumlichen Künsten – der Malerei – nahe, der Entfaltung des Materials nach den ›zeitlichen‹ Künsten – der Wort- und der Tonkunst. Daher die aufgeplusterten metaphorischen Definitionen: »Der Film ist Malerei in Bewegung« (Louis Delluc) oder: »Der Film ist die Musik des Lichtes« (Abel Gance). Aber solche Definitionen laufen nun fast auf dasselbe hinaus wie der ›große Stumme‹. Den Film nach benachbarten Künsten zu benennen ist genauso unfruchtbar, als wollte man diese Künste anhand des Films definieren: Die Malerei als ›bewegungslosen Film‹, die Musik als ›Film der Töne‹, die Literatur als ›Film des Wortes‹. Besonders gefährlich ist das, wenn es sich um eine neue Kunst handelt. Es äußert sich hier ein reaktionärer Passeismus – das Bestreben, ein neues Phänomen nach einem alten zu benennen.
Indessen bedarf die Kunst überhaupt keiner Definition, sie bedarf nur der Untersuchung. Es ist völlig verständlich, daß anfangs zum ›Helden‹ des Films sein reproduktiv-materiales Objekt erklärt wurde, »der sichtbare Mensch«, »das sichtbare Ding« (Béla Balázs). Jedoch unterscheiden sich die Künste nicht nur und nicht einmal in erster Linie durch ihre Objekte, sondern viel stärker durch ihre Beziehung zu ihnen. Andernfalls wäre auch das einfache Gespräch, die schlichte Rede Wortkunst: tritt doch auch in der gewöhnlichen Rede derselbe ›Held‹

auf wie im Vers, das Wort. Nun ist aber gerade der springende Punkt, daß es das ›Wort‹ als solches gar nicht gibt; im Vers spielt das Wort eine völlig andere Rolle als im Gespräch, und das Wort in der Prosa spielt, von Gattung zu Gattung, eine andere Rolle als im Vers.

Die Annahme, der ›sichtbare Mensch‹ und das ›sichtbare Ding‹ seien die ›Helden‹ der Filmkunst, ist nicht deshalb falsch, weil man auch einen ungegenständlichen Film drehen könnte, sondern deshalb, weil sie die spezifische Verwertung des Materials, die erst das materiale Element zu einem künstlerischen macht, weil sie die spezifische Funktion dieses Elements in der Kunst nicht herausstellt.

Die sichtbare Welt wird im Film nicht als solche faßbar, sondern in ihrer bedeutungsmäßigen Korrelativität; sonst wäre der Film lediglich belebte (und: tote) Fotografie. Der sichtbare Mensch und das sichtbare Ding sind Elemente der Filmkunst nur dann, wenn sie als bedeutungshafte Zeichen figurieren.

Aus der ersten Behauptung ergibt sich der Begriff des Filmstils, aus der zweiten der der Filmkonstruktion. Die bedeutungsmäßige Korrelativität der sichtbaren Welt wird faßbar in ihrer stilistischen Umgestaltung. Eine kolossale Bedeutung gewinnt hierbei die Korrelation der Menschen und Gegenstände in der Einstellung, die Korrelation der Menschen untereinander, des Ganzen und des Teiles (das, was man ›Komposition der Einstellung‹ nennt), der Aufnahmewinkel und die Perspektive, aus der sie aufgenommen sind, und die Beleuchtung. Dabei überwindet der Film gerade dank seiner technischen Flächigkeit und Einfarbigkeit die Flächigkeit; im Vergleich zu der ungeheuren Freiheit des Films in der Verfügung über Perspektive und Blickwinkel ist das Theater, das technische Dreidimensionalität und Plastizität besitzt, gerade wegen dieser Eigenschaft, zu einem einzigen Blickwinkel und zur künstlerischen Flächigkeit verurteilt.

Der Aufnahmewinkel verwandelt die sichtbare Welt stilistisch. Nehmen wir einen *horizontalen,* geringfügig geneigten Fabrikschornstein, einen von unten aufgenommenen Übergang über eine Brücke: es ist dies immer dieselbe Umwandlung des Ge-

genstandes in der Filmkunst, vergleichbar der ganzen Palette stilistischer Mittel, die den Gegenstand in der Wortkunst zu einem neuen machen.
Freilich sind nicht alle Aufnahmewinkel und ist nicht jede Beleuchtung in gleicher Weise wirkungsvolles stilistisches Mittel; auch ist es nicht immer möglich, starke stilistische Mittel anzuwenden. Immer aber zeigt sich dabei der künstlerische Unterschied zwischen Film und Theater.

5

Für den Film existiert das Problem der Einheit des Ortes nicht; für ihn ist allein das Problem der Einheit des Aufnahmewinkels und der Beleuchtung wesentlich. Eine einzelne ›Szene‹ im Film bedeutet Hunderte verschiedenartiger Aufnahmewinkel und Beleuchtungen und folglich auch Hunderte verschiedener Korrelationen zwischen dem Menschen und dem Gegenstand und zwischen den Gegenständen untereinander – Hunderte verschiedener ›Orte‹. Fünf Dekorationen auf der Bühne sind demgegenüber lediglich fünf ›Orte‹ unter einem einzigen ›Aufnahmewinkel‹. Deshalb wirken im Film auch komplizierte Theaterkulissen mit einer komplizierten Berechnung der Perspektive unecht. Und ebendeshalb zahlt sich auch die Jagd nach Fotogenität nicht aus. Die Gegenstände sind nicht fotogen an sich, fotogen macht sie der Aufnahmewinkel und die Beleuchtung. Deshalb muß der Begriff ›Fotogenität‹ überhaupt ersetzt werden durch den Begriff ›*Filmogenität*‹.
Das trifft nun für alle stilistischen Verfahren des Films zu. Die Detailaufnahme sich bewegender Füße statt schreitender Menschen konzentriert die Aufmerksamkeit auf das assoziative Detail – genauso wie die Synekdoche in der Dichtung. In beiden Fällen ist bedeutsam, daß statt des Gegenstandes, auf den die Aufmerksamkeit gerichtet ist, ein *anderer* Gegenstand erscheint, der assoziativ mit dem ersten verknüpft ist (im Film wird eine solche assoziative Verknüpfung etwa durch die Bewegung

oder die Körperhaltung hergestellt). Dieses Ersetzen des Gegenstandes durch ein Detail polt die Aufmerksamkeit um: unter einem einzigen Orientierungszeichen sind verschiedene Objekte gegeben (das Ganze und das Detail), und diese Umpolung gliedert gleichsam den sichtbaren Gegenstand auf und macht ihn zu einer Reihe von Gegenständen mit einem einzigen bedeutungshaften Merkmal, zum *bedeutungshaften Gegenstand* des Films.

Es ist völlig klar, daß bei einer solchen stilistischen (und folglich auch bedeutungsmäßigen) Verwandlung ›Held‹ des Films nicht der ›sichtbare Mensch‹ oder der ›sichtbare Gegenstand‹, sondern ein ›neuer‹ Mensch und ein ›neuer‹ Gegenstand sind, unter künstlerischen Gesichtspunkten verwandelte Menschen und Gegenstände, ein filmischer ›Mensch‹ und ein filmischer ›Gegenstand‹. Die sichtbaren Korrelationen der sichtbaren Menschen werden aufgehoben und ersetzt durch Korrelationen filmischer ›Menschen‹ – und dies in jedem Augenblick, unbewußt und nahezu naiv, wie es im Wesen der Kunst selbst angelegt ist. Wenn Mary Pickford ein Mädchen spielt, so umgibt sie sich ausschließlich mit hochgewachsenen Schauspielern und ›täuscht‹, wahrscheinlich ohne auch nur daran zu denken, daß ihr auf dem Theater das ›Täuschen‹ nicht gelingen würde. (Hier geht es allerdings nicht um stilistische Verwandlung, sondern nur um die technische Ausnutzung eines Kunstgesetzes.)

6

Worauf aber beruht nun das Phänomen dieses *neuen* Menschen und dieses *neuen* Gegenstandes? Warum verwandelt der Filmstil Menschen und Gegenstände?

Deswegen, weil jedes stilistische Mittel gleichzeitig auch ein bedeutungshafter Faktor ist. Allerdings unter einer Bedingung: daß der Stil ›organisiert‹ ist, daß Aufnahmewinkel und Beleuchtung nicht zufällig sind, sondern ein System bilden.

Es gibt literarische Werke, in denen die einfachsten Ereignisse und Beziehungen mit solchen stilistischen Mitteln dargestellt sind, daß sie die Dimensionen eines Rätsels annehmen; in der Vorstellung des Lesers verschieben sich die Relationen von groß und klein, von Alltäglichem und Ungewöhnlichem; unsicher folgt er dem Autor, die ›Perspektive‹ der Gegenstände und ihre ›Beleuchtung‹ haben sich für ihn verschoben (so ist z. B. Joseph Conrads *The Shadow Line* angelegt, wo sich ein unkompliziertes Ereignis – einem jungen Seeoffizier wird das Kommando eines Schiffes übertragen – zu einem grandiosen, ›verschobenen‹ Vorgang entwickelt). Es liegt hier eine besondere semantische (bedeutungsmäßige) Anordnung der Gegenstände, eine besondere Weise der Einführung des Lesers in die Handlung vor.

Dieselben Möglichkeiten haben wir auch im Filmstil, und im Grunde ist die Situation dort dieselbe: die Verschiebung der Zuschauer-›Perspektive‹ ist gleichzeitig eine Verschiebung der *Korrelation* zwischen Gegenständen und Menschen, eine bedeutungsmäßige Umstrukturierung der Welt schlechthin. Der Wechsel der verschiedenen Beleuchtungen (oder das Durchhalten eines einzigen Beleuchtungsstils) strukturiert die *Umwelt* genauso um wie der Aufnahmewinkel die Relationen zwischen Menschen und Gegenständen.

Wieder wird der ›sichtbare Gegenstand‹ ersetzt durch einen Kunstgegenstand.

Dieselbe Bedeutung hat im Film auch die Metapher. Ein und dieselbe Handlung wird auf andere Handlungsträger übertragen: es küssen sich nicht Menschen, sondern Tauben. Auch hier ist der sichtbare Gegenstand aufgegliedert; unter einem einzigen bedeutungshaften Zeichen sind verschiedene Zeichenträger, verschiedene Gegenstände gegeben; gleichzeitig ist aber auch die Handlung selbst aufgegliedert, und in einer zweiten Parallele (den Tauben) wird ihr eine bestimmte bedeutungsmäßige Einfärbung verliehen.

Schon diese einfachen Beispiele genügen, um sich klarzumachen, daß im Film sowohl die natürliche als auch die ›sichtbare‹ *Bewegung* verwandelt wird: diese sichtbare Bewegung kann aufgegliedert, sie kann auf ein anderes Objekt übertragen wer-

den. Die Bewegung im Film ist entweder *Motivierung des Aufnahmewinkels* als Blickwinkel eines sich bewegenden Menschen oder *Charakterisierung* eines Menschen (Geste) oder *Veränderung der Korrelation* zwischen Menschen und Dingen; die Annäherung und das Wegrücken bestimmter Menschen und Gegenstände vom Menschen (oder vom Gegenstand), d. h. die filmische Bewegung, existiert nicht an sich, sondern als ein bedeutungshaftes Zeichen. Abgesehen von der bedeutungsmäßigen Funktion ist deshalb Bewegung innerhalb einer Einstellung gar nicht notwendig. Ihre bedeutungsmäßige Funktion kann durch die Montage als Wechsel der Einstellungen abgelöst werden, wobei die Einstellungen durchaus statisch sein können. (Bewegung innerhalb der Einstellung wirkt als filmisches Element immer stark übertrieben; ein Hin- und Herlaufen um jeden Preis ermüdet.)
Wenn es nun aber im Film keine ›sichtbare Bewegung‹ gibt, so bedeutet das, daß der Film auch mit einer ›eigenen Zeit‹ operiert. Um die *Dauer* irgendeiner Situation festzuhalten, besteht im Film die Möglichkeit, eine Einstellung zu *wiederholen;* eine Einstellung, in veränderter oder auch in derselben Gestalt, wird einige wenige Male unterbrochen. Entsprechend ist dann ihre Dauer beschaffen, eine Dauer, die unstreitig weit entfernt ist von dem geläufigen, ›sichtbaren‹ Begriff von Dauer. Sie ist vielmehr durchweg korrelativ: wenn etwa eine wiederholte Einstellung eine lange Serie von Einstellungen unterbricht, so ist die damit geschaffene ›Dauer‹ groß ohne Rücksicht darauf, daß die ›sichtbare Dauer‹ der wiederholten Einstellung gering ist. Hierhin gehört auch die gebräuchliche Bedeutung des *Auf-* und *Abblendens* als eines Zeichens für das Überspringen großer räumlicher und zeitlicher Distanzen.
Das Spezifische der filmischen ›Zeit‹ zeigt sich an einem Verfahren wie der Großaufnahme. Die Großaufnahme abstrahiert, sie löst den Gegenstand, das Detail oder das Gesicht aus den räumlichen Korrelationen und gleichzeitig aus der zeitlichen Kontinuität heraus. In *Čertovo koleso*[2] (Das Teufelsrad) kommt eine Szene vor, in der Banditen aus einem geplünderten Haus her-

auskommen. Die Regisseure mußten die Banditen zeigen, und sie zeigten sie als Gruppe in einer Totalen. Es ergab sich eine Unstimmigkeit: warum zögern die Banditen? Wenn man sie in Großaufnahme gezeigt hätte, hätten die Banditen nach Belieben zögern können, denn die Großaufnahme hätte sie verabsolutiert und aus der zeitlichen Kontinuität herausgelöst.

Die Dauer einer Einstellung wird also durch ihre Wiederholung, und das heißt durch die wechselseitige Korrelativität der Einstellungen erzeugt, während die Herauslösung aus dem zeitlichen Zusammenhang infolge des Fehlens einer Korrelation zwischen den Gegenständen (oder zwischen Gruppen von Gegenständen) innerhalb einer Einstellung zustande kommt.

Beide Tatsachen unterstreichen, daß die ›Filmzeit‹ keine reale, sondern eine bedingte Dauer ist – die auf der Korrelation der Einstellungen oder auf der Korrelation der visuellen Elemente innerhalb einer Einstellung fußt.

7

In der Evolution der Verfahren einer Kunst zeigt sich immer ihre spezifische Natur. Die Evolution der filmischen Verfahren ist in vielem lehrreich.

Der Aufnahmewinkel wurde in seiner ursprünglichen Form vom Blickpunkt des Zuschauers oder vom Blickpunkt einer handelnden Figur her motiviert. Genauso, als Wahrnehmung einer handelnden Figur, wurde auch die Großaufnahme des Details motiviert.

Nachdem er zunächst durch die Perspektive einer handelnden Figur motiviert war, befreite sich der ungewöhnliche Aufnahmewinkel von dieser Motivierung und wurde als solcher geboten; so wurde er zur Zuschauerperspektive, so wurde er zum stilistischen Mittel des Films.

Der Blick einer handelnden Person in einer Einstellung fiel auf irgendeinen Gegenstand oder ein Detail; dieser Gegenstand wurde dann in Großaufnahme gezeigt. Sobald eine solche Motivierung entfällt, wird die Großaufnahme zum selbständigen Verfahren der Herauslösung und Betonung des Gegenstandes als eines bedeutungshaften Zeichens – außerhalb der zeitlichen und räumlichen Beziehungen. Gewöhnlich hat die Großaufnahme die Funktion des ›Epithetons‹ oder ›Verbs‹ (ein Gesicht mit einem durch die Großaufnahme betonten Ausdruck); doch es sind auch andere Verwendungen möglich: die Außerzeitlichkeit und Außerräumlichkeit der Großaufnahme selbst dient als stilistisches Mittel für die Figuren des Vergleichs, der Metapher usw.

Folgt nun auf eine Einstellung, in der ein Mensch in Großaufnahme auf einer Wiese zu sehen ist, die Großaufnahme eines auf derselben Wiese herumlaufenden Schweines, so siegt das Gesetz der *bedeutungsmäßigen Korrelativität* der Einstellungen und das Gesetz der *außerzeitlichen, außerräumlichen Bedeutung der Großaufnahme* auch über eine scheinbar so unerschütterliche naturalistische Motivierung wie die, daß der Mensch und das Schwein zur selben Stunde und auf derselben Wiese spazierengehen. Das Ergebnis eines solchen Wechsels der Einstellungen ist dann nicht ein zeitliches und räumliches Aufeinanderfolgen von Mensch und Schwein, sondern ein bedeutungshafter Tropus, der Vergleich Mensch – Schwein.

So entstehen und festigen sich die eigenständigen bedeutungsmäßigen Gesetze des Films als einer Kunst.

Die Bedeutung der Evolution der filmischen Verfahren liegt in dieser Herausbildung eigenständiger bedeutungsmäßiger Gesetze und ihrer Entblößung von ›jeder‹ – naturalistischen – ›Motiviertheit‹.

Diese Evolution traf auch scheinbar so motivierte Verfahren wie die ›Überblendung‹. Dieses Verfahren ist sehr stabil und dabei eindeutig motiviert als ›Erinnerung‹, ›Halluzination‹ oder ›Erzählung‹. Aber das Verfahren der ›kurzen Überblendung‹ (wenn in der Einstellung der ›Erinnerung‹ noch das Gesicht des sich Erinnernden durchschimmert) läßt die äußere, literarische Motivierung der ›Erinnerung‹ als eines Wechsels der Zeitstufen bereits zurücktreten und verlegt den Schwerpunkt auf die

Gleichzeitigkeit, die *Simultaneität* der Einstellungen; da liegt keine ›Erinnerung‹ oder ›Erzählung‹ im literarischen Sinne des Wortes vor, sondern eine ›Erinnerung‹, in der das Gesicht des sich Erinnernden zur gleichen Zeit noch gegenwärtig ist; und in dieser seiner rein filmischen Bedeutung steht dieses Verfahren anderen nahe wie dem Überblenden eines Gesichtes in eine ihm größenmäßig nicht kommensurable Landschaft oder Szene. Das letztere Verfahren steht seiner äußeren, literarischen Motivierung nach der ›Erinnerung‹ oder ›Erzählung‹ in inkommensurabler Weise fern, die filmische Bedeutung der beiden Verfahren ist jedoch einander sehr nahe verwandt.
So verläuft die Evolution der filmischen Verfahren; sie befreien sich von den ›äußeren‹ Motivierungen und gewinnen eine ›eigene‹ Bedeutung, d. h. sie befreien sich von einer *einzigen,* für sie äußerlichen Bedeutung, und nehmen *viele* ›eigene‹, immanente Bedeutungen an. Diese Vielheit, diese Vieldeutigkeit der Bedeutungen ermöglicht es auch einem bestimmten Verfahren, sich zu halten, macht es zum ›eigenen‹ Element der Kunst, in unserem Falle: zum filmischen ›Wort‹.
Mit Erstaunen stellen wir fest, daß in der Sprache und in der Literatur kein der Überblendung entsprechender, adäquater Ausdruck existiert. Wir können sie in jedem gegebenen Falle, in jeder gegebenen Anwendung mit Worten *umschreiben,* ein ihr adäquater Ausdruck oder ein ihr adäquater Begriff jedoch lassen sich in der Sprache nicht finden.
Von derselben Art ist auch die Vieldeutigkeit der Großaufnahme, die bald ein bestimmtes Detail vom Blickpunkt einer handelnden Person oder des Zuschauers aus darstellt, bald das Resultat dieser Isolierung eines Details – die Außerzeitlichkeit und Außerräumlichkeit – als eigenständiges bedeutungshaftes Zeichen benutzt.

8

Der Film ist hervorgegangen aus der Fotografie.
Die Nabelschnur zwischen ihnen wurde durchschnitten in dem Augenblick, in dem der Film sich klar als eine Kunst begriff. Die Sache ist die, daß die Fotografie Eigenschaften hat, die *nicht klar bewußte,* gewissermaßen illegitime ästhetische Qualitäten sind. Die Fotografie ist auf Ähnlichkeit orientiert. Ähnlichkeit ist jedoch kränkend, über allzu ähnliche Fotografien sind wir gekränkt. Deswegen deformiert die Fotografie heimlich das Material. Eine solche Deformation wird freilich nur zugelassen unter einer Voraussetzung: daß die prinzipielle Orientierung – die Ähnlichkeit – gewahrt bleibt. Der Fotograf mag durch Körperhaltung (Stellung), Licht usw. unser Gesicht nach Belieben deformieren; wir billigen dies alles unter der stillschweigenden, allgemeinen Übereinkunft, daß das Porträt ähnlich sein soll. Vom Standpunkt der prinzipiellen Ausrichtung der Fotografie – der Ähnlichkeit – ist die Deformation ein ›Mangel‹, ihre ästhetische Funktion ist gewissermaßen von illegitimer Herkunft.
Der Film setzt sich andere Ziele, so daß der ›Mangel‹ der Fotografie sich in einen Wert, in eine ästhetische Qualität des Films verwandelt. Hier liegt der fundamentale Unterschied zwischen Fotografie und Film.
Die Fotografie hat indessen noch andere ›Mängel‹, die sich im Film in ›Qualitäten‹ verwandelten.
Im Grunde deformiert jede Fotografie das Material. Man braucht nur irgendwelche ›Ansichten‹ zu betrachten: es mag dies eine subjektive Äußerung sein, ich erkenne jedenfalls die Ähnlichkeit von Ansichten nur an Hand orientierender oder, besser gesagt, differenzierender Details, an Hand irgendeines einzelnen Baumes, Bänkchens, Aushängeschildes. Und dies keineswegs deshalb, weil sie ›überhaupt nicht ähnlich‹ wären, sondern deshalb, weil die Ansicht *ein Ausschnitt* ist. Das, was in der Natur nur im Zusammenhang existiert, was nicht abgegrenzt ist, ist auf der Fotografie als ein selbständiges Ganzes isoliert. Die Brücke, der Hafen, der Baum, die Baumgruppe usw. exi-

stieren für den Betrachter nicht als Einzelheiten, sie hängen stets mit ihrer Umgebung zusammen: ihr Eindruck ist momentan und vergänglich. Wird jedoch ein solcher Eindruck festgehalten, so übertreibt dies millionenfach die individuellen Züge der betreffenden Ansicht, und es wird gerade dadurch der Effekt der ›Unähnlichkeit‹ hervorgerufen.
Das trifft auch für die ›Gesamtansichten‹ zu: die Wahl eines noch so simplen Aufnahmewinkels, die Isolierung eines noch so weiträumigen Geländeausschnitts führen zu denselben Ergebnissen.
Die Isolierung des Materials auf der Fotografie führt zur *Einheit* einer jeden Fotografie, zu einer besonderen *Enge der Korrelation* aller Gegenstände oder aller Elemente eines Gegenstandes innerhalb der betreffenden Fotografie. Dank dieser inneren Einheit wird die Korrelation zwischen den Gegenständen oder innerhalb eines Gegenstandes – zwischen seinen Elementen – neu verteilt. Die Gegenstände werden deformiert.
Dieser ›Mangel‹ der Fotografie, diese ihre nicht klar bewußten, ›nicht kanonisierten‹ Qualitäten, mit Victor Šklovskij zu reden, werden im Film kanonisiert, werden zu dessen Ausgangsqualitäten und Stützpunkten.
Die Fotografie erfaßt eine *einzelne* Situation; im Film wird eine solche Situation zu einer *Einheit,* zu einem Maß.
Die Einstellung ist in gleicher Weise eine Einheit wie die einzelne Fotografie oder die geschlossene Verszeile.[3] In der Verszeile stehen diesem Gesetz zufolge alle Wörter, die die Verszeile bilden, in einer besonderen Korrelation, in einer engeren Wechselwirkung; die Bedeutung eines Wortes im Vers ist daher nicht dieselbe, sie ist eine andere nicht nur im Vergleich zu allen Arten der praktischen Sprache, sondern auch im Vergleich zur Prosa. Alle Hilfswörter, alle unbedeutenden und zweitrangigen Wörter unserer Sprache werden angesichts dieser Tatsache im Vers ungewöhnlich profiliert und bedeutungshaltig.
Dasselbe geschieht auch in der Einstellung: ihre Einheit verteilt die bedeutungsmäßige Funktion aller Gegenstände neu, und jeder Gegenstand tritt in Korrelation zu den übrigen und zur ganzen Einstellung.

Berücksichtigen wir dies, so müssen wir noch einen weiteren Punkt zur Diskussion stellen: unter welchen Bedingungen werden sämtliche ›Helden‹ einer Einstellung (Menschen und Gegenstände) aufeinander bezogen, oder besser gesagt, gibt es keine Bedingungen, die ihr Inbeziehungtreten verhindern? Es gibt sie.

Die ›Helden‹ einer Einstellung müssen, wie die Worte (und Laute) im Vers, differenziert, *verschiedenartig* sein, nur dann sind sie wechselseitig aufeinander bezogen, nur dann stehen sie in Wechselwirkung miteinander und färben sich gegenseitig in ihrer Bedeutung. Hieraus ergibt sich die *Auswahl* der Menschen und Gegenstände und auch der Aufnahmewinkel als stilistisches Mittel der Abgrenzung, der Unterscheidung, der *Differenzierung.*

Die ›Auswahl‹ kam herein durch die naturalistische Ähnlichkeit, die Übereinstimmung des Menschen und des Gegenstandes im Film mit dem Menschen und dem Gegenstand des Alltags; es war das, was man in der Praxis als ›Typen-Auswahl‹ bezeichnet. Jedoch spielt im Film, wie in jeder Kunst, das aus bestimmten Gründen Einbezogene schon bald eine diesen Gründen nicht mehr kommensurable Rolle. Die ›Auswahl‹ dient vor allem der *Differenzierung der Schauspieler* innerhalb des Films; und das ist keine bloß äußere, sondern auch eine innerfilmische Auswahl.

Aus dieser Forderung nach Differenzierbarkeit der ›Helden der Einstellung‹ rührt auch die Bedeutung der *Bewegung* in der Einstellung her. Der Rauch eines Dampfschiffes und dahinziehende Wolken sind nicht nur als solche an und für sich notwendig, ebensowenig wie ein zufälliger Fußgänger in einer leeren Straße oder die Mimik eines Gesichtes oder die auf einen andern Menschen oder auf einen Gegenstand gerichtete Geste eines Menschen. Sie sind notwendig als differenzierende Zeichen.

9

Diese scheinbar einfache Tatsache bestimmt das gesamte System der Film*mimik* und der Film*geste* und grenzt es vollständig ab von dem System der Mimik und der Gesten, wie sie mit der Sprache verbunden sind. Die Mimik und die Gesten der Sprache realisieren, ›entwickeln‹ die Sprechintonation in motorisch-visueller Beziehung; sie ergänzen in dieser Beziehung gleichsam das gesprochene Wort.[4]

Dies ist auch die Aufgabe der Gesten und der Mimik im Sprechtheater. In der Pantomime haben Gesten und Mimik die Aufgabe, das ausgeschlossene Wort zu ersetzen. Die Pantomime ist eine auf Ausschluß basierende Kunst, sie ist ein Vorgabespiel sui generis; das Wesentliche ist hierbei eben das Ersetzen des fehlenden Elementes durch andere. Doch gibt es auch schon in der Wortkunst selbst Fälle, wo ›ergänzende‹ Mimik und Gesten stören. Heinrich Heine bestätigt, daß Mimik und Gesten der sprachlichen *Pointe* schaden: »Die Muskeln des Gesichts sind in allzu heftiger, erregter Bewegung, und wer sie beobachtet, sieht die Gedanken des Redenden, ehe sie ausgesprochen sind. Dies ist witzigen Einfällen hinderlich.[5]

Die Realisierung der Sprechintonation in Mimik und Geste stört also (im gegebenen Falle) die Sprachkonstruktion und verletzt deren innere Beziehungen. Heine pflegt an das Ende seiner Gedichte einen witzigen Einfall zu setzen und wünscht nicht im geringsten, daß eine lebhafte Mimik oder auch nur der Ansatz einer Geste diesen Witz signalisieren, ehe er formuliert wird. Die Geste des Sprechenden begleitet also nicht nur das Wort, sie signalisiert es auch, sie kommt ihm zuvor.

Deshalb ist dem Film die Bühnenmimik so fremd; die Mimik kann das Wort nicht begleiten, da es im Film fehlt, dafür aber signalisiert sie das Wort, *souffliert* es. Diese durch Gesten soufflierten Worte verwandeln den Film in eine Art unvollständigen Tonfilm.

Die Mimik und die Geste in der Einstellung bilden vor allem *ein System der Beziehungen zwischen den ›Helden‹ der Einstellung.*

10

Aber es kann auch sein, daß die Mimik innerhalb der Einstellung beziehungslos bleibt, daß die Wolken sich nicht fortbewegen. Die Inbezugsetzung und die Differenzierung können auf eine andere Ebene übertragen werden, von der *Einstellung* auf den Wechsel der Einstellungen, auf die *Montage*. Dadurch, daß starre Einstellungen auf eine besondere Weise miteinander wechseln, wird es möglich, die Bewegung innerhalb der Einstellungen auf ein Minimum zu reduzieren.
Die Montage ist keine Verknüpfung von Einstellungen, sie ist ein differenzierter *Wechsel* der Einstellungen; und deshalb können Einstellungen miteinander wechseln, insoweit sie untereinander in wechselseitiger Beziehung stehen. Diese wechselseitige Bezogenheit kann nicht nur inhaltlicher Art sein, sondern auch – und zwar in weit höherem Maße – stilistischer Art. In der Praxis begegnen wir hierzulande nur der Handlungsmontage. Aufnahmewinkel und Beleuchtung sind dabei meist chaotisch durcheinandergemengt. Das ist ein Fehler.
Wir waren uns einig geworden, daß der Stil ein bedeutungsmäßiges Faktum ist. Aus diesem Grunde kommt eine stilistische Desorganisiertheit, eine zufällige Abfolge des Aufnahmewinkels und der Beleuchtung etwa einem Vermischen der Intonation im Vers gleich. Nun sind Beleuchtung und Aufnahmewinkel zwangsläufig, kraft ihrer bedeutungsmäßigen Natur gegeneinander abgesetzt und differenziert, und deshalb ›montiert‹ ihr Wechsel ebenfalls die Einstellungen, korrelativiert und differenziert sie – genauso wie der Wechsel der Handlung.
Die Einstellungen ›entfalten sich‹ im Film nicht in einer fortlaufenden Anordnung, in einer sukzessiven Abfolge, sie *lösen* einander ab. Das ist die Grundlage der Montage. Sie lösen sich so ab, wie ein Vers, eine metrische Einheit von der andern abgelöst wird – an einer genau festgelegten Grenze. Der Film *springt* von einer Einstellung zur andern wie der Vers von Zeile zu Zeile. Wie sehr dies auch befremden mag: will man einen Vergleich zwischen Film und Wortkünsten ziehen, so ist der einzige legi-

time Vergleich der zwischen Film und Dichtung – nicht der zwischen Film und Prosa.

Eine der Hauptfolgen des sprunghaften Charakters des Films ist die Differenzierbarkeit der Einstellungen, ihre Existenz als Einheiten. *Die Einstellungen sind als Einheiten gleichwertig.* Eine lange Einstellung wird von einer sehr kurzen Einstellung abgelöst. Die Kürze nimmt einer Einstellung nicht ihre Eigenständigkeit, ihre Fähigkeit, mit anderen Einstellungen in ein korrelatives Verhältnis zu treten.

Eine Einstellung ist, genaugenommen, wichtig als ›*Repräsentant*‹: bei der Erinnerung ›durch Überblendung‹ werden nicht alle Einstellungen der Szene wiederholt, an die sich der Held erinnert, sondern nur ein Detail, eine einzelne Einstellung; so schöpft die Einstellung auch überhaupt eine gegebene Handlungssituation niemals aus, sondern ist lediglich deren ›Repräsentant‹ innerhalb der Korrelativität der Einstellungen. In der Praxis ermöglicht das, bei einer erneuten Montage Einstellungen auf ein Minimum zusammenzuschneiden oder gar eine Einstellung aus einer völlig anderen Handlungssituation als ›Repräsentanten‹ zu benutzen.

Einen der Unterschiede zwischen dem ›alten‹ und dem ›neuen‹ Film macht die Auffassung der Montage aus. Während die Montage im alten Film ein verschweißendes, zusammenleimendes Mittel und ein Mittel zur Erhellung von Handlungssituationen, ein an sich nicht bemerkbares, verstecktes Mittel war, wurde sie im neuen Film zu einem der stützenden, wahrnehmenden Momente – zum wahrnehmbaren Rhythmus.

So war es auch in der Dichtung: die gefällige Monotonie, die Nichtwahrnehmbarkeit der erstarrten metrischen Systeme wurde abgelöst durch die heftige Empfindung des Rhythmus im ›freien Vers‹ (vers libre). In der frühen Lyrik Majakovskijs folgt auf eine lange Zeile eine aus einem einzigen Wort bestehende Zeile; auf die kurze Zeile entfällt daraufhin dasselbe Energiequantum wie auf die lange (die Zeilen sind als rhythmische Reihen gleichwertig), und deshalb entlädt sich die Energie in Stößen. Genauso entfällt bei der wahrnehmbaren Montage die auf einen langen Einstellungsabschnitt entfallende Energie dann auch auf einen kurzen. Der kurze, aus einer ›repräsentierenden‹ Einstellung bestehende Abschnitt ist dem langen gleichwertig, und, ganz wie eine Verszeile aus ein, zwei Worten, wird eine solche kurze Einstellung durch ihre Bedeutung und ihr Gewicht hervorgehoben.

Auf diese Weise trägt der Ablauf der Montage zur *Hervorhebung* der Kulminationspunkte bei. Während bei der nicht wahrnehmbaren Montage ein größeres Zeitquantum auf den Kulminationspunkt fiel, ist bei der durch den Rhythmus des Films wahrnehmbar gewordenen Montage *der Kulminationspunkt gerade infolge seiner Kürze hervorgehoben.*

Das wäre unmöglich, wenn nicht die Einstellung als Einheit der korrelative *Maßstab,* das Maß des Films wäre. Wir messen den Film unwillkürlich, indem wir uns von einer Einheit ab- und der folgenden Einheit zuwenden. Daher auch die physiologisch aufreizende Wirkung der Produktion gewisser eklektischer Regisseure, wo zum Teil noch das Prinzip der alten Montage, der aneinanderleimenden Montage angewandt wird, für die das Ausschöpfen der ›Szene‹ (der Handlungssituation) den einzigen Maßstab darstellt, während dann anderswo das Prinzip der neuen Montage angewandt wird, wo die Montage zum wahrnehmbaren Strukturelement geworden ist. Unsere Energie erhält einen bestimmten Auftrag, eine bestimmte Richtung, und auf einmal ändert sich dieser Auftrag; der anfängliche Impuls läßt nach; weil wir ihn uns aber in den ersten Teilen des Films schon zu eigen gemacht hatten, will sich ein neuer nicht einstellen. Solche Kraft hat das Maß im Film, ein Maß, dessen Funktion mit der des Maßes, des Metrums im Vers vergleichbar ist.

Was ist nun – wenn wir die Frage so stellen – der *Rhythmus* des Films (ein Terminus, der häufig gebraucht und häufig mißbraucht wird)?

Der Rhythmus ist eine Wechselwirkung der stilistischen und der metrischen Momente in der Entfaltung des Films, in seiner Dynamik. Die verschiedenen Aufnahmewinkel und Beleuchtungen haben nicht nur im Wechsel der Einstellungsabschnitte – als

Markierung des Wechsels –, sondern auch in der Hervorhebung der kulminierenden Abschnitte ihre Bedeutung. Das muß bei der Verwendung der einzelnen Aufnahmewinkel und Beleuchtungen berücksichtigt werden. Sie dürfen nicht zufällig, nicht ›gut‹ oder ›schön‹ an sich sein, vielmehr müssen sie gut sein im gegebenen Fall, in der Wechselwirkung mit dem metrischen Ablauf des Films, mit dem Maß der Montage. Ein Aufnahmewinkel und eine Beleuchtung, die einen metrisch betonten Abschnitt hervorheben, spielen eine völlig andere Rolle als ein Aufnahmewinkel und eine Beleuchtung, die einen in metrischer Hinsicht schwach betonten Abschnitt hervorheben.
Die Analogie des Films mit der Poesie ist nicht verbindlich. Der Film ist für sich allein eine spezifische Kunst, genauso wie die Poesie. Die Generation der achtziger Jahre freilich würde unsern Film genauso wenig verstehen wie den zeitgenössischen Vers: »Naš vek obidel vas, vaš stich obidja« (Unsre Zeit hat euch gekränkt, indem sie euern Vers kränkte).
Der ›sprunghafte‹ Charakter des Films; die Rolle, die die Einheit der Einstellung in ihm spielt; die bedeutungsmäßige Verwandlung der alltäglichen Objekte (des Wortes im Vers, des Gegenstandes im Film) – das alles verschwistert den Film mit der Poesie.

11

Deshalb ist auch der Filmroman eine ebenso eigenständige Gattung wie der Roman in Versen. Puškin hat gesagt: »Ich schreibe keinen Roman, sondern einen Roman in Versen. Das ist ein teuflischer Unterschied.«
Worin liegt nun dieser teuflische Unterschied zwischen dem Filmroman und dem Roman als einer Wort-Gattung?
Er liegt nicht nur im Material, sondern auch darin, daß Stil und Konstruktionsgesetze im Film alle scheinbar gemeinsamen, in gleicher Weise in allen Spielarten und Gattungen der Künste verwendbaren Elemente verwandeln.

In diesem Kontext steht nun auch die Frage der Fabel und des Sujets im Film. Wer die Frage der Fabel und des Sujets lösen will, muß stets das spezifische Material und den spezifischen Stil einer Kunst im Auge behalten.

Victor Šklovskij, Schöpfer einer neuen Sujet-Theorie, hat zwei Grundthesen aufgestellt: 1. das Sujet als Entfaltung und 2. der Zusammenhang zwischen den Verfahren des Sujetbaus und dem Stil. Die erste These erhob die Untersuchung des Sujets von der Ebene der Erörterung statischer Motive (und ihres historischen Vorkommens) zu der Frage, wie die Motive in die Konstruktion des Ganzen verwoben werden; sie hat schon Ergebnisse gezeitigt und hat sich eingebürgert. Die zweite These hat sich noch nicht eingebürgert und scheint vergessen.

Und von ihr will ich sprechen.

Da die Frage der Fabel und des Sujets im Film zu den am wenigsten erforschten Fragen gehört und noch umfangreiche, bislang nicht geleistete vorbereitende Untersuchungen erfordert, nehme ich mir die Freiheit, die Frage an dem schon intensiver erforschten literarischen Material zu klären, um die Frage der Fabel und des Sujets im Film hier nur zu *stellen*. Ich denke, daß das nicht nutzlos sein wird.

Vor allem müssen wir uns über die Termini Fabel und Sujet einigen.

Als Fabel bezeichnet man gewöhnlich das statische Bezugs-*Schema* von der Art: »Sie war liebenswürdig, und er liebte sie; er aber war nicht liebenswürdig, und sie liebte ihn nicht.« (Motto Heines).[6] Das *Schema* der Beziehungen (die ›Fabel‹) in *Bachčisarajskij fontan* (Die Fontäne von Bachčisaraj) sieht dann etwa folgendermaßen aus: »Girej liebt Maria, Maria liebt ihn nicht. Zarema liebt Girej, er liebt sie nicht.« Es ist völlig klar, daß ein solches Schema weder in *Bachčisarajskij fontan* noch in Heines Motto etwas erklärt und daß es in gleicher Weise auf Tausende verschiedener Werke anwendbar ist – mit dem Satz des Mottos beginnend und mit dem Poem endend. Nehmen wir eine andere geläufige Begriffsbestimmung der Fabel: das *Handlungsschema*. Die Fabel nähme sich dann, auf die kürzeste Formel gebracht, etwa so aus: »Girej liebt Zarema Marias wegen nicht mehr, Zarema tötet Maria.« Was sollen wir nun aber machen, wenn bei Puškin eine derartige Lösung *überhaupt nicht existiert*? Puškin begnügt sich damit, den Leser *Vermutungen* über die Lösung *anstellen* zu lassen; die Lösung selbst ist bewußt verhüllt. Wenn wir sagen, Puškin sei von unserem Handlungsschema abgewichen, so ist das gewagt, da er es gar nicht einmal in Betracht gezogen hat. Es ist das ungefähr dasselbe, als wollte man den Versfuß (das Schema des Jambus) nach Puškins Versen klopfen: »Moj djadja samych čestnych pravil / Kogda ne v šutku zanemog«,[7] und sagen, daß er in dem Wort »zanemog« vom Jambus abgewichen sei. Ist es nicht besser, auf ein Schema zu verzichten, als das Werk selbst als ›Abweichung‹ vom Schema einzustufen? Und es entspricht tatsächlich mehr der Wahrheit, wenn man als Metrum eines Gedichts nicht den ›Versfuß‹, das Schema, sondern den gesamten Akzentuations-(Betonungs-)Grundriß des Werkes sieht. Der ›Rhythmus‹ wäre dann die gesamte Dynamik des Gedichts, wie sie aus der Wechselwirkung zwischen dem Metrum (dem Betonungsgrundriß), den sprachlichen Verknüpfungen (der Syntax) und den klanglichen Verknüpfungen (den ›Wiederholungen‹) resultiert.

Dasselbe gilt auch für die Frage der Fabel und des Sujets. Entweder riskieren wir, Schemata aufzustellen, die nicht auf das Werk passen, oder wir müssen die Fabel als den *gesamten* semantischen (bedeutungsmäßigen) Grundriß der Handlung definieren. Das Sujet des Werkes wäre dann zu definieren als seine Dynamik, wie sie aus der Wechselwirkung aller Verknüpfungen des Materials (unter anderem auch der Fabel als der Handlungsverknüpfung) resultiert – der stilistischen Verknüpfung, der Handlungsverknüpfung usw. Im lyrischen Gedicht gibt es ebenfalls ein Sujet, jedoch ist hier die Fabel ganz anders angeordnet, und es fällt ihr eine ganz andere Aufgabe zu bei der Entfaltung des Sujets. Der Begriff des Sujets deckt sich nicht mit dem Begriff der Fabel. Das Sujet kann im Verhältnis zur Fabel exzentrisch gelagert sein.[8] In diesen Beziehungen zwischen Sujet und Fabel sind nun mehrere Typen möglich:

1. Das Sujet stützt sich vor allem auf die Fabel, auf die Semantik der Handlung.
Hier gewinnt die Verteilung der Handlungslinien eine besondere Bedeutung, wobei eine Linie die andere bremst und das Sujet gerade dadurch weiterrückt. Interessant ist der Fall, wenn sich das Sujet auf einer falschen Handlungslinie entfaltet. Ein Beispiel dafür bietet die Novelle *An Occurence at Owl Creek Bridge* von Ambrose Bierce: ein Mensch wird aufgehängt, er reißt sich los und stürzt in den Fluß. Das Sujet entfaltet sich weiter auf einer falschen Handlungslinie: der Mensch schwimmt, flieht, läuft nach Hause und stirbt erst dort. In den letzten Zeilen stellt sich heraus, daß die Flucht ihm während der letzten Minute vor dem Tode vorschwebte. Ebenso verläuft auch *Der Sprung ins Unbekannte* von Leo Perutz.
Es ist interessant, daß in einem der handlungsreichsten Romane, in Hugos *Misérables,* die ›Bremsung‹ sowohl durch eine Vielzahl sekundärer Handlungslinien als auch durch die *Einführung von historischem, wissenschaftlichem und deskriptivem Material als solchem* erfolgt. Das letztere ist kennzeichnend für die Entfaltung des *Sujets,* nicht aber der *Fabel.* Der Roman als große Form braucht eine solche Entfaltung des Sujets außerhalb der Fabel. Eine der Entfaltung der Fabel adäquate Entfaltung des Sujets ist kennzeichnend für die Abenteuernovelle. (Nebenbei bemerkt: die ›große Form‹ läßt sich in der Literatur nicht nach der Zahl der Seiten und im Film nicht nach der Meterzahl bestimmen. Der Begriff der ›großen Form‹ ist ein energetischer Begriff; man muß hier das Moment der vom Leser (oder Zuschauer) zu investierenden konstruktiven Anstrengung ins Auge fassen. Puškin hat eine große Dichtungsform auf der Grundlage der Digressionen geschaffen. Der *Kavkazskij plennik* [Der Gefangene im Kaukasus] ist nicht umfangreicher als manche *Sendschreiben* Žukovskijs, er stellt jedoch eine große Form dar, weil die mit handlungsfremdem Material bestrittenen ›Digressionen‹ den ›Raum‹ des Poems in ungewöhnlicher Weise erweitern und den Leser die gleiche Menge von Versen in Žukovskijs *Poslanie* [Sendschreiben] an Voejkov und in Puškins

Kavkazskij plennik mit einem ganz verschiedenen Quantum an aufzuwendender Anstrengung bewältigen lassen. Ich führe dieses Beispiel deswegen an, weil Puškin Material aus Žukovskijs *Sendschreiben* in seinem Poem benutzte, dieses Material jedoch als *Digression* von der Fabel verarbeitete.)
Dieses Moment des Bremsens mit handlungsfremdem Material ist für die große Form kennzeichnend.
Dasselbe gilt auch für den Film: die ›großen Gattungen‹ unterscheiden sich von den ›Kammer‹-Gattungen nicht nur durch die Zahl der Handlungslinien, sondern durch die Menge des bremsenden Materials schlechthin.
2. Das Sujet entfaltet sich außerhalb der Fabel.
Die Fabel ist hier zu erraten, wobei Rätsel und Lösung lediglich die Entfaltung des Sujets motivieren; die Lösung kann auch fehlen. Das Sujet wird dabei in die Gruppierung und Verschweißung von Teilen eines nicht zur Fabel gehörigen sprachlichen Materials verlagert. Die Fabel fehlt; an ihrer Stelle wirkt das ›Suchen nach der Fabel‹ als Triebfeder und übernimmt die Führung – als ihr Äquivalent, als ihr Stellvertreter. So sind viele Werke, beispielsweise von Pilnjak, Leonhard Frank u. a., gebaut. ›Auf der Suche nach der Fabel‹ nimmt der Leser die Verkettung und Gruppierung der einzelnen Teile vor, die untereinander nur stilistisch (oder durch eine ganz allgemeine Motivierung wie z. B. die Einheit des Ortes oder der Zeit) zusammenhängen.
Es ist völlig klar, daß bei dem letzteren Typ der *Stil,* die stilistischen Korrelationen der miteinander verbundenen Abschnitte als das Sujet hauptsächlich vorantreibende Kraft hervortreten.

12

Wie die Verfahren des Sujetaufbaus mit dem Stil verknüpft sind, kann auch an Werken demonstriert werden, in denen das Sujet nicht exzentrisch zur Fabel liegt.

Nehmen wir Gogols *Nos* (Die Nase).
Der Handlungsgrundriß des Werkes, die Semantik der Handlung sind derart, daß sie an ein Irrenhaus erinnern. Es genügt, das Schema einer einzigen Handlungslinie, der ›Nasen‹-Linie, zu verfolgen: die abgeschnittene Nase des Majors Kovalev – spaziert über den Nevskij Prospekt als ›Nase‹; ›Nase‹, der in der Diligence nach Riga zu fliehen versucht, wird von einem Stadtviertelspolizisten festgenommen, und die Nase wird in einem Lappen dem ursprünglichen Besitzer zurückgegeben. Wie konnte überhaupt eine derartige Handlungslinie in einem Sujet Gestalt annehmen? Wie wurde der schlichte Unsinn zum künstlerischen ›Unsinn‹? Es zeigt sich, daß das gesamte Bedeutungssystem des Werkes hier eine Rolle spielt. Das System der Dingbezeichnung in der *Nase* ist so angelegt, daß es die Fabel möglich macht.
Nehmen wir das Auftauchen der abgeschnittenen Nase:
»[...] sah er *irgend etwas weißlich Schimmerndes.* [...] ›*Etwas Kompaktes*‹, sprach er zu sich selbst: ›*Was könnte so etwas bloß sein?*‹«
»Eine Nase, wirklich eine Nase. [...] Anscheinend von *irgendwem Bekanntem.*«
»[...] Ich werde *sie* [russ.: *ihn*!] in einen Lappen wickeln und in ein Eckchen legen: da mag *sie* [russ.: *er*!] ein bißchen liegen, und später trage ich *sie* fort.«
»[...] Ich soll *einer* abgeschnittenen *Nase erlauben,* bei mir im Zimmer herumzuliegen. Fort mit *ihr* [s. o.!], fort! [...] Daß ich keinen *Hauch von ihr* spüre.«
»[...] das Brot ist Backwerk, und eine Nase ist ganz und gar nichts dergleichen.«
Eine ins einzelne gehende stilistische Analyse der ersten Bekanntschaft des Lesers mit der abgeschnittenen Nase würde zu weit führen; es wird aber auch aus den angeführten Stellen klar, daß die abgeschnittene Nase durch das semantische (bedeutungsmäßige) System der Sätze in etwas Doppeldeutiges verwandelt wird: »čto-to« [irgend etwas]; »plotnoe« [etwas Kompaktes] (Neutrum); »ego« [ihn], »on« [er] (ein sehr häufiges

Pronomen, in dem die gegenständlichen dinglichen Merkmale jeweils verblassen); »pozvolit' *nosu*« [*einer Nase erlauben*] (belebt) usw. Und diese jede Zeile durchdringende Bedeutungs-Atmosphäre baut stilistisch die Handlungslinie der ›abgeschnittenen Nase‹ so auf, daß der Leser, schon vorbereitet, schon einbezogen in diese Bedeutungs-Atmosphäre, dann ohne jegliches Erstaunen solche sonderbaren Sätze liest: »Die *Nase* schaute den Major an, und ihre *Augenbrauen* zogen sich ein wenig zusammen.«

So wird eine bestimmte Fabel Bestandteil des Sujets – vermittels des Stils, der die bedeutungsmäßige Atmosphäre des Werkes schafft.

Man kann mir entgegenhalten, daß *Die Nase* ein ungewöhnliches Werk ist. Es fehlt mir lediglich der Platz, um zu beweisen, daß die Dinge in Andrej Belyjs *Peterburg* und *Moskovskij čudak* (Der Sonderling von Moskau) und in vielen anderen Werken genauso liegen (man braucht nur einmal auf die ›Abgenutztheit‹ der Fabel in diesen beiden gleichwohl höchst bemerkenswerten Romanen aufmerksam zu werden).

Wir dürfen freilich nicht denken, daß in den Werken oder bei den Autoren, deren Stil ›verhalten‹ oder ›blaß‹ usw. ist, der Stil keine Funktion hat. Jedes wie auch immer geartete Werk bildet ein semantisches System, und so ›verhalten‹ sein Stil auch sein mag, so ist er doch vorhanden als das Mittel, das dieses bedeutungsmäßige (semantische) System aufbaut, und es besteht ein unmittelbarer Zusammenhang zwischen diesem System und dem Sujet ohne Rücksicht darauf, ob sich das Sujet mit Hilfe der Fabel oder außerhalb der Fabel entwickelt.

Die Systeme sind natürlich in den verschiedenen Werken jeweils verschieden. Innerhalb der Wortkunst aber gibt es eine Gattung, in der der fundamentale Zusammenhang zwischen Bedeutungssystem und Stil besonders augenfällig ist. Es ist dies das semantische System, das die Versdichtung repräsentiert.

In der Dichtung, ob Heldenepos des 18. Jahrhunderts oder Puškin-Epos, ist jener Zusammenhang offenkundig. Deshalb erweisen sich in der Dichtung Auseinandersetzungen über metri-

sche Systeme immer wieder als eine Auseinandersetzung über *Bedeutungssysteme*; und letzten Endes wird durch eine solche Auseinandersetzung auch die Frage der Behandlung des Sujets in der Dichtung, die Frage der Beziehung zwischen Sujet und Fabel vorentschieden.
Und zwar deshalb, weil mit dieser Frage – der Frage der Beziehung zwischen Sujet und Fabel – die Frage der Gattung verbunden ist.
Diese Beziehung ist nicht nur in den verschiedenen Romanen, Novellen, Epen und lyrischen Gedichten verschieden, sondern auch vom Roman zur Novelle und vom Poem zum lyrischen Gedicht verschieden.

13

In diesem Aufsatz will ich die folgenden Fragen lediglich *stellen*: 1. die Frage nach dem Zusammenhang zwischen Sujet und Stil im Film; 2. die Frage, inwiefern die filmischen Gattungen durch die Beziehung zwischen Sujet und Fabel bestimmt sind.
Um diese Fragen stellen zu können, habe ich wiederum einen ›Anlauf‹ genommen mit der Klärung der entsprechenden Fragen in der Literatur. Der ›Sprung‹ zum Film erfordert eine eingehende Untersuchung. Wir haben an der Literatur gesehen, daß man unmöglich von der Fabel und dem Sujet ›im allgemeinen‹ sprechen kann, daß das Sujet vielmehr in engem Zusammenhang mit einem bestimmten semantischen (bedeutungsmäßigen) System steht, welches seinerseits durch den Stil bestimmt wird.
Die Sujetfunktion der stilistisch-semantischen Mittel in *Bronenosec Potemkin* (Panzerkreuzer Potemkin) ist offensichtlich, wenn auch noch nicht untersucht. Eine weitere Untersuchung wird das Entsprechende auch an weniger klaren Beispielen zeigen. Der Hinweis auf die ›Verhaltenheit‹ des Stils, auf seinen ›Naturalismus‹ in diesen oder jenen Filmen, bei diesen oder jenen Regisseuren, ist kein Einwand gegen die Funktion des Stils.

Es sind dies nur verschiedene Stile, die jeweils verschiedene Funktionen bei der Entfaltung des Sujets haben.
Die weitere Entwicklung der Untersuchung des Filmsujets wird von der Untersuchung des Filmstils und der Besonderheiten des filmischen Materials abhängig sein.
Wie naiv wir in dieser Hinsicht sind, beweist die bei uns schon zum guten Ton gewordene, etablierte Methode der Filmkritik: es wird zunächst, an Hand des fertigen Films, das Drehbuch beurteilt, danach folgt eine Beurteilung des Regisseurs usw. Über das Drehbuch an Hand des fertigen Films zu sprechen, ist jedoch unmöglich. Das Drehbuch enthält fast immer nur die ›Fabel im allgemeinen‹ – mit einer gewissen Annäherung an den sprunghaften Charakter des Films. Wie die Fabel sich entwickeln und wie das Sujet aussehen wird, weiß der Drehbuchautor nicht – und auch der Regisseur nicht bis zur Durchsicht der Streifen. Von den Besonderheiten dieses oder jenes Stils und Materials hängt es wieder ab, ob sich die ganze Fabel des Drehbuchs entfalten kann, als ›ganze‹ in den Film eingeht, oder ob dies nicht möglich ist und die Fabel sich während der Arbeit am Film unmerklich in ihren Einzelheiten verändert, sich nach der Entfaltung des Sujets richtet.
Von einem ›eisernen Drehbuch‹ kann man nur da sprechen, wo im Stil der Regisseure und der Schauspieler eine Standardisierung eingetreten ist, d. h. dann, wenn das Drehbuch schon von einem bekannten Filmstil ausgeht.
Ein unzureichendes theoretisches Verständnis führt zu noch grundlegenderen Fehlern in der Praxis.
So in der Frage der Filmgattungen.
Die innerhalb der Wort- (und Bühnen-)Kunst entstandenen Gattungen werden oft, so wie sie sind, in Bausch und Bogen auf den Film übertragen. Was kommt dabei heraus? Unerwartete Resultate.
Zum Beispiel die *historische dokumentarische Chronik.* In Bausch und Bogen aus der Wortkunst in den Film übertragen, macht sie den Film in erster Linie zur Reproduktion einer *belebten Portraitgalerie.* Die Sache ist die: In der Literatur ist die we-

sentliche Voraussetzung, die Glaubwürdigkeit, schon von selbst gegeben, durch die historischen Namen, die Daten usw.; im Film hingegen wird für einen derartigen dokumentarischen Zugang die Glaubwürdigkeit selbst zum Hauptproblem. »Ist das ähnlich?« wird die erste Frage des Zuschauers sein.

Wenn wir einen Roman über Alexander I. lesen, dann können seine Taten im Roman sein, wie sie wollen – sie werden dennoch die Taten ›Alexanders I.‹ sein. Wenn sie unwahrscheinlich sind, dann ist ›Alexander I. schlecht gezeichnet‹, aber daß es ›Alexander I.‹ ist, wird weiterhin vorausgesetzt. Im Kino wird ein naiver Zuschauer sagen: »Wie ist dieser Schauspieler Alexander I. ähnlich (oder unähnlich)!«, und er wird recht haben, und indem er recht hat, zerstört er (auch wenn es ein Lob war) gerade die Voraussetzung der Gattung, die Glaubwürdigkeit.

So eng hängt die Frage der Gattungen mit der Frage des spezifischen Materials – und Stils zusammen.

Im Grunde tritt der Film bis heute in parasitären Gattungen auf: dem ›Roman‹, der ›Komödie‹ usw.

In dieser Hinsicht war die primitive Slapstick-›Komödie‹ ehrlicher und enthielt theoretisch eher die Grundlagen für eine Lösung der Frage der Filmgattungen als der Kompromiß des ›Film-Romans‹.

Das Sujet entfaltete sich in ihr außerhalb der Fabel, genauer gesagt bestand eine primitive Handlungslinie, und das Sujet entfaltete sich an zufälligem (vom Gesichtspunkt der Fabel her zufälligem, in Wirklichkeit freilich spezifischem) Material.

Und hier liegt der Kern des Problems: nicht in äußeren, sekundären Gattungsmerkmalen aus den benachbarten Künsten, sondern in *der Beziehung zwischen dem spezifischen Filmsujet und der Fabel.*

Die maximale Orientierung auf das Sujet = der minimalen Orientierung auf die Fabel und umgekehrt.

Die Slapstick-›Komödie‹ erinnerte nicht an die Komödie, sondern viel eher an das humoristische Gedicht, so wie sich das Sujet in ihm herausgelöst aus allen semantisch-stilistischen Verfahren entfaltete.

Wir wagen nur nicht, in den zeitgenössischen Filmgattungen nicht nur das Filmpoem, sondern auch die Filmlyrik zu entdekken. Wir wagen nur nicht, einen historischen Dokumentarfilm auf dem Plakat als ›belebte Portraitgalerie‹ irgendeiner Epoche zu bezeichnen.
Ich wiederhole: Die Frage des Zusammenhangs zwischen Sujet und Stil im Film und ihrer Funktion bei der Bestimmung der Film-Gattungen erfordert eine eingehendere Untersuchung. Ich beschränke mich hier darauf, sie zu stellen.

Anmerkungen

[Vgl. die Vorbemerkung zu den Anmerkungen S. 138. – Abkürzungen: R (Regie), K (Kamera), D (Drehbuch), Da (Darsteller).]

1 Vgl. in der vorliegenden Ausg. S. 137, Anm. 22.
2 Vgl. in der vorliegenden Ausg. S. 129, Anm. 18.
3 Ich verwende hier und überall das geläufige Wort *kadr,* »Einstellung«, in der Bedeutung: ein Abschnitt, der durch ein und denselben Aufnahmewinkel und Beleuchtung zu einer Einheit zusammengeschlossen wird. Die faktische einzelne Aufnahme, *kadr-kletka* [wörtlich: »Einstellungs-Zelle«] verhält sich zum Einstellungsabschnitt, *kadr-kusok,* wie der Versfuß zur Zeile. Der Begriff des Versfußes ist eher schulmäßig und jedenfalls nur auf wenige metrische Systeme anwendbar, und die neueste Verstheorie arbeitet mit der Zeile als einer metrischen Reihe und nicht mit dem Versfuß als einem Schema. In der Filmtheorie ist der technische Begriff der einzelnen Aufnahme eigentlich überhaupt nicht wesentlich; ihn hat unter der Hand die Frage nach der Länge des Einstellungsabschnitts völlig verdrängt. [Anm. d. Aut.]
4 In diesem Zusammenhang ist der Streit der Linguisten über die unpersönlichen Sätze höchst bemerkenswert. Nach der Ansicht von Wundt (die von Paul angefochten wurde) nimmt in dem unpersönlichen Satz *Es brennt!* die auf einen brennenden Gegenstand (ein Haus oder, in metaphorischem Kontext, den Busen u. ä.) hinweisende *Geste* die Stelle des Subjekts ein. Šachmatov glaubt, daß in solchen Fällen die Sprech*intonation* die Funktion des Subjekts übernimmt. An diesem Beispiel wird der Zusammenhang zwischen die Sprache begleitenden Gesten und Mimik auf der einen Seite und Sprechintonation auf der anderen Seite deutlich. [Anm. d. Aut.]

5 »Englische Fragmente«, Kap. 8 »Die Oppositionsparteien«; die Stelle ist ziemlich frei zitiert und so sehr aus dem Kontext herausgelöst, daß nicht mehr klar wird, daß Mimik und Pointen eines politischen *Redners* gemeint sind. Der Originaltext konnte deshalb in der Rückübersetzung nicht überall restituiert werden; Heine: »[...] die Muskeln *desselben* [des Gesichts des Oppositionsführers Henry Brougham] sind in *krampfhafter, unheimlicher* Bewegung«, und: »[...] *des Redners* Gedanken, ehe sie *gesprochen* sind. Dies *schadet seinen* witzigen Einfällen; [...]« (*Sämtliche Werke,* hrsg. von O. Walzel [u. a.], Leipzig 1910–20, Bd. 5, S. 140; die Stelle wurde nachgewiesen von Frau Dr. Erika Windfuhr).

6 Vor: *Ideen. Das Buch Le Grand,* Kap. 1, mit der ironischen Quellenangabe »Altes Stück«.

7 Anfang von *Evgenij Onegin*; im zweiten Vers bleibt – wie häufig in Puškins vierfüßigen Jamben – der dritte Jambus ohne Betonung.

8 Darauf hat als erster Victor Šklovskij in seinen Arbeiten über Sterne und Rozanov hingewiesen. [Anm. d. Aut.]

VICTOR B. ŠKLOVSKIJ

Poesie und Prosa im Film

1927

Poesie und Prosa sind in der Wortkunst nicht scharf voneinander geschieden. So manches Mal haben die Forscher der Prosasprache in einem Prosawerk rhythmische Segmente, die Wiederkehr ein und derselben Satzkonstruktion entdeckt. Über den Rhythmus der oratorischen Rede gibt es die interessanten Arbeiten von Faddej Zelinskij; über den Rhythmus der reinen, nicht auf Rezitation, sondern auf Lesen zugeschnittenen Prosa hat, ohne dabei jedoch die eigene Konzeption systematisch zu entwickeln, Boris Ejchenbaum sehr viel gearbeitet. So wurde die Grenze zwischen Poesie und Prosa bei der Bearbeitung des Komplexes ›Rhythmus‹ gleichsam nicht klarer, sondern im Gegenteil verworrener. Möglicherweise liegt der Unterschied zwischen Prosa und Poesie nicht nur im Rhythmus allein. Je mehr wir uns mit einem Kunstwerk befassen, desto tiefer dringen wir in die grundlegende Einheit seiner Gesetze ein. Die einzelnen konstruktiven Seiten eines Phänomens der Kunst unterscheiden sich untereinander qualitativ; dieses Qualitative jedoch besitzt eine quantitative Grundlage, und wir können unmerklich von einem Gebiet aufs andere überwechseln. Die grundlegende Konstruktion des Sujets führt zu einer Einebnung der bedeutungsmäßigen Komponenten. Wir nehmen zwei einander widersprechende Alltagssituationen und lösen sie mittels einer dritten; oder wir nehmen zwei bedeutungsmäßige Komponenten und schaffen aus ihnen einen Parallelismus; oder wir nehmen schließlich einige bedeutungsmäßige Komponenten und stellen sie in stufenförmiger Reihenfolge auf. Die gewöhnliche Grundlage des Sujets aber ist die Fabel, d. h. irgendeine Alltagssituation; eine Alltagssituation aber ist lediglich ein Sonderfall einer bedeutungsmäßigen Konstruktion, und wir können aus irgendeinem Roman einen ›Roman der Geheimnisse‹ machen:

nicht mittels einer Veränderung der Fabel, sondern mittels einfacher Umstellung der Reihenfolge, indem wir das Ende an den Anfang setzen oder die einzelnen Teile in einer verwickelteren Form anordnen. Auf diese Art sind Puškins *Metel'* (Der Schneesturm) und *Vystrel* (Der Schuß) gemacht. Die Komponenten also, die man als Alltagskomponenten bezeichnen kann, sind bedeutungsmäßige, positionale Komponenten; die rein formalen Momente können teils durch andere ersetzt werden und teils auf andere übergehen.

Ein Prosawerk basiert in seiner Sujetkonstruktion, in seiner bedeutungsmäßigen Konstruktion hauptsächlich auf einer Kombination von Alltagssituationen, d. h. wir lösen eine Situation folgendermaßen: in *Kapitanskaja dočka* (Die Hauptmannstochter) kann Grinev nicht sprechen; er muß aber sprechen, um sich gegenüber der Verleumdung Švabrins zu rechtfertigen. Er kann nicht sprechen, weil er sonst die Hauptmannstochter kompromittieren würde; daraufhin spricht an seiner Stelle die Frau selbst vor Katharina. Ein anderes Beispiel: Ein Mann muß sich rechtfertigen, kann es aber nicht, weil er Schweigen gelobt hat; die Lösung besteht darin, daß es ihm gelingt, den Zeitpunkt hinauszuziehen. Wir bekommen so eines der Grimmschen Märchen, das »Von den zwölf Schwänen«, und das Märchen »Von den sieben Wesiren«. Es gibt aber auch einen anderen Weg der Lösung eines Werks, und eine solche Lösung ist nicht bedeutungsmäßiger, sondern rein kompositioneller Art; hierbei zeigt sich die kompositionelle Komponente in ihrer Wirksamkeit der bedeutungsmäßigen gleichwertig.

In den Gedichten Fets findet sich eine solche Lösung: Es sind vier Strophen in einem bestimmten Versmaß mit einer Zäsur (mit einer konstanten Wortgrenze in der Mitte jeder Zeile) gegeben; das Gedicht wird nicht sujetmäßig gelöst, sondern dadurch, daß die fünfte Strophe, unter Beibehaltung desselben Versmaßes, keine Zäsur besitzt und dadurch einen abschließenden Eindruck vermittelt.

Der grundlegende Unterschied zwischen Poesie und Prosa liegt möglicherweise in der größeren Geometrizität der Verfahren, liegt möglicherweise darin, daß eine ganze Reihe bedeutungsmäßiger Lösungen durch eine rein formale geometrische Lösung ersetzt wird; es findet eine Art Geometrisierung der Verfahren statt. In *Evgenij Onegin* (Eugen Onegin) wird die Strophe dadurch zu einer Lösung gebracht, daß die miteinander reimenden beiden letzten Zeilen die Komposition lösen, indem sie das Reimsystem brechen. Auf der semantischen Ebene wird dies bei Puškin dadurch unterstrichen, daß sich in den beiden letzten Zeilen die Lexik verändert und einen leicht parodistischen Zug trägt.

In diesem Aufsatz schreibe ich sehr allgemeine Dinge, weil ich eben die allgemeinsten Maßstäbe – und zwar für den Film – skizzieren will. Nicht selten hörte ich von Filmprofessionellen die sonderbare Ansicht, die Poesie stehe dem Film näher als die Prosa. Die verschiedensten Leute behaupten das, und viele Filme tendieren zu einer Lösung, die man in einer etwas weiten Analogie eine vershafte nennen könnte. Zweifelsohne ist Dziga Vertovs *Šestaja čast' mira* (Ein Sechstel der Erde) nach einem vershaften, formal lösenden Prinzip gemacht mit einem klar ausgedrückten Parallelismus und nochmaligem Auftreten der Einstellungen am Ende des Films, wo sie eine andere Bedeutung haben und somit entfernt an die Form des Triolets erinnern.

Wenn wir uns Pudovkins *Mat'* [1] (Die Mutter) anschauen, wo der Regisseur sich sehr um eine rhythmische Konstruktion bemühte, so bemerken wir hier eine allmähliche Verdrängung der Alltagssituation durch rein formale Momente. Die Steigerung der Bewegungen, die Montage, das Verlassen des Alltäglichen verdichten sich gegen Ende des Films und werden durch den Parallelismus der Naturszenen zu Beginn des Films vorbereitet. Die dem poetischen Bild eigene Vieldeutigkeit und unbestimmte Aureole, die Fähigkeit gleichzeitiger Bedeutungsvermittlung durch unterschiedliche Mittel wird erreicht durch einen schnellen Wechsel der Einstellungen, die nicht dazu kommen, sich voll zu verwirklichen. Und die Lösung des Films selbst – die Doppelbelichtung sich im Schatten der Kremlmauern bewegender Menschen – ist als ein Verfahren, das das formale anstelle des

bedeutungsmäßigen Moments nutzt, ein poetisches Verfahren.
Im Film sind wir heute Kinder. Wir fangen gerade erst an, über den Gegenstand unserer Arbeit nachzudenken. Allerdings können wir schon jetzt sagen, daß es im Film zwei wie immer geartete Pole gibt, deren jeder seine eigenen Gesetze hat.
Chaplins *A Woman of Paris*[2] ist eindeutig auf bedeutungsmäßigen Komponenten auf zu Ende gesprochenen Dingen beruhende Prosa.
Šestaja časť mira (*Ein Sechstel der Erde*) ist – ungeachtet des Staatsauftrages – ein pathetisches Gedicht.
Mat' ist ein eigentümlicher Zentaur – der Zentaur aber ist überhaupt ein seltsames Tier. Der Film beginnt in Prosa, mit überzeugenden Zwischentiteln, die sich allerdings nicht sonderlich gut in die Einstellungen fügen, und endet als rein formale Poesie. Die sich wiederholenden Einstellungen, die Bilder, die Verwandlungen der Bilder in symbolische Bilder: all dies bestärkt meine Überzeugung von der poetischen Natur dieses Films.
Ich wiederhole noch einmal: es gibt einen Film der Prosa und einen der Poesie – und dies ist eine grundlegende Einteilung der Gattungen. Sie unterscheiden sich nicht durch den Rhythmus bzw. nicht durch den Rhythmus allein, sondern durch die Vorherrschaft technisch-formaler Momente (im poetischen Film) über bedeutungsmäßige. Die formalen Momente ersetzen hierbei die bedeutungsmäßigen, indem sie die Komposition zur Lösung bringen. Der sujetlose Film ist der ›vershafte‹ Film.

Anmerkungen

[Vgl. die Vorbemerkung zu den Anmerkungen S. 138. – Abkürzungen: R (Regie), K (Kamera), D (Drehbuch), Da (Darsteller).]

1 UdSSR 1926. R: Vsevolod Pudovkin (1893–1953); K: A. Golovnja; D: N. Zarchi; Da: V. Baranovskaja, N. Batalov, A. Čistjakov, I. Koval'-Samborskij, N. Vidonov, V. Pudovkin, A. Zemcova.
2 USA 1923. K: Jack Wilson; Da: Edna Purviance, Clarence Geldert, Carl Miller, Adolphe Menjou, Malvina Polo, Lydia Knott.

RUDOLF ARNHEIM

Film als Kunst

1932

Mit dem Film steht es ebenso wie mit Malerei, Musik, Literatur, Tanz: man kann die Mittel, die er bietet, benutzen, um Kunst zu machen, man braucht aber nicht. Bunte Ansichtspostkarten zum Beispiel sind nicht Kunst und wollen auch keine sein. Ein Militärmarsch, eine Magazingeschichte, ein Nacktballett ebensowenig. Und Kintopp ist nicht Film.
Aber viele wertvolle, gebildete Menschen leugnen bis heute, daß der Film auch nur die Möglichkeit habe, Kunst zu sein. Sie sagen etwa: Film kann nicht Kunst sein, denn er tut ja nichts als einfach *mechanisch die Wirklichkeit zu reproduzieren.* Die Verfechter dieser Meinung kommen von der Malerei her. Der Weg vom Naturvorbild durch das Auge, durch das Nervensystem des Malers, über die Hand und den Pinsel, der mit einer Anzahl von Farben auf einer Leinwand schließlich die handgreiflichen Spuren schafft, ist nicht mechanisch wie der Vorgang des Fotografierens, bei dem die vom Gegenstand zurückgeworfenen Lichtstrahlen durch ein Linsensystem gesammelt werden und dann auf einer lichtempfindlichen Schicht chemische Veränderungen hervorrufen. Fragt sich nur, ob dieser Tatbestand zureicht, um Fotografie und Film aus dem Tempel der Musen zu werfen.
Es lohnt die Mühe, den Einwand, Fotografie und Film seien nur mechanisch reproduzierte Wirklichkeit und hätten daher nichts mit Kunst zu tun, gründlich und systematisch zu widerlegen. Denn auf diese Weise wird sich eine schöne Möglichkeit ergeben, dem Verständnis für die Filmkunst näherzukommen.
Zu diesem Zwecke sollen hier *die elementaren Materialeigenschaften des Filmbildes* einzeln charakterisiert und mit den entsprechenden Eigenschaften des Wirklichkeitssehbildes verglichen werden. Es wird sich dabei ergeben, wie grundverschieden

beide sind und daß eben gerade aus diesen Verschiedenheiten der Film seine Kunstmittel schöpft. Wir werden so also zugleich die Kunstmittel des Films kennenlernen!

Projektion von Körpern in die Fläche

Wir wollen von der optischen Wirklichkeit irgendeines ganz bestimmten Gegenstandes sprechen, zum Beispiel von der eines Würfels. Steht dieser Würfel vor mir auf dem Tisch, so hängt, ob ich seine Gestalt gut erkennen kann, sehr stark davon ab, wie er grade aufgestellt ist. Sehe ich zum Beispiel dies:

so kann ich daraus auf keine Weise entnehmen, daß da ein Würfel vor mir steht. Ich sehe nur eine viereckige Fläche. Denn unser Auge, und ebenso jede Fotolinse, hat ja einen bestimmten Standort und nimmt von dort aus nur diejenigen Teile des optischen Raums auf, die nicht durch davorliegende verdeckt sind. So, wie der Würfel jetzt liegt, sind fünf seiner Flächen durch die sechste verdeckt, und darum sieht man nur diese. Da aber eine solche Fläche ebensogut ganz andre Dinge verdecken könnte – sie könnte die Grundseite einer Pyramide, die eine Seite eines flachen Papierblättchens etc. sein – so ist unsre Ansicht von dem Würfel *nicht charakteristisch* gewählt.
Das ist schon eine recht merkwürdige und wichtige Sache. Wenn ich einen Würfel fotografieren will, genügt es nicht, daß ich den realen Gegenstand »Würfel« in den Bereich meiner Kamera hineingebracht habe. Es kommt vielmehr darauf an, welchen Standpunkt ich zu ihm einnehme resp. welche Stellung ich ihm gebe. Die Ansicht, die wir oben wählten, gibt die Wirklichkeit des Würfels schlecht wieder; diese aber:

ist gut: sie zeigt drei Flächen des Würfels und deren Verhältnis zueinander, sie zeigt genug, um uns ziemlich eindeutig klarzumachen, welcher Gegenstand gemeint ist.
Weil unsre Gesichtswelt voll von räumlichen Gegenständen ist, unser Auge (ebenso wie die Kamera) diesen Gesichtsraum aber in jedem Augenblick nur von einem bestimmten Gesichtspunkt aus sieht und weil es noch dazu die Lichtreize, die von den Gegenständen zu ihm gelangen, nur aufnehmen kann, indem es sie in eine Fläche, die Netzhautfläche, projiziert – darum geschieht es, daß schon bei der Abbildung eines ganz einfachen Gegenstandes der Prozeß nicht mechanisch ist, sondern gut oder schlecht angesetzt werden kann!
In der Ansicht II war mehr von der Wirklichkeit des Körpers »Würfel« enthalten als in I. Wir haben als Grund dafür angegeben, daß Ansicht II *mehr* von dem Würfel zeige als Ansicht I, nämlich statt nur *einer* Fläche drei. Aber es kommt zumeist auf die Menge nicht an. Es handelt sich nicht darum, diejenige Ansicht aufzusuchen, die die größte Menge von Oberfläche darbietet; dann wäre das Verfahren zum Auffinden der besten Ansicht ja eine ganz mechanische Sache, die sich rechnerisch erledigen ließe. Nein, für das Auffinden der charakteristischen Ansicht gibt es keinerlei formulierbare Regel, es ist Gefühlssache. Ob ein bestimmter Mensch im Profil »mehr er selbst« ist als von vorn, ob die Innenseite oder die Außenseite einer Hand wichtiger, ob ein bestimmter Berg besser von Norden oder besser von Westen zu nehmen ist – das alles sind Dinge, die sich nicht errechnen lassen, sondern erfühlt werden müssen.
Man darf den Leuten, die den Film geringschätzig ein mechanisches Abbildeverfahren nennen, also zunächst entgegenhalten, daß schon im allereinfachsten Fall, schon bei der fotografischen Abbildung eines ganz einfachen Gegenstandes, ein Gefühl für dessen Wirklichkeit verlangt wird, das ganz außerhalb einer mechanischen Beschäftigung liegt! (Ob dies Gefühl schon etwas mit künstlerischem Schaffen zu tun hat, ist nicht ganz leicht zu sagen. Gebraucht wird es ja schon bei sehr »unkünstlerischen« Aufgaben, etwa bei mancher technischen Flächendarstellung

von Körpern. Man darf aber trotzdem wohl sagen, daß die Aufgabe, das Charakteristische der Form eines Gegenstandes mit Hilfe eines bestimmten Darstellungsmaterials zum Ausdruck zu bringen, eine wenn auch primitive, so doch künstlerische Aufgabe ist. Es wird bei der Entscheidung dieser Frage davon abhängen, ob man, wie es die Geisteswissenschaftler tun, auf dem Standpunkt steht, die Kunst sei eine Beschäftigung, die sich nicht aus dem Funktionieren der Sinne ableiten lasse, sondern eine hohe Tätigkeit von gänzlich eigner Art und eignen Gesetzen, oder ob man vom Gegenteil überzeugt ist. Uns scheint, daß primitive Fähigkeiten wie die, eine Strecke durch Augenmaß zu halbieren, die Unterscheidung einer Dissonanz von einer Konsonanz usw. von wirklichem Kunstschaffen nur dem Grade, nicht der Art nach zu unterscheiden sind.)
Übrigens wird sich später zeigen, daß bei der künstlerischen Behandlung der Fotografie (resp. des Filmbildes) durchaus nicht immer solche »Einstellungen« gewählt werden, die das Charakteristische des betreffenden Gegenstandes am besten zeigen, sondern häufig bewußt andre, zur Erzielung besondrer Wirkungen.

Verringerung der räumlichen Tiefe

Daß unsre Augen, die, weil die Netzhaut flächig ist, nur Flächenbilder (Projektionen des Realsehraums in eine Sehfläche) aufnehmen können, uns dennoch räumliche Eindrücke vermitteln, wird dadurch möglich, daß die beiden im Abstande von einigen Zentimetern nebeneinander stehenden Augen vom selben Gegenstand nicht genau dieselbe Abbildung erlangen: die geringe Verschiedenheit des Beobachtungsorts bewirkt bereits Verschiebungen der Perspektive. Die Verarbeitung dieser beiden verschiedenen Bilder zu einem einzigen Sehbild ermöglicht den räumlichen Eindruck. Dasselbe Prinzip ist bekanntlich beim Stereoskop benutzt, wo immer zugleich, etwa im Abstande der menschlichen Augen voneinander, zwei Fotos nebeneinander aufgenommen werden, die nun auch einander nicht gleich sind und daher dem Gehirn ein räumliches Bild vermitteln. Dies Verfahren läßt sich für den Film nicht verwenden, wenn er von mehr als einem einzigen Menschen betrachtet werden soll. Für *einen* Betrachter nämlich ließe sich der »Raumfilm« leicht erreichen. Man nähme, wie beim Stereoskopapparat, im Abstande von ein paar Zentimetern gleichzeitig zwei Filmstreifen vom selben Vorgang auf und führte dann den linken Film dem linken Auge, den rechten Film dem rechten Auge zugleich vor. Das ginge. Für die Vorführung vor einer größeren Zuschauermenge hat sich das Problem des Raumfilms bis heute nicht einwandfrei lösen lassen. Und so kommt es, daß die Raumwirkung der Filmbilder außerordentlich gering ist. Sie wird ein wenig erhöht dadurch, daß die Bewegungen der Personen und Gegenstände von vorn nach hinten die räumliche Tiefe anschaulich machen – aber man braucht nur einmal in ein Stereoskop zu blicken, das den Eindruck eines realen Raums mit höchst aufregender Treue vermittelt, um zu erkennen, wie flächig, wie unplastisch der Film ist. Auch dies bedeutet einen gewaltigen Unterschied zwischen optischer Wirklichkeit und Filmbild.

Film wirkt weder als reines Raumbild noch als reines Flächenbild, sondern als ein Ineinander von beidem. *Filmbilder sind zugleich flächig und räumlich.* Im Ruttmann-Film *Berlin* gibt es eine Aufnahme von zwei in entgegengesetzter Richtung aneinander vorbeifahrenden Untergrundbahnzügen. Der Apparat schaut von oben her auf die beiden Züge herunter. Wer diese Szene betrachtet, sieht zunächst, daß der eine Zug von vorn nach hinten, der andere von hinten nach vorn fährt (räumliches Bild), zugleich aber auch, daß der eine Zug vom unteren Bildrahmen zum oberen, der andere von oben nach unten sich bewegt (flächiges Bild). Der zweite, flächige Eindruck entsteht als Projektion der räumlichen Bewegungen in die Bildfläche, was natürlich andre Bewegungsrichtungen ergibt.

Der Fortfall des räumlichen Eindrucks bringt zweitens eine stärkere *Betonung der perspektivischen Überschneidung.* Während diese in der Wirklichkeit oder im Stereoskop nur als ein zufälliges und unwichtiges Hintereinander von Körpern aufgefaßt wird, entstehen im Flächenbild durch Überschneidung sehr eindringliche Schnitte. Hält ein Mensch eine Zeitung so, daß sie mit einer Ecke sein Gesicht überdeckt, so ist diese Ecke aus dem Gesicht beinahe wie ausgesägt, die Begrenzung wird sehr stark empfunden.

Und weiter fallen mit dem räumlichen Eindruck Erscheinungen weg, die die Psychologen unter den Bezeichnungen »*Größenkonstanz*« und »*Formkonstanz*« kennen. Das Bild, das ein im Sehfeld befindlicher Gegenstand auf der Netzhaut des Auges entwirft, verkleinert sich mit dem Quadrat der Entfernung. Verschiebt man eine Fläche, die einen Meter entfernt stand, auf zwei Meter, so verringert sich der Flächeninhalt des Netzhautbildes auf ein Viertel. Jede fotografische Platte reagiert ebenso: die Fotografie eines Menschen, der bei der Aufnahme die Füße weit nach vorn gestreckt hat, zeigt riesengroße Fußsohlen und einen viel zu kleinen Kopf. Merkwürdigerweise nun sind im praktischen Leben unsre Gesichtseindrücke nicht so beschaffen, wie es dem Netzhautbild entspräche, d. h. wir sehen nicht so, wie die fotografische Platte es zeigt. Steht ein Mensch einen Meter entfernt vor uns, und ein andrer, objektiv gleich großer, zwei Meter weit, so wirkt die Körperfläche des hinteren nicht ein Viertel so groß wie die des vorderen. Und reckt so ein Mann seine Hand gegen uns aus, so wirkt die nicht unverhältnismäßig riesenhaft. Sondern wir sehen die beiden Menschen als gleich groß, die Hand als proportioniert. Diese Erscheinung nennt man die *Größenkonstanz.* Sie beruht, kurz gesagt, darauf, daß es uns beim praktischen Gebrauch unseres Sehens von Kindheit an auf die objektive Größe der Körper ankommt, so daß von vornherein eine Korrektur der durch die Entfernung verursachten scheinbaren Größenverschiebungen eintritt. Den allermeisten Menschen – Maler und Zeichner, die aber eben künstlich trainiert sind, ausgenommen – ist es völlig unmöglich, »netzhautgemäß« zu sehen, woraus sich auch die Hilflosigkeit des Durchschnittsmenschen beim Abzeichnen von Gegenständen erklärt. Voraussetzung für das Funktionieren der Größenkonstanz ist aber ein deutlicher Raumeindruck; sie funktioniert im Stereoskop, wo dieser vorhanden ist, ausgezeichnet, bei einer gewöhnlichen Fotografie und im Filmbild aber fast gar nicht. Stehen also im Filmbild zwei Menschen so, daß der eine doppelt so weit von der Kamera entfernt ist wie der andere, so wirkt der vordere sehr erheblich größer und breiter.

Ähnlich liegt es mit der *Formkonstanz.* Das Netzhautbild einer Tischfläche entspricht der Fotografie einer Tischfläche: die vordere Kante erscheint, weil näher am Beschauer, erheblich länger als die hintere; die an sich rechteckige Fläche wird also trapezförmig abgebildet. Aber für den Blick des unbefangenen Durchschnittsmenschen trifft dies wiederum nicht zu: der *sieht* die Tischfläche rechteckig (und zeichnet sie auch so). Die perspektivischen Veränderungen, die bei jedem in die Tiefe ausgedehnten Körper in Betracht kommen, werden also nicht bemerkt, sie werden, kurz gesagt, unbewußt ausgeglichen. Das ist die »Formenkonstanz«. Im Filmbild fällt sie weitgehend fort: die Tischfläche wirkt, besonders wenn sie recht nahe vorm Apparat steht, vorn sehr breit, hinten schmal.

Diese Erscheinungen erklären sich übrigens nicht ausschließlich aus dem Wegfall des räumlichen Eindrucks, sondern auch aus der Unwirklichkeit des Filmbildes überhaupt, woran ja das Nichtvorhandensein der bunten Farben, die Bildbegrenzung etc. ebenfalls schuld sind. All dies zusammen wirkt dahin, daß die Größen und Formen nicht in ihren objektiven Proportionen, sondern »netzhautgemäß«, also perspektivisch verschoben, im Filmbild erscheinen.

Der Wegfall der Farben und die Beleuchtung

Es ist außerordentlich bemerkenswert, daß der Wegfall der bunten Farben, diese beträchtliche, man sollte meinen: grundlegende Abweichung von der Wirklichkeit so gar nicht empfunden wurde, ehe man am Farbenfilm zu arbeiten begann. Denn die Reduzierung aller Farbwerte auf Schwarz-Weiß, die nicht einmal die Helligkeitswerte der Wirklichkeit unversehrt läßt – indem zum Beispiel jedes Rot zu dunkel, jedes Blau zu hell »kommt« (was man übrigens neuerdings durch das sogenannte panchromatische Negativmaterial auszugleichen versucht) –, ändert das Bild der Welt sehr stark. Dennoch akzeptiert jeder Filmbesucher die Welt auf der Leinwand als eine naturgetreue; das hängt mit der Erscheinung der »partiellen Illusion« zusammen (S. 198). Er revoltiert nicht gegen die Welt, in der der Himmel dieselbe Farbe hat wie ein Menschengesicht, er akzeptiert eine schwarzgrauweiße Fahne als eine schwarzrotgoldene, einen schwarzen Mund als einen roten, weißes Haar als blondes. Das Laub eines Baumes ist ebenso schwarz wie ein Frauenmund – das heißt: nicht nur ist eine bunte Welt in eine schwarzweiße transponiert, sondern es sind auch dadurch alle Tonwerte untereinander verschoben, indem Gleichheiten auftauchen, von denen in der bunten Welt keine Rede ist; indem Dinge gleichfarbig sind, die in der Wirklichkeit keine oder eine ganz andre farbliche Beziehung zueinander haben.

Ähnlich der Wirklichkeit ist das Filmbild darin, daß die *Beleuchtung* eine sehr große Rolle spielt. Die Beleuchtung trägt z. B. viel dazu bei, die Form eines Gegenstandes deutlich erkennbar zu machen: man weiß, daß die mit Kratern bedeckte Oberfläche des Mondes bei Vollmond so gut wie unsichtbar ist, weil die Sonne senkrecht steht und keine Schlagschatten fallen. Das Sonnenlicht muß von der Seite kommen, damit durch die dunklen Schatten die Umrisse der Berge und Meerestäler sichtbar werden. Weiter: der Hintergrund muß eine Farbe haben, die sich vom Gegenstand genügend abhebt, resp. er darf nicht so gefärbt oder gegliedert sein, daß er die klare Übersicht über die Formen des Gegenstandes verwirrt, indem es etwa so scheint, als ob gewisse Partien des Hintergrundes zum Gegenstand gehören resp. Partien des Gegenstandes zum Hintergrund. Man wird also schon bei der primitivsten Abbildung eines Gegenstandes darauf zu achten haben, daß nicht nur dieser selbst, sondern auch der Hintergrund in der passenden Verfassung sei.

Eine charakteristische Verwendung finden diese Regeln zum

Beispiel beim Fotografieren von Bildhauerwerken. Hier, wo nichts als eine mechanische Abbildung erfolgen soll, ergeben sich Schwierigkeiten, die den Fotografen und den Bildhauer leicht zur Verzweiflung bringen. Von welcher Seite her, aus welcher Entfernung, ob von vorn, hinten, links oder rechts beleuchtet das Bildwerk aufgenommen wird – davon hängt ab, ob man in der Fotografie einen Eindruck bekommt, der dem wirklichen einigermaßen entspricht, oder ob man ein völlig andres Werk abgebildet sieht.

Bildbegrenzung und Abstand vom Objekt

Das Gesichtsfeld unsres Auges ist begrenzt. Im Mittelpunkt des Auges gibt es eine gewisse »Gegend des schärfsten Sehens«; nach den Rändern zu nimmt diese Schärfe ab, und schließlich findet das Gesichtsfeld eine endgültige kreisförmige Begrenzung, die sich aus dem Bau des Auges erklärt. Halten wir den Blick auf einen bestimmten Punkt gerichtet, so übersehen wir also ein begrenztes kreisförmiges Feld. Nun ist aber diese Tatsache praktisch von keiner Bedeutung. Sie kommt den meisten Menschen niemals zum Bewußtsein. Und zwar deshalb, weil wir die Möglichkeit haben, die Augen und den Kopf zu bewegen, weil wir von dieser Möglichkeit unaufhörlich Gebrauch machen und so unter der Enge unsres Gesichtskreises niemals zu leiden haben. Schon deshalb also ist es ganz falsch, wenn gewisse Filmtheoretiker und auch -praktiker den Satz aufstellen, das begrenzte Filmbild auf der Leinwand sei ein Abbild unsres begrenzten Sehfeldes in der Wirklichkeit. Das ist falsche, überholte Psychologie. Filmbildbegrenzung und Sehfeldbegrenzung kann man miteinander nicht vergleichen, weil im faktischen Sehraum des Menschen eine Sehbildbegrenzung überhaupt nicht besteht. Dieser Sehraum ist für uns unbegrenzt und unendlich, wir können durchaus etwa ein ganzes Zimmer als einheitlichen Sehraum erfassen, obwohl unser Auge mit einer einzigen »Einstellung« diesen Raum nicht überschauen kann; denn wäh-

rend wir sehen, pflegt der Blick nicht fixiert zu sein, sondern zu wandern; Kopf und Augen bewegen sich, und wir erfassen so den Gesamtraum als geschlossenes Bild.
Nicht so das Filmbild resp. die Fotografie. Wir sprechen zunächst noch von der ruhenden Einzelaufnahme. Von der sogenannten »wandernden« und »geschwenkten« Kamera wird später die Rede sein. (Auch diese Hilfsmittel ersetzen den natürlichen Sehraum in keiner Weise! Sie wollen es gar nicht.) Die Begrenzung, die das Bild hat, empfinden wir sofort als eine solche. Der abgebildete Raum ist bis zu einer bestimmten Ausdehnung sichtbar, dann aber kommt ein Rand, der das Weitere abschneidet. Es ist falsch, diese Beschränkung als ein Hindernis zu beklagen. Vielmehr wird sich später zeigen, daß gerade Hindernisse wie diese es sind, die es überhaupt ermöglichen, daß Film Kunst sein kann!
Mit dieser Begrenzung (aber auch mit dem Fehlen von Schwerempfindungen, S. 201) hängt zusammen, daß es oft sehr schwierig ist, im Foto die räumlichen Verhältnisse der dargestellten Situation einleuchtend wiederzugeben. Fotografiert man zum Beispiel den Abhang eines Berges hinauf oder die Stufen einer Treppe hinunter, so kann man häufig im fertigen Bild mit Verwunderung feststellen, daß nichts von steiler Höhe oder von Abgrund zu sehen ist. Man kann nämlich einen Abgrund oder einen Anstieg mit rein optischen Mitteln nur dann klarmachen, wenn gleichzeitig irgendwie der waagerechte Erdboden als Bezugssystem gegeben wird, denn nur in bezug auf den waagerechten Erdboden ist ja – rein optisch! – der Abgrund ein Abgrund. Aus demselben Grunde braucht man, um die Größe eines Gegenstandes zu zeigen, Vergleichsmaßstäbe. (Um die Höhe eines Bauwerks, eines Baumes zu zeigen, stellt man Menschen daneben!) Ein in der Wirklichkeit herumlaufender Mensch läßt seine Augen in der Runde schweifen und hat, wenn er den Blick auf den Bergpfad gerichtet hält, den er gerade hinaufläuft, trotzdem die Gesamtsituation völlig im Kopf; zumal ihn seine Muskeln und sein Gleichgewichtssinn sehr genau darüber orientieren, wie sein Körper sich in jedem Augenblick zum senkrechten

Erdboden verhält, so daß er das optische Bild der schiefen Ebene jederzeit richtig bewerten kann. Im Gegensatz zu einem solchen Menschen ist jemand, der eine Fotografie oder ein Filmbild betrachtet, zunächst rein auf das angewiesen, was ihm die Augen zeigen, also durch keinerlei Körpergefühle unterstützt, und hat weiterhin auch von der optischen Situation nur das, was eben gerade im Rahmen des Bildes steht, als Orientierungsmittel.

Mit dem Bildausschnitt hängt zusammen der *Abstand vom Objekt.* Je kleiner der Teil der Wirklichkeit ist, den man ins Bild bekommen will, um so näher geht der Apparat heran, und um so größer erscheint also der betreffende Gegenstand im Bild und umgekehrt. Soll eine ganze Gruppe von Menschen ins Bild kommen, so muß der Apparat ein paar Meter entfernt stehen, soll nur eine einzelne Hand gezeigt werden, so muß der Apparat auf einen halben Meter nah sein, weil sonst auch die Umgebung der Hand mit ins Bild kommt. Auf diese Weise erscheint die Hand nun riesengroß, sie erstreckt sich über die ganze Leinwand. Die Kamera hat also, genauso wie ein in der Wirklichkeit herumwandernder Mensch, die Möglichkeit, einen Gegenstand aus der Nähe oder aus der Ferne anzusehen – eine Selbstverständlichkeit, die aber angeführt werden muß, weil sie ein wichtiges künstlerisches Hilfsmittel abgibt.

Wie groß ein gefilmter Gegenstand auf der Kinoleinwand erscheint, das hängt einerseits von der Entfernung ab, in der die Kamera stand, als sie ihn aufnahm, andrerseits aber natürlich auch davon, in welcher *Vergrößerung* das fertige Filmbild zur *Projektion* gebracht wird. Der Grad dieser Vergrößerung hängt von der Optik des Vorführungsapparats und von dem Abstand zwischen ihm und der Leinwand, also der Tiefe des Zuschauerraums, ab. Man kann einen Film in jeder beliebigen Bildgröße vorführen, so klein wie die Bildchen der Laterna magica, mit der die Kinder spielen, und riesenhaft in einem Kinopalast. Es gibt jedoch eine gewisse normale Proportion zwischen Bildgröße und Abstand des Zuschauers: Im Kino sitzt der Zuschauer relativ weit, also ist die Projektion groß; beim »Heimkino«, das in der Wohnung benutzt wird, sitzt der Zuschauer nah, also braucht die Projektion nur sehr viel kleiner zu sein. Trotzdem ist in der Praxis der Spielraum der relativen *Bildgröße* breiter, als zu wünschen wäre. In großen Kinos wird größer projiziert als in kleinen, und alle Kinos sind so tief, daß die Zuschauer in der ersten Reihe selbstverständlich ein sehr viel größeres Bild sehen als die in der letzten. Und dabei ist es keineswegs gleichgültig, wie groß das Bild dem Zuschauer erscheint. Die Filmaufnahme ist vielmehr für eine bestimmte Projektionsgröße berechnet. So wirken z. B. Bewegungen in großer Projektion (resp. wenn der Zuschauer nah am Bild sitzt) schneller als in kleiner, da, bei gleicher Vorführungsgeschwindigkeit, im ersten Fall in derselben Zeit eine größere Fläche durchmessen werden muß als im zweiten. Eine Bewegung also, die im großen Bild schon hastig und unruhig wirkt, kann im kleinen angenehm und richtig sein. Außerdem ist ja von der Projektionsgröße abhängig, wie deutlich die Einzelheiten des abgebildeten Gegenstandes dem Zuschauer ins Auge fallen, und es macht natürlich einen großen Unterschied, ob man einen Menschen so deutlich sieht, daß man die Karos auf seiner Krawatte abzählen kann, oder ob man ihn nur von ungefähr erkennt. Zumal, wie angedeutet, die Größe, in der ein Gegenstand erscheint, vom Filmregisseur bewußt als Kunstmittel verwendet wird. Es kann also dadurch, daß der Zuschauer im Kino zu nah oder zu weit entfernt sitzt, eine höchst unangenehm fühlbare Verfälschung des vom Filmkünstler beabsichtigten Bildeindruckes zustande kommen. Es ist bis heute praktisch ausgeschlossen, einem großen Publikum einen Film so vorzuführen, daß ihn alle in der günstigsten Bildgröße sehen! (Man muß die Leute ja möglichst hintereinander setzen. Denn setzt man sie nebeneinander, so verzerrt sich für die seitlich Sitzenden das Bild, und der Jammer ist erst recht groß.)

Wegfall der raum-zeitlichen Kontinuität

In der Wirklichkeit spielt sich für den einzelnen Beschauer jedes Erlebnis resp. jede Erlebniskette in einem geschlossenen räumlichen und zeitlichen Ablauf ab. Ich sehe etwa, wie zwei Menschen in einem Zimmer miteinander verhandeln. Ich stehe in vier Meter Entfernung. Ich kann die Entfernung ändern, kann näher herangehen, aber diese Änderung erfolgt nicht sprunghaft; ich kann nicht plötzlich nur noch in zwei Meter Entfernung sein, sondern muß die Strecke zwischen vier und zwei Metern Abstand durchlaufen. Ich kann diesen Schauplatz verlassen, aber ich kann nicht plötzlich auf der Straße sein, sondern muß dazu aus dem Zimmer gehen, durch die Tür, die Treppe hinab. Ähnlich steht es mit der Zeit. Ich kann nicht plötzlich sehen, was diese beiden Menschen zehn Minuten später miteinander tun, sondern diese zehn Minuten müssen voll verstreichen. Es gibt in der Wirklichkeit für einen Beobachter keine Zeit- und keine Raumsprünge, sondern eine raum-zeitliche Kontinuität.

Nicht so im Film. Die gefilmte Zeitstrecke läßt sich an einem beliebigen Punkt abbrechen. Sofort darauf kann eine Szene vorgeführt werden, die zu völlig andrer Zeit spielt. Und ebenso läßt sich das Raumkontinuum unterbrechen. Ich kann eben noch hundert Meter von einem Hause entfernt gestanden haben und stehe nun plötzlich davor. Ich kann eben noch in Sidney gewesen sein und bin gleich darauf in Magdeburg. Ich brauche nur die betreffenden Filmstreifen aneinander zu kleben. Diese Möglichkeit ist zunächst nur eine technische. Bei der praktischen Verwendung tritt zumeist eine Einschränkung dieser Freiheit dadurch ein, daß den Inhalt des Films eine Handlung bildet, die eine gewisse Einheitlichkeit des zeitlichen und räumlichen Ablaufs hat. In ihn passen sich die Einzelszenen ein. Besonders für das Zeitliche gibt es hier bestimmte Regeln:

Innerhalb der einzelnen Filmszene besteht ein regelmäßiger Zeitablauf: das, was da hintereinander steht, folgt auch zeitlich aufeinander, es sei denn, daß eine Zwischenszene eingeschoben wird, wie dies z. B. bei der Erzählung von Erlebnissen, bei Träumen, geschieht – einer Handlung, die in sich wieder geschlossene Zeitverhältnisse hat, aber sich außerhalb des Zeitablaufs der Rahmenhandlung abspielt, ja zu dieser nicht einmal in einem erkennbaren Verhältnis (»vorher, nachher«) zu stehen braucht. Innerhalb der einzelnen Szene aber bedeutet das Nacheinander der Einzeleinstellungen auch eine zeitliche Aufeinanderfolge. Zeige ich z. B. die Totalaufnahme eines Menschen, der einen Revolver hebt und abdrückt, so kann ich nun nicht danach noch einmal in Großaufnahme das Hochheben und Abdrücken des Revolvers zeigen, denn dies wäre ein Nacheinander von zeitlich identischen Vorgängen.

Zeitliches Nebeneinander innerhalb der einzelnen Szene wird am einfachsten natürlich dadurch gegeben, daß man die Vorgänge in ein und demselben Bild zeigt: sehe ich auf dem Bild vorn jemand am Tisch sitzen und schreiben und hinten einen andern Klavier spielen, so ist die zeitliche Situation am eindeutigsten charakterisiert. Doch wird man aus künstlerischen Gründen oft davon absehen und die räumliche Gesamtsituation lieber aus Einzeleinstellungen zusammensetzen.

Das zeitliche Nebeneinander *ganzer Szenen* läßt sich entweder zeigen, indem man die beiden Szenen einfach hintereinanderstellt, wobei dann aus dem Handlungsinhalt hervorgehen muß, daß ein Nebeneinander gemeint ist. Dies kann am primitivsten durch die Eselsbrücke des gesprochenen Textes oder des Zwischentitels geschehen (»Während Elise so auf Tod und Leben kämpfte, bestieg Eduard in San Francisco den Dampfer«). Oder etwa: Es ist gesagt worden, daß das Pferderennen um 3 Uhr 40 beginnt. Es wird ein Zimmer gezeigt, in dem Leute sitzen, die an dem Rennen interessiert sind, jemand zieht seine Uhr, es ist 3 Uhr 40, nächste Einstellung: Rennplatz, die Pferde laufen los. Das Nebeneinander ganzer Szenen läßt sich weiter geschickt dadurch zeigen, daß man die Szenen zerschneidet und die Einzelteile durcheinander mischt, so daß immer abwechselnd der Fortgang der einen und der anderen Szene zu sehen ist.

Innerhalb der einzelnen Szenen darf das Zeitkontinuum nicht

angetastet werden. Nicht nur, daß Gleichzeitiges nicht hintereinander gezeigt werden darf – es darf auch keine Zeit ausfallen. Zeige ich, wie ein Mensch von der Tür zum Fenster geht, so muß ich den Vorgang unverkürzt geben, darf nicht etwa den mittleren Teil unterschlagen, so daß der Zuschauer den Schreitenden nur von der Tür fortgehen und dann, nach einem ruckartigen Bildsprung, beim Fenster ankommen sieht. Dies wirkt als ein gewaltsamer Einschnitt in den Vorgang, falls nicht eine Zwischeneinstellung eingeschoben und so die zwischendurch verstreichende Zeit anderweitig »verwendet« ist. Nur zur Erzielung bewußt grotesker Wirkungen läßt sich der Zeitausfall innerhalb einer Szene verwenden: Chaplin betritt die Pfandleihe und kommt in der nächsten Sekunde ohne Mantel wieder heraus. Da das vollständige Ausspielen von Vorgängen zumeist langweilig und unkünstlerisch, weil überflüssig, wäre, behilft man sich häufig, indem man den Ablauf des Vorgangs durch Teilszenen unterbricht, die sich gleichzeitig anderswo abspielen. Auf diese Weise läßt es sich einrichten, daß von jeder Szene nur die für die Handlung wesentlichen Augenblicke gezeigt werden, ohne daß innerhalb der Einzelszene zeitlich Inkohärentes aneinandergeflickt wird. Und abgesehen davon muß bei einem guten Film jede Szene schon im Manuskript so erfunden sein, daß sie in gedrängtester Zeit alles Notwendige und nur das Notwendige bringt.

Während innerhalb der Einzelszene das Zeitkontinuum unangetastet bleiben muß, sind Szenen, die auf verschiedenen Schauplätzen spielen, zeitlich zueinander zunächst indifferent, so daß man weder sagen kann, die folgende Szene geschehe gleichzeitig, vorher oder nachher. Sehr klar ist das in vielen Kulturfilmen; es besteht kein zeitlicher, sondern nur ein sachlicher Zusammenhang. Es könnte zum Beispiel gezeigt werden: »... aber nicht nur Kaninchen, auch Löwen lassen sich zähmen!« Erstes Bild: Eine Kaninchendressur. Innerhalb dieser Szene gibt es einen einheitlichen zeitlichen Ablauf. Zweites Bild: Löwendressur; auch hier in sich zeitlicher Ablauf. Aber diese beiden Szenen stehen in gar keinem zeitlichen Verhältnis zueinan-

der: die Löwendressur kann vor, während, nach der Kaninchenszene stattfinden oder vielmehr: dies zeitliche Verhältnis interessiert nicht und besteht daher nicht. Solche Dinge gibt es aber auch in Spielfilmen häufig.
Das zeitliche Nacheinander ganzer Szenen wird, ähnlich wie das Nebeneinander, durch die Handlung selbst klargemacht. Denn aus der bloßen Aufeinanderfolge innerhalb des Films kann noch nicht auf eine zeitliche Aufeinanderfolge geschlossen werden.

Die raum-zeitliche Selbständigkeit gegenüber der Wirklichkeit ist beim Film sehr viel größer als beim Theater. Auch die Sprechbühne leistet es sich, eine Szene zu andrer Zeit und an anderm Ort spielen zu lassen als die vorhergehende. Aber die Szenen mit naturalistischer raum-zeitlicher Kontinuität sind sehr ausgedehnt, und innerhalb einer solchen Szene gibt es keinen Bruch. Vielmehr bedeutet ein solcher Wechsel immer einen deutlichen Einschnitt: der Vorhang wird heruntergelassen, oder die Bühne wird verdunkelt. Trotz dieses Einschnittes sollte es, könnte man meinen, die Leute im Zuschauerraum stören und befremden, daß vorn in dem immer der gleiche bleibenden Bühnenraum unmittelbar hintereinander räumlich und zeitlich so Unzusammenhängendes erscheint. Daß dies nicht so ist, hängt mit einem sehr seltsamen Faktum zusammen: die Illusion, die das Theaterspiel (und auch das Filmspiel) erweckt, ist nämlich nur eine partielle. Innerhalb einer Bühnenszene wird auf Natürlichkeit Wert gelegt: die Leute sollen sprechen wie in Wirklichkeit, ein Dienstmädchen wie ein Dienstmädchen, ein Graf wie ein Graf. (Aber selbst hier schon haben wir die Einschränkung: Dienstmädchen und Graf sollen zwar naturgetreu, aber zugleich deutlich und genügend laut – also eigentlich zu deutlich und zu laut – sprechen!) In einem bürgerlichen Salon darf nicht plötzlich eine Petroleumlampe stehen, neben dem Bett der Desdomona kein Telefon. Aber – der Raum hat nur drei Wände: die vierte Wand, die zum Zuschauerraum, ist offen. Jedes Publikum lacht, wenn plötzlich eine Kulisse einfällt und sich herausstellt, daß die Zimmerwand bloß bemalte Pappe ist;

oder wenn der Schuß ein paar Sekunden früher knallt, als der Revolver abgefeuert wird. Aber kein Publikum lacht, weil das Zimmer nur drei Wände hat. Die Abweichung vom Natürlichen wird so weit stillschweigend hingenommen, als die Technik des Schauspielens es erfordert. Das meinen wir, wenn wir sagen: *die Illusion ist nur partiell.*

Die Bühne liegt sozusagen in zwei verschiedenen Reichen, deren Gebiete einander schneiden. Einmal will sie Natur geben, aber sie gibt eben nur ein *Stück* Natur, das räumlich und zeitlich aus der Realzeit und dem Realraum des Zuschauerraums herausgeschnitten ist: die Bühne ist zugleich Schaukasten, Angesehenes, Spielplatz und fällt damit in das Gebiet des bloß Fingierten. Aber die Illusionskomponente bei der Bühne ist relativ stark, indem ja ein realer (Bühnen-)Raum und ein realer Zeitablauf tatsächlich gegeben sind. Äußerst gering ist sie hingegen, wenn wir ein Bild betrachten, etwa eine Fotografie, die vor uns auf dem Tisch liegt. Die Fotografie stellt, ebenso wie die Bühne, einen bestimmten Raum und eine bestimmte Zeit (einen Zeitmoment) dar, aber sie tut dies nicht, wie die Bühne, mit Hilfe eines realen Raums (und eines realen Zeitablaufs). Die Bildfläche *bedeutet* einen abgebildeten Raum, und das ist eine so starke Abstraktion, daß uns der Bildraum in keiner Weise die Illusion eines realen Raums vermittelt.

Der Film, das lebendige Bild, hält in dieser Beziehung zwischen Bühne und Bild die Mitte. Er bildet Räume ab, und er tut das nicht, wie die Bühne, mit Hilfe eines realen Raums, sondern, wie die unbewegte Fotografie, mit Hilfe einer Fläche. Trotzdem ist, aus verschiedenen Gründen, die Raumwirkung des Filmbildes nicht so gering wie die der gewöhnlichen Fotografie: eine gewisse Raumillusion erhält der Zuschauer. Und im Gegensatz zur Fotografie hat der Film, wie das Theaterstück, einen Zeitablauf, der mit dem eines darzustellenden Wirklichkeitsvorgangs zur Deckung gebracht werden kann, aber doch wiederum nicht so zwingend ist, daß er nicht durch andre Zeitabläufe unterbrochen werden könnte, ohne daß der Zuschauer das als Gewalt empfindet: Film ist eben zugleich auch bloßes Flächenbild, und die Expositionszeit eines Bildes kann man beliebig begrenzen; Bilder kann man nebeneinanderstellen, auch wenn sie ganz verschiedene Zeitabläufe abbilden.

Der Film also bietet, ebenso wie das Theater, eine partielle Illusion. Er vermittelt bis zu einem gewissen Grade den Eindruck wirklichen Lebens (und da er, im Gegensatz zur Bühne, in der Tat wirkliches, d. h. ungespieltes Leben vor echter Szenerie auffangen kann, kann diese Komponente um so stärker sein). Andererseits aber ist er so stark bildmäßig, wie die Bühne es nie sein kann. Durch den Wegfall der bunten Farben, des stereoskopisch zwingenden Raumeindrucks, durch die scharfe Abgrenzung des Bildrahmens etc. ist der Film seiner Naturhaftigkeit aufs glücklichste entkleidet. Er ist immer zugleich Schauplatz einer »realen« Handlung und flache Ansichtskarte.

Hieraus ergibt sich die künstlerische Konzessionierung dessen, was man die *Montage* nennt. Es wurde schon oben gesagt, daß der Film, der Wirklichkeitssituationen auf Filmstreifen bannt, die sich aneinanderkleben lassen, die Möglichkeit hat, räumlich und zeitlich Disparates unmittelbar nebeneinanderzustellen. Diese Möglichkeit war aber zunächst nur eine technische. An sich müßte beim Anblick einer montierten Filmszene den Zuschauer Unbehagen, ja Seekrankheit überlaufen. Man stelle sich folgendes vor: Auf dem ersten Bild sieht man einen Mann, der an einer Wohnungstür klingelt; unmittelbar darauf erscheint eine völlig andere Szenerie, nämlich das Innere der Wohnung, wo man ein Dienstmädchen zur Tür kommen sieht – der Zuschauer ist also mit einem entsetzlichen Ruck durch die geschlossene Wohnungstür gerissen worden. Das Mädchen öffnet die Tür, sieht den Besucher. Plötzlich springt das Bild wieder um, und wir sehen nun vom Standpunkt des Besuchers aus wieder dem Dienstmädchen ins Gesicht. Welch halsbrecherischer Sprung im Bruchteil einer Sekunde. Jetzt taucht im Hintergrunde der Diele eine Frau auf, und im nächsten Augenblick sind wir die acht Meter zu ihr hingesprungen und sehen ihr nun aus aller Nähe ins Gesicht.

Dies blitzartige Jonglieren durch den Raum müßte, wie man zugeben wird, dem Zuschauer aufs äußerste mißfallen. Aber jeder Kinobesucher weiß, daß man nichts von alledem wirklich spürt, sondern einer Szene wie der eben geschilderten voller Ruhe und Wohlbehagen beiwohnt. Dieser Widerspruch erklärt sich daraus, daß wir eben so getan haben, als ob sich der Vorgang in Wirklichkeit abspielte. Er ist aber nicht Wirklichkeit und, worauf es hier vor allem ankommt, auch die Beschauer haben nicht die (volle) Illusion, daß er Wirklichkeit sei. Denn, wie wir sagten, die Illusion ist nur partiell, und der Film wirkt zugleich als Realhandlung und als Bild.

Die Bildhaftigkeit, die ansichtskartenhafte Flächigkeit des Filmbildes bringt es mit sich, daß wir die Aufeinanderfolge raumzeitlich so verschiedenartiger Szenen nicht als gewaltsam empfinden, sondern als ebenso angenehm, als wenn wir eine Reihe verschiedener Ansichtskarten nacheinander betrachten. So wie es uns nicht im geringsten stört, daß auf diesen Karten ganz verschiedene Zeiten und Räume festgehalten sind, so stört es uns nicht bei den Filmszenen. Sahen wir soeben auf einem Bilde eine Frau in ganzer Figur im Hintergrunde eines Zimmers und steht unmittelbar darauf, im nächsten Bild, ihr Gesicht riesig vor uns, nun, so ist eben »umgeblättert« worden: ein neues *Bild* ist da. Hätten Filmaufnahmen eine sehr kräftige räumliche Wirkung, wo wäre die Montage unmöglich. Nur die partielle Unwirklichkeit des Filmbildes ermöglicht sie.

Während sich bei der Bühne der »Ausnahmezustand« gegenüber der Wirklichkeit nur darauf erstreckt, daß die vierte Wand offen ist, die Schauplätze der Szene wechseln, die Leute Bühnensprache sprechen etc., geht das im Film viel weiter. Zunächst wechselt da schon immerwährend der *Standort des Beschauers,* der doch in der aufnehmenden Linse zu denken ist. Der Theaterbesucher ist vom Schauspieler immer gleich weit entfernt; der Kinobesucher flitzt hin und her, schaut von ferne, aus der Nähe, von oben, durchs Fenster, von links, von rechts – das heißt, diese Beschreibung ist, wie gesagt, falsch, weil vom Standpunkt der Wirklichkeit aus gesehen. Vielmehr ist es eben so, daß Bilder verschiedenster Einstellung einander abwechseln, zu deren Herstellung zwar der Aufnahmeapparat dauernd hin- und hergetragen werden mußte, aber ohne daß nun der Beschauer alle diese Sprünge mitmacht.

Manchem, der scharf zu denken gewohnt ist, wird der Begriff der »partiellen Illusion«, den wir eingeführt haben, verdächtig, ja unverständlich erscheinen. Gehört denn nicht zu einer Illusion, daß sie vollständig sei? Kann ich glauben, ich säße in New York, wenn meine Berliner Bekannten neben mir sitzen? Kann ich glauben, ein Zimmer vor mir zu sehen, wenn im Augenblick zuvor eine Straße da war? Ich kann. Es ist wiederum das Erbteil einer veralteten, tief im populären Denken verankerten Psychologie, daß eine Illusion nur dann eindringlich sein könne, wenn sie in bezug auf alle Details Komplettes biete. Nun weiß aber jedermann, daß die kindlich-unbeholfene Zeichnung eines menschlichen Gesichts, aus Pünktchen, Pünktchen, Komma, Strich zusammengekritzelt, stärksten Ausdruck zeigen kann, daß ein solches Gesicht sehr zornig, sehr belustigt, sehr ängstlich aussehen kann. Der Eindruck ist sehr stark, aber die Darstellung ist alles andre als komplett. Daß sie uns genügt, hängt damit zusammen, daß wir auch in der Wirklichkeit keineswegs jede Einzelheit auffassen: wenn wir den Ausdruck eines Gesichts erfassen, wissen wir deshalb noch lange nicht zu sagen, ob dieser Mensch blaue oder dunkle Augen gehabt, ob er einen Hut aufgehabt habe oder nicht etc. Das heißt: beim Beobachten in der Wirklichkeit begnügen wir uns mit dem *Erfassen des Wesentlichen*; dies enthält für uns alles Wissenswerte, so daß wir, wenn dies Wesentliche reproduziert wird, uns befriedigt fühlen und einen subjektiv *vollen* (ja oft einen kräftigeren, weil künstlich-künstlerisch konzentrierten) Eindruck bekommen! Ebenso bei Bühne und Film: Wenn nur alles Wesentliche des Vorgangs gezeigt wird, ist die Illusion für uns komplett. Wenn sich die Menschen auf der Leinwand nur menschlich benehmen und Menschliches erleben, so ist nicht noch nötig, daß wir sie rund und mit roten Wangen als lebendige Wesen vor uns sehen, daß sie in einem realen Raum leben – sie sind auch so lebendig genug. Und so läßt sich denn das schöne und für die Möglichkeit einer Filmkunst ausschlaggebende Schauspiel bewerkstelligen, daß wir Gegenstände und Vorgänge auf der Leinwand zugleich als lebendig und tot, als Wirklichkeit und als bloße Färbungen der Projektionsfläche empfinden können!

Wegfall der nichtoptischen Sinneswelt

Unsre Augen sind kein isoliert funktionierender Apparat, sondern arbeiten im ständigen Kontakt mit den übrigen Sinnesorganen des Körpers. Aus diesem Grunde ergeben sich sofort erstaunliche Erscheinungen, wenn einmal die Augen allein, ohne die Unterstützung des übrigen Sinnesapparats, wahrnehmen sollen. So zum Beispiel verursacht es bekanntlich Schwindelgefühle, einen Filmstreifen zu sehen, der in sehr schneller Bewegung der Kamera aufgenommen worden ist. Dieser Schwindel entsteht, weil die Augen in einer andern Welt »mitmachen«, als die Muskelgefühle des im Sessel ruhenden Körpers anzeigen; weil, nach den Augen zu urteilen, der Körper sich bewegt, während er nach der Meinung der Körper- und Gleichgewichtsgefühle ruht.
Unser Gleichgewichtssinn ist, wenn wir einen Film betrachten, auf das angewiesen, was ihm die Augen vermitteln, und empfängt nicht, wie in der Wirklichkeit, direkte Reize. Damit hängt es zusammen, daß gewisse Parallelen, die man gern zwischen dem Funktionieren des menschlichen Auges und der Kamera zieht, falsch sind, nämlich der Vergleich zwischen Augendrehung und Kameradrehung. Wenn ich meine Augen oder meinen Kopf, in dem die Augen sitzen, drehe, so verändert sich der Gesichtskreis. Ich habe etwa eben die Tür gesehen, jetzt sehe ich den Bücherschrank, dann den Eßtisch, dann das Fenster. Dies Panorama zieht nun aber am Auge nicht in der Art vorüber, daß ich den Eindruck hätte: die Dinge bewegen sich. Sondern: das Zimmer steht nach wie vor still, aber meine Blickrichtung ändert sich, und so sehe ich nun andre Partien des *ruhenden* Raums.

Nicht so beim Film. Wurde bei der Aufnahme die Kamera gedreht, so ziehen nachher bei der Vorführung Tür, Bücherschrank, Eßtisch, Fenster auf dem Bilde vorüber – *sie* bewegen sich! Denn da die Kamera nicht ein Teil vom Körper des Zuschauers ist wie sein Kopf und seine Augen, weiß er ja nicht, daß sie sich gedreht hat. Er sieht, daß sich auf dem Bilde die Gegenstände verschieben und nimmt also zunächst an, daß diese in Bewegung sind. In *Les Nouveaux Messieurs* von Jacques Feyder zum Beispiel gibt es eine Szene, wo die Kamera in schnellem Tempo an einer langen, mit Plakaten beklebten Wand vorbeiläuft. Effekt: Die Plakatwand scheint vor dem Apparat vorüberzulaufen. Ist die aufgenommene Situation sehr übersichtlich, erlaubt sie eine leichte räumliche Orientierung, so korrigiert der Beschauer diesen Eindruck ziemlich unmittelbar: War zum Beispiel die Einstellung des Apparats zunächst auf die Beine eines Menschen gerichtet und wandert sie nun aufwärts zum Kopf, so weiß der Zuschauer sehr wohl, daß der abgebildete Mensch nicht von oben nach unten am ruhenden Apparat vorübergeschwebt ist. Häufig aber benutzen die Filmleute das Drehen und Fahren der Kamera auch für Aufnahmen, die nicht so übersichtlich sind – etwa E. A. Dupont in *Piccadilly* (Nachtwelt) –, und dann entsteht ein Schweben, das nicht beabsichtigt ist und leicht Seekrankheit hervorruft. Verstärkt wird dieser Unterschied zwischen Augen- und Kamerabewegung dadurch, daß das Filmbild, wie oben gesagt, einen festen Rahmen hat, der Gesichtskreis unsrer Augen aber *praktisch* unbegrenzt ist. Woraus resultiert, daß bei der Kamerabewegung immer neue Gegenstände innerhalb des Bildrandes auftauchen und dann wieder verschwinden, während für die Augenbewegung ein ungeteilter Gesamtraum vorliegt, den der Blick durchwandert.

Wir haben im Film also eine *Relativierung der Bewegung*. Da keine Körpergefühle anzeigen, ob die aufnehmende Kamera in Ruhe war oder in Bewegung, und wenn in Bewegung, in einer wie schnellen und wie gerichteten, wird der Kamerastandort zunächst als fest aufgefaßt. Daher, wenn sich im Bild etwas bewegt, diese Bewegung zunächst einmal als eine Bewegung dieses Gegenstandes gesehen wird, nicht als die Folge einer Bewegung der Kamera, die an einem unbewegten Gegenstand vorübergleitet. Dies führt im Extrem dazu, daß eine Bewegungsrichtung in ihr Gegenteil verkehrt werden kann: filmt man ein fahrendes Auto von einem zweiten Wagen aus, der den ersten überholt, so sieht man auf dem Filmstreifen nachher ein Auto, das rückwärts fährt, obwohl es objektiv vorwärts fuhr. Es besteht aber die Möglichkeit, durch die im Bild abgebildeten Gegenstände und ihr Verhalten klarzumachen, welche Bewegung relativ und welche absolut ist. Geht zum Beispiel aus dem Bild hervor, daß die Kamera in einem fahrenden Auto gestanden hat, d. h. sieht man im Bild Partien dieses Autos, die, im Gegensatz zu der Landschaft, unbeweglich an derselben Stelle des Bildes bleiben, so wird dadurch sehr deutlich, daß der Kameraort selbst sich bewegt und die drumherum befindliche Landschaft in Wirklichkeit stillsteht.

Wir haben auch eine Relativierung der *Raumkoordinaten:* Oben, Unten etc. Diese ist mit an Erscheinungen schuld, wie wir sie oben im Kapitel »Bildbegrenzung« anführten. Die Aufnahme einer Abhangfläche wirkt auch deshalb nicht als abfallend, weil kein Schweregefühl den Betrachter über Oben und Unten orientiert. Es ist nicht mitfühlbar, ob die Kamera gerade oder irgendwie schief gestanden hat, deshalb nimmt man, solange der Inhalt nichts andres sagt, die Projektionsfläche als vertikal an. So kommt es, daß wenn zum Beispiel der Apparat über einem Bett montiert ist und nun von oben her den Kopf eines im Bett liegenden Menschen zeigt, sehr leicht der Eindruck entstehen kann, der Betreffende sitze aufrecht und auch das Kopfkissen stehe aufrecht. Die Projektionswand wird als senkrecht angenommen, obwohl sie, da die Kamera nach unten gedreht war, eine horizontale Fläche bedeutet; diese Täuschung läßt sich nur vermeiden, indem man orientierende Gegenstände der Umgebung ins Bild gibt, die über die tatsächliche Richtung der Raumkoordinaten aufklären.

Nun die übrigen Sinnesgebiete. Niemand, der unbefangen vor

einem stummen Film saß, vermißte die *Geräusche,* die zu hören gewesen wären, wenn dieselbe Handlung sich in Wirklichkeit abgespielt hätte. Niemand vermißte, wenn Menschen über die Leinwand gingen, den Klang der Schritte, niemand das Rascheln des Laubes, das Ticken der Uhr. Das objektive Fehlen solcher Geräusche wurde (auch das Sprechen der auftretenden Personen gehört natürlich dazu!) kaum je bemerkt – obwohl man sie doch sofort mit einem katastrophalen Schreck vermißt hätte, wenn sie in der Wirklichkeit plötzlich weggeblieben wären: man hätte sich sofort für taub gehalten. Daß sich im Kino dieser Schreck nicht einstellte, lag natürlich daran, daß den Zuschauer trotz allem das Gefühl, daß alles nur Bild sei, nicht ganz verließ. Dies Gefühl würde an sich allerdings nicht hindern, daß das Fehlen des Akustischen als unangenehm illusionsstörend empfunden würde. Daß das nicht geschah, hängt wieder mit dem zusammen, was wir vorhin auseinandersetzten: Zu einem vollen Eindruck gehört nicht, daß er im naturalistischen Sinne komplett sei; es darf ruhig allerlei fehlen, was in der Wirklichkeit vorhanden wäre – wenn nur das Gebotene genug vom Wesentlichen des Vorgangs bietet. Erst wenn man den Tonfilm kennengelernt hat, fehlen einem beim stummen Film die Geräusche. Aber das beweist nichts, ist nicht einmal ein Argument gegen die Möglichkeit des stummen Films auch noch nach der Einführung des Tonfilms.

Ähnlich steht es mit dem *Geruch.* Es mag Menschen geben, die, wenn sie im Film einen katholischen Gottesdienst sehen, Weihrauch zu riechen meinen; diesen Geruch als objektiven Reiz vermissen wird jedenfalls niemand.

Geruchs-, Gleichgewichts- und Tastempfindungen treten im Film niemals auf Grund direkter Geruchs-, Schwerkraft- oder Druckreize auf, sondern werden indirekt über den Weg der Sehsphäre vermittelt. Daraus ergibt sich als wichtiges Gesetz, daß es falsch ist, Situationen oder Handlungen zu verfilmen, die in einer nicht optisch vermittelbaren Aktion gipfeln. Gewiß konnte ein Schuß im Mittelpunkt eines stummen Films stehen, denn der Knall des Schusses ist für einen geschickten Regisseur entbehrlich. Es genügt, daß der Zuschauer *sehe,* wie der Revolver abgedrückt wird, eventuell, wie der Getroffene fällt. In Josef von Sternbergs *Die Docks von New York* wird ein Schuß sehr glücklich durch das plötzliche Aufstieben von Vögeln »augengerecht« gemacht.

BÉLA BALÁZS

Zur Kunstphilosophie des Films

1938

In der neuen Kunst des Films sind neue Formen des menschlichen Ausdrucks entstanden, neue Methoden der künstlerischen Gestaltung. Dieses welthistorisch seltene Ereignis spielte sich zu Beginn unseres Jahrhunderts ab. Es wurden einige Versuche gemacht, diese neuen Formen des künstlerischen Ausdrucks theoretisch *aus der neuen Technik der Kinokamera* abzuleiten. Daß solche vulgär-materialistischen, mechanischen Erklärungen ungenügend und falsch sein müssen, auch wenn sie mißverstandene metaphysische Analogien heranziehen, ergibt sich aus folgenden historischen Tatsachen.

Der kinematographische Apparat wurde 1898 in Frankreich konstruiert. Und doch sind die *spezifischen, neuen Formen* der Filmkunst erst zehn Jahre später in Amerika entstanden. Zehn Jahre lang war die Technik bereits vorhanden, und es war bereits eine große Industrie der Filmproduktion vorhanden, und doch ist aus all diesen vorhandenen Bedingungen in der europäischen Kinematographie nicht eine einzige jener neuen Ausdrucksmethoden entstanden, die das Wesen der Filmkunst ausmachen. Diese müssen also aus *anderen* Motiven abgeleitet werden. Nicht automatisch aus den technischen Möglichkeiten des französischen Apparats, sondern *aus der Ideologie der amerikanischen Bourgeoisie entsprang die erste Initiative.*

Wir wissen, daß die technischen Erfindungen nicht plötzlich aus dem blauen Himmel fallen. Sie werden durch die herrschenden ökonomischen Mächte angeregt und gefördert. Die Technik der Kinematographie ist ein Produkt des imperialistischen Monopolkapitals. Sie ist mit dem Monopolkapital entstanden und hat sich mit ihm entwickelt in den Jahren um 1900, als auch die Produktion von Konsumtionsmitteln zur Großindustrie wurde.

Die kinematographische Technik hatte dieselbe Funktion.

Denn nicht nur die Erzeugung von Schuhen, Würsten, Möbeln usw. wurde vom Handwerksmäßigen auf das maschinell Fabrikmäßige umgestellt, sondern *auch die geistigen Konsumtionsmittel wurden in diesen Jahren von dem immer mehr konzentrierten Kapital industrialisiert.* In dieser Zeit entstanden die großen Verlagsanstalten, Zeitungstrusts, Konzertagenturen, der Großhandel mit Bildern. Zu ähnlichem Zweck wurde der Kinematograph ursprünglich erfunden und ausgewertet: *zur Industrialisierung der Schauspielkunst.*

Diese Kinematographie (noch nicht Filmkunst!) verhält sich zum Theater wie Handwerk und Manufaktur zur maschinellen Industrie. Mehr als zehn Jahre lang gab es in Europa schon eine solche Kinematographie, *aber eine Filmkunst gab es noch nicht.* Die Kinematographie war nichts weiter als Fotoreportage, Jahrmarktssensation bewegter Bilder, und eine durch die Reproduktionstechnik ermöglichte *Herstellung des Schauspiels als Massenartikel, als mechanisch wiederholbares, transportierbares, exportierbares Schauspiel.* Bezeichnend ist, daß im Jahre 1905, also schon in den allerersten Jahren der Filmtechnik, die größte Firma, Pathé-Frères, mit der größten Schriftstellerorganisation in Paris, der »Société des auteurs dramatiques«, zur Verfilmung der dramatischen Werke einen Generalvertrag abgeschlossen hat. Heute, nach mehr als zwanzig Jahren, haben viele Schriftsteller noch immer einen Widerwillen gegen die bereits hochentwickelte Filmkunst, weil sie ihnen wesensfremd erscheint. Doch damals handelte es sich gar nicht um eine Filmkunst, sondern um eine technische Vervielfältigung der eigenen, der Theaterkunst.

Immerhin, in diesen ersten Jahren der Kinematographie, als sie noch keine besonderen Ausdrucksformen entwickelt hatte (also noch keine besondere Kunst gewesen ist), entstand in ihr trotzdem etwas Spezifisches: die Kinematographie war nur fotografiertes Theater gewesen, jedoch führten die Möglichkeiten ihrer Technik dazu, sozusagen *Freilichttheater zu fotografieren.* Sie konnte Szenen fotografieren, die auf der Theaterbühne nicht darstellbar waren und nicht einmal auf einer normalen Freilichtbühne. *Aber nicht etwa aus Gründen des Stils, der Gestaltungsmethode, des künstlerischen Prinzips, sondern rein aus technischen Gründen.* Der Film blieb vorläufig fotografiertes Theater, aber er hatte die Möglichkeiten des Theaters, seine Thematik, seine Objekte, seine Sujets, seine Wirkungen sehr erweitert.

Urban Gad, der dänische Filmregisseur, schrieb das erste theoretische Buch über den Film.[1] Urban Gad, der Mann Asta Nielsens, der ersten großen Filmschauspielerin, war einer der ersten Pioniere der neuen Kunst. Aber in diesem klugen und richtigen Buche, das 1920 erschienen ist, wird noch nicht von neuen Ausdrucksformen, von neuen Gestaltungsmethoden gesprochen – Urban Gad hatte sie damals noch nicht gekannt –, er spricht nur *von dem Spezifikum der Thematik.* Jeder Film, sagt er, muß ein bestimmtes, ungewöhnliches *Naturmilieu* darstellen, in dem sich die Handlung abspielt und welches auf Handlung und Helden einwirkt.

Die Handlung selbst wird und kann in dieser Zeit nur theatralisch dargestellt werden. Spezifisch »filmisch« ist nur (aus technischen Gründen) das Milieu. Trotzdem bereicherte auch dies die Kunst, die Dramaturgie des Films mit neuen Motiven. Denn die Natur als Mitspieler, als Gegenspieler konnte bewegt, lebendig dargestellt werden. Und darum wurde manchmal der Einfluß der Natur auf die Menschen überzeugender, variabler gezeigt als auf der Bühne.

Das fotografierte Theater bereicherte also das alte Theater mit neuen Motiven. Darin bestand das Spezifikum des Films in jener Zeit. So zum Beispiel durch die ungehinderten Möglichkeiten des Bewegungsspiels. Es ist, nach dem Gesetz der Konkurrenz, ganz natürlich, daß sich das »fotografierte Theater« darauf spezialisierte, was das andere Theater aus technischen Gründen nicht zu geben vermochte. Zu den populärsten Genres der Anfangszeit gehörten daher die Cowboy-Filme; Reiten, Fahren, Laufen, Klettern, Schwimmen, Springen wurden zu wesentlichen Elementen des Sujets, das meist aus gar nichts anderem bestand.

Gegenstände, Kinder und Tiere traten in dem fotografierten Theater auf. Neue »Rollenfächer« – *in der alten Kunst*: Pathés berühmter Panther, der weltberühmte Hund Rin-tin-tin und Kinder, die zu wirklichen großen Künstlern, zu Wunderkindern des Films wurden wie Jackie Coogan[2] –, sie sind alle nur neue Personagen, die dank der neuen Technik in einer prinzipiell vorläufig alten Kunst auftreten.

Also spezifische Milieus, spezifische Sujets, spezifische Personagen waren schon da, bevor die neuen *spezifischen Ausdrucksformen* erschienen sind. Es entstand sogar ein spezifischer Stil und ein spezifisches Genre: die Filmgroteske. Die Figur, durch die sie entstand, war gar nicht so neu und spezifisch wie die Tiere und die kleinen Kinder. Es war der Clown und groteske Bewegungskomiker, also eine der ältesten Typen der Theatergeschichte überhaupt. Diese Gestalten kamen vom Zirkus und vom Varieté. Doch konnte sich dort ihr Stil nicht dramaturgisch entfalten, weil dort buchstäblich nicht genügend Raum vorhanden war. Erst das Freilichttheater – welches ja im Film fotografiert wurde – gab diesen Raum.

Die Filmgroteske ist ein klassisches Genre geblieben auch nach der Entwicklung der neuen Ausdrucksformen der Filmkunst. Ebenso, wie Dinge, Tiere, Kinder als Personagen auch nicht verschwunden sind. Aber merkwürdigerweise ist hier ein spezifisches Genre, ein besonderer Stil *vor* der Entstehung einer spezifischen Kunst entstanden. Und zwar ist das geschehen, *gerade weil* die neuen Gestaltungsmethoden noch nicht erfunden waren – entstanden durch die besonderen Bedingungen der Übergangsform des fotografierten Theaters.

Diese besonderen Bedingungen waren *die Stummheit des fotografierten Theaters*; das heißt, eine notwendige und sozusagen natürliche Stummheit des Bildes, *da das Wort noch nicht durch die nahegerückte Mimik und feinere Geste des Ausdrucks in den späteren Großaufnahmen ersetzt werden konnte.* Die Fotografie war stumm, und die Szene war weit. Sie war immer nur im Ganzen zu sehen, ohne Detaillierung. Wie auf der Bühne. Doch die Bühne war nicht stumm wie die Fotografie. Daraus ergab sich

die Notwendigkeit einer »taubstummen Pantomime«, die auf den heutigen Zuschauer auch dann unwiderstehlich komisch wirkt, wenn mit ernster Absicht gespielt wurde. (So wie auch jede Pantomime ohne Musik komisch wirken muß, wenn die Ausdrucksbewegungen nicht zu Tanzgebärden geformt sind.)
Aber aus dieser Not konnte der Clown und Groteskkomiker eine Tugend machen, und so entstand eine besondere Dramaturgie der Situationskomik im äußerlichen Sinne: nämlich eine Komik der physischen Situationen, die zur Deutlichkeit kein erklärendes Wort und auch keine individuellere, intimere Mimik benötigte. *Aus der Notwendigkeit der Technik wurde, durch Absicht, die Freiheit des Stils.*
Es ist sehr bezeichnend, daß mit dem Tonfilm, besser gesagt mit dem Sprechfilm, dieses Genre der Filmgroteske aufgehört hat – ein Genre, welches die ersten weltbekannten Filmstars hervorgebracht hatte: Max Linder, Prince, Cretinetti und Fatty. Auch die ersten Kurzfilme Chaplins gehörten zu diesem Genre. Die Helden der zweiten Generation, Harold Lloyd und Buster Keaton, erschienen schon im entwickelten stummen Film, der bereits verschiedene Einstellungen und Nahaufnahmen kannte. Sie waren schon mehr individualisierte, psychologisierte Gestalten. Trotzdem konnten sie ihren alten Stil nicht in den Sprechfilm übertragen, denn er war aus dem Geist des stummen, fotografierten Theaters entstanden.
Auch Chaplin erlebte eine schwere schöpferische Krise durch den Tonfilm. Seine köstlichen ersten Einakter – sein Kampf mit dem Schaukelstuhl, aus dem er nicht wieder aufstehen konnte, oder sein Kampf mit der tückischen Drehtür oder seine erste Lektion auf den wildgewordenen Rollschuhen – sind klassische Beispiele dieses alten Genres.

Die Kinokamera kam von Europa nach Amerika. Warum ging die Filmkunst denn den *umgekehrten* Weg? Die ökonomischen Bedingungen waren auch in Frankreich vorhanden gewesen – warum wurden die ersten spezifischen Gestaltungsmethoden (Wechsel der Einstellung, Großaufnahme, Detailaufnahme, Montagetechnik etc.) erst in Amerika erfunden?

Die Filmkunst ist die einzige, die im kapitalistischen Zeitalter entstanden ist. Alle andern Künste bringen ihre Grundformen und Gestaltungsprinzipien aus vorkapitalistischen Zeiten mit – und damit Überreste vorkapitalistischer Ideologie, wenn auch in veränderter Form.
Dazu kommt noch die kunsthistorische Bildungstendenz der europäischen Vorkriegsbourgeoisie. (Nach dem Krieg hat sich diese romantische Pietät rasch und sehr vermindert.) Die absolute Autorität der alten, vorkapitalistischen und frühkapitalistischen Kunst und Ästhetik mit ihren »ewigen Gesetzen« bildete ein wesentliches und lebendig wirkendes Element jeder bürgerlichen Kultur. Die Bourgeoisie hatte als Norm und Maßstab eine Kunst aufgestellt, die nicht in ihrer Epoche, nicht aus ihrer Ideologie entstanden war.
Diese vorherrschende, romantische Einstellung zur Kunst bei der europäischen Vorkriegsbourgeoisie wurde von allen Schulen, Akademien und offiziellen Kulturstellen vertreten. Sie war nicht die geeignete ideologische Basis für den ersten Sprung in eine vollkommen neue, hundertprozentig *nur bürgerliche,* monopolkapitalistisch industrialisierte Kunst.
Im Schatten der konservativen Académie Française, der historischen Galerien des Louvre, der alten Comédie Française (in der man noch Corneille und Racine so deklamierte wie zu ihren Lebzeiten) war die Atmosphäre für die Entstehung des Films nicht so geeignet wie in Amerika. *Die Ideologie der amerikanischen Bourgeoisie war durch solche vorkapitalistischen Traditionen nicht belastet.* Sie brauchte weniger »umzuwerfen«, um in einer neuen Kunst die Wirklichkeit von einer neuen Seite zu erfassen.
Die neuen spezifischen Formen und Gestaltungsmethoden der Filmkunst sind Ausdruck der monopolkapitalistischen Ideologie. (Entstanden unter den besonders günstigen Bedingungen der amerikanischen bürgerlichen Kultur.) Diese allgemeine Feststellung, mit der sich auch marxistische Theoretiker bis jetzt zu begnügen pflegten, ist eigentlich eine Selbstverständlichkeit, die uns konkret gar nichts erklärt. Eine Aufgabe meines Bu-

ches[3] ist: im einzelnen nachzuweisen, *wodurch und wie* sich diese Ideologie in den spezifischen Formen des Films äußert. Denn nicht nur ein neuer Kunstgegenstand ist mit dem Film entstanden, sondern auch eine neue Fähigkeit der Menschen, diese zu begreifen. Marx schreibt in der Einleitung der *Grundrisse der Kritik der politischen Ökonomie*: »Der Kunstgegenstand – ebenso jedes andre Produkt – schafft ein kunstsinniges und schönheitsgenußfähiges Publikum. Die Produktion produziert daher nicht nur einen Gegenstand für das Subjekt, sondern auch ein Subjekt für den Gegenstand.«[4]

Wir wissen es gar nicht mehr, wie anders wir in diesen Jahrzehnten sehen gelernt haben. Wie wir optisch assoziieren, optisch denken gelernt haben, wie geläufig uns optische Abkürzungen, optische Metaphern, optische Symbole, optische Begriffe geworden sind. Es hat sich eine optische Kultur entwickelt.

Wie schnell und wie groß diese Entwicklung gewesen ist, das kann man nur ermessen, wenn man sich alte Filme ansieht. Man lacht sich schief: es ist einfach nicht zu glauben, daß dies vor zwanzig Jahren ernst gemeint sein konnte.

Warum? Sonst wirkt doch alte Kunst nicht komisch. Auch die primitivste und naivste nicht.

»Sonst« ist die alte Kunst der geistige Ausdruck einer alten Zeit – beim Film ging es aber zu schnell. Wir sind es noch selber und lachen uns selber aus. Es wirkt noch nicht wie historisches Kostüm, sondern wie eine veraltete Mode. Sonst ist primitive Kunst der adäquate Ausdruck einer Primitivität. Aber bei uns selber wirkt sie als groteske Ungeschicklichkeit. Der Wurfspeer des Südseeinsulaners ist nicht so lächerlich, wie er in der Hand eines modernen Soldaten wäre. Auch eine alte Galeere ist schön. Aber die ersten Lokomotiven sind komisch. Denn es ist nicht etwas ganz anderes, sondern dasselbe, bloß ungeschickt.

Die ersten Filme wirken nicht historisch, sondern provinziell. Nicht wie eine alte oder fremde Sprache, sondern wie das ungebildete Stammeln in unserer eigenen. Denn wir selber haben uns so schnell entwickelt. Wir selber! Nicht nur die Kunst! Vor unseren Augen, im wortwörtlichen Sinne, ist eine hohe Kultur ent-

standen, die schon darum von ungeheurer Bedeutung ist, weil diese Kultur, zum erstenmal in der Geschichte, nicht Monopol der herrschenden Klassen geblieben ist.
Also nicht nur eine neue Kunst hat sich hier entwickelt, sondern – was viel wichtiger ist – eine neue menschliche Fähigkeit als Möglichkeit und Grundlage dieser Kunst überhaupt! Die Kunst hat wohl eine Geschichte, aber keine Entwicklung im Sinne eines kontinuierlichen Wertzuwachses.
Sind etwa die Bilder der Impressionisten, der Renoirs oder Manets, ästhetisch wertvoller und vollkommener als die alten Fresken der Giotto und Cimabues? Von einer »ästhetischen Entwicklung« kann hier gewiß nicht die Rede sein. Aber die Erkenntnis der Perspektive und der Luftatmosphäre ist trotzdem eine große Entwicklung. Nur nicht die der Kunst, sondern die des Auges. Eine psychologische, eine kulturelle Entwicklung, die sich heute nicht bloß in den Werken der Genies dokumentiert, sondern eine Entwicklung, die heute jeder Stümper erreicht hat, weil sie eben zu einer verbreiteten Kulturerscheinung geworden ist.

Wodurch wurde der Film zu einer besonderen, von dem Theater wesentlich verschiedenen Darstellungsmethode? Was ist der Unterschied zwischen fotografiertem Theater und Filmkunst? Beides besteht ja aus beweglichen Bildern auf der Leinwand. Warum ist die Fotografie im ersten Fall nur Reproduktion, und warum ist sie im zweiten Fall schöpferisch?
Weder die neuen spezifischen Gestalten noch die neuen spezifischen Sujets machten den Unterschied aus. Dieser neue Inhalt hat keine neue Form geschaffen – ein Beweis dafür, daß dieser Inhalt nur spezifisch für das *fotografierte Theater,* als »Übergangsform«, aber nicht für die eigentliche Filmkunst, gewesen ist. Es blieb fotografiertes Theater mit neuen Motiven.
Auch die Zauberkünste, zu denen der Franzose Georges Méliès den Kinoapparat schon in seinen ersten Jahren benützte, brachten keine prinzipielle Änderung. Der Illusionist Méliès hatte zwar schon Abblendung und Überblendung, doppelte Exposi-

tion und fast alle anderen technischen Tricks der Kinematographie gebraucht, also lauter Dinge, die auf dem Theater *technisch unmöglich* sind und sogar auf einem Freilichttheater unmöglich sind – und trotzdem blieb das alles nur fotografiertes Theater. Denn wenn es durch irgendeine neue Bühnentechnik möglich würde, Menschen auf offener Szene verschwinden und wieder erscheinen zu lassen, so würde dies neue *Was* an dem *Wie* nichts ändern: die Darstellungsmethode, *das formale Prinzip des Theaters,* bliebe dasselbe.

Dieses formale Grundprinzip des Theaters besteht erstens darin, daß der Zuschauer Szenen in einer *räumlichen Totalität* vor sich abspielen sieht. Das heißt, er sieht auf dem Theater in jedem Augenblick ganze Bilder des ganzen Raumes, in welchem sich die Szene abspielt. Freilich kommt es auch auf der Bühne vor, daß nur ein Teil eines Saales gezeigt wird. Dieser Teil aber ist immer in einer Gänze zu sehen, mit allem, was darin geschicht. Kurz: das Theater zeigt ein und dieselbe Szene als Gesamtbild in ein und demselben Rahmen. (»Im selben Plan.«)

Das zweite formale Grundprinzip des Theaters ist, daß der Zuschauer die Szenen aus einer bestimmten, unveränderlichen Distanz sieht. Im gewöhnlichen Theater sieht er das ganze Stück von dem einen Platz aus, auf dem er sitzt, also aus derselben Entfernung. Beim fotografierten Theater kam es vor, daß verschiedene Szenen aus verschiedenen Entfernungen aufgenommen wurden. *Aber innerhalb einer Szene änderte sich die Distanz nicht.*

Das dritte formale Grundprinzip des Theaters ist, daß sich der Standpunkt des Zuschauers und darum auch die *Einstellung des Bildes nicht ändert.*

Verschiedene Szenen wurden beim fotografierten Theater manchmal aus verschiedenen Perspektiven aufgenommen. Da aber innerhalb der Szenen sich weder Plan noch Distanz änderten, wechselte natürlich auch diese Einstellung nicht.

Die Beständigkeit dieser drei Elemente der Bildgestaltung hängt natürlich miteinander zusammen. Sie gehört zu den Grundprinzipien der theatralischen Gestaltungsmethode. Sie ist unabhängig davon, ob wir die Theaterszenen unmittelbar sehen oder in fotografischer Reproduktion und unabhängig auch davon, ob es Szenen sind, die auf der Bühne möglich sind oder nur mit Hilfe der Fototechnik gezeigt werden können.

Die Filmkunst hat diese drei Grundprinzipien der theatralischen Gestaltung umgeworfen. Die Filmkunst beginnt dort, wo diese drei Darstellungsmethoden aufhören und statt ihrer ganz neue auftreten. Diese neuen Gestaltungsmethoden sind:

1. Innerhalb der Szene wechselnde »Pläne«.
2. Innerhalb einer Szene wechselnde Distanzen.
3. Innerhalb einer Szene wechselnde Einstellungen (Perspektiven).
4. Die Montage, in welcher nicht nur ganze Szenen montiert werden (so kurz sie auch sein mögen), sondern in der Detailbilder einer Szene zur Gesamtszene zusammengestellt werden.

Dies aber geschah in Amerika, in Hollywood, während des Weltkriegs. David W. Griffith hieß das Genie, das die Grundprinzipien einer vieltausendjährigen, großen Kunst zum erstenmal zu verlassen wagte, um nicht nur neue Werke, sondern eine neue Kunst zu schaffen.

Diese spezifische und neue Methode beschrieb ich vor achtzehn Jahren in *Der sichtbare Mensch,* meinem ersten filmtheoretischen Buch. Damals schrieb ich über die wechselnde Distanz bei Nahaufnahmen etwa folgendes: »Was ist das spezifisch Filmmäßige an den Großaufnahmen, da doch auch der Theaterregisseur auf der Bühne solche Einzelheiten sorgsam ausarbeiten kann? Es liegt in der Möglichkeit, das *einzelne Bild aus dem Ganzen herauszuheben.* Wir sehen dadurch diese kleinen Lebensatome nicht nur deutlicher, als sie uns die Bühne zeigen kann, sondern *der Regisseur führt mit ihnen unser Auge.* Auf der Bühne sehen wir immer das totale Bild, in dem diese kleinen Momente verschwinden. Werden sie aber besonders betont, dann verlieren sie gerade die Stimmung ihrer Verborgenheit. Im Film aber lenkt der Regisseur unsere Aufmerksamkeit mit den Großaufnahmen und zeigt uns nach der Totalaufnahme die verborgenen Eckchen, in denen das stumme Leben der Dinge die

Stimmung ihrer Heimlichkeit nicht verliert. Es wird nicht hervorgezerrt, sondern wir gehen – mit der Kamera – *selber* heran.
Die Großaufnahme im Film ist die Kunst der Betonung. Es ist ein stummes Hindeuten auf das Wichtige und Bedeutsame, womit das dargestellte Leben zugleich interpretiert wird. Zwei Filme mit der gleichen Handlung, demselben Spiel und denselben Totalen, die aber verschiedene Großaufnahmen haben, werden zwei verschiedene Lebensanschauungen ausdrükken.«[5]
Die Aufhebung der stabilen Distanz ist nicht nur eine neue Technik, nicht nur eine neue Gestaltungsmethode – sie ist der Ausdruck einer neuen Ideologie: sie bedeutet ein radikal verändertes, neues Verhalten des Menschen zur Kunst überhaupt. »Neue Stile, neue Darstellungsweisen der Wirklichkeit entstehen nie aus einer immanenten Dialektik der künstlerischen Formen, wenn sie auch stets an die vergangenen Formen und Stile anknüpfen. [Noch viel weniger aus der Technik! *B. B.*] Jeder neue Stil entsteht mit gesellschaftlich-geschichtlicher Notwendigkeit aus dem Leben, ist das notwendige Ergebnis der gesellschaftlichen Entwicklung.« (Georg Lukács, *Erzählen oder beschreiben?*)[6]
Also haben die neuen Formen der filmischen Darstellungsweise auch inhaltliche Wurzeln.
Die Distanz zwischen Mensch und Kunstwerk ist ein Grundprinzip der europäischen Ästhetik und Kunstphilosophie gewesen seit der griechischen Antike bis zum heutigen Tag. Dieses Prinzip besagt, daß jedes Kunstwerk eine in sich geschlossene Totalität sei, eine Welt für sich, ein »Mikrokosmos« mit eigenen Gesetzen, eigener Homogenität. Die Kunst – heißt es – möge eine Darstellung der Wirklichkeit sein, habe aber keine unmittelbare Verbindung, keinen Kontakt mit ihr. Das Kunstwerk ist umrahmt, nicht nur durch den äußeren Rahmen des Bildes, es ist isoliert vom Zuschauer nicht durch das Piedestal der Skulptur und nicht durch den Rahmen der Bühne und durch die trennende Rampe. Das Kunstwerk hat seinen *inneren* Rahmen

durch seine geschlossene Komposition und den besonderen »ad hoc«-Gesetzen ihrer besonderen Welt.
Die Distanz, die hierdurch entsteht, ist nicht nur eine räumliche. Es ist vielmehr eine Distanz im Bewußtsein des Zuschauers. Die Welt eines Gemäldes ist unnahbar und ohne Eingang, auch dann, wenn ich es in der Hand halte. Und die Welt der Szene ist ebenso geschlossen und unnahbar auch dann, wenn ich meinen Sitzplatz auf der Bühne selbst habe oder die Bühne mitten in den Zuschauerraum hineinreicht. Denn die Isoliertheit und Distanz im Bewußtsein besteht darin, daß ich in den Raum *der Handlung* nicht eintreten kann, mich nicht unter die Figuren mengen kann, nicht *innerhalb der Komposition des Kunstwerkes erscheinen kann.* Wenn ich auch ganz nah bin, schaue ich doch nur durch den Zaun in einen Garten, der ein eigener Globus ist.
Der Film hat dieses Prinzip der alten räumlichen Künste – die Distanz und die abgesonderte Geschlossenheit des Kunstwerkes – zerstört. Die bewegliche Kamera nimmt mein Auge, *und damit mein Bewußtsein,* mit: mitten in das Bild, mitten in den Spielraum der Handlung hinein. Ich sehe nichts von außen. Ich sehe alles so, wie die handelnden Personen es sehen müssen. Ich bin umzingelt von den Gestalten des Films und dadurch verwikkelt in seine Handlung. Ich gehe mit, ich fahre mit, ich stürze mit – obwohl ich körperlich auf demselben Platz sitzen bleibe.
Diese vollkommen andere Beziehung des Zuschauers zum Film als zu allen anderen Künsten kommt daher, daß die formalen Grundprinzipien aller anderen Künste aus vorkapitalistischen Zeiten stammen, aus vorkapitalistischen Ideologien entstanden sind – *der Film aber die einzige Kunst ist, die im Kapitalismus geboren wurde.*
Natürlich haben sich auch die Formen der anderen Künste unter dem Einfluß neuer bürgerlicher Inhalte geändert. Aber Bild ist Bild, Theater ist Theater geblieben. Das formale Grundprinzip hat sich nicht geändert. Der Film aber wurde im jungen Kapitalismus von Amerika etwas von Grund auf anderes.
Für diese neue Betrachtungsweise der Kunst, die sich im Film ausdrückt, gibt es nur ein Beispiel aus früheren Zeiten. Diese in

Europa so neue Verhaltensweise des Menschen der Kunst gegenüber (welche die Filmkunst überhaupt möglich gemacht hat) ist in Ostasien schon vor vielen Jahrhunderten dagewesen. Jene Kunstphilosophie nämlich, die das Kunstwerk *nicht* als abgeschlossenen, unnahbaren »Mikrokosmos« betrachtet, sondern als eine Welt, in die sich der Zuschauer wohl hineinmischen kann, erscheint oft in den schönen uralten chinesischen Märchen über Maler und Bilder.

Es war einmal ein Maler – so wird dort erzählt –, der malte eine Landschaft. Ein schönes Tal mit angenehmen Wäldern und einem Weg, der in die Berge führte. Und dem Maler gefiel sein Bild so gut, daß er eine große Sehnsucht bekam, auf diesem schönen Weg in die fernen Berge zu wandern. Darum ging er in das Bild hinein, wanderte in die fernen Berge und kam nie wieder.

Es wird auch erzählt, daß ein Jüngling in einem Tempel ein schönes Gemälde sah. Da spielten auf einer Wiese schöne, glückliche Mädchen. Eine gefiel ihm besonders, er verliebte sich in sie. Er trat also in das Bild und freite sie. Nach einem Jahr war auf diesem Gemälde auch ein Kind zu sehen.

Noch eine andere Beziehung des Zuschauers zum Kunstwerk hat der Film gebracht, die in allen anderen Künsten undenkbar wäre. Sie hängt mit der aufgehobenen Distanz und der zerstörten »Geschlossenheit« zusammen.

Der Zuschauer im Kino sieht die Figuren der Filmhandlung nicht von dem Sessel aus, auf dem er sitzt. Er sieht Romeo vom Balkon der Julia aus. Er sieht ihn zu sich heraufblicken. Und er sieht im nächsten Augenblick Julia auf dem Balkon von unten, mit den Augen Romeos. Durch die ständig wechselnden Einstellungen (Perspektiven) ist dieses Wunder möglich: daß mein Blick (und mit ihm mein Bewußtsein) sich *mit den Personen des Filmes identifiziert.* Ich sehe *das*, was *sie* von ihrem Standpunkt aus sehen. Ich selber habe keinen. Und ist es im Film nicht sehr oft so, daß einer dem anderen in die Augen sieht und doch *mir,* dem Zuschauer, von der Leinwand herunter ins Auge blickt? Ja – denn mein Auge sitzt in der Kamera.

Solche *Identifikation* des Menschen mit den handelnden Personen des Kunstwerks kann manchmal in der Literatur suggeriert werden, aber dort auch mit allen und nicht in ständigem Wechsel. In den räumlichen, darstellenden Künsten war so etwas bisher vollkommen undenkbar.
Die Kunstphilosophie der »Distanz« und des »geschlossenen Mikrokosmos« hat seine Wurzeln in der feudal-religiösen Ideologie. Die Revolution in der Kunst, die der Film hervorbrachte, hat seine Wurzeln in der revolutionären Ideologie der jungen und traditionslosen bürgerlichen Kultur Amerikas. Man könnte vielleicht diesen Durchbruch der feierlichen Abgeschlossenheit einer alten Altarkunst als Ausdruck einer revolutionär-demokratischen Ideologie betrachten. Sicher ist es kein Zufall, daß der geniale Schöpfer dieser ersten neuen Formen, David W. Griffith, in seinen Werken auch inhaltlich revolutionär gewesen ist.
Sein größtes Werk, *Intolerance,* war ein ehrlich pazifistisches Werk schon zu Beginn des Krieges, also ein Werk, mit dem er »gegen den Strom« der imperialistischen Ideologie schwamm. Und der letzte Teil dieses Werkes atmet einen so offen und eindeutig revolutionären Geist, daß man diesen Film fünf Jahre später schon weder in Hollywood noch irgendwo in Westeuropa hätte drehen können.
Es handelt sich um einen Fabrikanten, der seiner Schwester sehr viel geben muß, weil sie »in Wohltätigkeit macht« und Waisenhäuser baut. Diese »Wohltätigkeit« ist eine sehr gute Reklame für den Fabrikanten; darum gibt er das viele Geld, obwohl er deswegen die Löhne in seiner Fabrik drücken muß, die Waisenhäuser leerstehen und gar nicht notwendig sind. Wegen der Lohnsenkung treten die Arbeiter in Streik. Streikbrecher werden herbeigeholt. Die Arbeiter lassen sie nicht in die Fabrik. Fabrikpolizei wird mobilisiert und schießt. Die Streikbrecher nehmen die Arbeit auf – und in die Waisenhäuser werden genügend Waisen eingeliefert: also alles funktioniert, an allen Fronten.
Die gesamte bürgerliche Kinematographie hat seitdem, also seit

mehr als zwanzig Jahren, keinen einzigen Film hervorgebracht, der eine so scharfe revolutionäre Kritik am Kapitalismus enthalten hätte wie dieser Griffith-Film, in welchem der Planwechsel zum erstenmal zum Gestaltungsprinzip des Films geworden ist. Aus dem *revolutionären Geist des Inhalts* konnte die vollkommen neue *revolutionäre Form* entstehen.

Dieser selbe Griffith hat in seinem herrlichen Film *Angst*[7] einen Chinesen als Helden. Man bedenke: in einem amerikanischen Film ist der einzige anständige, gute und feine Mensch ein »colored man«! Dieser selbe Griffith hat auch in seinem gewaltigen Film *Zwei Waisen im Sturm der Zeiten*[8] den (bisher) revolutionärsten Film über die große Französische Revolution gedreht. Aber nicht nur Griffith – eine ganze Reihe bedeutender Regisseure, eine ganze Hollywooder Generation, könnte man fast sagen – hat den neuen Gedanken von Griffith sofort aufgenommen und ausgebaut und fast buchstäblich von heut auf morgen die neue Kunst des Films entwickelt, die dann in den Kriegsjahren, sozusagen fertig, nach Europa kam.

Und mit seiner revolutionären Ideologie stand Griffith auch nicht ganz isoliert da. Es war auch bei vielen anderen eine mehr oder weniger scharfe oppositionelle Stimmung gegen den Kapitalismus da, die sich in verschiedenen Formen äußerte. Erich von Stroheims gewaltiges Werk *Gier nach Geld*[9] war eine Satire voller Swiftscher Bitterkeit, mit Hogarthscher Wut gemacht. Das ganze große Genre der Cowboy-Filme atmete Opposition gegen die städtischen Geschäftsleute; freilich waren diese »ehrlichen, freien Kinder der Natur« Gestalten einer rückschrittlichen Farmerideologie, die sich mehr gegen die Industrialisierung und Vertrustung als gegen den Kapitalismus richtete – das heißt: es war ein romantischer Antikapitalismus, der später anderswo in gerader Linie zum Faschismus führte. Aber damals erschien er nur als Opposition. Auch der arme Lumpenprolet »Charlie«, die unsterbliche Gestalt Chaplins, war nicht revolutionär im proletarischen Sinne. Er war aber immer der von den Reichen Verachtete und Gequälte, der sich, wenn auch nur mit kleinen komischen Nadelstichen, dafür rächte. Jedenfalls zeigte

sein Schicksal immer, wie *Menschlichkeit* in der Welt des bürgerlichen Kapitalismus zu leiden hat. Auch Mary Pickford spielte immer arme Mädchen, die am Ende des Films nicht reich wurden, auch die Märchengestalten eines Fairbanks hatten nichts mit der bürgerlichen Welt zu tun, und die Wildwest-Filme waren eine Apotheose der Pioniere, die sich mit Blut und schwerer Arbeit Boden eroberten und eine patriarchalische Gesellschaft gründeten, die scheinbar noch nicht kapitalisiert war.
Die Schöpfer der Filmkunst waren zu Beginn sozialkritisch gegen die bürgerliche Gesellschaft eingestellt. Aus ihrem bürgerlich-revolutionären Geist entstand die neue Kunst. Dieser Geist war natürlich nicht in Hollywood isoliert. Die amerikanische Literatur jener Zeit zeigt dieselbe Tendenz. Der berühmte Roman über die Getreidebörse von Frank Norris, *Octopus,* ist ja schon viel früher erschienen. Upton Sinclair arbeitete schon in diesen Jahren. Und vergessen wir dabei auch den unvergeßlichen John Reed nicht, der früher als irgendein europäischer Schriftsteller sich an den Flammen der russischen proletarischen Revolution entzündete.
Diese revolutionäre, oder zumindest sozialkritische, Tendenz in der jüngeren Literatur und Kunst der amerikanischen Bourgeoisie zu jener Zeit ist damit zu erklären, daß der amerikanische Kapitalismus jünger ist als der europäische. Zu Beginn des Kapitalismus gab es auch in Europa eine sehr scharfe Kritik gegen ihn, die manchmal auch von reaktionärer Seite kam, aber in *Einzelheiten* doch richtig gewesen ist. In Amerika, ebenso wie viel früher in Europa, wurde diese revolutionär-kritische Stellungnahme der Intelligenz dadurch möglich, daß im noch jungen Kapitalismus das Proletariat noch nicht so drohend auftrat. Die »Gefahr von links« war noch nicht so deutlich zu sehen. Diese »Gefahr von links« hat dann später große Teile der oppositionellen Intelligenz nach rechts gedrängt. Erst heute, durch die tatsächliche Gefahr von rechts, die Gefahr des Faschismus, beginnt diese Intelligenz wieder nach links zu rücken.
Nachdem gezeigt worden ist, daß die wechselnde Distanz, dieses grundlegend neue Formprinzip der Filmkunst, aus einer neuen

Ideologie entstanden ist, werden vielleicht auch unsere Vulgärmaterialisten darüber beruhigt sein, daß ich die Form aus dem Inhalt ableite, und werden mir erlauben, mich jetzt ein wenig mit der Bedeutung und der Funktion dieser Formen zu beschäftigen.

Durch die stete Bewegung der Kamera wird jede Szene in ihre Elemente aufgelöst. Wie der Regisseur auf diese Weise unser Auge führt und damit betont, hervorhebt und durch die Reihenfolge der Montage zu bestimmten Gedankenverbindungen zwingt, darüber haben wir schon gesprochen.

Es taucht aber die Frage auf: wieso zerfällt die Szene nicht? Wieso hat der Zuschauer das Bewußtsein, in allen diesen vielen Bildern doch nur Teile *eines* Bildes zu sehen? Nicht nur räumlich! Auch *zeitlich* bleibt die Szene eine Einheit. Trotz des oft lange währenden *Nacheinanders* der Detailbilder bekommt man den Eindruck einer *Gleichzeitigkeit* der Gesamtszene.

Diese Einheit, trotz der Auflösung, entsteht natürlich nicht automatisch und ist in schlechten Filmen auch nicht vorhanden. In guten Filmen fühlen wir aber den gemeinsamen »Spielraum« und die einheitliche »Spielzeit« auch dann, wenn das totale Bild der Szene uns kein einziges Mal gezeigt wird. Dies erreicht der Regisseur dadurch, daß jedes Detail aus seinem Kader hinüberweist in ein anderes Kader, das uns im nächsten Montagebild gezeigt wird. Dieses Hinüberweisen geschieht durch die Kontinuität der Bewegung, die sich im nächsten Kader fortsetzt, durch die Kontinuität eines Gegenstandes, einer Form, die hinüberragt in das nächste Bild. Das geschieht oft durch Blicke und Gebärden, die korrespondieren mit Blicken und Gebärden der nächsten Kader. Dies geschieht sehr oft durch den hinüberklingenden Ton, durch das hinübergesprochene Wort.

Die Kamera hebt, indem sie die Gesamtszene zerlegt, kleine Nebenhandlungen hervor, die mit der Haupthandlung der Szene parallel laufen. Auch auf dem Theater kann gezeigt werden, daß, während sich ein tragischer Konflikt des Helden abspielt, inzwischen in einer Ecke desselben Zimmers eine glückliche Liebesbeziehung beginnt. Aber auf der Bühne ist die

Gleichzeitigkeit gerade *nicht* zu inszenieren. Während die eine Gruppe spielt, muß die andere schweigen, passiv sein, um die Aufmerksamkeit nicht abzulenken – da ich doch beide Gruppen vor Augen habe. Das gibt solchen Szenen immer eine schwerfällige Unbeholfenheit. Darum kann man auch bestenfalls nur ein bis zwei solcher Szenen parallel zeigen.

Der Film zeigt aber diese Teilszenen in besondern Kadern. Da ich die andere Gruppe nicht vor Augen habe, kann sie nicht ablenken, und ich sehe nicht, daß dort jetzt – nichts zu sehen ist. Ich habe also die Vorstellung, daß dort die Aktion dramatisch weitergeht. Dadurch entsteht der Eindruck einer *wirklichen* Gleichzeitigkeit, die auf dem Theater unmöglich ist.

Es ist hier kein Raum, um die größere schöpferische Bedeutung solcher Analyse des Gesamtszenenbildes und seiner Synthese durch die Montage auch nur annähernd auszuführen. Die Nahaufnahmen entdeckten die intimere Physiognomie von Mensch und Ding. Die Mikrodramatik, die nun sichtbar wurde, gab dem stummen Film die Tiefendimension und zum gesprochenen Wort des Tonfilms den feinsten optischen Kontrapunkt. Hier soll nur noch kurz die zweite entscheidende Entdeckung, kraft derer die neue Kunst des Films entstand, erwähnt werden. (Ich gebe im folgenden nur Auszüge.)

Die *wechselnde Einstellung* ist dieses zweite Spezifikum der Filmkunst. Es ist das zweite, von Grund auf neue Gestaltungsprinzip, das ebenfalls aus Amerika kam und von Griffith entdeckt wurde. Im Theater sehen wir das ganze Stück von einem Platz aus, also aus demselben Blickpunkt, es hat, wie man hierzulande sagt, denselben Rakkurs[10]. Auch beim fotografierten Theater hat sich höchstens der Rakkurs der einzelnen Episoden unwesentlich geändert. Aber ständiger Wechsel jedes Details bei jedem Kader – das war das Neue und Besondere.

Auch in der Malerei spielt der Rakkurs eine sehr große schöpferische Rolle. Auch der Maler sucht einen Blickpunkt, aus welchem er jenen bestimmten Rakkurs seines Gegenstandes bekommt, welcher ihm am charakteristischsten oder am ausdrucksvollsten für die Stimmung scheint, die er darstellen will.

Aber das Gemälde hat einen einzigen, unwandelbaren Rakkurs. Dadurch erscheint seine Kontur als etwas untrennbar Wesentliches, etwas objektiv Gegebenes, als das ständige, einzige »Antlitz« des Objekts. Also bekommen die Gegenstände in der Malerei auch ein Antlitz. Jedoch kein wechselndes Mienenspiel. Das bekommen sie nur durch die wechselnden Rakkurse in der Kinematographie.

Durch die Einstellungen kann die Fotografie überhaupt erst zur Kunst werden. Keine Technik der Beleuchtung würde helfen, wenn die Kamera dem Objekt immer nur unbeweglich gerade gegenüberstehen müßte. Es bliebe mechanische Reproduktion. Erst der Rakkurs schafft nämlich jene *Synthese von Objekt und Subjekt* im Bild, welche die *Grundbedingung jeder Kunst* ist.

Wenn im Film derselbe Gegenstand in verschiedenen Einstellungen erscheint, dann sehen wir in diesen Kadern nicht nur das Objekt, sondern durch die Eigenart des Rakkurses auch den Blickpunkt des Betrachters. Wir sehen, als Publikum, im Kino sitzend, nicht nur Julia auf dem Balkon, um bei unserm vorher genannten Beispiel zu bleiben, wir sehen – durch den Rakkurs des Kaders – den optischen Eindruck, den Romeo, unter dem Balkon stehend, bekommen muß.

Durch solche Einstellungen geschieht die Identifizierung. Durch sie erleben wir im Film das Richtungsgefühl und das Raumerlebnis anderer Menschen, die uns sonst keine Kunst so mitteilen kann. Die Tiefe, in die der Held stürzt, öffnet sich vor unseren Augen. Die Höhe, die er erklimmen will, steigt vor unseren Augen steil empor. Wir selber scheinen uns umzuwenden, wenn eine andere Wendung der Gegend auf der Leinwand erscheint. Die wechselnden Blickrichtungen suggerieren stets Bewegungsgefühl. Ein Filmkader zeigt uns nicht nur, *was* dieser Betrachter sieht, sondern auch, *wie er es sieht.* Dieses *Wie* ist schon *Charakteristik,* also künstlerische Gestaltung. Dieses Wie charakterisiert nicht nur das Objekt, sondern charakterisiert auch den Betrachter: seine »Anschauung« über den Gegenstand und seine Beziehung zu ihm. Jede Anschauung der Welt ergibt nämlich eine Weltanschauung. Jeder Standpunkt der

Kamera drückt einen inneren Standpunkt des Kameramanns aus. Rakkurs – das ist Interpretation.

Die Kamera identifiziert uns nicht nur räumlich, sondern auch *gefühlsmäßig* mit den Personen des Films. Rakkurs und Physiognomie zeigen uns jeden Ausdruck, so wie er dem Eindruck des Beteiligten entspricht. Was ihm verhaßt ist, erscheint auch uns häßlich. Was ihm lieb ist, erscheint auch uns schön. Wovor er Angst hat, erscheint uns schrecklich. Alles, was das Gefühl einer Person in die andere hineinsieht, holt die Kamera durch subjektive Einstellung heraus. Nicht nur einzelne Gegenstände – jeder Ort, jede Straße, jedes Zimmer hat Physiognomie. Jedes Bild wird auch einen physiognomischen Ausdruck auf den Zuschauer machen, ob der Maler oder der Regisseur es beabsichtigt hat oder nicht. Darum darf er das nicht dem Zufall überlassen. Die Töne klingen, ob er will oder nicht; er muß sie zu sinnvoller Musik gestalten – sonst werden sie zu verwirrendem Geräusch.

Nicht nur die Gefühle der spielenden Personen, sondern auch die Gefühle des Künstlers bekommen einen physiognomischen Ausdruck in den Bildern. Durch das einheitliche Temperament des Künstlers wird der physiognomische Charakter durchgehend im ganzen Film einheitlich sein. Wie alle Bilder eines Malers – wenn er eine ausgeprägte Persönlichkeit ist – sich in gewissem Sinne ähnlich sind, so sehen sich alle Kader eines Films ähnlich. Sie sind *optisch dokumentierte Persönlichkeit des Regisseurs.* So entsteht der persönliche Stil im Bildmaterial.

Durch die Möglichkeiten der beliebigen Einstellung kam auch der *Expressionismus* in den Film.

Der Rakkurs verzeichnet die Konturen, wie der Ausdruck eines Gefühls auf dem Gesicht seine normalen Züge verschiebt. Je stärker das Gefühl, um so verzerrter diese Expression. Die Expressionisten verkündeten, daß in der Kunst nur der *Ausdruck* wichtig sei. Das Gesicht, auf dem er erscheine, hindere dabei nur. Die Physiognomie müsse sich vom unverarbeitbaren »toten« Material der Anatomie befreien. Wenn die Physiognomie vom Künstler hervorgehoben würde, dürften ihn die natürlichen

Grenzen eines menschlichen Gesichts nicht beschränken: er möge die Mimik eines Ausdrucks über die Konturen des Gesichts hinausziehen; ein Lächeln etwa möge breiter sein als der Kopf, denn das Gefühl kenne keine Grenzen des Körpers und konne durch den natürlichen Ausdruck nie ganz ausgedrückt werden. Auf Realität der natürlichen Gestalten komme es in der Kunst nicht an, denn die Kunst habe nicht äußere, sondern nur die innere Wirklichkeit zu spiegeln. In der Synthese des Objekts mit dem Subjekt müsse *dieses* herrschen und bestimmen.

Es unterliegt keinem Zweifel, daß die physiognomische Empfindlichkeit der expressionistischen Richtung in der bürgerlichen Kunst die *Ausdrucksfähigkeit des Films in hohem Grad gesteigert hat.* Die Kunst des Rakkurses wäre gewiß auch in unserer Sowjetkinematographie nicht auf solcher Höhe, wenn die historische Periode des Expressionismus nicht vorangegangen wäre. (Es kommt vor, daß eine Übertreibung, eine Vergröberung uns Dinge zum erstenmal bemerken läßt. Haben wir sie aber einmal bemerkt, dann können wir mit ihnen arbeiten, auch ohne jene Übertreibung.)

Doch sehr bald wurde der Expressionismus ad absurdum geführt und zu einer kunstfremden Tendenz, die nicht nur keine Steigerung des Ausdrucks brachte, sondern jede wirkliche Ausdrucksmöglichkeit zerstörte. Denn ein Ausdruck bleibt nur Ausdruck, solange etwas vorhanden ist, was diesen Ausdruck trägt: Mimik kann das Gesicht verzerren, aber Grad und Bedeutung der Verzerrung kann ich nur ermessen, wenn die ursprünglichen Grundformen des Gesichtes noch erkennbar sind. Wie weit die Züge verschoben sind, kann ich nur beurteilen, wenn ich weiß, wo sie waren; und in dieser *sichtbaren Veränderung* liegt der Ausdruck. Wenn ich aber das ursprüngliche Gesicht nicht mehr *sehe,* wenn sich die ursprüngliche, normale Form ganz aufgelöst hat, dann ist das Bild, das ich jetzt erblicke, keine Verzerrung mehr, sondern eine ganz andere Form – denn der *Maßstab* des Verzerrens ist nicht vorhanden; die Spannung des Ausdrucks geht im Moment verloren. Im gespannten Bogen muß ich die ursprüngliche Gradheit des Stabes fühlen. Wenn sein ursprünglicher Zustand uns nicht mehr gegenwärtig ist, wenn die Biegung uns nur noch als eine Verbiegung erkennbar ist, dann werden wir *die Kraft nicht spüren, die notwendig war, um den Bogen zu spannen.* Auch der Expressionismus wurde so ad absurdum geführt: zur formalistischen Auflockerung, ja Auflösung der Gegenständlichkeit.

Der Rakkurs gibt einem Szenenbild oder Raumbild die »Komposition«. Die Linien der Komposition ihrerseits geben eine latente Zeichnung. Und diese Zeichnung zeichnet oft ein anderes Bild – das Gleichnis – wie in ein Vexierbild hinein. Gewisse Einstellungen wecken dadurch Gedankenassoziationen, durch die das Bild wie eine Metapher wirkt. Auf der großen Odessaer Treppe im *Potemkin*-Film liegen verwundete und tote Menschen. Die Einstellung zeigt von den Soldaten nur rohe, große Stiefel. Das Bild assoziiert: es sind bloß Stiefel, Werkzeuge, keine Menschen, die da auf Menschen treten.

Im *Zehn Tage, die die Welt erschütterten*[11] sehen wir die Verteidigung des Winterpalais nicht. Nach dem ersten Schuß ist der Apparat nur auf einen riesigen Prachtleuchter eingestellt. Dieser beginnt mit seinen tausend Kristallen leise und immer stärker zu zittern. Und wir verstehen, was außen und was innen vorgeht. Die leuchtende Kristallkrone, hoch in der Kuppel, ist zum Gleichnis der wankenden Herrscherherrlichkeit geworden durch – die Einstellung.

Die stampfenden Stiefel und der zitternde, schwankende, stürzende Kronleuchter sind vollkommen realistische Bilder, sind Großaufnahmen eines wirklichen, realen Vorgangs – sie sind *keine Allegorien,* nur darum ausgedacht, um »etwas anderes« zu bedeuten. Es sind *keine Symbole,* die etwas bedeuten, aber selber keine *eigene* Bedeutung haben. Sie sind nur Rakkurse (Physiognomien) der Realität, durch welche diese eine ganz bestimmte Bedeutsamkeit bekommt.

Solange die Metapher nur auf diese Weise entsteht, ist sie ein Ausdrucksmittel der realistischen Kunst. Sie ist eine der tiefsten, poetischsten Gestaltungsmethoden der Filmkunst. Es ist mitklingender Beziehungsreichtum. Hingegen Einstellungen oder Bildverbindungen (Montagen), die nur etwas bedeuten, was »dahintersteckt«, ohne einen eigenen realen Sinn zu haben, *sind keine Kunst, sondern Bilderrätsel,* deren Zweck das Erraten irgendwelcher Gedanken ist. Das sind Ideogramme, Abhandlungen in Hieroglyphen. Mit solchen Formen – wie sie eine bestimmte Richtung des »avantgardistischen«, wie sie der »surrealistische«, der »intellektuelle« Film suchte – würde die fortgeschrittene Kunst zurückgreifen auf die älteste, unbeholfenste Zeichensprache. Da ist unsere Buchstabenschrift immerhin brauchbarer. Überhaupt: mit den realistischen Gestaltungsmethoden des Films ist *noch so ungeheuer viel Unerschöpftes auszudrücken,* daß es uns wie Flucht vor der Wirklichkeit anmutet, wenn man heute über »ganz neue« symbolisch-gedanklich wirkende Formen der Kinematographie grübelt – wieder einmal wie in den alten Zeiten des Nachkriegsexpressionismus! Dieser war seinerzeit eine Entwurzelungserscheinung der Demobilisation. Geistert er nun wieder als tragische Entwurzelungserscheinung der Emigration?

Anmerkungen

1 *Der Film. Seine Mittel – seine Ziele,* Berlin 1920. [Anm. d. Hrsg.]
2 In Chaplins *The Kid,* 1921. [Anm. d. Hrsg.]
3 *Iskustwo Kino,* Moskau 1945. [Anm. d. Hrsg.]
4 Zit. nach *Grundrisse der Kritik der politischen Ökonomie,* Frankfurt a. M. 1970, S. 14. [Anm. d. Hrsg.]
5 Vgl. B. Balázs, »Die Nahaufnahme«, in: *Der Film,* erw. und überarb. Neuaufl., Wien 1961, S. 49–57. [Anm. d. Hrsg.]
6 Zit. nach G. Lukács, *Probleme des Realismus,* Berlin 1955, S. 111. [Anm. d. Hrsg.]
7 *Broken Blossoms,* 1919. [Anm. d. Hrsg.]
8 *Orphans of the Storm,* 1922. [Anm. d. Hrsg.]
9 *Greed,* 1924. [Anm. d. Hrsg.]
10 »Einstellung«, gleichzeitig im wörtlich-technischen wie im übertragenen ideologischen Sinne gebraucht.
11 *Oktober,* von Eisenstein, 1927. Vgl. Ernst Bloch, »Neuer Mimus durch die Kamera«, in: E. B., *Das Prinzip Hoffnung,* Bd. 1, Frankfurt a. M. 1970, S. 471–498. [Anm. d. Hrsg.]

BÉLA BALÁZS

Der sichtbare Mensch

1924

Dieses Kapitel, das von der durch den Stummfilm entwickelten visuellen Kultur handelt, entnehme ich meinem Buch *Der sichtbare Mensch.* Ich habe dort den Stummfilm als den großen Wendepunkt der Kulturgeschichte begrüßt, nicht ahnend, daß bald darauf der Tonfilm seine Stimme erheben werde. Jene Wahrheit, die seinerzeit eine damals gültige Tatsache feststellte und ihre Bedeutung analysierte, blieb wahr. Die Wirklichkeit aber entwickelte sich weiter. Neue Feststellungen, neue Analysen wurden notwendig.
Dieses Kapitel wird jedoch nicht nur als ein Abschnitt der Theorie von Interesse sein und auch nicht nur, weil das Wesen und der visuelle Inhalt des Films das Bild geblieben ist. Die Entwicklung ist nicht starr geradeaus gerichtet. In serpentinenartiger dialektischer Rückkehr wird hier das Licht früherer Erkenntnisse auf neue Wege geworfen. Mir scheint, daß eben gegenwärtig die Entwicklung des Films eine solche leicht in die Vergangenheit ausbiegende Serpentine beschreibt, wo einmal erreichte und wieder verlorengegangene Ergebnisse des Stummfilms von neuem verwertet werden sollen. Darum möge diese Apotheose des Stummfilms, im Wesen, wie ich sie 1923 geschrieben habe, hier eingefügt werden.

Die Erfindung der Buchdruckerkunst hat die Gesichter der Menschen allmählich unleserlich gemacht. Sie konnten nunmehr so viel von bedrucktem Papier lesen, daß sie die Mimik der Mitteilung vernachlässigen durften.
Victor Hugo hat in einem Kapitel seines Romans *Notre-Dame de Paris* dargelegt, daß das gedruckte Buch die Rolle der mittelalterlichen Kathedrale übernommen hat und zum Träger des Geistes der Völker geworden ist. Aber die tausend Bücher zer-

rissen den einen Geist der Kathedrale in tausend Meinungen. Das Wort zerschlug den Stein in Trümmer. Die eine Kirche wurde in tausend Bücher aufgeteilt.
Aus dem *sichtbaren* Geist wurde so ein *lesbarer* Geist, und aus der visuellen Kultur entstand die begriffliche Kultur. Das hatte natürlich ökonomische und gesellschaftliche Gründe, die das allgemeine Gesicht des Lebens veränderten. Wir zogen jedoch kaum in Betracht, daß sich im Zusammenhang hiermit auch die *Gesichter der einzelnen Menschen* – ganz konkret gesprochen: ihre Stirnen, Augen, ihr Mund – verändern mußten.
Es wird nun an einer neuen Erfindung, einer neuen Maschine gearbeitet, die die Menschen wieder der visuellen Kultur entgegenführen und ihnen ein neues Gesicht geben soll: an der Filmkamera. Ihr Verfahren ist eine Technik, die, ähnlich jener der Buchdruckerpresse, dazu dient, geistige Produkte zu vervielfältigen und zu verbreiten, und ihre Wirkung auf die menschliche Kultur wird keine geringere sein als die des Buchdrucks.
Nicht reden bedeutet noch nicht, daß man nichts zu sagen hat. Wer nicht spricht, kann angefüllt sein mit Erlebnissen, die nur in Formen, in Bildern, durch Mienenspiel und Bewegung ausgedrückt werden können. Denn ein Mensch der visuellen Kultur wird durch seine Gesten *nicht Worte ersetzen.* Er deutet nicht Worte an, wie es der Taubstumme mittels seiner Zeichensprache tut. Er denkt nicht an Worte, deren Silben er, Morsezeichen vergleichbar, in die Luft schreibt. Seine Gesten bedeuten Begriffe und Empfindungen, die durch Worte überhaupt nicht ausgedrückt werden können. Sie stellen innere Erlebnisse dar (nicht rationale Gedanken), die auch dann unausgesprochen geblieben wären, wenn der Mensch alles, was mit Worten gesagt werden kann, bereits gesagt hätte. Was hier ausgedrückt werden soll, liegt tief in einer Schicht der Seele, die von Worten und Begriffen nicht erreicht werden kann, ähnlich wie ja unsere musikalischen Erlebnisse nicht in rationale Begriffe eingefangen werden können. Auf dem Antlitz des Menschen und in seinem Mienenspiel erscheint ein Geist, der ohne Worte unmittelbar Gestalt annimmt und sichtbar wird, so wie der »Geist der Musik« unmittelbar akustische Gestalt annimmt.

Die große Zeit der bildenden Künste war jene, als die Maler und die Bildhauer den leeren Raum nicht nur mit abstrakten Formen von Figuren anfüllten, sondern als ihre Absicht weiterging, denn der Mensch und die Natur waren für sie kein reines Formproblem. Das war jene glückliche Zeit, als gemalte Bilder noch ein »Thema« und eine »Idee« haben konnten, weil die Idee nicht vorher als Begriff und als diesen bezeichnendes Wort erschienen war, das der Maler nun nachträglich »illustriert« hätte.
Seither wurde die Buchdruckerkunst zur Hauptbrücke des geistigen Verkehrs der Menschen. Die Seele sammelte sich und kristallisierte hauptsächlich im Wort. Man glaubte, auf die verfeinerten Ausdrucksmittel des *Körpers* verzichten zu können. Darum wurden unsere Körper seelenlos und leer, denn was die Natur nicht verwendet, das läßt sie verkümmern.
Die Ausdrucksfläche unseres Körpers beschränkte sich auf das Gesicht, und nicht nur darum, weil die übrigen Körperteile von Kleidern verdeckt wurden. Das auszudrücken, was nach dem Rückgang des körperlichen Ausdrucks noch möglich war, dazu genügte die Fläche des Gesichts. Jetzt ragte das Gesicht wie ein unbeholfener Semaphor der Seele in die Luft, bemüht, Zeichen zu geben, so gut es eben konnte. Mitunter half eine Geste der Hände mit. In der Zeit der Wortkultur begann die Seele zu sprechen, aber sie wurde fast unsichtbar dabei.
Nun war der Film bemüht, der Kultur eine neue Wendung zu geben oder wenigstens eine neue Schattierung zu verleihen. Viele Millionen Menschen saßen allabendlich im Kino und durchlebten, nur *sehend,* Schicksale, Charaktere, Gefühle und Stimmungen, ja auch Gedanken, ohne dabei auf das Wort angewiesen zu sein. Die Menschheit lernte bereits die wunderbare, vielleicht schon dagewesene reiche Sprache des Mienenspiels, der Bewegung und der Gesten. Das war nicht eine die Taubstummensprache ersetzende, Worte anzeigende Zeichensprache, sondern die visuelle Korrespondenz der unmittelbar Gestalt gewordenen Seelen. Der Mensch wurde wieder sichtbar.
Die Sprachforschung hat festgestellt, daß als Ursprung der Sprache die *Ausdrucksbewegung* bezeichnet werden muß, daß

also der Mensch, der zu sprechen beginnt (genauso wie das Kind), Zunge und Lippen ebenso bewegt wie die übrigen Muskeln seines Gesichtes und seiner Hände. Ursprünglich geschieht dies also gar nicht in der Absicht, dadurch Laute zu bilden. Die Bewegung von Zunge und Lippen ist im Anfang eine Reflexbewegung, eine ebenso spontane Geste wie alle anderen Ausdrucksbewegungen des Körpers. Daß dabei oder dadurch Laute entstehen, ist eine vorerst gar nicht beabsichtigte Begleiterscheinung, die gleichsam erst später praktisch ausgewertet wurde. Der *unmittelbar sichtbare Geist* wurde so zum *mittelbar hörbaren Geist.* Im Verlaufe dieses Prozesses ging – wie bei allen Übertragungen – sehr viel verloren. Die ausdrucksvolle Gebärde aber, die Geste, ist die Urmuttersprache der Menschheit.

Jetzt beginnen wir, uns ihrer zu erinnern, und erlernen sie neu. Sie ist noch unbeholfen, steckt in den Anfängen und ist noch sehr weit entfernt von der großen Differenziertheit der Wortkunst. Dennoch vermag sie manchmal Dinge auszudrücken, die von den Wortkünstlern nicht formuliert und ausgesprochen werden können. Wieviel menschlicher Gehalt bliebe unausgedrückt ohne Musik? Die jetzt sich entwickelnde Kunst der Mimik und der Geste wird ebensoviel Verborgenes ans Licht bringen – nicht an rationalem, begrifflichem Gehalt, doch auch nicht Unklares und Unbestimmtes. Was hier erwartet werden kann, ist – wie bei der Musik – rational nicht formulierbares, klares und eindeutiges menschliches Erlebnis. So wird auch der innere Mensch sichtbar werden.

Aber dieser sichtbare Mensch ist heute *nicht mehr* und *noch nicht* vorhanden. Es ist ja, wie gesagt, ein Naturgesetz, daß nichtbenützte Organe verkümmern. Wenn Tiere nichts zu beißen haben, verlieren sie die Zähne. In der Zeit der Wohnkultur haben wir die Ausdrucksfähigkeit unseres Körpers nicht voll ausgewertet und sie darum teilweise verloren. Es ist sehr häufig der Fall, daß Gesten und Bewegungen primitiver Völker in ihrem Ausdruck vielfältiger sind als jene hochgebildeter Europäer, die über den allerreichsten Sprachschatz verfügen. Noch ein paar Jahrzehnte Filmkunst, und die Gelehrten werden erkennen, daß man mit Hilfe der Kinematographie ebenso Lexika der Mimik, der Bewegungen und der Gesten wird herstellen können und müssen, wie es Lexika und Enzyklopädien des Wortes schon seit langem gibt. Das Publikum wartet jedoch diese Grammatik der Gesten künftiger Akademien nicht ab, es geht ins Kino und erlernt sie dort.

Aber nicht nur die Ausdruckskraft des Körpers verkümmerte, weil wir ihn als Ausdrucksmittel vernachlässigten, auch die Seele verlor viel, da man es verabsäumte, sie auszudrücken. Denn, wie bereits erwähnt, ist es nicht der gleiche Geist, nicht die gleiche Seele, die sich einmal im Wort, ein andermal in der Geste offenbart. Auch die Musik drückt nicht auf andere Weise das gleiche aus wie die Dichtung. Sie geht andere Wege. Mit dem Gefäß Wort schöpfen wir andere Tiefen aus und bringen anderes ans Licht als mit den Gesten.

Aber das darf nicht so verstanden werden, daß ich die Kultur der Gesten und der Mimik wieder an die Stelle der Wortkultur setzen möchte. Das eine vermag das andere nicht zu ersetzen. Ohne die rationale Begriffskultur und die mit ihr verbundene wissenschaftliche Entwicklung *gibt es keinen gesellschaftlichen, also keinen menschlichen Fortschritt.* Der Bindestoff der heutigen Gesellschaft sind Wort und Schrift, und wo er fehlt, ist jede Organisation und Planung unmöglich. Wohin andererseits die Tendenz führt, die menschliche Kultur statt auf klaren Begriffen auf unbewußten Empfindungen zu begründen, das hat der Faschismus gezeigt.

Hier ist nur von Kunst die Rede und dabei keineswegs von einem Ersatz der – rationelleren – Wortkunst. Es besteht kein Anlaß, auf einen Reichtum zugunsten eines anderen zu verzichten, auch die höchstentwickelte Musikkultur wird die rationale Kultur nicht verdrängen.

Kehren wir zu unserem vorigen Vergleich zurück. Man sagt, daß Brunnen versiegen, aus denen niemand schöpft. Psychologie und Philologie haben bewiesen, daß unsere Gefühle und Gedanken von vornherein von der Möglichkeit, sie auszudrücken,

bestimmt werden. Wir wissen auch, daß nicht nur Begriffe und Gefühle Worte erschaffen, sondern daß auch umgekehrt Worte Begriffe erzeugen und Gefühle erwecken. Dies ist die Ökonomie unseres geistigen Organismus, der ebensowenig die Neigung hat, Unverwendbares zu erzeugen, wie der Körper. Auch hierin ist der Prozeß der menschlichen Geistesentwicklung dialektisch. Einerseits vermehrt der Geist im Wachstum seine Ausdrucksmittel, und andererseits erleichtert und beschleunigt diese Vermehrung der Ausdrucksmittel sein Wachstum. Wenn sich also die Ausdrucksmöglichkeiten des Films vermehren, weitet sich auch der Geist, den er auszudrücken vermag.
Wird diese zu neuer Entwicklung gelangte Sprache der Mimik und der Gesten die Menschen einander näherbringen oder sie noch weiter voneinander entfernen? Auch beim Turmbau zu Babel standen hinter den verschiedenen Wörtern gemeinsame Begriffe, und es ist ja möglich, die Sprachen anderer zu erlernen. Begriffe aber haben in den Kulturkreisen einen konventionell festgelegten Vorstellungsinhalt. Eine allgemeingültige Grammatik war ein Ring, der die einander entfremdeten, auseinanderstrebenden Individuen der bürgerlichen Gesellschaft zusammenhielt. Auch die Literatur des extremsten Subjektivismus arbeitete mit einem allgemeingültigen Wörterbuch, das sie vor der Einsamkeit des völligen Unverstandenseins bewahrte.
Die Sprache der Mimik ist viel persönlicher als die Sprache der Worte. Sie ist dies in einem solchen Maße, daß, obgleich auch bei der Mimik eingewöhnte Formen und deren konventionelle Deutung allgemein festliegen, es möglich, ja notwendig wäre, nach dem Muster der vergleichenden Sprachforschung eine vergleichende Mimik- und Gestenlehre zu schaffen. Nun gibt es zwar im Allgemeinbewußtsein lebendige Überlieferungen dieser mimischen und Gestensprache. Sie folgen jedoch keiner strengen Grammatik, die, von der Akademie empfohlen, für jedermann verbindlich wäre. Es ist in den Schulen nicht vorgeschrieben, die gute Laune durch diese Art des Lächelns und den Mißmut durch jene Art des Stirnrunzelns auszudrücken. Es gibt keine »mimischen Fehler«, die in der Schule bestraft werden,

aber das Kind sieht und erlernt zweifellos auch diese stummen Ausdrücke. Sie kommen stets, da aus inneren Affekten geboren, unmittelbarer zustande als Worte. Dennoch wird es vielleicht am ehesten der Filmkunst möglich sein, die Völker und Nationen in ihrer leiblichen Wirklichkeit aneinander zu gewöhnen, sie zum gegenseitigen Verständnis zu führen. Der Stummfilm kennt die trennenden Mauern der Sprachverschiedenheit nicht. Die Mimik der anderen betrachtend und begreifend, ertasten wir nicht nur unsere gegenseitigen Gefühle, wir erlernen sie auch. Die Geste ist nicht nur ein Produkt des Affekts, sondern auch seine Erweckerin.

Die Internationalität des Films ist in erster Linie bedingt durch ökonomische Ursachen, die ja immer die zwingendsten sind. Die Herstellung eines Filmes ist so teuer, daß sie sich nur der innere Markt ganz weniger Nationen leisten kann. Aber die erste Voraussetzung der internationalen Popularität eines Films wird die internationale Lesbarkeit seiner Mimik und Gestik sein. Folkloristische Eigentümlichkeiten wird man nur noch als exotische Eigentümlichkeiten zeigen dürfen. Auch wird eine gewisse internationale Angleichung der Gestik unerläßlich sein. Die Forderung des Filmmarktes duldet nur ein allgemeinverständliches Mienenspiel und allen geläufige Bewegungen, die von der Herzogin bis zur Köchin, von San Franzisko bis Smyrna jedermann begreift. Und es ist heute schon so, daß der Film die einzige, überall verständliche gemeinsame Weltsprache redet.

Manchmal werden einzelne Filme durch volkskundliche Eigenheiten und nationale Spezialitäten farbiger und stilisierter; diese aufgesetzten Lichter werden jedoch niemals zu vorwärtstreibenden Motiven der Handlung, denn jede Geste, die Fluß und Sinn der Handlung entscheidet, muß für sämtliche Zuschauergruppen gleichermaßen verständlich sein, sonst verliert der Filmproduzent sein Geld.

Der Stummfilm bewirkt, daß die Menschen sich vom Körper her aneinander gewöhnen, und er arbeitet an der Schaffung des internationalen Typus Mensch. Wenn dereinst die klassenlose Gesellschaft die Menschen *innerhalb* der Völker und Rassen vereinigt haben wird, dann wird auch der Film, der den sichtbaren Menschen für alle gleich sichtbar macht, daran mithelfen, daß die körperlichen Unterschiede der Völker und der Rassen den Menschen vom Menschen nicht mehr entfernen; so wird der Film einer unserer nützlichsten Wegbereiter des internationalen Welthumanismus sein.

Die Filmsubstanz

Wenn der Film eine eigene Kunst mit eigener Ästhetik sein will, dann hat er sich von allen anderen Künsten zu unterscheiden. Das Spezielle ist das Wesen und die Berechtigung jeder Erscheinung, und das Spezielle ist durch seine Verschiedenheit am besten darzustellen. So wollen wir nun die Filmkunst abgrenzen von ihren Nachbargebieten und damit ihre Autonomie erweisen.
Vor allem ist man geneigt, im Film ein mißratenes und verkommenes Kind des Theaters zu erblicken, und ist der Ansicht, daß es sich hier um eine verdorbene und verstümmelte Abart handle, um einen billigen Theaterersatz, der sich zur echten Bühnenkunst so verhält wie etwa die fotografische Reproduktion zum Originalgemälde. In beiden Fällen – so scheint es – werden ja erdichtete Geschichten von Schauspielern dargestellt.

Die Einschichtigkeit des Films

Allerdings. Aber nicht im selben Material. Auch Skulptur und Malerei stellen gleicherweise Menschen dar und haben doch ganz verschiedene Gesetze, die durch das verschiedene Material bestimmt sind. Das Material der Filmkunst aber, seine Substanz, ist von der des Theaters grundverschieden.
Es ist immer ein doppeltes Ding, das wir auf dem Theater wahrnehmen: das Drama und seine Darstellung. Sie erscheinen uns unabhängig, in einem freien Verhältnis zueinander, immer als

eine Zweiheit. Der Theaterregisseur bekommt ein fertiges Stück, der Bühnenschauspieler eine fertige Rolle in die Hand. Ihnen bleibt nur die Aufgabe, den vorhandenen, festgelegten Sinn herauszustreichen und plastisch darzustellen. Dabei hat das Publikum die Möglichkeit der Kontrolle. Denn wir hören ja aus den Worten, was der Dichter gemeint hat, und sehen, ob Regisseur und Schauspieler es richtig oder unrichtig darstellen. Sie sind nur Interpreten des Textes, der uns im Original – durch ihre Darstellung hindurch – zugänglich ist. Denn das Material des Theaters ist eben zweischichtig.
Beim Film ist die Sache anders. Wir können nicht hinter der Darstellung ein selbständiges Stück wahrnehmen, dieses unabhängig von der Vorführung betrachten und beurteilen. Das Publikum hat beim Film keine Möglichkeit irgendeiner Kontrolle darüber, ob Regisseur und Schauspieler das Werk des Dichters richtig oder unrichtig dargestellt haben, denn es ist einzig und allein ihr Werk, welches das Publikum zu Gesicht bekommt. Was uns gefällt, haben sie gemacht, und sie sind verantwortlich dafür, was uns mißfällt.

Dichtende Darsteller

Darum sind auch die Filmregisseure bekannter und berühmter als ihre Kollegen vom Theater. Wer hingegen merkt sich den Namen (wenn er überhaupt genannt wird) eines Filmautors? Auch mit den »Filmstars« wird ein viel größeres Wesen getrieben als mit den Bühnensternen. Geschieht hier ein Unrecht, das nur auf die Reklame zurückzuführen ist? Nein. Auch die größte Reklame kann nur dann nachhaltig wirken, wenn sie auf vorhandenes Interesse gegründet ist. Die Sache ist eben die, daß Regisseure und Schauspieler die eigentlichen Dichter des Films sind.
Wenn ein Schauspieler einen Satz sagt und dazu ein Gesicht schneidet, dann erfahren wir aus seinen Worten, was er meint, und seine Mienen sind nur eine Art Begleitung dazu. Wenn

diese Begleitung falsch ist, wirkt das unangenehm, gerade darum, weil wir in der Lage sind, festzustellen, daß es falsch ist. (Denn der Träger des Sinnes ist das Wort.)
Im Film geben uns Worte keine Anhaltspunkte. Wir erfahren alles aus dem Gebärdenspiel, das nun keine Begleitung und auch nicht Form und Ausdruck, sondern *einziger Inhalt* ist.
Freilich können wir auch im Film bemerken, wenn schlecht gespielt wird. Doch hat das schlechte Spiel hier eine andere Bedeutung. Es ist keine falsche Interpretation einer vorhandenen Figur, sondern eine falsche Gestaltung, durch die eine Figur überhaupt nicht zustande kommt. Es ist eine schlechte Dichtung. Die Fehler sind nicht Widersprüche mit einem Text, der zugrunde liegt, sondern Widersprüche des Spiels mit sich selber. Auch im Theater ist es möglich, daß ein Schauspieler auf Grund eines Mißverständnisses eine Figur der Dichtung konsequent und doch gut verfälscht. Wenn das einem Filmschauspieler gelingt, sind wir nicht in der Lage, zu bemerken, daß eine Fälschung vorliegt. Denn der Urstoff, die poetische Substanz des Films, ist die sichtbare Gebärde. Aus dieser wird der Film gestaltet.

SIEGFRIED KRACAUER

Erfahrung und ihr Material

1960

»Glanz des Sonnenuntergangs«

Offenbar können wir unser fast zwanghaftes Schwelgen in Abstraktionen nur dadurch begrenzen, daß wir den Objekten die Eigenschaften zurückgeben, die, wie Dewey sagt, ihnen »ihre Eindringlichkeit und Kostbarkeit« verleihen. Das Heilmittel gegen jene Abstraktheit, die sich unter dem Einfluß der Wissenschaft verbreitet, ist Erfahrung – die Erfahrung von Dingen in ihrer Konkretheit. Whitehead war der erste, der unsere Situation in diesem Licht gesehen und sich dementsprechend über sie geäußert hat. Er wirft der modernen Gesellschaft vor, sie begünstige die Tendenz zu abstraktem Denken, und besteht auf der Forderung nach Konkretisierung: »Wenn man alles über die Sonne und alles über die Atmosphäre und alles über die Erdumdrehung weiß, ist es immer noch möglich, daß man den Glanz des Sonnenuntergangs nicht sieht. Es gibt keinen Ersatz für die unmittelbare Wahrnehmung des konkreten Sicherfüllens (achievement) eines Dinges in seiner Wirklichkeit. Wir wollen konkrete Fakten, von einem Licht beschienen, das heraushebt, was ihre Kostbarkeit ausmacht.«

Und wie kann dieses Verlangen erfüllt werden? »Was ich meine«, fährt Whitehead fort, »ist Kunst und ästhetische Erziehung. Es ist aber Kunst in einem so allgemeinen Sinne, daß ich ihr eigentlich gar nicht diesen Namen geben möchte. Kunst ist ein besonderes Beispiel. Was wir brauchen, sind Gewohnheiten, die sich aus ästhetischer Wahrnehmung entwickeln.«[1] Zweifellos hat Whitehead recht, wenn er den ästhetischen Charakter von Erfahrung betont. Die Wahrnehmung »konkreter Fakten« setzt sowohl detachierte wie intensive Teilnahme an ihnen voraus. Um seine Konkretheit zu manifestieren, muß das Faktum auf eine Art wahrgenommen werden, die jener gleicht, welche bei der Rezeption und der Produktion von Kunst eine Rolle spielt.

Whitehead selbst illustriert diese Notwendigkeit dadurch, daß er auf die mannigfachen Aspekte einer Fabrik hinweist mit »ihren Maschinenanlagen, ihrer Arbeitsgemeinschaft, den sozialen Diensten, die sie weiten Kreisen der Bevölkerung leistet« usw. Anstatt uns mit der Fabrik, wie es gewöhnlich geschieht, nur in der Form ökonomischer Abstraktionen zu befassen, sollten wir lernen, all ihre Werte und Möglichkeiten nach Gebühr zu schätzen. »Was wir ausbilden müssen, ist die Gewohnheit, einen solchen Organismus in seiner Vollständigkeit wahrzunehmen.«[2] Vielleicht ist der Ausdruck »Vollständigkeit« nicht ganz angemessen. Wenn wir ein Objekt erfahren, erweitern wir nicht nur unsere Kenntnis seiner verschiedenen Eigenschaften, sondern verleiben es uns sozusagen ein, so daß wir sein Sein und seine Dynamik von innen her begreifen – eine Art von Bluttransfusion. Es ist eine Sache, um die Gewohnheiten und typischen Reaktionen eines fremden Volkes zu wissen, und eine andere, wirklich zu erfahren, was dieses Volk im Innern bewegt. (Hier liegt übrigens die Problematik des augenblicklich modischen kulturellen Austauschs, dessen Pflege sich weitgehend auf die Behauptung stützt, er fördere die Sache »gegenseitigen Verstehens«.) Oder man denke an unsere Beziehungen zu einer Stadt: der geometrische Stadtplan von New York ist allgemein bekannt; aber die Bekanntschaft mit ihm wird nur dann konkret, wenn wir uns zum Beispiel vergegenwärtigen, daß alle Querstraßen im Nichts des blanken Himmels enden.

Was wir nötig haben, ist also, daß wir die Realität nicht nur mit den Fingerspitzen berühren, sondern sie ergreifen und ihr die Hand schütteln. Aus diesem Verlangen nach Konkretheit verfallen Techniker oft in einen spielerischen Animismus, der sich etwa darin zeigt, daß sie einem Motor, mit dem sie Verkehr pflegen, die Züge einer launischen Person verleihen. Es gibt aber verschiedene Realitäten oder Dimensionen der Realität, und unsere Situation ist derart beschaffen, daß nicht alle diese Welten für uns gleichermaßen zugänglich sind. Welche von ihnen wird unserem Werben nachgeben? Die einzige Antwort ist offenbar, daß wir nur diejenige Realität erfahren können, die uns noch zur Verfügung steht.

Verfügbare Realität

Infolge des Schwindens der Ideologie ist, ungeachtet aller Bemühungen um neue Synthesen, die Welt, in der wir leben, mit Trümmern übersät. Es gibt keine Ganzheiten in dieser Welt, viel eher gilt, daß sie aus Fetzen von Zufallsereignissen besteht, deren Abfolge an die Stelle sinnvoller Kontinuität tritt. Dementsprechend muß das individuelle Bewußtsein als ein Aggregat von Glaubenssplittern und allerlei Tätigkeiten aufgefaßt werden; und da es dem inneren Leben an Struktur gebricht, haben Impulse aus psychosomatischen Regionen die Möglichkeit, aufzusteigen und die Zwischenräume zu füllen. Fragmentarische Individuen spielen ihre Rollen in einer fragmentarischen Realität.

Es ist die Welt von Proust, Joyce, Virginia Woolf. Prousts Werk beruht durchweg auf der Überzeugung, daß kein Mensch ein Ganzes darstellt und daß es unmöglich ist, einen Menschen zu kennen, weil er sich schon verändert, während wir uns noch Klarheit über unseren ersten Eindruck von ihm zu verschaffen suchen.[3] Außerdem insistiert der moderne realistische Roman auf der »Auflockerung des Zusammenhangs im äußeren Geschehen«.[4] Erich Auerbach benutzt einen Abschnitt aus Virginia Woolfs Roman *To the Lighthouse,* um dies zu illustrieren: »Was hier in dem Leuchtturmroman geschieht, das wurde in den Werken dieser Art überall ... versucht: den Akzent auf den beliebigen Vorgang zu legen, ihn nicht im Dienst eines planvollen Handlungszusammenhanges auszuwerten, sondern in sich selbst . . .«[5] Das Ergebnis ist, daß die Zufallsereignisse, die um ihrer selbst willen erzählt werden, sich nicht zu einem »zweckbestimmten Ganzen« zusammenschließen. Oder, wie Auerbach

von diesen Romanen bemerkt: »Fast allen ist gemeinsam das Verschleierte, Unabgrenzbare ihres Sinnes ..., undeutbare Symbolik ...«[6] (Ungefähr dasselbe kann auch von jedem Fellini-Film vor *La dolce vita* gesagt werden.)
Die im modernen Roman porträtierte Welt erstreckt sich von sporadischen intellektuellen Vorstellungen bis herunter zu verstreuten materiellen Geschehnissen. Es ist ein seelisch-geistiges Kontinuum, das die physische Dimension der Realität umgreift, ohne sie jedoch gesondert darzustellen. Wenn wir uns aber der herrschenden Abstraktheit entledigen wollen, müssen wir vor allem diese materielle Dimension ins Auge fassen, die von der Wissenschaft erfolgreich vom Rest der Welt abgelöst worden ist. Denn wissenschaftliche und technologische Abstraktionen bedingen nachhaltig unser Denken; und sie alle verweisen uns auf physische Phänomene, während sie uns gleichzeitig von deren Qualitäten weglocken. Daher die Dringlichkeit, genau diese gegebenen und doch ungegebenen Phänomene in ihrer Konkretheit zu begreifen. Das wesentliche Material »ästhetischer Wahrnehmung« ist die physische Welt mit all dem, was sie uns zu verstehen geben mag. Wir können nur dann darauf hoffen, der Realität nahezukommen, wenn wir ihre untersten Schichten durchdringen.

Physische Realität als Domäne des Films

Aber wie können wir Zugang zu dieser »Unterwelt« finden? Eines ist sicher: die Aufgabe, mit ihr in Berührung zu treten, wird durch Fotografie und Film erleichtert, die beide das physisch Gegebene nicht nur isolieren, sondern in seiner Darstellung ihren Höhepunkt erreichen. Lewis Mumford betont mit Recht die einzigartige Eignung der Fotografie für eine angemessene Schilderung der »komplizierten, miteinander zusammenhängenden Aspekte unserer modernen Umwelt«.[7] Und wo die Fotografie aufhört, beginnt, weit umfassender, der Film. Als Produkte von Wissenschaft und Technik sind die beiden Medien

unsere Zeitgenossen in jedem Sinn des Wortes; so ist es nicht zu verwundern, daß sie den Neigungen und Bedürfnissen entgegenkommen, die aus unserer Situation erwachsen. Wieder ist es Mumford, der das Kino zu einem dieser Bedürfnisse in Beziehung setzt; ihm zufolge kann Film dadurch eine zeitgemäße Mission erfüllen, daß er uns hilft, materielle Objekte (oder »Organismen«, wie er sie zu nennen beliebt) wahrzunehmen und zu würdigen: »Ohne daß der Film sich seiner Bestimmung bewußt wäre, zeigt er uns eine Welt sich durchdringender, sich beeinflussender Organismen; und er ermöglicht es uns, dieser Welt mit einem größeren Grad von Konkretheit innezuwerden.«[8]
Das ist noch nicht alles. Indem der Film die physische Realität wiedergibt und durchforscht, legt er eine Welt frei, die niemals zuvor zu sehen war, eine Welt, die sich dem Blick so entzieht wie Poes gestohlener Brief, der nicht gefunden werden kann, weil er in jedermanns Reichweite liegt. Gemeint ist hiermit natürlich nicht eine jener von den Naturwissenschaften annektierten Erweiterungen der Alltagswelt, sondern unsere gewöhnliche physische Umwelt selber. So merkwürdig es klingt: Straßen, Gesichter, Bahnhöfe usw., die doch vor unseren Augen liegen, sind bisher weitgehend unsichtbar geblieben. Warum?
Zunächst muß daran erinnert werden, daß die physische Natur beständig durch Ideologien verhüllt worden ist, deren Manifestationen auf den einen oder anderen Gesamtaspekt des Universums bezogen waren. (Sosehr auch realistische mittelalterliche Maler sich in der Darstellung des Häßlichen und Grauenhaften ergehen, die Realität, die sie aufzeigen, läßt Unmittelbarkeit vermissen; sie taucht nur auf, um wieder durch Arrangements kompositioneller oder anderer Art verzehrt zu werden, die ihr von außen auferlegt sind und holistische Vorstellungen wie Sünde, Jüngstes Gericht, Erlösung und dergleichen widerspiegeln.) Bedenkt man aber den Zusammenbruch traditioneller Werte und Normen, dann ist diese Erklärung unseres Versagens, die Welt um uns her wahrzunehmen, nicht länger überzeugend. Es scheint in der Tat logisch, den Schluß zu ziehen, daß jetzt, in einer Zeit des Zerfalls der Ideologie, materielle Objekte

ihrer Hüllen und Schleier ledig sind, so daß wir sie um ihrer selbst willen zu würdigen vermögen. Dewey beeilt sich, so zu argumentieren; unsere Emanzipation »von phantasievollen Synthesen, die dem Wesen der Dinge zuwiderliefen«,[9] werde durch ein neues Bewußtsein von diesen Dingen kompensiert. Und er schreibt diese Entwicklung nicht nur dem Verschwinden falscher Synthesen zu, sondern auch dem befreienden Einfluß der Wissenschaft. Die Wissenschaft, sagt er, »hat wenigstens einige Leute zur wachen Beobachtung von Dingen angespornt, deren Existenz wir früher nicht einmal ahnten«.[10]

Aber Dewey sieht nicht die Zweischneidigkeit der Wissenschaft. Auf der einen Seite macht sie uns, wie er annimmt, empfänglich für die Welt, die der Gegenstand ihres Interesses ist; auf der andern tendiert sie dazu, diese selbe Welt aus unserem Blickfeld zu entfernen – ein Gegeneinfluß, den er nicht erwähnt. Der wirklich entscheidende Grund für die Fremdheit physischer Realität liegt in unserer Gewöhnung an abstraktes Denken unter der Herrschaft von Wissenschaft und Technik. Kaum befreien wir uns von den »alten Glaubensinhalten«, so werden wir dazu veranlaßt, die Qualitäten der Dinge zu eliminieren. So ziehen sich die Dinge weiter zurück. Und sicherlich sind sie um so ungreifbarer, als wir gewöhnlich nicht umhin können, sie aus der Perspektive konventioneller Meinungen und Zwecke zu betrachten, die über ihr in sich geschlossenes Sein hinausweisen. Daher würde es uns, wäre nicht die Filmkamera erfunden worden, eine enorme Anstrengung kosten, die Schranken zu überschreiten, die uns von unsrer alltäglichen Umgebung trennen.

Der Film macht sichtbar, was wir zuvor nicht gesehen haben oder vielleicht nicht einmal sehen konnten. Er hilft uns in wirksamer Weise, die materielle Welt mit ihren psycho-physischen Entsprechungen zu entdecken. Wir erwecken diese Welt buchstäblich aus ihrem Schlummer, ihrer potentiellen Nichtexistenz, indem wir sie mittels der Kamera zu erfahren suchen. Und wir sind imstande, sie zu erfahren, weil wir fragmentarisch sind. Das Kino kann als ein Medium definiert werden, das besonders dazu befähigt ist, die Errettung physischer Realität zu fördern. Seine Bilder gestatten uns zum erstenmal, die Objekte und Geschehnisse, die den Fluß des materiellen Lebens ausmachen, mit uns fortzutragen.

Anmerkungen

[Die genaueren bibliographischen Angaben wurden vom Herausgeber nach der »Bibliographie« in der Druckvorlage ergänzt.]

1 Alfred N. Whitehead, *Science and the Modern World,* New York 1948, S. 199.
2 A. a. O., S. 200.
3 Marcel Proust, *Auf der Suche nach der verlorenen Zeit,* Frankfurt a. M. 1953–57, passim, siehe z. B. Bd. 1, S. 32; Bd. 2, S. 652.
4 Erich Auerbach, *Mimesis: Dargestellte Wirklichkeit in der abendländischen Literatur,* Bern 1946, S. 487.
5 A. a. O., S. 492 f.
6 A. a. O., S. 492.
7 Lewis Mumford, *Technics and Civilization,* New York 1934, S. 340.
8 A. a. O., S. 343.
9 John Dewey, *Art As Experience,* New York 1934, S. 340.
10 A. a. O., S. 339.

SIEGFRIED KRACAUER

Die Errettung der physischen Realität

1960

Eine Kunst, die anders ist

Doch um uns die physische Realität erfahren zu lassen, müssen Filme wirklich zeigen, was sie zeigen. Diese Anforderung ist so wenig selbstverständlich, daß sie die Frage nach der Beziehung des Mediums zu den traditionellen Künsten aufwirft.

Strenggenommen stellen Malerei, Literatur, Theater usw., soweit sie Natur überhaupt einbeziehen, diese gar nicht dar. Sie benutzen sie vielmehr als Rohmaterial für Werke, die den Anspruch auf Autonomie stellen. Im Kunstwerk bleibt vom Rohmaterial selbst nichts übrig; oder genauer gesagt, alles, was davon übrigbleibt, ist so geformt, daß es die Intentionen des Kunstwerks erfüllen hilft. In gewissem Sinne verschwindet das realistische Material in den Intentionen des Künstlers. Seine schöpferische Phantasie mag sich zwar an realen Gegenständen und Ereignissen entzünden, aber anstatt sie in ihrem amorphen Zustand zu bewahren, gestaltet er sie spontan im Einklang mit den Formen und Vorstellungen, die sie in ihm wachrufen.

Das unterscheidet den traditionellen Künstler, sei er Maler oder Dichter, vom Filmregisseur; ungleich diesem würde er aufhören, Künstler zu sein, wenn er Leben im Rohzustand, wie es von der Kamera wiedergegeben wird, seinem Werk einverleibte. Wie realistisch er auch sein mag, er überwältigt eher die Realität, als daß er sie registriert. Und da es ihm freisteht, seinen formgebenden Tendenzen zu folgen, kann sich sein Werk zu einem sinnvollen Ganzen entwickeln. Deshalb bestimmt die Bedeutung eines Kunstwerks die seiner Elemente; oder umgekehrt, seine Elemente haben Bedeutung insoweit, als sie zur Wahrheit oder Schönheit beitragen, die dem Werk als Ganzem innewohnt. Ihre Funktion ist nicht, die Realität widerzuspiegeln, sondern eine Vision von ihr zu vergegenwärtigen. Kunst geht von oben nach unten. Vom entlegenen Gesichtspunkt der fotografischen Medien aus gilt das auch für Werke, die sich in Naturnachahmung ergehen, vom Zufall Gebrauch machen oder nach Art des Dadaismus Kunst sabotieren. Der Zeitungsfetzen in einer geglückten Collage verwandelt sich aus einer Musterprobe äußerer Realität in den Ausdruck einer »Ideen-Konzeption«, um Einsteins Terminologie zu benutzen.

Die Invasion der Kunst in den Film vereitelt die dem Kino eigenen Möglichkeiten. Wenn Filme, die von den traditionellen Künsten beeinflußt sind, es aus Gründen ästhetischer Reinheit vorziehen, die vorhandene physische Realität unbeachtet zu lassen, dann versäumen sie eine dem filmischen Medium vorbehaltene Chance. Und wenn sie unsere sichtbare Welt abbilden, so zeigen sie diese trotzdem nicht, weil die Aufnahmen von ihr dann nur den Zwecken einer Komposition dienen, die sich als künstlerisch ausgeben läßt; infolgedessen büßt das in solchen Filmen verwendete realistische Material seinen Charakter als Rohmaterial ein. Hierher gehören nicht nur künstlerisch anspruchsvolle Experimentalfilme – zum Beispiel *Un chien andalou* von Buñuel und Dali –, sondern auch die unzähligen kommerziellen Filme, die, obwohl sie mit Kunst nicht das geringste zu schaffen haben, ihr dennoch einen halb-unbeabsichtigten Tribut zollen, indem sie den Spuren des Theaters folgen.

Niemandem fiele es ein, den Unterschied zwischen *Un chien andalou,* einem Zwitter von großem künstlerischen Interesse, und der üblichen, sich ans Theater anlehnenden Filmproduktion zu verkleinern. Und doch stimmen das Routine-Erzeugnis und das Werk des Künstlers darin überein, daß sie das Medium den ihm eigentümlichen Bestrebungen entfremden. Verglichen mit *Umberto D.* oder *Cabiria,* müssen theaterhafte Durchschnittsfilme und gewisse hochqualifizierte Avantgarde-Filme sozusagen in einen Topf geworfen werden, ungeachtet all dessen, was sie voneinander trennt. Filme dieser Art durchdringen nicht die materiellen Phänomene, die sie verwenden, sondern sie exploitieren sie; sie verwenden sie nicht in deren eigenem Interesse, sondern in der Absicht, ein sinnvolles Ganzes zu etablieren; und indem sie irgendein solches Ganzes herausstellen, verweisen sie uns von der materiellen Dimension zurück auf die der Ideologie. Kunst im Film ist reaktionär, weil sie Ganzheit symbolisiert und derart die Fortexistenz von Glaubensinhalten vorspiegelt, welche die physische Realität sowohl anrufen wie zudecken. Das Ergebnis sind Filme, die die herrschende Abstraktheit unterstützen.

Ihr quantitatives Übergewicht läßt sich nicht leugnen, sollte aber nicht dazu führen, das Vorkommen von Filmen zu unterschätzen, die sich gegen die »Lüge der ›Kunst‹« richten.[1] Diese Filme reichen von schlichten Tatsachenfilmen – Wochenschauen oder rein faktischen Dokumentarfilmen – bis zu ausgewachsenen Spielfilmen, die von den formgebenden Bestrebungen ihrer Autoren erfüllt sind. Die Filme der ersten Gruppe, die gar nicht Kunst sein wollen, folgen einfach der realistischen Tendenz – womit sie wenigstens der Mindestforderung der »filmischen Einstellung« genügen. In den hier gemeinten Spielfilmen dagegen treffen die realistische und die formgebende Tendenz aufeinander; aber diese versucht niemals, sich von jener zu emanzipieren oder sie gar zu überwältigen, wie sie es in jedem theaterhaften Film tut. Man denke an *Potemkin,* die Stummfilmkomödien, *Greed* (Gier), mehrere Wildwest- und Gangsterfilme, *La grande illusion,* die Hauptwerke des italienischen Neorealismus, *Los olvidados, Les vacances de Monsieur Hulot, Pather panchali* usw.: sie alle verlassen sich weitgehend auf die Suggestivkraft des von der Kamera eingeheimsten Rohmaterials; und sie alle entsprechen mehr oder weniger Fellinis Gebot, ein »guter Film« solle nicht auf die Autonomie eines Kunstwerks abzielen, sondern »Irrtümer in sich bergen wie das Leben, wie die Menschen«.[2]

Strebt das Kino Filmen dieser Art zu? Ihre besonderen Qualitäten haben jedenfalls die Tendenz, sich allenthalben in der Filmproduktion geltend zu machen, oft an Stellen, wo man sie am wenigsten erwarten würde. Immer wieder geschieht es, daß ein im übrigen theatralischer Film eine Szene enthält, deren Bilder wie aus Versehen ihre eigene Story erzählen und uns vorübergehend die manifeste Story des Films vergessen lassen. Man könnte von einem solchen Film sagen, er sei schlecht komponiert; aber sein angebliches Gebrechen ist in Wahrheit sein einziges Verdienst. Der Trend zu halb-dokumentarischen Filmen ist, teilweise, ein Zugeständnis an die Vorzüge dramatischer Dokumentarfilme. Die typische Komposition des Musicals spiegelt die prekären, wenn nicht antinomischen Beziehungen wider, die in der Tiefe des Mediums zwischen realistischer und formgebender Tendenz walten. Kürzlich sind Versuche gemacht oder vielmehr wieder aufgenommen worden, von literarischen Vorbildern und starrer Story-Konstruktion dadurch loszukommen, daß man die Schauspieler extemporieren läßt. (Ob diese Versuche dazu angetan sind, echte Zufallsereignisse einzuführen, ist freilich eine andere Frage.) All das besagt nicht, daß Kamera-Realität und »Kunst« einander ausschlössen. Aber wenn Filme, die wirklich zeigen, was sie zeigen, Kunst sind, dann sind sie Kunst von anderer Art. Film ist, zusammen mit Fotografie, tatsächlich die einzige Kunstart, die ihr Rohmaterial zur Schau stellt. Die besondere Kunst, die sich in filmischen Filmen bewährt, muß auf die Fähigkeit ihrer Schöpfer zurückgeführt werden, im Buch der Natur zu lesen. Der Filmkünstler gleicht einem phantasievollen Leser oder einem Entdecker, der von unstillbarer Neugierde getrieben wird. Er ist – um eine Definition zu wiederholen, die in einem früheren Zusammenhang gegeben wurde – »ein Mann, der mit dem Erzählen einer Geschichte beginnt, während der Dreharbeit aber so überwältigt wird von seinem eingeborenen Verlangen, die gesamte physische Realität einzubeziehen – und auch von dem Gefühl, er müsse sie einbeziehen, um die Story, jede Story überhaupt, filmgerecht zu erzählen –, daß er sich immer tiefer in den Dschungel der materiellen Phänomene hineinwagt, auf die Gefahr hin, sich unrettbar darin zu verlieren, wenn er nicht mittels großer Anstrengungen zur Landstraße zurückfindet, die er verlassen hat.«

Momente des täglichen Lebens

Der Kinobesucher folgt den Bildern auf der Leinwand in einem traumartigen Zustand. Man darf also annehmen, daß er physische Realität in ihrer Konkretheit wahrnimmt; genau gesagt, er erfährt einen Fluß zufälliger Ereignisse, verstreuter Objekte und namenloser Formen. Im Kino, ruft Michael Dard aus, »sind wir Brüder der Giftpflanzen, der Kieselsteine ...«.[3] In der Tat bewirkt sowohl die Affinität des Films zum physischen Detail wie auch der Niedergang der Ideologie, daß wir, deren innere Welt aus Fragmenten besteht, nicht so sehr Ganzheiten in uns aufnehmen als »kleine Momente des materiellen Lebens« (Balázs). Nun kann aber materielles Leben zu verschiedenen Dimensionen gehören. Die Frage ist, ob die »kleinen Momente«, denen wir uns ausliefern, einer besonderen Lebenssphäre zugerechnet werden müssen.

In Spielfilmen sind diese kleinen Einheiten Elemente von Handlungen, die sich über alle erdenklichen Sphären erstrecken mögen. Sie können versuchen, die Vergangenheit zu rekonstruieren, können in Phantasien schwelgen, einen Glauben propagieren, einen individuellen Konflikt, ein merkwürdiges Abenteuer oder was immer darstellen. Man betrachte irgendein Element eines solchen Story-Films. Zweifellos hat es die Aufgabe, der Story zu dienen, zu der es gehört; aber gleichzeitig affiziert es uns auch stark, vielleicht sogar in erster Linie, als ein fragmentarisches Moment der sichtbaren Realität, umgeben von einem Hof unbestimmbarer Bedeutungen. Und in dieser Eigenschaft löst sich das Element von dem Konflikt, dem Glauben, dem Abenteuer ab, dem das Ganze der Story zustrebt. Ein Gesicht auf der Leinwand kann uns als eine ungewöhnliche Manifestation von Furcht oder Glück in seinen Bannkreis ziehen, ganz ungeachtet der Ereignisse, die seinen Ausdruck motivieren. Eine Straße, die als Hintergrund zu einem Streit oder einer Liebesaffäre dient, kann sich in den Vordergrund drängen und eine berauschende Wirkung ausüben.

Straße und Gesicht eröffnen dann eine Dimension, die viel wei-

ter reicht als die der Spielhandlung, der sie dienen. Diese Dimension erstreckt sich sozusagen unterhalb des Überbaus der spezifischen Story-Inhalte; sie besteht aus Momenten, die in unser aller Reichweite liegen, Momenten, die so allgemein oder alltäglich sind wie Geburt und Tod, wie ein Lächeln oder das »Zittern der im Winde sich regenden Blätter«. Gewiß, was in jedem dieser Momente geschieht, sagt Erich Auerbach, »... betrifft zwar ganz persönlich die Menschen, die in ihm leben, aber doch auch ebendadurch das Elementare und Gemeinsame der Menschen überhaupt; gerade der beliebige Augenblick ist vergleichsweise unabhängig von den umstrittenen und wankenden Ordnungen, um welche die Menschen kämpfen und verzweifeln; er verläuft unterhalb derselben, als tägliches Leben.«[4] Diese Beobachtung bezieht sich zwar auf den modernen Roman, gilt aber nicht weniger für den Film – falls man, was in diesem Zusammenhang möglich ist, die Tatsache ausklammert, daß die Elemente des Romans das seelisch-geistige Leben in einer Weise erfassen, die dem Film versagt ist.
Auerbachs beiläufiger Hinweis auf das »tägliche Leben« enthält einen wichtigen Fingerzeig. Von den kleinen Zufalls-Momenten, die dir und mir und dem Rest der Menschheit gemeinsame Dinge betreffen, kann in der Tat gesagt werden, daß sie die Dimension des Alltagslebens konstituieren, dieser Matrize aller anderen Formen der Realität. Es ist eine sehr substantielle Dimension. Wenn man für einen Augenblick artikulierte Glaubensinhalte, ideologische Ziele, besondere Unternehmungen und dergleichen beiseite läßt, so bleiben immer noch die Sorgen und Befriedigungen, Zwiste und Feste, Bedürfnisse und Bestrebungen, die jeder Tag mit sich bringt. Als Produkte von Gewohnheiten und mikroskopisch kleinen Wechselwirkungen bilden sie ein elastisches Gewebe, das sich nur langsam ändert, das Kriege, Epidemien, Erdbeben und Revolutionen überlebt. Filme tendieren dazu, dieses Gewebe des täglichen Lebens zu entfalten, dessen Komposition je nach Ort, Volk und Zeit wechselt. So helfen sie uns, unsere gegebene materielle Umwelt nicht nur zu würdigen, sondern überall hin auszudehnen. Sie machen aus der Welt virtuell unser Zuhause.

Das wurde schon in den frühen Tagen des Mediums gesehen. Der lange in Amerika lebende deutsche Kritiker Hermann G. Scheffauer sagte bereits 1920 voraus, der Mensch werde durch den Film »die Erde kennenlernen wie sein eigenes Haus, auch wenn er niemals über die engen Grenzen seines Dorfes hinauskommt«.[5] Mehr als dreißig Jahre später äußert sich Gabriel Marcel in ähnlicher Weise. Er spricht dem Film, besonders dem Dokumentarfilm, die Kraft zu, »unsere Beziehung zu dieser Erde, die unsere Wohnstätte ist«, zu vertiefen und inniger zu gestalten. »Und ich möchte noch sagen«, fügt er hinzu, »daß mir, der ich dazu neige, dessen müde zu werden, was ich gewohnheitsmäßig sehe – das heißt, was ich in Wirklichkeit gar nicht mehr sehe –, diese dem Kino eigene Kraft buchstäblich erlösend (salvatrice) erscheint.«[6]

Materielle Evidenz

Indem das Kino uns die Welt erschließt, in der wir leben, fördert es Phänomene zutag, deren Erscheinen im Zeugenstand folgenschwer ist. Es bringt uns Auge in Auge mit Dingen, die wir fürchten. Und es nötigt uns oft, die realen Ereignisse, die es zeigt, mit den Ideen zu konfrontieren, die wir uns von ihnen gemacht haben.

Das Haupt der Medusa

Wir haben in der Schule die Geschichte vom Haupt der Medusa gelernt, deren Gesicht mit seinen Riesenzähnen und seiner heraushängenden Zunge so schrecklich war, daß bei seinem Anblick Mensch und Tier zu Stein erstarrten. Als Athene Perseus beauftragte, das Ungeheuer zu erschlagen, warnte sie ihn, er dürfe niemals das Gesicht selber ansehen, nur sein Spiegelbild im blanken Schild, den sie ihm gab. Perseus folgte dem Rat der Athene und enthauptete die Medusa mit einer Sichel, die Hermes zu seiner Ausrüstung beigesteuert hatte.[7]

Die Moral des Mythos ist natürlich, daß wir wirkliche Greuel nicht sehen und auch nicht sehen können, weil die Angst, die sie erregen, uns lähmt und blind macht; und daß wir nur dann erfahren werden, wie sie aussehen, wenn wir Bilder von ihnen betrachten, die ihre wahre Erscheinung reproduzieren. Diese Bilder sind nicht von der Art jener, in denen künstlerische Phantasie unsichtbares Grauen zu gestalten sucht, sondern haben den Charakter von Spiegelbildern. Unter allen existierenden Medien ist es allein das Kino, das in gewissem Sinne der Natur den Spiegel vorhält und damit die »Reflexion« von Ereignissen ermöglicht, die uns versteinern würden, träfen wir sie im wirklichen Leben an. Die Filmleinwand ist Athenes blanker Schild.

Aber das ist nicht alles. Der Mythos gibt außerdem zu verstehen, daß die Abbilder auf dem Schild oder der Leinwand Mittel zu einem Zweck sind; sie sollen den Zuschauer befähigen – mehr noch: dazu antreiben –, das Grauen zu köpfen, das sie spiegeln. Viele Kriegsfilme schwelgen in Grausamkeiten aus ebendiesem Grund. Erfüllen solche Filme ihren Zweck? Im Mythos selber bedeutet die Enthauptung der Medusa noch nicht das Ende ihrer Herrschaft. Athene, so wird uns berichtet, befestigte den entsetzlichen Kopf an ihrer Ägis, um ihren Feinden Schrecken einzujagen. Perseus, dem Betrachter des Spiegelbilds, gelang es nicht, das Gespenst für immer zu bannen.

So erhebt sich die Frage, ob es überhaupt sinnvoll ist, die Bedeutung solcher Schreckensbilder in den ihnen zugrunde liegenden Intentionen oder ihren ungewissen Effekten zu suchen. Man denke an Georges Franjus *Le sang des bêtes,* einen Dokumentarfilm über ein Pariser Schlachthaus: Pfützen von Blut breiten sich auf dem Boden aus, während Pferde und Kühe methodisch geschlachtet werden; eine Säge zerteilt Tierkörper, die noch voll warmen Lebens sind; und da ist die unergründliche Aufnahme der in Reihen angeordneten Kalbsköpfe – eine Art rustikalen Arrangements, das den Frieden eines geometrischen Ornaments atmet. Es wäre töricht anzunehmen, diese unerträglich widrigen Bilder hätten die Absicht, die Botschaft des Vegetariertums zu verkünden; ebensowenig können sie als ein Versuch

gebrandmarkt werden, dunkle Sehnsüchte nach Szenen der Zerstörung zu befriedigen.
Die Spiegelbilder des Grauens sind Selbstzweck. Und als Bilder, die um ihrer selbst willen erscheinen, locken sie den Zuschauer, sie in sich aufzunehmen, um seinem Gedächtnis das wahre Angesicht von Dingen einzuprägen, die zu furchtbar sind, als daß sie in der Realität wirklich gesehen werden könnten. Wenn wir die Reihen der Kalbsköpfe oder die Haufen gemarterter menschlicher Körper in Filmen über Nazi-Konzentrationslager erblicken – und das heißt: erfahren –, erlösen wir das Grauenhafte aus seiner Unsichtbarkeit hinter den Schleiern von Panik und Phantasie. Diese Erfahrung ist befreiend insofern, als sie eines der mächtigsten Tabus beseitigt. Perseus' größte Tat bestand vielleicht nicht darin, daß er die Medusa köpfte, sondern daß er seine Furcht überwand und auf das Spiegelbild des Kopfes im Schild blickte. Und war es nicht gerade diese Tat, die ihn befähigte, das Ungeheuer zu enthaupten?

Konfrontationen

Bestätigende Bilder · Filme oder Filmpassagen, die sichtbare materielle Realität mit unseren Vorstellungen von ihr konfrontieren, können diese Vorstellungen entweder bestätigen oder Lügen strafen. Die erste Möglichkeit ist von geringerem Interesse, weil sie selten echte Bestätigungen einbeschließt. Bestätigende Bilder werden in der Regel nicht dazu benutzt, eine Idee auf ihren Realitätsgehalt hin zu prüfen, sondern sollen uns dahin bringen, daß wir sie, ohne zu fragen, annehmen. Man erinnere sich der offen zur Schau gestellten Glückseligkeit der Kolchosenbauern in Eisensteins *Generallinie,* der begeisterten Menge, die Hitler in Nazifilmen zujubelt, der wunderbaren religiösen Wunder in Cecil B. De Milles *The ten commandments* (Die Zehn Gebote) usw. (Trotz allem, welch unvergleichlicher showman De Mille doch war!)
All das ist fabrizierte Evidenz. Diese Scheinbestätigungen sollen uns glauben machen, nicht sehen lassen. Manchmal enthalten

sie eine stereotype Aufnahme, die ihr Wesen schlagartig erhellt: ein Gesicht ist so gegen das Licht fotografiert, daß Haar und Wange von einer leuchtenden Linie umrahmt sind, die wie ein Heiligenschein anmutet. Die Aufnahme hat nicht eine enthüllende, vielmehr eine schmückende Funktion. Wann immer Bilder diese Funktion annehmen, können wir ziemlich sicher sein, daß sie dazu dienen, einen Glauben zu propagieren oder den Konformismus zu ermutigen. Im übrigen versteht es sich, daß nicht alle bestätigenden Bilder trügerisch sind. In *Le journal d'un curé de campagne* beglaubigt das Gesicht des jungen Priesters mit eigentümlicher Kraft die ehrfurchtgebietende Realität seines religiösen Glaubens, seiner spirituellen Anfechtungen.

Entlarvungen · Natürlich sind bestätigende Bilder von geringerem Interesse als solche, die unsere Vorstellungen von der physischen Welt in Frage stellen. Nur dann können Filme die Realität, wie die Kamera sie einfängt, mit den falschen Vorstellungen, die wir uns über sie machen, konfrontieren, wenn die ganze Beweislast den Bildern und allein ihnen zufällt. Und da es ihre dokumentarische Qualität ist, auf die es dann ankommt, stehen derartige Konfrontationen sicherlich im Einklang mit der filmischen Einstellung; tatsächlich können sie ebenso direkt wie der Fluß des materiellen Lebens als Manifestation des Mediums gelten.

Kein Wunder, daß viele der vorhandenen Filme voll solcher Konfrontationen sind. Die Stummfilm-Komödie, wo sie zu komischen Effekten benutzt werden, hat sie aus den technischen Eigenschaften des Kinos entwickelt. In einer Schiffs-Szene von Chaplins *The immigrant* macht ein von hinten gesehener Reisender lauter Bewegungen, die auf Seekrankheit schließen lassen; kaum aber wird er von der entgegengesetzten Seite gezeigt, so entpuppt er sich als ein Angler. Eine Änderung der Kamera-Position, und die Wahrheit kommt an den Tag. Es ist ein immer wiederkehrender Gag – eine Aufnahme klärt irgendein Mißverständnis auf, das durch die vorangegangenen Aufnahmen absichtlich genährt worden ist.

Ob es sich nun um Spaß oder Kritik handelt, das Prinzip bleibt dasselbe. Wie zu erwarten, war D. W. Griffith der erste, der die Kamera als ein Mittel der Entlarvung benutzte. Er betrachtete es als seine Aufgabe, »die Menschen sehen zu lehren«; und er war sich darüber klar, daß diese Aufgabe nicht nur die Darstellung unserer Umwelt, sondern auch die Aufdeckung von Vorurteilen verlangte. Unter den vielen Modellen, die er zur Zeit des Ersten Weltkrieges schuf, befindet sich jene Szene aus *Broken blossoms,* in der er das noble Gesicht des chinesischen Helden seines Films mit den Nahaufnahmen zweier Missionare kombiniert, deren Gesichter salbungsvolle Scheinheiligkeit ausstrahlen. Griffith konfrontiert so den Glauben an die Überlegenheit des weißen Mannes mit der Realität, auf die er sich angeblich gründet, und denunziert ihn durch ebendiese Konfrontation als ein unhaltbares Vorurteil.

Dem Beispiel, das er gab, sind viele in der Absicht gefolgt, soziale Ungerechtigkeit und die mit ihr verbundenen Ideologien bloßzustellen. Béla Balázs, der um die »innerste Tendenz [des Kinos] ... zur Enthüllung und Entlarvung« weiß, preist die Eisenstein- und Pudowkin-Filme der zwanziger Jahre als den Gipfel der Filmkunst, weil sie auf Konfrontationen dieser Art abzielen.[8]

Muß ausdrücklich gesagt werden, daß viele ihrer scheinbaren Enthüllungen in Wahrheit vehemente Propaganda-Botschaften sind? Aber so wenig wie die öffentliche Meinung kann dokumentarisches Film-Material unbegrenzt manipuliert werden; hier und da muß etwas Wahres ans Licht kommen. In *Die letzten Tage von St. Petersburg* zum Beispiel erhellt die Szene mit dem jungen Bauern, der an den Säulenpalästen der zaristischen Hauptstadt vorbeigeht, blitzartig das Bündnis, das autokratische Gewaltherrschaft mit architektonischem Glanz zu schließen pflegt.

Es ist nicht nur das Sowjet-Kino, das Kamera-Exerzitien in sozialer Kritik begünstigt. John Ford zeigt das Elend herumziehender Landarbeiter in *The grapes of wrath,* und Jean Vigo geißelt in *A propos de Nice* das Dasein reicher Müßiggänger, indem er Zufalls-Momente ihres leeren Treibens darstellt. Eine der vollendetsten Leistungen auf diesem Gebiet ist Georges Franjus *L'hotel des invalides,* ein Dokumentarfilm, der im Auftrag der französischen Regierung gedreht wurde. Oberflächlich gesehen, ist der Film nichts weiter als ein schlichter Bericht über eine Führung durch das historische Gebäude; von Touristen umgeben, ziehen die Führer, alte Kriegsinvaliden, von einem Ausstellungsstück zum andern, wobei sie sich über Napoleon, die gepanzerten Ritter und die siegreichen Schlachten verbreiten. Ihre abgeleierten Kommentare sind aber mit Bildern synchronisiert, die sie in subtiler Weise ihrer Bedeutung entleeren, so daß das Ganze zu einer Anklage gegen Militarismus und abgestandenen Heldenkult wird.

Oder es wird physische Realität in der Absicht exponiert, das Gewebe von Konventionen zu durchdringen. Erich von Stroheim läßt in *Greed* und anderswo seine Kamera auf den krassesten Manifestationen des Lebens verweilen – all dem, was sich unter der dünnen Schicht der Zivilisation umtreibt. In Chaplins Film *Monsieur Verdoux,* der in Entlarvungen geradezu schwelgt, steht die Totalaufnahme von dem See mit dem kleinen Kahn für den Traum eines Sonntagsfotografen von Frieden und Glück; aber der Traum wird durch die sich unmittelbar anschließende Nahaufnahme des Kahns zerstört, in dem Chaplin als Monsieur Verdoux gerade im Begriffe ist, ein weiteres Opfer zu ermorden. Wer genau hinsieht, wird des Grauens gewahr, das hinter der Idylle lauert. Dieselbe Moral kann Franjus Schlachthaus-Film entnommen werden, der tiefe Schatten auf den Prozeß des Lebens wirft.

Solche Entlarvungen haben eine Eigenschaft mit filmischen Motiven gemeinsam: ihre ansteckende Kraft ist so stark, daß durch ihre bloße Gegenwart ein im übrigen theaterhafter Film in so etwas wie einen richtigen Film verwandelt werden kann. Ingmar Bergmans *Det sjunde inseglet* (Das siebente Siegel) ist im wesentlichen ein Mysterienspiel, aber was sich hier an mittelalterlichem Glauben und Aberglauben zur Schau stellt, wird durchweg vom forschenden Geist des Ritters und dem ausgesprochenen Skeptizismus seines Schildknappen in Frage gezogen. Beide Charaktere neigen zu einer realistischen Einstellung. Und ihre säkularen Zweifel ziehen Konfrontationen nach sich, die den Film bis zu einem gewissen Grade dem Medium anpassen.

Von unten nach oben

Alles, was bisher gesagt wurde, bezieht sich auf Elemente oder Momente der physischen Realität, wie sie sich auf der Leinwand entfalten. Sosehr nun die Bilder materieller Momente in sich selber bedeutungsvoll sind, in Wirklichkeit begnügen wir uns nicht damit, sie in uns aufzunehmen, sondern fühlen uns dazu gedrängt, das, was sie uns erzählen, in Zusammenhänge einzufügen, die das Ganze unserer Existenz betreffen. Michael Dard formuliert das so: »Indem das Kino alle Dinge aus ihrem Chaos heraushebt, bevor es sie wieder ins Chaos der Seele eintaucht, erzeugt es in dieser große Wellen, jenen vergleichbar, die ein sinkender Stein auf der Oberfläche des Wassers verursacht.«[9] Diese großen in der Seele erregten Wellen treiben Vorstellungen und Urteile über den Sinn der von uns konkret erfahrenen Dinge ans Ufer. Filme, die unseren Wunsch nach solchen Propositionen befriedigen, können sehr wohl in die Dimension der Ideologie hineinreichen. Doch wenn sie dem Medium gemäß sind, werden sie nicht von einer vorgefaßten Idee zur materiellen Welt herabsteigen, um diese Idee zu erhärten; umgekehrt, sie beginnen damit, physische Gegebenheiten auszukundschaften, und arbeiten sich dann in der von ihnen gewiesenen Richtung nach oben, zu irgendeinem Problem oder Glauben hin. Das Kino ist materialistisch gesinnt; es bewegt sich von »unten« nach »oben«. Die Bedeutung seines natürlichen Hangs für eine Bewegung in dieser Richtung kann kaum überschätzt werden. Auf ihn führt Erwin Panofsky, der große Kunsthistoriker, den Unterschied zwischen Film und traditioneller Kunst zurück: »Die Verfahrensweisen aller früheren repräsentativen Kunstgattungen entsprechen zu einem höheren oder geringeren Grade einer

idealistischen Konzeption der Welt. Diese Künste operieren sozusagen von oben nach unten, nicht von unten nach oben; sie beginnen mit einer Idee, die in formlose Materie projiziert wird, und nicht mit den Objekten, aus denen die physische Welt besteht... Das Kino und nur das Kino wird jener materialistischen Interpretation des Universums gerecht, die, ob wir es nun mögen oder nicht, die heutige Zivilisation durchdringt.«[10]
Geleitet vom Film, nähern wir uns also den Ideen, wenn überhaupt, nicht länger auf Straßen, die durch die Leere führen, sondern auf Pfaden, die sich durchs Dickicht der Dinge winden. Während der Theaterbesucher einem Schauspiel folgt, das in erster Linie seinen Geist beansprucht und durch diesen erst sein Empfindungsvermögen, befindet sich der Kinobesucher in einer Situation, in der er nur dann Fragen stellen und nach Antworten tasten kann, wenn er physiologisch saturiert ist. »Das Kino«, sagt Lucien Sève, »...verlangt vom Zuschauer eine neue Form der Aktivität: sein durchdringendes Auge muß sich vom Körperlichen zum Geistigen bewegen.«[11] Auch Charles Dekeukeleire weist auf die Bedeutung dieser Aufwärtsbewegung hin: »Wenn die Sinne einen Einfluß auf unser geistiges Leben ausüben, dann wird das Kino dadurch, daß es die Zahl und Qualität unserer Sinneswahrnehmungen vermehrt, zu einem mächtigen Ferment der Spiritualität.«[12]

Anmerkungen

[Die genaueren bibliographischen Angaben wurden vom Herausgeber nach der »Bibliographie« in der Druckvorlage ergänzt.]

1 Zitiert nach: Henri Agel, »Du film en forme de chronicle«, in: G.-A. Astre (Hrsg.), *Cinéma et roman,* Paris 1958, S. 155.
2 Gideon Bachmann, »Federico Fellini: An Interview«, in: Robert Hughes (Hrsg.), *Film: Book I: The Audience and the Filmmaker,* New York 1959, S. 103.
3 Michel Dard, *Valeur humaine du cinéma,* Paris 1928, S. 15.
4 Erich Auerbach, *Mimesis: Dargestellte Wirklichkeit in der abendländischen Literatur,* Bern 1946, S. 493.

5 Herman G. Scheffauer, »The Vivifying of Space«, in: *The Freeman,* 24. November und 1. Dezember 1920.
6 Gabriel Marcel, »Possibilités et limites de l'art cinématographique«, in: *Revue internationale de filmologie,* Bd. 5, Nr. 18/19 (1954), S. 164.
7 Siehe Robert Graves, *The Greek Myths,* Bd. 1, Baltimore 1955, S. 127, 238 f.
8 Béla Balázs, *Der Geist des Films,* Halle 1930, S. 215–217.
9 Dard, *Valeur humaine du cinéma,* S. 16.
10 Erwin Panofsky, »Style and Medium in the Motion Pictures«, in: *Critique,* Bd. 1, Nr. 3 (1947), S. 27. Siehe auch Arnold Hauser, *Sozialgeschichte der Kunst und Literatur,* Bd. 2, München 1953, S. 955.
11 Lucien Sève, »Cinéma et méthode«, in: *Revue internationale de filmologie,* Bd. 1, Nr. 1 (1947), S. 46.
12 Charles Dekeukeleire, *Le cinéma et la pensée,* Bruxelles 1947, S. 15. – Vgl. auch Marcel L'Herbier, »Théâtre et cinéma«, in: Ford (Hrsg.), *Bréviaire du cinéma,* Paris 1945, S. 99.

ANDRÉ BAZIN

Die Entwicklung der kinematographischen Sprache

1958

Das Jahr 1928 zeigt die stumme Kunst auf dem Gipfelpunkt ihrer Vollendung. Unter den Besten, die an der Zerstörung dieser vollendeten Bilderwelt mitgewirkt hatten, breitete sich Verzweiflung aus. Sie schien berechtigt. Von dem damaligen Stand der Ästhetik aus betrachtet, war für sie der Film eine Kunst, die sich ganz und gar dem ›schönen Zwang‹ des Schweigens angepaßt hatte; die Realität des Tons konnte daher nur ins Chaos zurückführen.

Heute, da die Anwendung des Tons hinlänglich gezeigt hat, daß durch ihn das Alte Testament des Films nicht vernichtet, sondern ergänzt wurde, ist der Zeitpunkt gekommen zu fragen, ob die durch das Tonband bewirkte technische Revolution tatsächlich auch eine ästhetische Revolution ist. Mit anderen Worten: Sind die Jahre 1928 bis 1930 wirklich die Geburtsjahre eines neuen Kinos? Vom Schnitt her gesehen, läßt die Geschichte des Films zwischen Stumm- und Tonfilm keine so deutliche Trennung erkennen, wie man glauben könnte. Es lassen sich vielmehr Verwandtschaften aufdecken zwischen bestimmten Regisseuren um 1925 und anderen aus dem Jahre 1935, besonders aber aus der Zeit 1940 bis 1950, so zum Beispiel zwischen Erich von Stroheim und Jean Renoir oder Orson Welles, Carl Theodor Dreyer und Robert Bresson. Diese mehr oder weniger engen Verwandtschaften erweisen sich vor allem als eine Brücke, die über die Kluft der Jahre um 1930 führt; sie zeigen, daß bestimmte Formen des Stummfilms im Tonfilm fortbestehen; sie zeigen aber in erster Linie, daß es weniger darum geht, den Stummfilm dem Tonfilm gegenüberzustellen, als darum, in dem einen wie dem anderen Stilstrukturen, grundsätzlich unterschiedliche Konzeptionen des filmischen Ausdrucks herauszufinden.

Ohne mich darüber zu täuschen, daß mich der Umfang dieser Untersuchung zu einer vereinfachenden kritischen Argumentation zwingt und ihre Ergebnisse weniger als objektive Fakten, sondern als Arbeitshypothesen zu betrachten sind, möchte ich in dem Kino der Jahre 1920 bis 1940 zwei große gegensätzliche Richtungen unterscheiden: die Regisseure, die an das Bild glauben, und jene, die an die Realität glauben.

Unter ›Bild‹ verstehe ich ganz allgemein alles, was die Repräsentation auf der Leinwand dem repräsentierten Gegenstand hinzufügen kann. Dieser Anteil ist komplex, man kann ihn aber im wesentlichen in zwei Sachbereiche aufteilen: die Gestaltung des Bildes und das Hilfsmittel der Montage (die nichts anderes ist als die Organisation der Bilder in der Zeit). Unter Gestaltung ist der Stil des Dekors und der Schminke zu verstehen, in gewissem Maße auch der des Spiels sowie die Beleuchtung und letztlich der Bildausschnitt (cadrage), der die Komposition abschließt. Über die Montage, die man besonders aus den Hauptwerken von Griffith kennt, schreibt André Malraux in *Psychologie du Cinéma,* daß sie die Geburtsstunde des Films als Kunst bedeute: Das, was ihn tatsächlich von der einfachen lebenden Fotografie unterscheidet, ist schließlich und endlich eine Art Sprache.

Die Montage kann ›unsichtbar‹ sein. Das ist im klassischen amerikanischen Film der Vorkriegszeit meistens der Fall gewesen. Die Zerstückelung der Einstellung hat hier einzig das Ziel, das Ereignis nach der stofflichen oder dramatischen Logik der Szene zu analysieren. Diese Logik zeigt die unmerkliche Analyse; der Verstand des Zuschauers paßt sich natürlich Blickpunkten an, die der Regisseur ihm anbietet, denn diese sind in der Geographie der Handlung oder der Verlagerung des dramatischen Schwerpunktes begründet.

Die Neutralität dieses ›unsichtbaren‹ Schnittes wird aber nicht allen Möglichkeiten der Montage gerecht. Diese Verfahren sind unter den Bezeichnungen ›Parallelmontage‹, ›beschleunigte Montage‹ und ›Attraktionsmontage‹ allgemein bekannt. Mit der Erfindung der Parallelmontage gelang es Griffith, die Gleichzeitigkeit zweier räumlich voneinander entfernter Aktionen auszudrücken, und zwar durch abwechselnde Einstellungen der einen und der anderen Aktion. In *La roue* gibt Abel Gance uns die Illusion der Beschleunigung einer Lokomotive, ohne wirkliche Bilder von Geschwindigkeit zu benutzen (die Räder hätten sich übrigens auch auf der Stelle drehen können), sondern lediglich durch die Vervielfachung immer kürzer werdender Einstellungen. Die von Eisenstein erfundene Attraktionsmontage schließlich, deren Beschreibung nicht so einfach ist, kann grob definiert werden als die Verstärkung der Bedeutung eines Bildes durch die Gegenüberstellung mit einem anderen Bild, das nicht notwendigerweise zu demselben Ereignis gehören muß: das Feuerwerk in *Die Generallinie,* dem das Bild des Stiers folgt. In dieser extremen Form ist die Attraktionsmontage – auch von ihrem Erfinder – selten benutzt worden. Man kann aber als mit ihrem Prinzip sehr verwandt die bekanntere Methode der Ellipse, des Vergleiches oder der Metapher ansehen: die über den Stuhl am Fußende des Bettes geworfenen Strümpfe oder auch die überlaufende Milch (*Le quai des orfèvres* von H.-G. Clouzot). Selbstverständlich gibt es zahlreiche Kombinationsmöglichkeiten dieser drei Verfahren.

Wie immer diese auch sein mögen, ihnen allen gemeinsam ist etwas, das die Montage selbst definiert: die Schaffung eines Sinns, den die Bilder nicht objektiv enthalten und der nur aus ihrer Beziehung zueinander hervorgeht. Der berühmte Versuch von Kuleschow mit ein und derselben Einstellung von Mosjukin, dessen Lächeln je nach dem vorangegangenen Bild seinen Ausdruck zu verändern scheint, faßt die Möglichkeiten der Montage vollständig zusammen.

Die Montagen von Kuleschow, die von Eisenstein oder von Gance zeigen das Ereignis nicht, sie spielen darauf an. Zweifellos entnahmen sie den größten Teil ihrer Elemente der Realität, die sie beschreiben wollten, aber die eigentliche Bedeutung des Films lag weit mehr in der Organisation dieser Bestandteile als in ihrem objektiven Inhalt. Der Inhalt der Erzählung – worin auch immer der individuelle Realismus des Bildes bestehen mag

– entsteht wesentlich aus diesen Beziehungen: der lächelnde Mosjukin + das tote Kind = Mitleid, ein abstraktes Ergebnis, dessen konkrete Komponenten nicht seine Voraussetzung sind. Ebenso kann man sich vorstellen: junge Mädchen + blühende Apfelbäume = Hoffnung. Es gibt unzählige Kombinationen. Allen aber ist gemeinsam, daß sie eine Idee durch Vermittlung einer Metapher oder durch Assoziationen zu dieser Idee suggerieren. Genau gesagt wird zwischen das Drehbuch, das eigentliche Objekt der Erzählung und das unbearbeitete Bild ein zusätzlicher Verstärker (relais) geschaltet, ein ›Transformator‹ der Ästhetik. Der Sinn liegt nicht im Bild, er ist dessen durch die Montage in das Bewußtsein des Zuschauers projizierter Schatten.

Fassen wir zusammen: Sowohl die Gestaltung des Bildinhaltes als auch das Hilfsmittel der Montage geben dem Film das Rüstzeug, dem Zuschauer seine Interpretation des dargestellten Ereignisses aufzuzwingen. Gegen Ende des Stummfilms war dieses Rüstzeug perfekt. Der sowjetische Film hat die Theorie und die Praxis der Montage bis zur letzten Konsequenz vorangetrieben, während die deutsche Schule die Gestaltung des Bildes (Dekor und Beleuchtung) allen nur möglichen Zerreißproben unterworfen hat. Sicher zählen heute auch andere Filmnationen als die deutsche oder die sowjetische; ob in Frankreich, in Schweden oder in Amerika, es sieht nicht so aus, als fehlten der kinematographischen Sprache die Mittel, das zu sagen, was sie zu sagen hat. Besteht das Wesentliche der Filmkunst darin, was Gestaltung und Montage einer gegebenen Realität hinzufügen können, so ist die stumme Kunst eine vollendete Kunst. Der Ton könnte höchstens eine untergeordnete und ergänzende Rolle spielen: als Kontrapunkt zum ›visuellen‹ Bild. Diese mögliche Bereicherung aber, die zudem in den meisten Fällen nur gering wäre, birgt das Risiko gegenüber dem Gewicht der zusätzlichen Realität, die gleichzeitig mit dem Ton eingebracht wird, zu leicht zu wiegen.

Wir halten fest, daß das Wesentliche der Filmkunst in dem Expressionismus von Montage und Bild liegt. Und ebendiese all-

gemein übliche Feststellung haben seit Bestehen des Stummfilms Regisseure wie Erich von Stroheim, F. M. Murnau oder R. Flaherty durch ihre Arbeit zweifelhaft erscheinen lassen. Die Montage spielt in ihren Filmen praktisch keine Rolle, abgesehen von einer negativen, der unvermeidlichen Eliminierung in überreicher Realität. Die Kamera kann nicht alles auf einmal sehen, aber von dem, was sie aussucht, versucht sie nichts zu verlieren. Für Flaherty zählt, wenn Nanook den Seehund jagt, nur die Beziehung zwischen Nanook und dem Tier, die wirkliche Länge des Wartens. Die Montage könnte den Zeitablauf vortäuschen, Flaherty beschränkt sich darauf, uns das Warten zu *zeigen*; die Dauer der Jagd selbst ist der Inhalt des Bildes, sein wirklicher Gegenstand. Daher zeigt der Film diese Episode in nur einer einzigen Einstellung. Wer will bestreiten, daß sie um vieles bewegender ist als eine ›Attraktionsmontage‹?
Murnau interessierte sich für die Wirklichkeit des dramatischen Raums, weniger für den Zeitablauf; weder in *Nosferatu* noch in *Sunrise* spielt die Montage eine entscheidende Rolle. Man könnte meinen, der Bildaufbau nähere sich einem gewissen Expressionismus an; das aber wäre eine oberflächliche Sehweise. Sein Bildaufbau ist überhaupt nicht gestaltend, er fügt der Realität nichts hinzu, er verformt sie nicht, er bemüht sich im Gegenteil, tiefergehende Strukturen herauszuarbeiten, die vorausgegangenen Ereignisse sichtbar zu machen, die das Drama ausgelöst haben. So ist in *Taboo* das Auftauchen eines Schiffes auf der linken Hälfte der Bildfläche vollkommen identisch mit dem Verhängnis, ohne daß Murnau den rigorosen Realismus des Films – absoluter Naturalismus der Szenerie – verfälschen würde.

Stroheim aber ist sicher der schärfste Gegner sowohl eines Bildexpressionismus als auch des Kunstmittels der Montage. Bei ihm gesteht die Realität, wie der Verdächtige in der unermüdlichen Befragung durch den Kommissar. Das Prinzip seiner Regie ist einfach: die Welt so nah und so eindringlich zu betrachten, daß sie schließlich ihre Grausamkeit und ihre Häßlichkeit enthüllt. Man könnte sich sehr gut einen Film von Stroheim vor-

stellen, der – in der äußersten Zuspitzung – aus einer einzigen Einstellung besteht, so lang und so nah, wie man will.
Mit der Auswahl dieser drei Regisseure erschöpfen sich die Beispiele nicht. Es ließen sich gewiß auch einige andere finden, bei denen hier und da Elemente des nichtexpressionistischen Films vorkommen und die Montage keine Rolle spielt. Selbst bei Griffith. Aber diese Beispiele genügen vielleicht, um – im Herzen den Stummfilm – auf die Existenz einer Filmkunst hinzuweisen, die genau das Gegenteil dessen ist, was man unter dem ›Kino par excellence‹ versteht, eine Sprache, deren semantische und syntaktische Einheit niemals die Einstellung ist, in der in erster Linie das Bild zählt, nicht um der Realität etwas hinzuzufügen, sondern um sie zu enthüllen. So gesehen, war der Stummfilm tatsächlich nur ein Krüppel: die Realität ohne eines ihrer Elemente. *Greed* von Stroheim und *La passion de Jeanne d'Arc* von Dreyer sind daher in ihrer Wirkung schon Tonfilme. Wenn man aufhört, die Montage und die Komposition des Bildaufbaus für das eigentlich Essentielle der kinematographischen Sprache zu halten, bedeutet das Aufkommen des Tons nicht mehr die ästhetische Trennungslinie, die die siebte Kunst in zwei vollkommen verschiedene Bereiche teilt. Ein bestimmtes Kino glaubte am Tonband sterben zu müssen, dies war keineswegs ›das Kino‹; die eigentliche Trennungslinie liegt woanders, sie bestand fort und wird weiterbestehen, um 35 Jahre Geschichte der kinematographischen Sprache zu überbrücken.

Nachdem wir die ästhetische Einheit des Stummfilms in Zweifel gezogen und zwei einander intim verfeindete Richtungen festgestellt haben, wollen wir jetzt die Geschichte der letzten 20 Jahre überprüfen.
Von 1930 bis 1940 scheint sich in der Welt, ausgehend vor allem von Amerika, eine gewisse gemeinsame Ausdrucksform in der kinematographischen Sprache entwickelt zu haben. Damals machte der triumphale Erfolg der fünf oder sechs großen Filmgenres Hollywoods erdrückende Überlegenheit aus: die amerikanische Komödie (*Mr. Smith goes to Washington*, 1936), die

Burleske (die Marx-Brothers), der Revue- und Music-Hall-Film (Fred Astaire und Ginger Rogers, die Ziegfeld Follies), der Kriminal- und Gangsterfilm (*Scarface*; *I am a fugitive from a chain gang*; *The informer*), der psychologische Film und das Sittendrama (*Back street*; *Jezebel*), der phantastische und der Horrorfilm (*Dr. Jekyll and Mr. Hyde*; *The invisible man*; *Frankenstein*), der Western (*Stage coach*, 1939). An zweiter Stelle in dieser Zeit lag zweifellos der französische Film; seine Überlegenheit erwies sich mehr und mehr in einer Richtung, die man grob als schwarzen oder poetischen Realismus bezeichnen könnte und die von vier Namen bestimmt wird: Jacques Feyder, Marcel Carné, Jean Renoir und Julien Duvivier. Da wir keine Rangliste aufstellen wollen, ist es nicht sehr ergiebig, wenn wir uns mit dem sowjetischen, dem englischen, dem deutschen und dem italienischen Film aufhalten, die in der betreffenden Periode alle relativ weniger bedeutend waren als in den folgenden zehn Jahren. Die amerikanischen und französischen Produktionen genügen in jedem Fall, um zu zeigen, daß es sich bei dem Tonfilm der Vorkriegsjahre um eine bereits ausgewogene und ausgereifte Kunstform handelt.

Inhaltlich sind die großen Genrefilme in der Regel gut gearbeitet und geeignet, sowohl ein größeres internationales Publikum anzusprechen als auch eine gebildete Elite zu interessieren, vorausgesetzt, daß diese dem Kino gegenüber nicht grundsätzlich feindlich eingestellt ist.

Was die Form betrifft, so ist der Stil von Fotografie und Schnitt eindeutig und wird dem jeweiligen Gegenstand gerecht, die totale Einheit von Bild und Ton. Sieht man heute Filme wieder wie *Jezebel* von William Wyler, *Stage coach* von John Ford oder *Le jour se lève* von Marcel Carné, so empfindet man, daß in ihnen die Kunst ihr vollkommenes Gleichgewicht gefunden hat, ihre ideale Ausdrucksform, und andererseits bewundert man die dramatischen und moralischen Inhalte, die diese Filme vielleicht nicht voll verwirklicht haben, denen sie aber zu einer Größe und zu einer künstlerischen Form verholfen haben, die sie sonst nicht gehabt hätten. Mit einem Wort: alle Merkmale der Fülle einer ›klassischen‹ Kunst.

Ich weiß wohl, daß man zu Recht behaupten kann, das Charakteristische des Nachkriegsfilms im Vergleich zu dem von 1939 läge in dem Erscheinen bestimmter nationaler Produktionen, besonders in den Glanzpunkten des italienischen Films und in der Originalität des von Hollywood-Einflüssen befreiten britischen Films, und daß man zu dem Ergebnis kommen kann, das wirklich bedeutende Phänomen der Jahre 1940 bis 1950 läge in der Zufuhr neuen Blutes, in einem noch unerforschten Stoff. Kurz gesagt, daß die wirkliche Revolution weit mehr im Hinblick auf den Inhalt als auf den Stil stattgefunden hat, mehr im Hinblick auf das, was der Film der Welt zu sagen hat, als, wie er es ihr sagt. Ist nicht der Neo-Realismus in erster Linie ein Humanismus und erst dann ein Regiestil? Und wird dieser Regiestil nicht im wesentlichen bestimmt durch Bescheidenheit angesichts der Realität?
Dennoch ist es nicht meine Absicht, die Überlegenheit der Form vor dem Inhalt hervorzuheben. Das ›l'art pour l'art‹ ist für den Film nicht weniger ketzerisch, eher noch häretischer! Aber, dem neuen Inhalt eine neue Form! Und ein anderer Weg, besser zu verstehen, was der Film versucht, uns zu sagen, ist zu wissen, wie er es sagt.
1938 oder 1939 also hatte der Tonfilm, besonders in Frankreich und Amerika, eine Art klassischer Perfektion erreicht, die einerseits aus der Vervollkommnung der dramatischen Gattungen resultierte, die während zehn Jahren erarbeitet wurden oder aber das Erbe des Stummfilms übernommen haben, andererseits war sie das Ergebnis der Stabilisierung des technischen Fortschritts. Die dreißiger Jahre sind in jedem Fall sowohl die Jahre des Tons als auch die des panchromatischen Films gewesen. Die Ausrüstung der Studios ist sicher immer perfekter geworden; aber diese Verbesserungen sind nur Detail gewesen, keine von ihnen hat der Regie radikal neue Möglichkeiten eröffnet. Eine Situation, die sich im übrigen seit 1940 nicht geändert hat, höchstens in bezug auf die Qualität der Fotografie durch die zunehmende Empfindlichkeit des Filmmaterials. Das Farbfilmmaterial hat das Gleichgewicht der Bildvaleurs er-

schüttert, ultra-sensible Emulsionen haben eine Modifizierung der Zeichnung ermöglicht. Der Kameramann konnte im Studio Aufnahmen mit viel kleineren Blenden machen und gegebenenfalls die bei Außenaufnahmen entstehenden Unschärfen ausschalten, die bisher nahezu obligatorisch waren. Es lassen sich aber viele Beispiele für eine frühere Anwendung der Tiefenschärfe finden (bei Jean Renoir beispielsweise). Die Anwendung der Tiefenschärfe war im Freien immer möglich, sogar im Studio, wenn auch unter besonderen Anstrengungen. Man mußte nur wollen. So gesehen, handelt es sich weniger um ein technisches Problem, dessen Lösung – das ist allerdings richtig – sehr erleichtert worden ist, als um die Suche nach einem Stil; wir werden auf diesen Punkt zurückkommen. Alles in allem kann man davon ausgehen, daß seit der Popularisierung des Farbfilms, seit dem Wissen um die Möglichkeiten des Mikrofons und seitdem der Kran zur Standardeinrichtung in den Studios gehört, die für die Filmkunst notwendigen und ausreichenden Bedingungen seit 1930 gegeben sind.

Da technische Eingrenzungen praktisch ausgeräumt waren, müssen wir also Zeichen und Ursprünge der Entwicklung der Sprache woanders suchen, indem wir die Sujets und als Folge die für ihren Ausdruck notwendigen Stilmittel genau untersuchen. 1939 befand sich der Tonfilm an einem Punkt, den man in der Geographie als das Gleichgewichtsprofil eines Flusses bezeichnet, d. h. jene ideale mathematische Krümmung, die das Ergebnis ausreichender Erosion ist. Hat der Fluß sein Gleichgewichtsprofil erreicht, fließt er ohne Anstrengung und, ohne sein Bett weiter auszuhöhlen, von der Quelle zur Mündung. Setzt aber eine geologische Bewegung ein, die die Ebene anhebt, verändert sich die Höhe der Quelle; das Wasser arbeitet wieder, durchdringt die tieferliegenden Erdschichten, sickert ein, unterspült und höhlt aus. Manchmal, wenn es sich um kalkhaltige Schichten handelt, zeichnet sich ein ganz neues Relief in der Tiefe ab, an der Oberfläche gleichsam unsichtbar, aber vielschichtig und zerklüftet, wenn man dem Lauf des Wassers folgt.

Die Entwicklung des Filmschnittes seit dem Tonfilm

1938 findet man nahezu überall die gleiche Schnittechnik. Wenn wir diejenigen Stummfilme, die durch Bildgestaltung und Montage gekennzeichnet sind, ein wenig konventionell als ›expressionistisch‹ oder ›symbolistisch‹ bezeichnen, so können wir die neue Form der Erzähltechnik als ›analytisch‹ und ›dramatisch‹ beschreiben. Stellen wir uns, um eines der Beispiele aus den Experimenten Kuleschows wieder aufzunehmen, einen gedeckten Tisch vor und einen ausgehungerten armen Teufel. Den Schnittablauf von 1936 kann man sich wie folgt vorstellen:

1. Totale auf Schauspieler und Tisch;
2. Kamerafahrt bis zu einer Großaufnahme des Gesichts, das eine Mischung von Verwunderung und Begehren ausdrückt;
3. eine Folge von Großaufnahmen der Speisen;
4. Zurück zur Person, Einstellung auf die Füße, die langsam auf die Kamera zugehen;
5. Leichte Rückfahrt der Kamera bis zu einer amerikanischen Einstellung auf den Schauspieler, der nach einem Hühnerflügel greift.

Welche Varianten man sich auch immer zu dieser Schnittfolge vorstellen kann, alle enthalten folgende gemeinsame Punkte:

1. die Wahrscheinlichkeit des Schauplatzes, in dem der Standort der Personen immer festgelegt ist, selbst wenn in einer Naheinstellung die Dekoration wegfällt;
2. Absicht und Wirkungen des Schnitts sind ausschließlich dramatische oder psychologische.

Mit anderen Worten: diese Szene, auf dem Theater gespielt und von einem Parkettsitz aus betrachtet, hätte genau den gleichen Sinn, die Episode würde objektiv weiterbestehen. Die Veränderungen des Blickwinkels der Kamera fügen ihm nichts hinzu. Sie zeigen die Realität nur effektiver; einmal, indem sie ermöglichen, sie besser zu sehen, zum anderen, indem sie die Akzente dort setzen, wo sie hingehören.

Gewiß, genau wie der Theaterregisseur hat auch der Filmregis-

seur einen Interpretationsspielraum, innerhalb dessen der Sinn des Geschehens beeinflußbar ist; aber hier handelt es sich lediglich um einen Spielraum, der die formale Logik des Geschehens nicht verändern kann. Nehmen wir dagegen die Montage der Steinlöwen in *Das Ende von St. Petersburg*: Eine Gruppe kunstvoll zusammengefügter Skulpturen ruft den Eindruck hervor, als handele es sich hier um ein und dasselbe sich aufrichtende Tier (Symbol für das Volk).[1] Diese Meisterleistung der Montage ist seit 1932 undenkbar. Fritz Lang zeigt noch 1935 in *Fury* nach einer Einstellungsfolge schwatzender Frauen gackernde Hühner auf einem Hühnerhof. Ein Überbleibsel der Attraktionsmontage, die zu ihrer Zeit schon schockierte und die uns heute im Verhältnis zum übrigen Film völlig heterogen vorkommt. So maßgebend auch die Kunst eines Carné zum Beispiel in der Nuancierung der Drehbücher zu *Quai des brumes* oder *Le jour se lève* sein mag, seine Schnittechnik bewegt sich auf dem Niveau der Realität, die er analysiert, sie ist nur ein Weg, diese Realität besser zu sehen. Deshalb das Fehlen nahezu aller sichtbaren Trickaufnahmen wie Doppelbelichtung und – besonders in Amerika – sogar von Naheinstellungen, deren zu starke körperliche Wirkung die Montage spürbar machen würde. In der typischen amerikanischen Komödie zeigt der Regisseur die Darsteller so oft wie möglich in einem Bildausschnitt, der oberhalb des Knies beginnt und von dem sich herausgestellt hatte, daß er der spontanen Erwartung des Zuschauers entspricht.
Tatsächlich hat diese Anwendung der Montage ihre Ursprünge im Stummfilm. Sie entspricht in etwa der Rolle, die sie bei Griffith spielt, in *Broken Blossoms* zum Beispiel, denn mit *Intolerance* führte Griffith bereits jenes synthetische Konzept der Montage ein, das der russische Film bis in seine letzte Konsequenz vorantreiben sollte und das, wenn auch nicht mehr ausschließlich, besonders gegen Ende der Stummfilmzeit wieder angewandt wurde. Das sprechende Bild, weit weniger flexibel als das visuelle, hat die Montage zum Realismus zurückgeführt, indem nach und nach der Expressionismus in der Bildgestaltung und auch die symbolischen Beziehungen zwischen den Bildern weggelassen wurden.

So sind um 1938 die Filme tatsächlich fast einheitlich nach dem gleichen Prinzip geschnitten worden. Die Geschichte wurde in einer Folge von Einstellungen erzählt, deren Zahl relativ wenig variierte (etwa 600). Das Charakteristische dieser Schnittechnik war der Schuß / Gegenschuß, d. h. zum Beispiel in einem Dialog: der Logik des Textes folgend von einem zum anderen Gesprächspartner wechselnde Einstellungen.
Dieser Art des Schnitts, die für die besten der von 1930 bis 1939 entstandenen Filme so wunderbar geeignet war, wurde durch die von Orson Welles und William Wyler eingeführte Tiefenschärfe eine Absage erteilt.

Die Bedeutung von *Citizen Kane* kann gar nicht überschätzt werden. Die Tiefenschärfe ermöglicht, daß ganze Szenen in einer einzigen Einstellung gezeigt werden, die Kamera selbst bleibt unbeweglich. Die dramatischen Wirkungen, die vorher durch die Montage erreicht wurden, entstehen hier dadurch, daß die Schauspieler innerhalb der einmal festgelegten Einstellung ihren Platz verändern. Sicher hat Orson Welles die Tiefenschärfe so wenig ›erfunden‹ wie Griffith die Großaufnahme. Sie wurde bereits von den Filmpionieren benutzt, und aus gutem Grund. Die Unschärfe des Bildes war erst mit der Montage entstanden. Sie war nicht nur eine technische Notwendigkeit der Anwendung ineinander übergehender Einstellungen, sondern geradezu die logische Konsequenz der Montage, ihre bildhafte Entsprechung. Wenn in einem solchen Moment der Handlung der Regisseur zum Beispiel wie in dem oben angeführten fiktiven Schnitt eine Obstschale in einer Naheinstellung zeigt, tut er das üblicherweise, indem er durch eine scharfe Einstellung des Objektivs die Obstschale vereinzelt. Die Unschärfe des Hintergrunds unterstreicht den Montageeffekt, sie ist nur am Rande Bestandteil des Kamerastils, hauptsächlich gehört sie zur Erzählung. Das hatte schon Jean Renoir vollkommen verstanden, als er 1938 – also nach *La bête humaine* und *La grande illusion* und vor *La règle du jeu* – schrieb: »Je mehr Fortschritte ich in meinem Beruf mache, desto mehr neige ich zur Tiefe in bezug auf

die Leinwand; je besser das geht, desto mehr verzichte ich auf die Gegenüberstellung von zwei Schauspielern, die wie beim Fotografen hübsch ordentlich vor die Kamera placiert sind.«
Und tatsächlich, sucht man nach einem Vorläufer für Orson Welles, so ist das nicht Louis Lumière oder Zecca, sondern Jean Renoir. In seinen Filmen entspricht die Suche nach der Komposition in der Bildtiefe einer teilweisen Aufhebung der Montage, die ersetzt wird durch häufige Panoramafahrten und Auftritte in das Bild. Sie berücksichtigt die Kontinuität des dramatischen Schauplatzes und natürlich dessen Dauer.
Für den, der sehen kann, ist offensichtlich, daß die Einstellungsfolgen in *Magnificent Ambersons* von Orson Welles kein passives ›Registrieren‹ einer fotografierten Handlung im immer gleichen Bildausschnitt sind; im Gegenteil ist die Weigerung, das Geschehen zu zerstückeln, seinen dramatischen Inhalt in der Zeit zu analysieren, ein positives Verfahren, dessen Wirkung der des klassischen Schnitts überlegen ist.
Es genügt, zwei Fotogramme mit Tiefenschärfe zu vergleichen, das eine von 1910, das andere aus einem Film von Welles oder Wyler, um nur aus der Betrachtung des Bildes, unabhängig vom Film selbst, zu verstehen, daß ihre Funktionen verschiedene sind. Der Bildausschnitt von 1910 ist praktisch identisch mit dem der im Theater fehlenden vierten Wand oder, zumindest bei Außenaufnahmen, mit dem besten Blickpunkt auf das Geschehen, während Dekor, Beleuchtung und Kamerawinkel dem zweiten Bild ein völlig anderes Layout, eine ganz verschiedene Lesart geben. Der Regisseur und der Kameramann haben auf der Leinwand ein dramatisches Schachbrett angeordnet, an dem nicht das geringste Detail fehlt. Die klarsten, wenn nicht sogar originellsten Beispiele hierfür findet man in *Little Foxes*, wo die Regie die Schärfe einer geometrischen Zeichnung annimmt (bei Welles macht die barocke Überladenheit die Analyse komplexer). Die Placierung eines Gegenstandes und seine Beziehung zu den Personen ist so, daß dem Zuschauer dessen Bedeutung nicht entgehen kann. Die Montage hätte diese Bedeutung in einem Ablauf aufeinanderfolgender Einstellungen umständlich beschreiben müssen.[2]

Mit anderen Worten: Der moderne Regisseur verzichtet bei einer mit Tiefenschärfe fotografierten Einstellungsfolge nicht auf die Montage – wie könnte er das auch, ohne in die primitiven Anfänge zurückzufallen –, er integriert die Montage in seine Gestaltung. Die Erzählung bei Welles oder Wyler ist nicht weniger explizit als die bei John Ford, aber sie hat dieser gegenüber den Vorteil, nicht auf die besonderen Effekte verzichten zu müssen, die sich aus der Bildeinheit in Zeit und Raum ergeben. Es ist (wenigstens in einer Arbeit, die einen Stil anstrebt) nicht gleichgültig, ob ein Ereignis fragmentarisch analysiert oder ob es in seiner äußeren Einheit dargestellt wird. Es wäre ganz offensichtlich absurd, die entscheidenden Fortschritte bestreiten zu wollen, die die Anwendung der Montage für die Sprache der Leinwand gebracht hat. Diese Fortschritte entstanden aber auf Kosten anderer, nicht weniger spezifischer kinematographischer Qualitäten.

Deshalb ist die Tiefenschärfe nicht nur eine Mode des Kameramannes wie die Benutzung von Filterscheiben oder ein bestimmter Beleuchtungsstil, sondern eine wesentliche Errungenschaft der Regie: ein dialektischer Fortschritt in der Geschichte der kinematographischen Sprache.

Und dies ist nicht nur ein formaler Fortschritt! Die richtig angewandte Tiefenschärfe ist nicht nur eine ökonomischere, einfachere und gleichzeitig subtilere Methode, ein Ereignis darzustellen; sie bewirkt mit den Strukturen der kinematographischen Sprache die intellektuellen Beziehungen des Zuschauers zum Bild und modifiziert damit gleichzeitig den Sinn des Schauspiels.

Es würde über die Absicht dieses Artikels hinausgehen, die psychologische Beschaffenheit dieser Beziehungen, wenn nicht gar ihre ästhetischen Konsequenzen zu untersuchen; es mag ausreichen, ganz allgemein folgendes festzustellen:

1. daß die Tiefenschärfe den Zuschauer in eine Beziehung zum Bild setzt, die enger ist als seine Beziehung zur Realität. Man kann deshalb zu Recht sagen, daß selbst unabhängig vom Inhalt des Bildes dessen Struktur realistischer ist;

2. daß sie folglich eine aktivere Geisteshaltung impliziert und sogar eine positive Mitwirkung des Zuschauers an der Regie. Während der Zuschauer bei der analytischen Montage nur dem Wegweiser folgen muß, seine eigene Aufmerksamkeit in der des Regisseurs aufgeht, der für ihn auswählt, was er sehen muß, ist hier ein gewisses Minimum selbständiger Auswahl erforderlich. Von der Aufmerksamkeit des Zuschauers und seinem Wollen hängt es teilweise ab, ob das Bild einen Sinn bekommt.
3. Aus den zwei vorhergehenden mehr psychologischen Behauptungen leitet sich eine dritte ab, die man als metaphysisch bezeichnen kann.
   Bei der Analyse der Realität setzt die Montage ihrem Charakter entsprechend die Einheit der Bedeutung des dramatischen Geschehens voraus. Zweifellos war ein anderer analytischer Annäherungsweg möglich, das aber wäre auch ein anderer Film gewesen. Kurz gesagt, die Montage widerspricht grundsätzlich und ihrer Natur nach der Vieldeutigkeit. Das Experiment von Kuleschow führt dies ad absurdum, indem er dem Gesicht, dessen Vieldeutigkeit drei sich nach und nach ausschließende Interpretationen erlaubt, jeweils einen genauen Sinn gibt.

Die Tiefenschärfe dagegen führt die Vieldeutigkeit in der Bildstruktur wieder ein, wenn nicht als Notwendigkeit (die Filme von Wyler sind kaum vieldeutig), so doch als Möglichkeit. Deshalb ist es nicht übertrieben zu sagen, daß *Citizen Kane* sich nur über die Tiefenschärfe verstehen läßt. Die Ungewißheit, wo sich der spirituelle Schlüssel oder die Interpretation verbirgt, ist in die Zeichnung des Bildes selbst eingeschrieben.
Welles versagt sich nicht den Rückgriff auf expressionistische Montageverfahren; aber gerade ihre episodenhafte Anwendung innerhalb der Tiefenschärfe – zwischen den Einstellungsfolgen – verleiht ihnen einen neuen Sinn. Früher war die Montage das eigentliche Material des Films, das Grundgewebe des Drehbuchs. In *Citizen Kane* steht eine Reihe von Überblendungen

(surimpressions) einer in einer einzigen Einstellung gedrehten Szene gegenüber – das ist eine andere, betont abstrakte Form der Erzählung. Die beschleunigte Montage trickste mit Zeit und Raum, die von Welles versucht nicht, uns zu täuschen, ganz im Gegenteil erscheint sie uns als zeitliches Kondensat, eine Entsprechung beispielsweise zum französischen Imperfekt oder zum englischen Frequentativum. Wie die ›beschleunigte Montage‹ und die ›Attraktionsmontage‹ haben die Überblendungen, die der Tonfilm seit zehn Jahren nicht mehr benutzt hat, in bezug auf den zeitlichen Realismus und in einem ohne Montage gedrehten Film ihre Anwendungsmöglichkeit wiedergefunden.

Wenn wir uns bei dem Fall Orson Welles länger aufgehalten haben, so deshalb, weil sein Erscheinen am kinematographischen Himmel (1941) ziemlich genau den Beginn einer neuen Periode anzeigt und auch weil Orson Welles selbst in seinen Extremen der spektakulärste und bezeichnendste Fall ist. *Citizen Kane* ist aber Bestandteil einer allgemeinen Bewegung, einer weitgreifenden geologischen Verlagerung der Fundamente des Films, die bestätigt, daß diese Revolution der Sprache in gewisser Weise überall stattgefunden hat.

Im italienischen Film habe ich dafür Bestätigung auf sehr unterschiedlichen Wegen gefunden. In *Paisà* und *Germania anno zero* von Roberto Rossellini und in *Ladri di biciclette* von Vittorio de Sica stellt sich der italienische Neo-Realismus durch den Verzicht auf jeden Expressionismus und besonders durch das völlige Fehlen der aus der Montage entstehenden Effekte gegen die früheren Formen des filmischen Realismus. Wie in den Filmen von Welles und trotz der stilistischen Gegensätze tendiert der Neo-Realismus dahin, dem Kino den Sinn für die Vieldeutigkeit der Wirklichkeit zurückzugeben. Die Sorgfalt Rossellinis, wenn er sich mit dem Kindergesicht in *Germania anno zero* befaßt, ist genau das Gegenteil dessen, was Kuleschow mit den Großaufnahmen von Mosjukin bewirkt. Es geht Rossellini darum, das Geheimnis des Gesichtes zu bewahren. Daß die neo-realistische Evolution sich nicht durch einige revolutionäre Änderungen in der Schnittechnik manifestiert, wie das in Amerika der Fall ist, soll uns nicht täuschen. Die Mittel zur Erreichung des gleichen Ziels sind verschiedene. Rossellinis und de Sicas Mittel sind weniger spektakulär, aber auch sie zielen dahin, die Montage auf ein Nichts zu reduzieren und die Realität in ihrem wahren Ablauf auf der Leinwand zu zeigen. Zavattini träumt von nichts anderem, als 90 Minuten aus dem Leben eines Mannes zu filmen, dem nichts passiert. Ebenso klar wie Welles gibt der größte Ästhet der Neo-Realisten, Luchino Visconti, in *La terra trema* der wesentlichen Absicht seiner Kunst Ausdruck, ein Film, der fast ausschließlich aus Plansequenzen zusammengesetzt ist und in dem versucht wird, durch Tiefenschärfe und unbegrenzte Panoramafahrten das gesamte Geschehen einzufangen.

Wir können uns aber nicht alle Filme vor Augen führen, die an der Entwicklung der Sprache seit 1940 beteiligt sind. Es ist der Zeitpunkt, eine Synthese der bisherigen Überlegungen zu versuchen. Die letzten zehn Jahre scheinen uns durch einen entscheidenden Fortschritt auf dem Gebiet des filmischen Ausdrucks gekennzeichnet zu sein. Wenn wir seit 1930 die besonders durch Erich von Stroheim, F. W. Murnau, R. Flaherty und Dreyer vertretene Tendenz des Stummfilms aus den Augen verloren haben, so mit voller Absicht. Nicht etwa, daß diese Filme uns seit dem Tonfilm leer und glanzlos erschienen wären. Ganz im Gegenteil halten wir sie für die fruchtbarste Phase des sogenannten stummen Kinos; sie als einzige forderten, gerade weil das Wesentliche ihrer Ästhetik nicht mit der Montage verbunden war, den klanglichen Realismus als eine natürliche Weiterentwicklung. Es ist allerdings richtig, daß der Tonfilm zwischen 1930 und 1940 ihnen fast nichts verdankte, mit einer ruhmreichen und, rückblickend, prophetischen Ausnahme: Jean Renoir, der einzige Regisseur, der sich bis zu *La règle du jeu* bemühte, über die Montage hinaus das Geheimnis einer filmischen Erzählform wiederzufinden, die alles ausdrücken kann, ohne die Welt zu zerstückeln, den Sinn zu enthüllen, der hinter den Wesen und den Dingen liegt, ohne die natürliche Einheit zu zerstören.

Es geht nicht darum, den Film zwischen den Jahren 1930 und

1940 zu diskreditieren; dem würde nicht zuletzt die Existenz einiger Meisterwerke widersprechen. Es geht darum, einen dialektischen Fortschritt aufzuzeigen, der in den Jahren um 1940 am deutlichsten zum Ausdruck kam. Es ist richtig, daß der Ton zugleich das Totengeläute für eine bestimmte Ästhetik der kinematographischen Sprache bedeutete, aber nur für diejenige, die sich von seiner realistischen Bestimmung am weitesten entfernt hatte. Das Wesentliche der Montage hat der Tonfilm allerdings übernommen: die diskontinuierliche Beschreibung und die dramatische Analyse des Ereignisses. Er hat auf die Metaphorik verzichtet und auf Symbole, um die Illusion einer objektiven Darstellung anzustreben. Der Expressionismus der Montage ist fast vollständig verschwunden, aber die relativ realistische Schnittechnik, die um 1937 herum allgemein vorherrschend war, schloß eine natürliche Begrenzung ein, über die wir uns nicht klarwerden konnten, solange die behandelten Sujets ihr vollkommen entsprachen. So in der amerikanischen Komödie, die ihre Perfektion in einem Bildausschnitt erreicht hat, in dem der Realismus der Zeit keine Rolle spielte. Ihrem Wesen nach logisch – wie Sing- und Wortspiel – und vollkommen konventionell in ihrer moralischen und sozialen Zielsetzung, konnte die amerikanische Komödie von den rhythmischen Mitteln des klassischen Schnittes für die Schärfe ihrer Beschreibung und für ihre Genauigkeit nur profitieren.

Sicher hat der Film seit zehn Jahren vor allem an die Richtung Stroheim-Murnau, die in den Jahren 1930 bis 1940 vollständig in den Schatten gestellt war, mehr oder weniger bewußt wieder angeknüpft. Aber er verlängert sie nicht einfach; er entnimmt ihr das Geheimnis einer realistischen Wiedergeburt der Erzählung, die die wirkliche Zeit der Dinge, die Dauer des Geschehens wieder integrieren kann, an deren Stelle der klassische Schnitt hinterlistig nur eine intellektuelle und abstrakte Zeit setzte. Weit davon entfernt, die Errungenschaften der Montage endgültig aufzugeben, gibt er ihnen im Gegenteil Bestimmtheit und Sinn. Nur durch einen erhöhten Realismus des Bildes wird die Abstraktion möglich. Das stilistische Repertoire eines Regisseurs wie Hitchcock zum Beispiel erstreckt sich von den Möglichkeiten des unbearbeiteten Dokuments bis zu Überblendungen und sehr nahen Einstellungen. Aber die Großaufnahmen von Hitchcock sind nicht die von C. B. de Mille in *The Cheat*. Sie sind nur ein Stilmittel unter anderen. Mit anderen Worten: Zur Zeit des Stummfilms *rief* die Montage *hervor,* was der Regisseur sagen wollte, 1938 *beschrieb* der Schnitt, heute schließlich, so könnte man sagen, *schreibt* der Regisseur den Film unmittelbar. Das Bild – seine plastische Struktur, seine Organisation in der Zeit – verfügt, gestützt auf einen größeren Realismus, über viel mehr Möglichkeiten der Beeinflussung und Verwandlung der Realität in ihrem Kern. Der Filmemacher ist nicht mehr nur der Konkurrent des Malers und des Dramatikers, sondern endlich dem Romanschriftsteller ebenbürtig.

Anmerkungen

1 Hier irrt Bazin. Die Montage stammt aus dem Film *Panzerkreuzer Potemkin.* [Anm. d. Hrsg.]

2 Genaue Beschreibungen dieser Analyse findet man in einem Aufsatz über William Wyler (William Wyler ou le janséniste de la mise en scène).

SERGEJ M. EISENSTEIN

Dramaturgie der Film-Form

Der dialektische Zugang zur Film-Form

9. April 1929

Nach Marx und Engels ist das System der Dialektik nur die bewußte Reproduktion des dialektischen Ablaufs (Wesens) außerer Vorgänge der Welt. (Razumovskij, *Theorie des dialektischen Materialismus,* Moskau 1928)

Also:

Projektion des dialektischen Systems
der Dinge ins Gehirn
– *ins abstrakte Gestalten* –
– *ins Denken* – ergibt dialektische
Denkweise – dialektischen Materialismus – PHILOSOPHIE.

Ebenso:

ergibt die Projektion desselben Systemes
der Dinge
– ins konkrete Gestalten –
– in Formen – KUNST.

Grundlage dieser Philosophie ist die *dynamische* Auffassung der Dinge:

Bestehen als ständiges Entstehen

aus der Rückwirkung zweier konträrer Widersprüche.
Synthese, die im Widerspruch von
These und Antithese *entsteht.*

Im selben Maße ist sie auch grundlegend wichtig für die richtige Auffassung der Kunst und aller Künste.
Im Gebiete der Kunst verkörpert sich dieses dialektische Prinzip der Dynamik im

KONFLIKT

als dem wesentlichen Grundprinzip des Bestehens eines jeden Kunstwerks und jeder Kunstgattung.

DENN KUNST IST IMMER KONFLIKT:

1. ihrer sozialen Mission nach,
2. ihrem Wesen nach,
3. ihrer Methodik nach.

1. Ihrer sozialen Mission nach,

da:

[es] Aufgabe der Kunst ist, die Widersprüche des Existierenden zu offenbaren. Durch das Aufwühlen von Widersprüchen im Betrachter und durch den dynamischen Aufeinanderprall entgegengesetzter Leidenschaften den richtigen intellektuellen Begriff zu schmieden – die richtige Anschauung zu formen.

2. Ihrem Wesen nach,

da:

sie ihrem Wesen nach im Konflikt zwischen natürlichem Dasein und schaffender Tendenz besteht. Zwischen organischer Trägheit und zielbewußter Initiative.

Die Hypertrophie der zielbewußten Initiative – des Prinzips der rationellen Logik – läßt die Kunst zu mathematischem Technizismus erstarren.
(Die Landschaft wird zum Grundriß, »St. Sebastian« – zum anatomischen Atlas.)
Hypertrophie der organischen Natürlichkeit – organischen Logik – verschwemmt die Kunst in Unförmlichkeit.
(Malevič[1] wird Kaulbach[2],
Archipenko[3] – Wachsfigurenkabinett).
Denn:

Limitum organischer Form
(passives Daseins-Prinzip) IST NATUR
Limitum rationeller Form
(aktives Produktions-Prinzip) IST INDUSTRIE

und:

Auf dem Schnittpunkt von Natur
und Industrie steht DIE KUNST.

1. Logik organischer Form
gegen
2. Logik rationeller Form

ergibt im Aufeinanderprall die

Dialektik der Kunstform.

Aufeinander-Wirkung der beiden erzeugt und bedingt Dynamik.

(Nicht nur im räumlich-zeitlichen Sinn – auch im rein gedanklichen Gebiet. Das Entstehen neuer Begriffe und Anschauungen im Konflikt zwischen üblicher Vorstellung und einzelner Darstellung betrachte ich ebenfalls als Dynamik –
Dynamisierung der Anschauungsträgheit – Dynamisierung der »traditionellen Auffassung« in eine neue.)

Der Grund der Entfernung bedingt Spannungs-Intensität:

(Siehe als Beispiel in der Musik den Begriff der Intervalle. Dabei kann es Fälle geben, wo die Spreizung derart weit sein kann, daß sie zum Bruch, [zum] Zerfall der einheitlichen Kunstauffassung führen kann. »Unhörbarkeit« gewisser Intervalle.)

Räumliche Form dieser Dynamik ist Ausdruck
*ihrer Spannungs-Phasen – Rhythmus.**

Dies gilt für jede Kunstgattung, [wie] überhaupt für jede Gattung [lies: Art] der Äußerung.

So ist der menschliche Ausdruck – Konflikt zwischen bedingtem und unbedingtem Reflex.

(Ich stimme in diesem Punkte nicht mit Klages[4] überein, der
1) den menschlichen Ausdruck nicht dynamisch als Prozeß, sondern statisch als Resultante betrachtet und
2) dem Gebiet der »Seele« alles Bewegende zuschreibt, der »Ratio« dagegen nur das Hemmende (»Ratio« und »Seele«) der idealistischen Auffassung, hier in entfernter Korrespondenz mit den Begriffen des bedingten und unbedingten Reflexes.)

Ebenso gilt dasselbe für alle Gebiete, soweit sie als Kunst aufgefaßt werden. So ergibt zum Beispiel auch das logische Denken – als Kunst betrachtet – denselben Mechanismus:

»Das intellektuelle Leben eines Plato oder eines Dante wurde in hohem Maße von ihrer Freude an der einfachen Schönheit der *rhythmischen Beziehung* zwischen Regel und Beispiel, zwischen Gattung und Individuum bestimmt und genährt« (G. Wallas, *The Great Society*).

So auch auf den anderen Gebieten, z. B. in der Sprache, wo die Saftigkeit, Lebendigkeit und Dynamik aus der Irregularität der Einzelheit in Beziehung zur Regel des Systems als Ganzem entsteht.

Und demgegenüber die Ausdruckssterilität der künstlichen, durchaus regulären Sprachen wie z. B. Esperanto.

Vom selben Prinzip abgeleitet aber der ganze Reiz der Poesie,

* Die ursprüngliche und dann wieder ausgestrichene Zeile hieß: »*Zeitliche Form dieser Spannung (Spannungsphasen) ist Rhythmus*«. [Anm. d. Hrsg.]

deren Rhythmus als Konflikt zwischen dem angenommenen metrischen Maß und der dieses Maß überrumpelnden Tonverteilung entsteht.[5]
Die Auffassung sogar [einer] formal-statischen Erscheinung als dynamischer Funktion versinnbildlicht dialektisch das weise Wort Goethes, daß:

»*Architektur gefrorene Musik*« sei.

Diese Auffassung werden wir noch weiter anwenden.
Und wie bei einheitlicher Gesinnung (monistischer Einstellung) das Ganze wie auch die geringste Einzelheit von *einem Prinzip* durchdrungen sein muß –
so gesellt sich zum Konflikt der *sozialen Bedingtheit* und zum Konflikt der *Wesentlichkeit* dasselbe Konfliktprinzip als Grundstein für die *Methodik* der Kunst. Als Grundprinzip des zu schaffenden Rhythmus und des Entstehens der Kunstform.

3. Ihrer Methode nach:

Bildausschnitt und Montage sind die Grundelemente des Films.

Montage

Der Sowjet-Film hat sie zum Nerv des Films bedingt.
Das Wesen der Montage zu bestimmen hieße das Problem des Filmes als solches zu lösen.
Die alten Filmmacher, so auch der theoretisch ganz veraltete Lev Kulešov[6], betrachteten die Montage als ein Mittel, dadurch etwas beizubringen, daß man es schildert, indem man einzelne Bildausschnitte wie Bausteine aneinanderfügt.
Die Bewegung im Bildausschnitt und die konsequente Länge der Stücke soll dabei als Rhythmus betrachtet werden.
Grundweg falsche Auffassung!
Das hieße eine Gegebenheit ausschließlich nach der [Art] ihres äußeren Ablaufs zu bestimmen. Das mechanische Aneinanderkleben der Stücke als Prinzip [zu] betrachten.

Solch ein Längenverhältnis dürfen wir nicht als Rhythmus bezeichnen.
Es entstünde so eine Metrik, [die] dem Rhythmus als solchem ebenso entgegengesetzt [ist], wie das mechanistisch-metrische Mensendick-System der organisch-rhythmischen Bode-Schule im Falle des Körperausdrucks entgegensteht.
Nach dieser Bezeichnung (die auch Pudovkin als Theoretiker teilt) ist die Montage das Mittel, den Gedanken durch aufgenommene Einzelstücke *abzurollen** (»episches« Prinzip).
Meiner Ansicht nach ist aber Montage nicht ein aus aufeinanderfolgenden Stücken zusammengesetzter Gedanke, sondern ein Gedanke, der im Zusammenprall zweier voneinander unabhängiger Stücke ENTSTEHT (»dramatisches« Prinzip).
(»Episch« und »dramatisch« [in bezug] auf die Methodik der Form und nicht [auf] Inhalt oder Handlung!!)
Wie in der japanischen Hieroglyphik, wo zwei selbständige ideographische Zeichen (»Bildausschnitte«) nebeneinandergestellt zu einem Begriff *explodieren.*

SO:	Auge	+	Wasser	=	weinen
	Tür	+	Ohr	=	lauschen
	Kind	+	Mund	=	schreien
	Mund	+	Hund	=	bellen
	Mund	+	Vogel	=	singen
	Messer	+	Herz	=	Kummer usw.

(Abel Rémusat, *Recherches sur l'origine de la formation de l'écriture chinoise*).

Sophismus? Keinesfalls!
Denn hier [wird] versucht, das ganze Wesen, den prinzipiellen Stil und die Gesinnung des Films aus seiner technisch(-optischen) Grundlage abzuleiten.
Wir wissen, daß das Bewegungs-Phänomen des Films darin

* Im Original durchgestrichen: »wie Bausteine zusammensetzen (abrollen)« [Anm. d. Hrsg.].

liegt, daß zwei unbewegliche Bilder eines bewegten Körpers in aufeinanderfolgender Position bei schnellem Nacheinander-Zeigen in Bewegung verschmelzen.
Die vulgäre Bezeichnung dessen, was geschieht – *Verschmelzung* –, hat auch zu der oben erwähnten vulgären Auffassung [von] Montage geführt.
Bezeichnen wir den Verlauf des erwähnten Phänomens genauer, [so] wie es wirklich ist, und ziehen wir Schlüsse daraus.
Zwei nebeneinandergereihte Unbeweglichkeiten ergeben das Entstehen eines Begriffes von Bewegtheit.

Stimmt das? Bildlich-phraseologisch ja.

Mechanisch aber ist es nicht so.

Denn faktisch wird jedes folgende Element nicht *neben*einander, sondern *auf*einander gereiht.

Denn:

Der Bewegungs-Begriff (Empfindung) entsteht im Prozeß der Superposition des behaltenen Eindrucks der ersten Position des Objekts und der [als zweite] sichtbar werdenden Position des Objekts.

So entsteht auch andererseits das Phänomen der Raumtiefe als optische Superposition zweier Flächen im stereoskopischen Falle.

Aus der Superposition zweier Größen desselben Maßes entsteht überhaupt eine neue Dimension.

So ergibt sich hier, im Fall der Stereoskopie, die Superposition zweier nichtidentischer Zweidimensionalitäten – das Phänomen der stereoskopen Dreidimensionalität. Auf anderem Gebiet: Konkretes Wort (Bezeichnung) an konkretes Wort gereiht ergibt abstrakten Begriff.

Wie im Japanischen (s. o.), wo *materielles* Bildzeichen an *materielles* Bildzeichen gereiht die *transzendentale Resultante* (Begriff) erzeugt.

Das konturelle Nicht-Übereinstimmen des im Gedächtnis eingeprägten ersten Bildes und des dann wahrzunehmenden zweiten Bildes – der Konflikt beider – gebiert die Be-

wegungs-Empfindung, den Begriff des Ablaufens einer Bewegung.
Der Grad der Nicht-Übereinstimmung bedingt die Eindrucks-Intensität, bedingt die Spannung, die zum wirklichen Element des eigentlichen Rhythmus im Zusammenhang mit dem darauf folgenden wird.

Hier haben wir im Zeitlichen das, was wir räumlich auf der graphischen oder bemalten Fläche entstehen sehen.
Worin besteht der dynamische Effekt eines Bildes?
Das Auge verfolgt die Richtung eines Elements. Behält den visuellen Eindruck, der sodann zusammenprallt mit der Verfolgung der Richtung des zweiten Elements. Der Konflikt dieser Richtung bildet den dynamischen Effekt in der Wahrnehmung des Ganzen.
I. Es kann rein linear sein: Fernand Léger.[7] Suprematismus.[8]
II. Es kann »anekdotisch« sein. Das Geheimnis der fabelhaften Bewegtheit der Figuren von Daumier, von Lautrec[9] besteht darin, daß verschiedene Körperteile der Gestalten in zeitlich verschiedenen räumlichen Zuständen (Lagen) abgebildet sind. (Siehe z. B. Lautrecs *Miss Cecy Loftus*.)
Die Lage A des Fußes logisch abwickelnd, baut man eine ihm korrespondierende Lage des Körpers A. Der Körper ist jedoch, vom Knie ab, schon in der Lage A+a abgebildet. Der kinematische Effekt des unbeweglichen Bildes ist hier schon vorhanden: Von [der] Hüfte [an bis] zu den Schultern ist schon A+a+a. Die Figur scheint lebend und bebend!
III. Zwischen I und II liegt der primitive italienische Futurismus. Der Mann mit sechs Beinen in sechs Lagen. (Zwischen I und II, weil II es unter Beibehaltung der natürlichen Einheit und anatomischen Geschlossenheit macht. I jedoch mit rein elementaren Elementen, III aber, obwohl die Natürlichkeit zersetzend, bis zum Abstrakten noch nicht vorgedrungen ist.)
IV. Es kann ideographischer Art sein. So die prägnante Charakteristik eines Sharaku[10] (Japan, 18. Jahrhundert). Das Geheimnis seiner raffiniertesten Ausdruckskraft liegt in der *räumlichen Disproportion* der Teile (I könnte man *zeitliche Disproportion*

nennen). Darüber äußert sich Julius Kurth *(Sharaku)*. (Er beschreibt ein Schauspielerporträt, indem er es mit einer Maske vergleicht:)
»... Während das Schnitzwerk nach ziemlich richtigen anatomischen Proportionen gearbeitet ist, sind die Proportionen des Bildes einfach unmöglich. Der Raum zwischen den Augen beansprucht eine Breite, die jeder Vernunft spottet. Die Nase ist im Verhältnis zu den Augen fast zweimal so lang, wie es sich eine normale Nase leisten darf, das Kinn zum Mund in überhaupt keinem Verhältnis ... Dieselbe Beobachtung machen wir bei allen großen Köpfen von Sharaku. Daß der Meister nicht gewußt haben sollte, daß alle diese Proportionen falsch seien, ist natürlich ausgeschlossen. Er hat das Normale mit voller Absichtlichkeit vernachlässigt, *und während die Zeichnung der einzelnen Teile auf stark reduziertem Naturalismus beruht, ist ihre Komposition rein gedanklichen Gesichtspunkten unterworfen.*« (S. 80 f.)[11]
Das räumliche Ausspinnen der korrespondierenden Größe eines Details in bezug zum anderen und der Zusammenstoß mit den vom Künstler dafür bestimmten Ausmaßen erzeugt die *Charakteristik* – den *Beschluß* über das Dargestellte [lies: die *Schlußfolgerung* aus dem Dargestellten].

Schließlich Farbe. Ein Farbton bringt unser Sehen in einen bestimmten Rhythmus des Schwingens. (Nicht bildlich genommen, sondern rein physiologisch, da sich Farbe von Farbe ja durch [die] Anzahl der Schwingungen des Äthers unterscheidet.)
Der nächste Farbton in einem anderen Durchmesser des Schwingens.
Der Kontrapunkt (Konflikt) beider – des beibehaltenen und des noch auftauchenden – Schwingungsdurchmesser ergibt die Dynamik der Auffassungen und des Farbenspiels.
Von hier ist nur ein Schritt von der visuellen Schwingung zu der akustischen zu machen, und wir stehen auf dem Gebiet der Musik.

Aus dem Gebiet des Räumlich-Bildlichen
in das Gebiet des Zeitlich-Bildlichen.

Hier waltet dasselbe Gesetz. Denn Kontrapunkt ist für Musik nicht nur Kompositionsform, sondern überhaupt Ursache für die Möglichkeit der Tonwahrnehmung und Differenzierung.
Man möchte fast sagen, daß hier in allen angeführten Fällen dasselbe *Prinzip des Vergleichs* waltet, welches uns überhaupt auf allen Gebieten Feststellung und Wahrnehmung ermöglicht.
Beim laufenden Bild (Film) haben wir sozusagen die Synthese dieser beiden Kontrapunkte. Vom Bilde des Räumlichen und von der Musik – das Zeitliche.
Im Film durch das charakterisiert, was wir bezeichnen könnten unter dem Begriff:

VISUELLER KONTRAPUNKT

Dieser Begriff ermöglicht, auf den Film angewandt, verschiedene Richtlinien zum Problem, zu einer Art Film-Grammatik anzudeuten.
Ebenso eine Syntax der Filmäußerungen, wo der visuelle Kontrapunkt ein ganz neues System der Äußerungsformen bedingen kann.
(Versuche in dieser Richtung werden weiter durch Bruchstücke meiner Filme erläutert.)
Und zu all diesem:
Als *Grundvoraussetzung:* *Bildausschnitt ist nicht Montage-Element*
Bildausschnitt ist Montage-Zelle (Molekül).

In diesem Satz ist die Sprengung der dualistischen Entzweiung in der Analyse:

Von: Titel und Bildausschnitt
und: Bildausschnitt und Montage.

Statt dessen werden sie dialektisch betrachtet, als drei verschiedene *Formungsphasen einer einheitlichen Ausdrucks-Aufgabe.*
Mit einheitlichen Merkmalen, die die Einheitlichkeit ihrer Aufbau-Gesetze bestimmen.

Zusammenhang der drei:
Konflikt innerhalb einer These (abstrakter Gedanke):
1. *formuliert* sich in der Dialektik des *Titels,*
2. *formt* sich räumlich im *Innen-Konflikt* des Bildausschnittes – und
3. *explodiert* bei steigender Intensität in der *zwischenbildausschnittlichen Konflikt-Montage.*
[Dies] wiederum in voller Analogie zum menschlich-psychologischen Ausdruck.
Dieser ist [ein] Konflikt der Motive. Gleichfalls in drei Phasen denkbar:
1. Rein wörtliche Äußerung. Ohne Intonation: Sprachlicher Ausdruck.
2. Gestikulativer (mimisch-intentionaler) Ausdruck. Projektion des Konflikts auf das ganze äußerungsfähige Körper-System des Menschen. (»Geste« und »tönende Geste« – Intonation.)
3. Projektion des Konflikts ins Räumliche. Bei steigender Intensität (der Motive) wird das Zick-Zack des mimischen Ausdrucks in derselben Verzerrungs-Formel in den umgebenden Raum geschleudert. Ausdrucks-Zick-Zack, entstehend durch die Raumgliederung des sich im Raum befindenden Menschen.
Hierin liegt die Grundlage zu einer ganz neuen Auffassung des Problems der Film-Form.
Als Beispiele für Konflikte könnte man aufführen:
1. Graphischer Konflikt [Abb. 1].
2. Konflikt der Pläne [lies: der Bildebenen] [Abb. 2].
3. Konflikt der Volumen [Abb. 3].
4. Raum-Konflikt [Abb. 4].
5. Beleuchtungs-Konflikt.
6. Tempo-Konflikt usw. usw.
(NB. Hier sind sie nach dem Hauptmerkmal, nach der *Dominante* bezeichnet. Selbstverständlich, daß sie meistens als Komplexe auftreten, untereinander gruppiert. Das gilt sowohl für den Bildausschnitt wie auch für die Montage.)
Zum Montage-Übergang genügt es, sich jedes Beispiel als in zwei selbständige primäre Stücke entzweit vorzustellen:

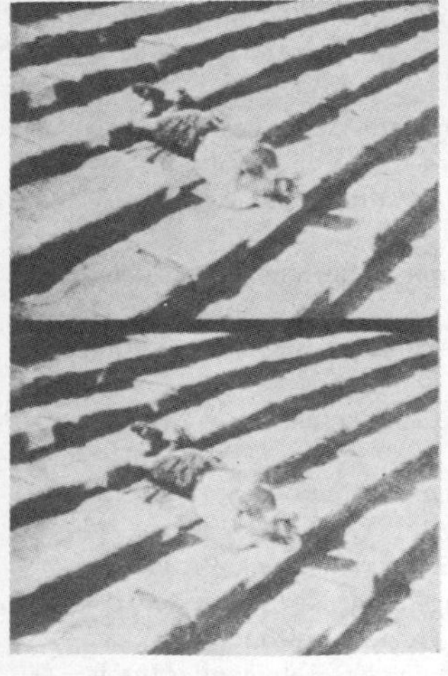

Abb. 1. Graphischer Konflikt

Abb. 2. Konflikt der Pläne

Abb. 3. Konflikt der Volumen

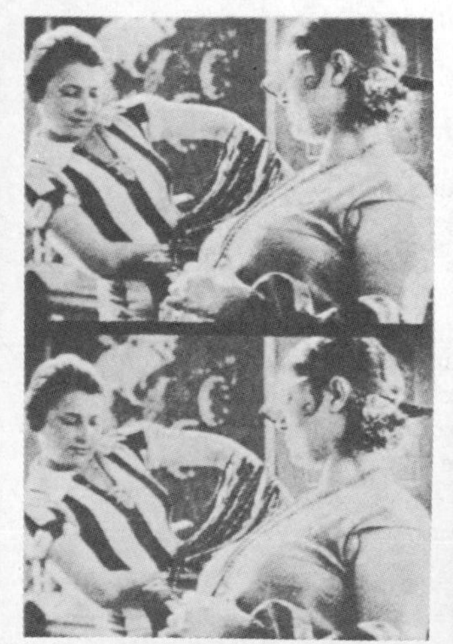

Abb. 4. Raumkonflikt

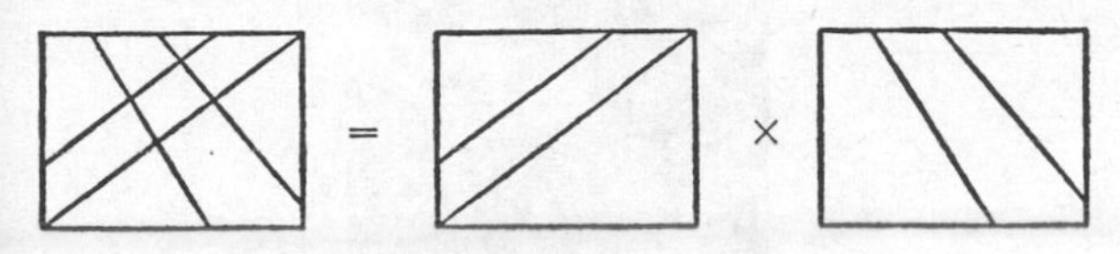

NB. Graphischer Fall. [Gilt] ebenso für alle anderen.
Wie weit die Konflikt-Auffassung in [der] Behandlung der Film-Form führt, erläutern folgende weitere Beispiele:

7. Konflikt zwischen Stoff und Ausschnitt (erzielt durch *räumliche Verzerrung* mittels Einstellung der Kamera [Abb. 5]).
8. Konflikt zwischen dem Stoff und seiner Räumlichkeit (erzielt durch *optische Verzerrung* mittels Objektiv).
9. Konflikt zwischen dem Vorgang und seiner Zeitlichkeit (erzielt durch *Zeitlupe* und *Multiplikator*) und schließlich
10. Konflikt zwischen dem ganzen *optischen* Komplex und einer ganz anderen Sphäre.
So ergibt [der] Konflikt zwischen optischem und akustischem Erleben.

TONFILM,

welcher realisierbar ist als

VISUELL-TONALER KONTRAPUNKT.

Die Formulierung und Betrachtung der Filmerscheinung in Konfliktform ergibt die erste Möglichkeit, ein einheitliches System der *visuellen Dramaturgie* für alle Sonder- und Einzelfälle des Problems Film weiter zu schaffen.
Eine ebenso bedingte *Dramaturgie der visuellen Film-Form* zu schaffen wie die existierende bedingte *Dramaturgie des Filmstoffes.*
[...]*
Derselbe Standpunkt – als Ausgang für die *Filmgestaltung* angesehen – ergibt folgende stilistische Formen und Möglichkeiten, was zu einer

* Vermutlich ging eine Seite des Manuskripts verloren. [Anm. d. Hrsg.]

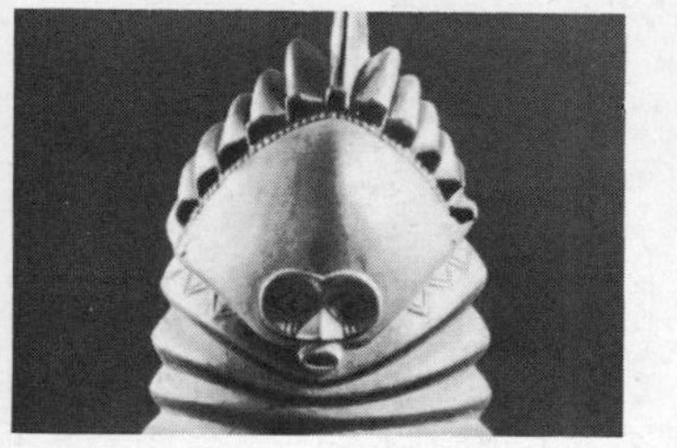

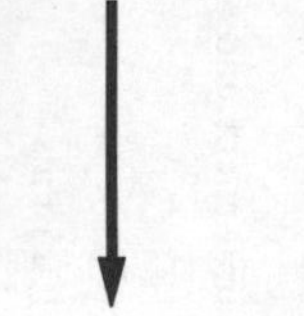

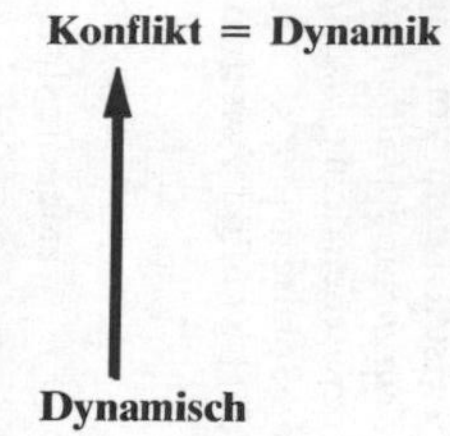

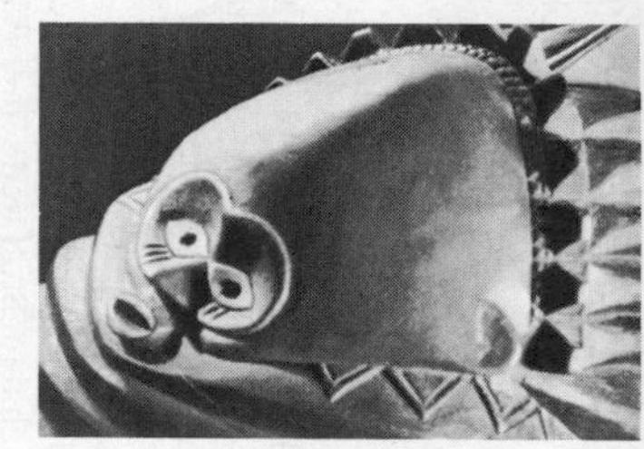

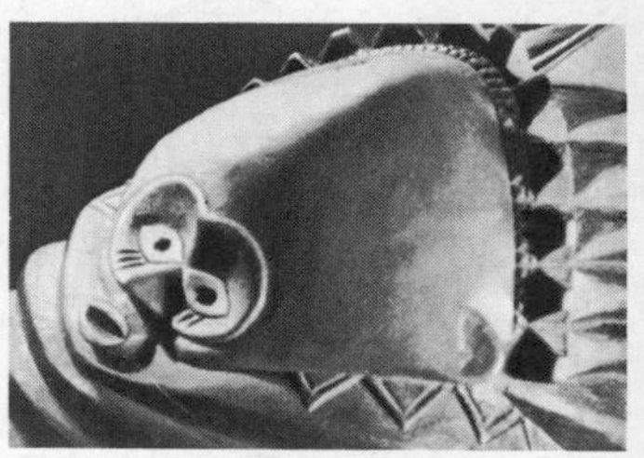

Abb. 5

FILM-SYNTAX

zusammengefaßt werden könnte.

VERSUCH EINER FILM-SYNTAX

Hier führen wir an:
Eine Reihe dialektisch sich fortentwickelnder Gestaltungsmöglichkeiten aus der These, daß der filmische Bewegungs-(Ablauf-)Begriff aus der Superposition – aus dem Kontrapunkt – zweier verschiedener Unbeweglichkeiten entsteht.

I. *Jedes bewegte Montage-Bruchstück als solches.* Jedes aufgenommene Stück. Technische Bedingtheit des Bewegungs-Phänomens. *Noch nicht Gestaltung* (laufender Mensch, abfeuerndes Gewehr, aufspritzendes Wasser).

II. *Künstlich geschaffene Bewegungsvorstellung.* Das zugrundeliegende optische Material wird zu willkürlicher Gestaltung benutzt:

A. Logisch

Beispiel 1: *Zehn Tage, die die Welt erschütterten* (Oktober)
Montage: Wiedergabe eines feuernden Maschinengewehrs durch das Durcheinanderschneiden von am Feuern beteiligten Details.
Kombination a):
Helles Maschinengewehr. Dunkles.
Verschiedener Bildausschnitt. Zweischlag:
Graphischer Schlag und Lichtschlag.
Kombination b):
Maschinengewehr
Großaufnahme des Schützen [Abb. 6]
Effekt fast zweifacher Exposition mit knatterndem Montage-Effekt. Länge der Stücke – zwei Cadres.

Beispiel 2: *Potemkin* (1925)
Darstellung eines spontanen Geschehens. ›Potemkin‹ [Abb. 7]. Frau mit Zwicker. Sodann gleich darauf ohne

Künstlich geschaffene Bewegungsvorstellung

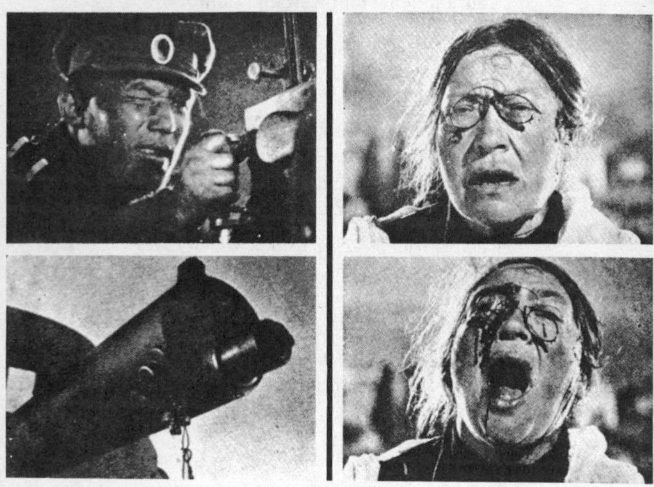

Abb. 6 Abb. 7
A. Logisch

Transition, dieselbe mit zersplittertem Zwicker und blutendem Auge. Empfindung eines entstehenden Schusses, der das Auge trifft.

B. Alogisch

Beispiel 3: *Potemkin*

Diese Möglichkeit zu bild-symbolischem Ausdruck verwendet. ›Potemkin‹. Der sich erhebende Marmorlöwe, im steinernen Sprunge umgeben vom Donner des feuernden ›Potemkin‹, als Protest gegen das Blutbad auf der Odessaer Treppe [Abb. 10, S. 295].

Aus drei unbeweglichen Marmorlöwen des Alupka-

Schlosses (Krim) zusammengeschnitten. Eines schlafenden. Eines erwachenden. Eines sich erhebenden. Der Effekt wurde erzielt, da die Länge des mittleren Stückes richtig berechnet war. Superposition mit dem ersten Stück ergab den ersten Ruck. Zeit zur Einprägung der zweiten Position. Superposition der zweiten Position durch die dritte – zweiter Ruck. Endgültig erhoben.

Beispiel 4: *Zehn Tage*

Das Feuern des Beispiels 1 ist symbolisch aus nicht zum Feuern gehörenden Elementen hergestellt. Zur Illustration des monarchistischen Putsch-Versuchs des Generals Kornilov war [es] meine Idee, die militärische *Tendenz* Kornilovs im Schnitt (Montage) zu zeigen – den Montagestoff [selbst] aber aus religiösen Details zu bilden. Da Kornilov seine zaristische Tendenz in der Form eines eigenartigen »Kreuzzuges« aus Mohammedanern (!) (seine kaukasische »Wilde Division«) und Christen (alle anderen) gegen die... Bolschewiki bekundete. Dazu wurden ein in Strahlen (zer-)blitzender Barock-Christus und eine eiförmig geschlossene Uzume-Maske kurz ineinandergeschnitten. Die geschlossene Eiform im zeitlichen Konflikt mit dem graphischen Stern [ergab] den Effekt eines simultanen Platzens (Bombe, Schuß). [Abb. 8.]

Beispiel 5: [*Zehn Tage*]

Dieselbe Kombination aus einem chinesischen Heiligenstandbild und einer Madonna im Heiligenschein. [Abb. 9.]

(NB. Wie wir sehen, ergibt dies schon die Möglichkeit tendenziöser [ideologischer] Äußerung.)

Daselbst noch ein Beispiel primitiveren Effekts: in dem einfachen Durcheinander-Schneiden opposit geneigter Kirchentürme.

Bisher waren dies Beispiele *primitiv-physiologischer Fälle – nur* optischer Bewegungs-Superposition.

III. Fall *emotionaler* Zusammenstellungen nicht nur der sichtbaren Elemente der Stücke, sondern hauptsächlich der psychologischen Assoziationsreihen. *Assoziations-*

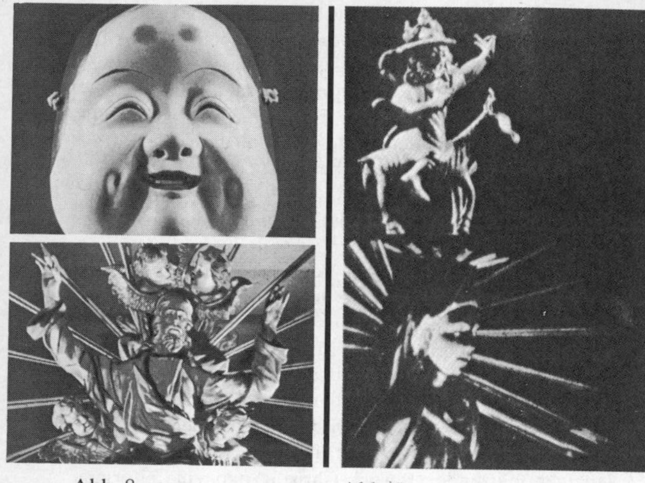

Abb. 8
B. Alogisch

Abb. 9

Montage (1923/24). Als Mittel für die emotionelle Zuschärfung [lies: Zuspitzung] einer Situation.

Im Falle I hatten wir folgendes: Zwei aufeinanderfolgende Stücke A und B [sind] stofflich identisch. Der Lage des Stoffes im Bildausschnitt nach [sind sie] aber nicht identisch:

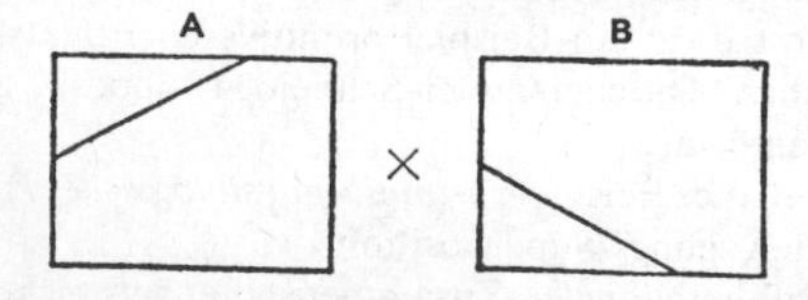

das ergab Dynamisierung im Raum – den Eindruck der räumlichen Dynamik:

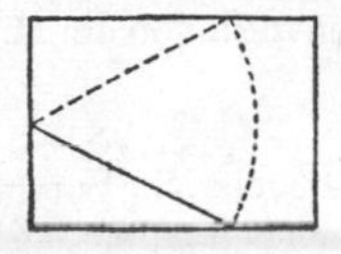

Der Grad der Verschiedenheit der Lagen A und B bedingt die Bewegungs-Spannung. Im neuen Falle aber nehmen wir jetzt an:

> Stück A und Stück B sind dem Stoff nach *nicht-identisch.* Identisch sind die Assoziationen der beiden Stücke: Assoziativ-identisch.

In voller Analogie ergibt sich diese *Dynamisierung des Stoffes* nicht auf räumlichem, sondern auf *psychologischem, d. h. emotionalem Gebiete:*

EMOTIONALE DYNAMISIERUNG

Beispiel 1: *Streik* (1923/24)
So wurde die Niederschießung der Arbeiterschaft montiert, indem das Gemetzel mit einer Viehschlächterei durcheinander montiert wurde. (Verschiedenheit des Stoffes. Schlächterei aber als übereinstimmende Assoziation gebraucht.) Dadurch starke emotionale Steigerung der Szene.
NB. In diesem Falle spielt überhaupt zur Erzielung des Effektes die Einheitlichkeit der Gebärde eine sehr große Rolle (der dynamischen Gebärde – Bewegung im Bildausschnitt; oder der statischen Gebärde – graphische Einstellung des Bildausschnitts).
Bruchstück der ersten Variante dieser Szene im Montage-Plan (1923)[12]:

1. Kopf eines Stiers.
2. Messer des Schlächters gibt einen Schlag nach unten.
3. 500 Arbeiter fallen an einem Hügel [hin].
4. 50 Mann erheben sich. Hände.
5. Soldatengesicht, zielt.
6. Salve.
7. Stier stehend, zuckt auf. Fällt.

8. Großaufnahme. Konvulsionen der Hinterbeine. Fuß schlägt ins Blut.
9. Gewehre.
10. Halbgroß. Leute erheben sich. Verwundete.
11. Hände, flehend gegen den Apparat gehoben.
12. Schlächter mit blutigem Strick auf den Apparat los.
13. Hände.
14. Schlächter näher

usw. *Streik* (1924)*

Dieses Prinzip wurde später auch von Pudovkin im *Ende von St. Petersburg* (1927) für seine Intersektion von Börse und Krieg verwendet. Auch im *Mutter*-Film (1926)[13]: Eisgang und Arbeiterdemonstration.

Dieses Mittel kann pathologisch degradieren, wenn der essentielle Gesichtspunkt – emotionale Dynamisierung des Stoffes – verlorengeht. Dann verkalkt es zu leblosem literarischen Symbolismus und stilistischem Manierismus.

Als Beispiel dafür könnte man folgendes anführen:

Beispiel 2: *Zehn Tage*

Die zuckersüßen Friedensgesänge der Menschewiki auf dem 2. Rätekongreß (während der Erstürmung des Winterpalais) werden mit harfespielenden Händen zusammenmontiert. Rein literarischer Parallelismus, der den Stoff keinesfalls dynamisch belebt.

Ebenso in Oceps *Lebenden Leichnam*[14] das den *Zehn Tagen* nachgeahmte Einschneiden von Kirchenkuppeln oder lyrischen Landschaften in die Reden des Prokurors und des Verteidigers im Gerichtssaal. Derselbe Fehler wie oben.

Das Überwiegen rein dynamischer Effekte kann andererseits [auch ein] positives Resultat ergeben:

Beispiel 3: *Zehn Tage*

Die Pathetik des Anschlusses des Motorrad-Bataillons [lies: Fahrrad-Bataillons] an den 2. Rätekongreß wurde

* Im Anschluß wollte Eisenstein die entsprechende Passage aus *Streik* zeigen. Im (Vortrags-)Manuskript steht der Hinweis: (Die endgültige Montage siehe auf der Rolle: Montage-Fragment III.) [Anm. d. Hrsg.]

Abb. 10

dadurch dynamisiert, daß in die Auftritts-Szene ihrer Delegierten abstrakt kreisende Fahrräder (Assoziation zum Bataillon) hineingeschnitten wurden. Diese lösten den pathetischen Inhalt des Geschehens als solchen in greifbare Dynamik auf.

Diesselbe Prinzip, das Entstehen eines Begriffes, einer Empfindung aus der Nebeneinanderstellung zweier disparater Geschehnisse, führte weiter zu:

IV. *Befreiung der geschlossenen Handlung von der Bedingtheit durch Zeit und Raum.*

Die ersten Versuche dafür [wurden] im *Zehn Tage*-Film gemacht.

Beispiel 1: [*Zehn Tage*]

Dort scheint ein mit Soldaten angefüllter Schützengraben durch die Wucht einer enormen, auf das Ganze herabsinkenden Kanonenkugel zermalmt zu werden. These zum Ausdruck gebracht. Stofflich genommen entsteht die Wirkung aus dem scheinbar zufälligen Ineinander-Schneiden eines selbständig vorhandenen Schützengrabens und eines [Metalldings mit ebensolchem militärischen Charakter]. Untereinander befinden sie sich in Wirklichkeit in gar keinem räumlichen Verhältnis [zueinander]. [Abb. 11.]

Beispiel 2: *Zehn Tage*

Ebenso in der Szene von Kornilovs Putsch-Versuch, der Kerenskijs bonapartistische Pläne scheitern läßt.

Hier stürzt einer der Tanks Kornilovs, sich aus dem Schützengraben erhebend, die Gipsfigur Napoleons in Stücke, die auf dem Schreibtisch Kerenskijs im Schloß zu Petrograd steht und rein symbolische Bedeutung hat. [Abb. 12.]

Diese Methode, ganze Bruchstücke der Handlung so zu formen, wird jetzt hauptsächlich von Dovženko angewandt: *Arsenal* (1929).[15] Auch von Esfir' Šub: Im *Tolstoj*-Film (1923).[16]

Zu dieser Methode der Auflösung der angenommenen Formen in der Filmstoff-Handhabung möchte ich noch ein Bei-

Abb. 11 und 12

spiel anführen, welches [allerdings] praktisch nicht ausgeführt wurde.
1924/25 beschäftigte ich mich sehr mit dem Gedanken der filmischen Darstellung des wirklichen (realen) Menschen.
Damals existierte die Tendenz, daß die Offenbarung des lebendigen Menschen im Film nur durch *lange* Spielstücke geschehen könne.
Daß der Schnitt (Montage) den Gedanken des wahren Menschen zerstöre.
A. Room erreichte in dieser Hinsicht die Rekordleistung, indem er in der *Todesbarke* [lies: *Todesbucht*] 80 Meter lange Spielstücke ohne Schnitt zeigte.[17]
Ich hielt (und halte) solch eine Konzeption für grundaus unfilmisch.
Denn, was ist eigentlich, sprachlich genommen, eine genaue Charakterisierung des Menschen?

Sein rabenschwarzes Haar ...
Die Wellen seiner Haare ...
Seine himmelblauen, blitzeschleudernden Augen ...
Seine stählerne Muskulatur ...

Selbst nicht so hypertrophiert bildlich genommen, wird doch jede Beschreibung, jede wörtliche Darstellung eines Menschen zu einer Anhäufung von Wasserfällen, Blitzableitern, Landschaften, Vögeln usw.

Warum soll nun das Kino in seiner Form dem Theater und der Malerei folgen und nicht der Methodik der Sprache, die aus der Verbindung zweier konkreter Bezeichnungen, konkreter Gegenstände ganz neue Begriffe und Vorstellungen entstehen läßt? Sie steht dem Film viel näher als z. B. die Malerei, wo aus *abstrakten* Elementen (Linie, Farbe) die Form entsteht. Im Film dagegen ist gerade die stoffliche *Konkretheit* des Bildausschnittes als Element die größte Schwierigkeit des Formens. Warum sich dann darin nicht eher an das Sprachsystem anlehnen, wo derselbe Mechanismus im Gebrauch der Wörter und Wortkomplexe existiert?[18]

Woher entsteht andererseits die Montage-Unumgänglichkeit selbst im orthodoxen Spielfilm?

Die Differenziertheit in Montage-Stücke ist dadurch bedingt, daß jedes Stück in sich gar nicht Realität ist. Jedes Stück an sich und für sich ist aber imstande, eine gewisse Assoziation hervorzurufen. Die Anhäufung von Assoziationen erzielt dann denselben Effekt, den das real verlaufende Theater-Geschehen rein physiologisch im Zuschauer hervorruft.

Z. B.: Mord auf der Szene wirkt rein physiologisch. In *einem* Montagestück aufgenommen, wirkt er wie [eine] *Information,* wie ein Titel. *Emotional* fängt er erst dann zu wirken an, wenn er in Montage-Bruchstücken dargeboten wird. In Montagestükken, von denen jedes eine gewisse Assoziation hervorruft, welche sich dann zu einem Gesamtkomplex des emotionalen Empfindens summieren.

Traditionell:

1. Eine Hand erhebt ein Messer.

2. Die Augen des Opfers werden aufgerissen.
3. Seine Hände klammern sich an den Tisch.
4. Das Messer zuckt.
5. Die Augen werden zusammengekniffen.
6. Blut spritzt auf.
7. Ein Mund schreit.
8. Tropfen fallen auf einen Schuh.

– Und ähnlicher Kitsch! Jedenfalls ist jedes *einzelne Stück* schon fast *abstrakt* in bezug auf die *Handlung als Ganzes*. Je differenzierter, desto abstrakter und nur darauf ausspielend, eine gewisse Assoziation zu provozieren.

Nun entsteht ganz logisch [folgender] Gedanke: Könnte man denn dasselbe nicht produktiver erreichen, indem man sich nicht sklavenhaft an den Sujetstoff gebunden hält, sondern die Idee, den Eindruck *Mord* in freiem Anhäufen von Assoziationsstoff materialisiert? [Und] da ja das Wichtigste die Mordvorstellung [ist] – die Mordempfindung als solche beibringen. Das Sujet ist ja nur eines der Mittel, ohne das man es noch nicht versteht, dem Zuschauer etwas beizubringen. Jedenfalls würde solch ein Versuch die interessantesten Formbildungen ergeben.

Versuche es jemand! Seit 1923/24, als [dieser] Gedanke entstand, habe ich leider nicht Muße gehabt, dieses Experiment zu vollbringen. Heute habe ich mich ganz anderen Problemen zugewandt.

Aber »revenons à nos moutons«, was uns auch diesen Aufgaben näherbringt.

War bisher bei 1., 2., 3. die Einstellung der Spannung darauf abgezielt, den rein physiologischen Effekt – vom rein optischen bis zum emotionalen – zu erzielen, so muß hier noch der Fall angeführt werden, wo dieselbe Konflikt-Spannung zur Erzielung neuer Begriffe – neuer Anschauungen – dient, also zu rein intellektuellen Zwecken.

Beispiel 1: *Zehn Tage*

Kerenskijs Aufstieg zu [unumschränkter] Macht und Diktatur nach den Julitagen 1917.

Komischer Effekt dadurch erzielt, daß dem Sinne nach

> *immer höher ansteigende Titel* durcheinandergeschnitten sind (»Diktator«, »Ober-Generalissimus«, »Marine-Militär-Minister« usw.) mit 5 bis 6 Stücken der Treppe des Winterpalais, auf der Kerenskij jedesmal *denselben* Weg durchmacht.

Hier erzeugt der Konflikt zwischen dem Kitsch der ansteigenden Treppe und dem Auf-einer-Stelle-Traben eine intellektuelle Resultante: die satirische Herabsetzung dieser Titel in bezug auf Kerenskijs Nichtigkeit.

Hier haben wir den Kontrapunkt zwischen wörtlich ausgedrückter, üblicher Vorstellung und einer bildlichen Darstellung, eines ihr nicht gewachsenen Einzelfalles.

Die Nicht-Übereinstimmung beider ergibt einen rein *intellektuellen* Beschluß auf Kosten dieses Einzelfalles. Intellektuelle Dynamisierung.

Beispiel 2: *Zehn Tage*

> Kornilovs Aufmarsch gegen Petrograd stand im Zeichen der Parole »Im Namen Gottes und des Vaterlandes«.
>
> Hier der Versuch, die Darstellung zu antireligiösen Zwekken zu brauchen.
>
> Eine Anzahl Bilder dessen, was Gottheit bedeutet, wurde dazu aneinandergereiht. Von einem pompösen Barock-Christus bis einem Eskimo-Götzen.

Hier entsteht [ein] Konflikt zwischen dem Begriff »Gott« und seiner Symbolisierung. Wenn Begriff und Standbild im ersten Barock-Bild vollständig übereinstimmen, so wächst ihre konsequente Entfernung mit jedem weiteren Standbild. Beibehaltung der Bezeichnung »Gott« und Darstellung von Bildern, die in keiner Weise mit unserer Vorstellung dieses Begriffes übereinstimmen. Daraus sind die antireligiösen Schlüsse zu ziehen, was die Gottheit als solche in Wirklichkeit ist.

Es ist hier ebenfalls ein rein intellektueller Beschluß [lies: Schlußfolgerung] – als Resultante aus dem Konflikt zwischen einem im voraus angenommenen Begriff und seiner *allmählichen tendenziösen stufenweisen Diskreditierung* durch eine reine Verbildlichung versucht [worden].

Die stufenweise Aufeinanderfolge leitet im Prozeß des Vergleichens jedes neuen Bildes [zu] seiner [all-]gemeinen Bezeichnung [hin] – *läßt einen Prozeß abrollen, der seiner Form nach mit einem logischen Deduktions-Prozeß identisch ist.* Nicht nur dem Beschluß, sondern auch der Methode der Ideen-Äußerung nach ist hier schon alles intellektuell gefaßt.
Die übliche *schildernde* Form des Filmes wird zu einer Art Raisonnement (Form-Möglichkeit).
Wenn im üblichen Film der Film die *Gefühle* lenkt und fördert, so ist hier eine Möglichkeit angedeutet, ebenso [auch] den ganzen *Denkprozeß* zu fördern und zu leiten.
Diese beiden Versuche wurden vom größten Teil der Kritik sehr feindlich aufgenommen. Weil sie rein politisch aufgefaßt wurden. Ich gebe es gern zu, da gerade *diese Form am geeignetsten ist, um ideologisch zugespitzte Thesen zu äußern.* Schade nur, daß die Kritik ganz und gar die rein filmischen Möglichkeiten übersah, die daraus abzuleiten wären.
In diesen beiden Versuchen haben wir die ersten, noch embryonalen Versuche für den Ausbau einer wirklich ganz neuen Äußerungsform des Films.
Für den rein intellektuellen Film, der – befreit von traditioneller Bedingtheit – ohne jede Transition und Umschreibung direkte Formen für Gedanken, Systeme und Begriffe erzielen wird.
Und damit zur

SYNTHESE VON KUNST UND WISSENSCHAFT

werden kann.
Das wird das eigentlich neue Wort unserer Epoche im Gebiete der Kunst werden.
Und die Worte Lenins, daß »das Kino die wichtigste von allen Künsten ist«

wirklich rechtfertigen.
Dem Experiment in dieser Richtung wird einer meiner nächsten Filme, der die marxistische Weltanschauung verkörpern soll, gewidmet sein.

Anmerkungen

Von Eisenstein deutsch abgefaßter Vortragstext, der in zwei maschinenschriftlichen Exemplaren (datiert »Moskau, 29. April 1929«, bzw. »Zürich, 29. November 1929«) erhalten ist. Es erschienen amerikanische Übersetzungen in *Close up* vom 31. 9. 1929 und *Experimental cinema,* 1932–34, schließlich die grundlegende amerikanische Edition »A Dialectic Approach to Film Form« in: S. Eisenstein, *Film Form,* hrsg. und übers. von Jay Leyda, New York ²1958, S. 45–71. [Die Titeländerung in Jay Leydas Übersetzung wurde von Eisenstein autorisiert.] Paradoxerweise erschien der deutschsprachig abgefaßte Text erstmals in gekürzter Rückübersetzung aus dem Amerikanischen: »Ein dialektischer Zugang zur Filmform« (übers. von M. Pörtner), in: Serge Eisenstein, *Vom Theater zum Film,* Zürich 1960, S. 35 f. – Dieter Prokop edierte das im New Yorker Museum of Modern Art liegende Manuskript erstmals nach dieser Originalfassung: »Dialektische Theorie des Films«, in: Dieter Prokop (Hrsg.), *Materialien zur Theorie des Films. Ästhetik, Soziologie, Politik,* München 1971, S. 65–81. Allerdings haben sich auch in diese Edition eine Reihe von zum Teil sinnentstellenden Ungenauigkeiten und Fehlern eingeschlichen; die weggelassene Bildbeilage machte den Text schwer verständlich. Der vorliegende Text folgt einer vom Verband der sowjetischen Filmschaffenden zur Verfügung gestellten Manuskriptkopie der Originalfassung; stilistische Glättungen wurden vermieden, Verschreibungen dagegen sind stillschweigend korrigiert, und Zusätze des Herausgebers wurden in eckige Klammern gesetzt.

1 Kazimir S. Malevič (1887–1935), russischer Maler, Begründer des Suprematismus (vgl. Kasimir Malewitsch, *Suprematismus – Die gegenstandslose Welt,* übers. von Hans v. Riesen, Köln 1962). 1929 bezeichnete Eisenstein in einer unveröffentlichten Tagebuchnotiz Malevič' Suprematismus als eine »Mischung aus Mystik und Mystifizierung«.

2 Wilhelm von Kaulbach (1805–74), deutscher Maler und Graphiker (Buchillustrator), 1837 von König Ludwig I. von Bayern zum Hofmaler ernannt. Schuf klassizistische Monumentalkunst, in der sich Züge pränaturalistischer Tendenzen zeigen. Charakteristische Werke: »Die Hunnenschlacht« (1834–37) und »Die Zerstörung Jerusalems« (1842–54); bekannt geworden vor allem durch seine Buchillustrationen für den Verleger Cotta (z. B. zu Goethes *Reineke Fuchs*).

3 Aleksandr Archipenko (geb. 1887), kubistischer Bildhauer russischer Abstammung, arbeitet seit 1908 in Paris.

4 Ludwig Klages (1872–1956), deutscher Philosoph, Begründer einer biozentristischen Metaphysik, entwickelte Methoden zu einer »Ausdrucks-Wissenschaft«. Als Eisenstein seinen Text verfaßte, begann Klages gerade sein Hauptwerk *Der Geist als Widersacher der Seele* (3 Bde., 1929–32) zu publizieren.

5 Eisenstein bezieht sich hier – wie auch an anderen Stellen – indirekt auf die literaturtheoretischen Arbeiten der sogenannten ›Formalen Schule‹, vgl. vor allem Ju. Tynjanov, *Problema stichotvornogo jazyka* (Probleme der Verssprache), Leningrad 1924, Moskau 1965.

6 W. Beilenhoff bereitet für die ›Reihe Hanser‹ eine deutsche Kulešov-Ausgabe vor.

7 Fernand Léger (1881–1955), französischer kubistischer Maler, der P. Cézannes Formel von der »gemäß Zylinder, Kugel und Kegel« zu behandelnden Natur zum rigoristischen Prinzip seiner Arbeiten machte. 1924 schuf er mit seinem *Ballet mécanique* ein Musterbeispiel des sogenannten »reinen Films«, das Eisenstein in »Béla vergißt die Schere« (*Schriften* 1, S. 134) ablehnend zitiert. Das spätere freundschaftliche Verhältnis von Eisenstein und Léger belegen etwa drei Léger-Briefe von 1933 in: *Iskusstvo kino* 1973, H. 1, S. 86.

8 Vgl. Anm. 1.

9 Henri de Toulouse-Lautrec (1864–1901), französischer Maler und Graphiker; vgl. Eisenstein, *Stationen. Autobiographische Aufzeichnungen,* Berlin [Ost] 1967, S. 349 f., wo Eisenstein seine Begeisterung über Lautrecs Plakat »Le divan japonaise« ausdrückt.

10 Toshusai Sharaku, japanischer Maler, schuf in der Zeit von Mai 1794 bis Februar 1795 (!) 140 Bilder von Kabuki-Spielern und war selbst ein Nō-Schauspieler des Fürsten Hachisuka. – Vgl. »Das Prinzip einer Filmkunst jenseits der Einstellung«, in: *Schriften* 3, S. 225–241, und »The Unexpected« (Neždannyj styk) in: *Film Form*, a. a. O., S. 18–27.

11 Vgl. Abb. in *Schriften* 3, S. 230, wo sich dieses Zitat (Julius Kurth, *Saharaku*, München 1922, S. 80 f.) in längerer Passage findet. Es wird hier im genauen Wortlaut wiedergegeben (gegenüber Eisensteins Manuskript geringfügige Korrektur).

12 Vgl. *Schriften* 1, S. 71 f. (»Regieausarbeitung des Finale«).

13 *Mat'* (Die Mutter), Film von Vsevolod I. Pudovkin (s. o.) aus dem Jahre 1926. Nach dem gleichnamigen Roman von Maksim Gor'kij aus den Jahren 1906/07, den Mark S. Donskoj (geb. 1901) 1956 titelgleich erneut verfilmte.

14 *Der lebende Leichnam / Živoy trup,* sowjetisch-deutsche Koproduktion (*Meshrabpomfilm* und *Prometheus*), 1929; Regisseur: Fëdor A.

Ocep (1895–1949, arbeitete seit 1929 im Ausland – Deutschland, Frankreich, USA). Eine von mehreren Verfilmungen des gleichnamigen Dramas von Lev N. Tolstoj (1828–1910) aus dem Jahre 1911; weitere Verfilmungen dieses Dramas: 1911 (Boris V. Čajkovskij, 1888–1924), 1918 (durch den japanischen Regisseur Eidso Tanaka), 1952 (Vladimir Ja. Vengerov, geb. 1920) u. a.

15 *Arsenal,* Film des ukrainisch-sowjetischen Filmregisseurs Aleksandr P. Dovženko (1894–1956) über den Kiever Januaraufstand von 1918 aus dem Jahre 1928. Vgl. A. Dovženko, *Sobranie sočinenij v četyrëch tomach* (Gesammelte Werke in sechs Bänden), Moskau 1966–69, und R. Jurenew, *Alexander Dowshenko*, Berlin [Ost] 1964.

16 Gemeint ist der dokumentarische Kompilationsfilm von Esther (Esfir') Šub (vgl. *Schriften* 1, S. 327, Anm. 27): *Rossija Nikolaja II. i Lev Tolstoj* (Das Rußland Nikolaj II. und Leo Tolstoj) aus dem Jahre 1928.

17 Gemeint ist Abram M. Rooms (geb. 1894) Film *Buchta smerti* (Die Todesbucht) von 1926 nach Aleksej S. Novikov-Pribojs (1877–1944) Erzählung »V buchte ›Otrada‹« (In der Bucht ›Verzweiflung‹, 1924). A. Room, ein erklärter Gegner des Eisensteinschen Filmkonzepts, forderte in seinem Aufsatz »Moï kinoubeždenija« (Meine Filmüberzeugungen) in: *Sovetskij ëkran*, 1926, H. 8, S. 5: »Vorrangige Bedeutung kommt im Film dem lebendigen Menschen zu ...«, also gerade das, was Eisenstein damals entschieden ablehnte.

18 Dieser semiotische Filmbegriff »avant la lettre« findet sich bei Eisenstein schon früher; vgl. den Einleitungsessay zu *Schriften* 1 und die entsprechenden Verweise.

UMBERTO ECO

Einige Proben: Der Film und das Problem der zeitgenössischen Malerei

1968

Der kinematographische Code

I. 1. Die filmische Kommunikation erlaubt es uns am besten, gewisse Hypothesen und Annahmen des vorangegangenen Kapitels [»Gliederungen des visuellen Codes«, Zus. d. Hrsg.] zu verifizieren. Sie soll insbesondere zur Klärung folgender Punkte beitragen:
1) Ein außersprachlicher Kommunikationscode muß nicht unbedingt nach dem Modell der Sprache aufgebaut sein (und hier irren viele »Linguisten« des Kinos).
2) Ein Code systematisiert relevante Züge, die auf einer bestimmten makro- oder mikroskopischen Ebene ausgewählt werden; analytischere Teile, feinere Gliederungen seiner relevanten Züge können diesen Code nicht betreffen und von einem zugrundeliegenden Code erklärt werden.

I. 2. Der filmische Code ist nicht der kinematographische Code. Der letztere kodifiziert die Reproduzierbarkeit der Wirklichkeit durch kinematographische Apparate, während der erstere eine Kommunikation auf der Ebene bestimmter Erzählregeln kodifiziert. Ohne Zweifel stützt sich der erste auf den zweiten, so wie der rhetorisch-stilistische Code sich auf den Sprachcode stützt. Aber man muß die beiden Momente unterscheiden, die kinematographische Denotation von der filmischen Konnotation. Die kinematographische Denotation hat das Kino mit dem Fernsehen gemeinsam, und Pasolini (1966)[1] hat vorgeschlagen, diese Kommunikationsformen en bloc statt kinematographisch »audiovisuell« zu nennen. Die audiovisuelle Kommunikation bringt jedoch verbale Botschaften, lautliche Botschaften und ikoni-

sche Botschaften ins Spiel. Nun stützen sich aber die verbalen und lautlichen Botschaften, auch wenn sie wesentlich an der Bestimmung des denotativen und konnotativen Wertes der ikonischen Fakten beteiligt sind (und von diesen beeinflußt werden), auf eigene und unabhängige Codes, die anderswo einzuordnen sind. Wenn eine Filmgestalt Englisch spricht, so wird das, was sie sagt – zumindest auf der unmittelbar denotativen Ebene –, vom Code englische Sprache geregelt. Die ikonische Botschaft dagegen, die sich in der charakteristischen Form des *temporierten Icons* (oder des Icons in Bewegung) präsentiert, nimmt besondere Charakteristika an, die gesondert betrachtet werden müssen.
Wir müssen uns also für den Moment darauf beschränken, nur den visuellen Aspekt auf der ikonischen Ebene in seinen einfachsten Formen zu analysieren. Mit anderen Worten: wir werden einige Instrumente für die Analyse einer angenommenen »Sprache« des Kinematographen vorschlagen, *als ob* der Kinematograph uns bisher nichts anderes geliefert hätte als *L'arrivée du train à la gare* und *L'arroseur arrosé* (wie wenn ein erster Einblick in die Möglichkeiten, das Sprachsystem zu formalisieren, nur das *Hildebrandslied* als ausreichenden Bezugspunkt betrachtete).
Bei diesen Bemerkungen erweist es sich als nützlich, von zwei Beiträgen zur Semiologie des Kinos auszugehen, und zwar von dem von Metz (1964, 1966 a) und von dem von Pasolini (1966).[2]

I. 3. Bei der Prüfung der Möglichkeit einer semiologischen Untersuchung des Films erkennt Metz die Existenz eines nicht weiter analysierbaren *Primum* an, das nicht auf diskrete Einheiten zurückzuführen ist, die es durch Gliederung erzeugen würden. Dieses Primum ist das *Bild,* eine Art von *Analogon* der Wirklichkeit, das nicht auf die Konventionen einer »Sprache« zurückgeführt werden könne. Die Semiologie des Kinos wäre Semiologie einer *parole,* die keine *langue* hinter sich hat, und Semiologie bestimmter *Typen von parole,* und zwar der großen syntagmatischen Einheiten, deren Kombinatorik den filmischen Diskurs entstehen läßt. Was Pasolini betrifft, so glaubt er dagegen, daß man eine langue des Kinos aufstellen kann, und vertritt völlig richtig die Auffassung, daß diese langue, um die Würde einer Sprache zu haben, nicht unbedingt die doppelte Gliederung aufweisen muß, welche die Linguisten der verbalen Sprache zuschreiben. Aber bei der Suche von Gliederungseinheiten dieser Sprache des Kinos bleibt Pasolini an der Grenze einer zweifelhaften Auffassung von »Wirklichkeit« stehen: Die ersten Elemente eines kinematographischen Diskurses (einer *audiovisuellen langue*) seien die Gegenstände selbst, die die Filmkamera uns in ihrer vollständigen Autonomie als Wirklichkeit, die der Konvention vorausgeht, übermittle. Pasolini spricht sogar von einer »Semiologie der Realität« und vom Kino als einer Widerspiegelung der *natürlichen Sprache des menschlichen Handelns.*

I. 4. Was nun den Begriff des Bildes als eines *Analogons* der Wirklichkeit betrifft, so haben die im ersten Kapitel dieses Abschnitts (B. 1. [»Die visuellen Codes«]) enthaltenen Überlegungen insgesamt diese Meinung schon widerlegt: Dies ist eine methodologisch nützliche Meinung, wenn man von dem unanalysierten Block des Bildes ausgehen will, um dann eine Untersuchung der großen syntagmatischen Ketten vorzunehmen (wie es Metz tut); diese Meinung kann aber schädlich werden, wenn sie die *Rückwärts*bewegung einer Suche nach den Wurzeln der Konventionalität des Bildes verhindert. Was für die ikonischen Zeichen und Aussagen gesagt wurde, müßte also auch für das kinematographische Bild gelten.
Metz selbst hat übrigens eine Verbindung der beiden Gesichtspunkte vorgeschlagen.[3] Es gebe Codes, die wir *anthropologisch-kulturelle* Codes nennen, die man mit der Erziehung aufnimmt, die man von der Geburt ab erhält (wie die Wahrnehmungscodes, die Erkennungscodes und die ikonischen Codes mit ihren Regeln für eine graphische Transkription der Erfahrungsdaten), und es gebe technisch komplexere und spezialisier-

tere Codes wie die, welche die Kombination der Bilder regeln (ikonographische Codes, Grammatiken der Einstellung, Montageregeln, Codes der Erzählfunktionen), die man nur in bestimmten Fällen erwirbt. Diese letzteren behandle eine Semiologie des filmischen Diskurses (welche einer möglichen Semiologie der kinematographischen »langue« entgegengesetzt und komplementär ist).

Diese Teilung kann fruchtbar sein; nur muß man beachten, daß die beiden Blöcke von Codes sich oft gegenseitig beeinflussen und bedingen, so daß die Untersuchung der einen Codes nicht von der Untersuchung der anderen absehen kann.

In Antonionis *Blow Up* z. B. gelingt es einem Photographen, der in einem Park viele Aufnahmen gemacht hat, bei der Rückkehr in sein Studio durch sukzessive Vergrößerungen, eine hinter einem Baum ausgestreckt liegende menschliche Gestalt zu identifizieren: einen Mann, der von einer mit einem Revolver bewaffneten Hand getötet worden ist, die auf einem anderen Teil der Vergrößerung zwischen dem Blattwerk einer Hecke erscheint.

Aber dieses Erzählelement (das im Film – und in der Kritik, der er unterzogen wird – das Gewicht eines Verweises auf die Wirklichkeit und auf die erbarmungslose Allsichtigkeit des Photoobjektivs erhält) funktioniert nur, wenn der ikonische Code mit einem Code der Erzählfunktionen in Verbindung tritt. Wenn man nämlich jemandem die Vergrößerung zeigen würde, der den Filmkontext nicht gesehen hat, so wären auf den undeutlichen Flecken, die »ausgestreckter Mann« und »Hand mit Revolver« denotieren sollten, nur schwer diese spezifischen Referenten erkennbar. Die Bedeutungen »Leiche« und »mit einem Revolver bewaffnete Hand« werden der signifikanten Form nur kraft des Erzählkontextes zugeschrieben, der durch eine Akkumulation von Spannung den Betrachter des Films (und den Protagonisten) darauf vorbereitet, *diese Sachen zu sehen.* Der Kontext funktioniert als Idiolekt, der Signalen, die sonst als reines Geräusch erscheinen könnten, bestimmte Codewerte zuordnet.

I. 5. Diese Bemerkungen sollten auch die Idee Pasolinis von einem Kino als Semiologie der Wirklichkeit und seine Überzeugung, daß die Grundelemente der kinematographischen Sprache die auf der Leinwand wiedergegebenen wirklichen Gegenstände seien, widerlegen (dies ist eine einzigartige semiotische Naivität, die den elementarsten Finalitäten der Semiotik, d. h. eventuell die Naturtatsachen auf kulturelle Erscheinungen zurückzuführen – und nicht die kulturellen Fakten auf Naturerscheinungen –, widerspricht). Aber in den Ausführungen Pasolinis sind einige überlegenswerte Punkte, deren Widerlegung zu einigen nützlichen Beobachtungen Anlaß geben kann.

Wenn man sagt, daß die Handlung eine Sprache ist, so ist das in semiotischer Hinsicht interessant, aber Pasolini gebraucht den Begriff »Handlung« in zwei verschiedenen Bedeutungen. Wo er sagt, daß die Kommunikationsüberreste des prähistorischen Menschen durch ausgeführte Handlungen niedergelegte Modifizierungen der Wirklichkeit sind, versteht er Handlung als einen physischen *Prozeß,* aus dem Zeichen-Gegenstände hervorgegangen sind. Diese Zeichen sind dieselben, von denen Lévi-Strauss (1960) spricht, wenn er die Werkzeuge einer Gemeinschaft als Elemente eines Kommunikationssystems interpretiert, welches die Kultur in ihrer Gesamtheit ist.[4] Dieser Kommunikationstyp hat aber nichts mit der *Handlung als signifikanter Gebärde* zu tun, welche dagegen Pasolini interessiert, wenn er von einer Sprache des Kinos spricht. Betrachten wir also diese zweite Bedeutung von Handlung. Ich bewege die Augen, hebe den Arm, bewege meinen Körper, lache, tanze, schlage, und alle diese *Gebärden* sind Kommunikationsakte, mit denen ich den anderen etwas sage oder aus denen die anderen auf etwas über mich schließen.

Aber diese Gebärden sind nicht »Natur« (und folglich nicht »Wirklichkeit« im Sinne von Natur, Irrationalität, Vor-Kultur): *Sie sind im Gegenteil Konvention und Kultur.* Und von dieser Sprache der Handlung gibt es auch schon eine Semiotik, die sich *Kinesik* nennt.[5] Wenn die Kinesik auch noch eine im Entstehen begriffene Disziplin ist, mit Anknüpfungspunkten in der *Pro-*

xemik (welche die Bedeutung der Entfernungen zwischen den Sprechern untersucht), so will doch die Kinesik eben gerade die menschlichen Gebärden als Bedeutungseinheiten codifizieren, die systematisiert werden können. Gebärden und Körperbewegungen sind, wie Pittenger und Lee Smith sagen, nicht instinktive menschliche Natur, sondern erlernbare Verhaltenssysteme, die deutlich von Kultur zu Kultur verschieden sind (was die Leser des glänzenden Aufsatzes von Mauss über die Körpertechniken wohl wissen). Ray Birdswhistell hat schon ein System konventioneller Notierung der gestischen Bewegungen entwikkelt und unterscheidet Codes je nach den Zonen, in denen er seine Untersuchungen durchgeführt hat. Er hat sogar vorgeschlagen, das kleinste isolierbare und mit unterscheidendem Wert ausgestattete Bewegungsteilchen »Kinem« (als Klasse aller möglichen *Kine*) zu nennen, und er hat durch Kommutationsproben die Existenz größerer semantischer Einheiten festgestellt, in denen die Kombination zweier oder mehrerer *Kine* eine Bedeutungseinheit veranlassen, die er *Kinemorph* nennt (dessen allgemeine Klasse das »Kinemorphem« darstellt). Das »Kin« ist natürlich eine Figur, während das Kinemorphem ein *Zeichen* oder ein *Sem* sein kann.
Von hier aus kann man sich leicht die Möglichkeit einer weitergehenden *kinesischen Syntax* vorstellen, welche die Existenz großer codifizierbarer syntagmatischer Einheiten erklären sollte. Uns kommt es aber hier nur auf eine einzige Bemerkung an: auch da, wo wir vitale Spontaneität vermuteten, existiert Kultur, Konvention, System, Code. Auch hier siegt die Semiotik auf die ihr typische Art und Weise, die darin besteht, Natur in Gesellschaft und Kultur zu übersetzen. Und wenn die Proxemik fähig ist, die konventionellen und signifikativen Verhältnisse zu untersuchen, die die einfache Entfernung zwischen zwei Gesprächspartnern regeln, die mechanischen Modalitäten eines Kusses oder die Entfernungsquote, die aus einem Gruß ein verzweifeltes Lebewohl statt eines Aufwiedersehens macht, dann ist die ganze Welt der Handlung, die das Kino transkribiert, *schon Zeichenwelt.*

Eine Semiotik des Kinos transkribiert nicht die natürliche Spontaneität; sie stützt sich auf eine Kinesik, untersucht deren Möglichkeiten einer ikonischen Transkription und stellt fest, inwieweit eine dem Kino eigene stilisierte Gebärdensprache auf die bestehenden kinesischen Codes Einfluß nimmt und diese verändert. Der Stummfilm hatte ganz offensichtlich die normalen Kinemorphe übertreiben müssen, die Filme Antonionis scheinen dagegen deren Intensität abzuschwächen; in beiden Fällen aber prägt die artifizielle Kinesik, die aus stilistischen Erfordernissen entstanden ist, die Gewohnheiten der Gruppe, welche die kinematographische Botschaft empfängt, und verändert deren kinesische Codes. Dies ist ein interessantes Thema für eine Semiotik des Kinos, ebenso wie die Untersuchung der Transformationen, der Kommutationen, der Schwellen der Erkennbarkeit der Kinemorphe. Auf jeden Fall aber sind wir schon im bestimmenden Kreis der Codes. Der Film erscheint uns nicht mehr wie die wunderbare Wiedergabe der Wirklichkeit, sondern als eine Sprache, die eine andere vorherbestehende Sprache spricht, von denen sich beide mit ihren Konventionssystemen gegenseitig beeinflussen.
Es ist nun aber ebenfalls klar, daß auf der Ebene jener gestischen Einheiten, die nicht weiter analysierbare Elemente der kinematographischen Kommunikation zu sein schienen, die Möglichkeit einer semiotischen Untersuchung zutiefst berechtigt erscheint.

I. 6. Pasolini behauptet, daß die Sprache des Kinos eine doppelte Gliederung habe, wenn diese auch nicht der doppelten Gliederung der Sprache entspreche. Und dabei tauchen einige Gedanken auf, die analysiert werden müssen:
a) Die kleinsten Einheiten der kinematographischen Sprache seien die verschiedenen wirklichen Gegenstände, die in einer Einstellung auftreten.
b) Diese kleinsten Einheiten, welche die Formen der Wirklichkeit sind, müßten *Kineme* genannt werden in Analogie zu den *Phonemen*.

c) Die Kineme bildeten eine größere Einheit, die Einstellung, welche dem *Monem* der verbalen Sprache entspräche.
Diese Behauptungen müssen folgendermaßen korrigiert werden:
a 1) Die verschiedenen wirklichen Gegenstände, aus denen eine Einstellung besteht, sind die, die wir schon ikonische Seme genannt haben; und wir haben gesehen, daß sie keine realen Fakten mit unmittelbar motivierter Bedeutung sind, sondern Konventionalisierungseffekte. Wenn wir einen Gegenstand erkennen, dann schreiben wir einer signifikanten Konfiguration ein Signifikat auf Grund von ikonischen Codes zu. Wenn Pasolini einem angeblich wirklichen Gegenstand die Funktion eines Signifikans gibt, dann unterscheidet er nicht deutlich zwischen Zeichen, Signifikans, Signifikat und Referens. Und wenn es etwas gibt, was die Semiotik nicht akzeptieren kann, dann ist das die Ersetzung des Signifikats durch das Referens.
b 2) Jedenfalls sind diese minimalen Einheiten nicht als Äquivalente der Phoneme definierbar. Die Phoneme *sind keine Teile des zerlegten Signifikats.* Pasolinis Kineme (Bilder der verschiedenen erkennbaren Gegenstände) sind dagegen noch Einheiten des Signifikats.
c 3) Jene größere Einheit, die Einstellung, entspricht nicht dem Monem. Sie entspricht eventuell der Aussage und ist folglich ein *Sem.*
Nachdem wir diese Punkte geklärt haben, wäre die Illusion vom kinematographischen Bild als einer Widerspiegelung der Wirklichkeit zerstört, wenn sie in der praktischen Erfahrung nicht eine unzweifelhafte Grundlage hätte; und wenn uns nicht eine vertieftere semiotische Untersuchung die tiefen kommunikativen Gründe für diese Tatsache erklären würde: Das Kino stellt nämlich *einen Code mit drei Gliederungen* dar.

I. 7. Ist es möglich, daß es Codes mit mehr als zwei Gliederungen gibt? Betrachten wir, welches ökonomische Prinzip den Gebrauch der zwei Gliederungen einer Sprache bestimmt: daß man über eine äußerst hohe Anzahl von miteinander kombinierbaren *Zeichen* verfügen kann, zu deren Bildung man eine begrenzte Anzahl von Einheiten, die *Figuren,* gebraucht, deren Funktion es ist, sich zu verschiedenen signifikanten Einheiten zu verbinden, und die aber für sich allein keine Bedeutung, sondern nur unterscheidenden Wert haben.

Welchen Sinn hätte es nun, eine dritte Gliederung zu finden? Das wäre nützlich, falls man aus der Zeichenkombination eine Art von *Hypersignifikat* ableiten könnte. (Wir gebrauchen den Terminus in Analogie zu »Hyperraum«, der etwas definiert, was nicht durch die euklidische Geometrie beschrieben werden kann.) Dieses Hypersignifikat erhält man keinesfalls dadurch, daß man Zeichen mit Zeichen kombiniert, sondern, sobald man das Hypersignifikat identifiziert hat, erscheinen die Zeichen, aus denen es besteht, nicht mehr als dessen Teile, sondern erfüllen ihm gegenüber dieselbe Funktion, die die Figuren gegenüber den Zeichen erfüllen. In einem Code mit drei Gliederungen hätte man also: *Figuren,* die sich zu *Zeichen* verbinden, die aber keine Teile der Bedeutung der Zeichen sind; *Zeichen,* die sich eventuell zu *Syntagmen* verbinden; Elemente »X«, die aus der Kombination von Zeichen entstehen, die aber keine Teile der Bedeutung dieser Elemente sind. Eine *Figur* des verbalen Zeichens /*Hund*/ allein genommen denotiert keinen Teil des Hundes; ebenso sollte auch ein Zeichen, welches an der Bildung des hypersignifikanten Elementes /*X*/ beteiligt ist, nicht einen Teil dessen denotieren, was /*X*/ denotiert.

Nun scheint der kinematographische Code der einzige zu sein, *in dem eine dritte Gliederung erscheint.*

Denken wir an eine Einstellung, auf die Pasolini in einem seiner Beispiele hinweist: Ein Lehrer, der in einem Klassenzimmer zu seinen Schülern spricht. Betrachten wie die Einstellung auf der Ebene eines ihrer Photogramme, synchronisch isoliert aus dem diachronischen Fluß der sich bewegenden Bilder. Dies ist ein Syntagma, in dem wir als Bestandteile identifizieren:

Ikonische Aussagen, die sich synchronisch miteinander verbinden, wie z. B. »ein großer blonder Mann ist hier, hell gekleidet usw. usw.«. Diese *Seme* können gegebenenfalls in kleinere ikonische *Zeichen* zerlegt werden wie »menschliche Nase«, »Auge«, »viereckige Oberfläche« usw., die auf Grund des Sems als Kontext erkennbar sind, der ihnen die Kontextbedeutung vermittelt und sie sowohl mit Denotation als auch mit Konnotation belädt. Diese *Zeichen* könnten auf Grund eines Wahrnehmungscodes in visuelle *Figuren* analysiert werden: */Winkel/*, */Helldunkelbeziehungen/*, */Rundungen/*, */Beziehungen Figur – Hintergrund/*.

Wir erinnern daran, daß es unnötig sein kann, das Photogramm in diesem Sinne zu analysieren und es als mehr oder weniger konventionalisiertes Sem anzuerkennen (einige Aspekte erlauben es mir, das ikonographische Sem »Lehrer mit Schülern« zu erkennen und es etwa von dem Sem »Vater mit vielen Kindern« zu unterscheiden); aber das heißt nicht, daß es – wie gesagt – keine mehr oder weniger analysierbare oder mehr oder weniger digitalisierbare Gliederung gäbe.

Wenn wir diese doppelte Gliederung nach den gängigen linguistischen Konventionen wiedergeben müßten, könnten wir die beiden Achsen des Paradigmas und des Syntagmas zu Hilfe nehmen:

angenommene *ikonische Figuren* (abgeleitet aus den Wahrnehmungscodes) bilden ein Paradigma, aus dem Einheiten ausgewählt werden, die zusammengesetzt werden müssen zu

↓

⟶

ikonischen Zeichen, die zu ikonischen Aussagen kombiniert werden können, welche zu *Photogrammen* kombiniert werden können.

Aber wenn wir vom Photogramm zur Einstellung übergehen, dann führen die Personen Gebärden aus: die *Icone* erzeugen durch eine diachronische Bewegung *Kinemorpheme.* Nur geschieht beim Kino noch etwas mehr. Die Kinesik hat sich nämlich das Problem gestellt, ob die *Kinemorpheme,* signifikante gestische Einheiten (und folglich, wenn man will, den Monemen vergleichbar und jedenfalls als *kinesische Zeichen* definierbar), in *kinesische Figuren* zerlegt werden können, d. h. in Kineme, diskrete Teile der Kinemorpheme, die keine Teile der Bedeutung der Kinemorpheme sind (so daß viele kleine Bewegungseinheiten ohne Sinn verschiedene gestische Einheiten mit Sinn bilden können). Nun trifft die Kinesik auf Schwierigkeiten bei der Identifizierung von diskreten Momenten im gestischen Kontinuum: *die Filmkamera aber nicht.* Die Filmkamera *zerlegt die Kinemorpheme gerade in viele diskrete Einheiten, die für sich allein genommen noch nichts bedeuten können* und die anderen diskreten Einheiten gegenüber unterscheidenden Wert haben. Wenn ich zwei typische Kopfbewegungen wie das Zeichen »nein« und das Zeichen »ja« in soundso viele Photogramme zerlege, dann finde ich soundso viele verschiedene Positionen, die ich nicht als Positionen der Kinemorpheme »nein« und »ja« identifizieren kann. Die Position */nach rechts geneigter Kopf/* kann sowohl die *Figur* eines *Zeichens* »ja«, kombiniert mit dem *Zeichen* »Hinweisen auf den rechten Nachbarn«, sein (das Syntagma wäre: »ich sage ja zum rechten Nachbarn«) als auch die Figur eines Zeichens »nein«, kombiniert mit dem Zeichen »gesenkter Kopf« (das verschiedene Konnotationen haben kann und sich zum Syntagma »Verneinung mit gesenktem Kopf« zusammensetzt).

Die Filmkamera liefert mir also kinesische Figuren ohne Bedeutung, die im synchronischen Umkreis des Photogramms isoliert werden können, zu kinesischen Zeichen kombiniert werden können, welche ihrerseits größere und bis ins Unendliche addierbare Zeichen erzeugen.

Wenn man diese Sachlage nun graphisch darstellen wollte, dann nicht mehr mit Hilfe der bidimensionalen Achsen, sondern mit Hilfe einer dreidimensionalen Darstellung. Da die ikonischen Zeichen sich nämlich zu Aussagen kombinieren und Photo-

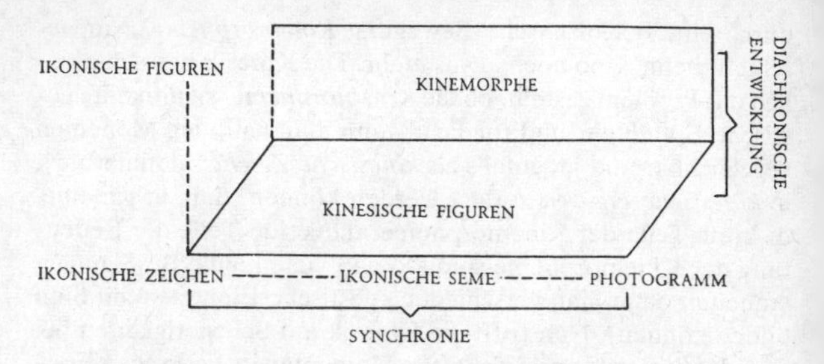

gramme (nach einer kontinuierlichen synchronischen Linie) entstehen lassen, erzeugen sie gleichzeitig eine Art von in die Tiefe gehender Ebene mit diachronischer Stärke, die in einem Teil der Gesamtbewegung innerhalb der Einstellung besteht; Bewegungen, die durch diachronische Kombination eine andere Ebene erzeugen, die zu der ersten Ebene senkrecht steht und die in der Einheit der signifikativen Gebärde besteht.

I. 8. Welchen Sinn hat es, dem Kino diese dreifache Gliederung zuzuschreiben?

Gliederungen werden in einen Code eingeführt, um ein Maximum möglicher Ereignisse mit einem Minimum an kombinierbaren Elementen kommunizieren zu können. Sie sind ökonomische Lösungen. Sobald die kombinierbaren Elemente feststehen, wird der Code zweifellos ärmer in bezug auf die Wirklichkeit, der er Form gibt. Sobald die kombinatorischen Möglichkeiten feststehen, gewinnt man wieder *ein bißchen* von diesem Reichtum an zu kommunizierenden Ereignissen zurück (die schmiegsamste Sprache ist immer ärmer als die Sachen, die sie sagen will, sonst gäbe es keine Polysemieerscheinungen). Dies bewirkt, daß, sobald wir die Wirklichkeit – sei es mittels einer verbalen Sprache, sei es mittels des armen, gliederungslosen Codes des weißen Stockes des Blinden – benennen, unsere Erfahrung verarmt, aber das ist der Preis, den man bezahlen muß, um Erfahrung mitteilen zu können.

Die poetische Sprache, die die Zeichen zweideutig macht, versucht gerade, den Empfänger der Botschaft dazu zu zwingen, den verlorenen Reichtum zurückzugewinnen, indem sie unvermutet mehrere Bedeutungen gleichzeitig in einen einzigen Kontext einführt.

Da wir an Codes ohne Gliederungen oder höchstens mit zwei Gliederungen gewöhnt sind, erregt die plötzliche Erfahrung eines Codes mit drei Gliederungen (der es also erlaubt, viel mehr Erfahrung als irgendein anderer Code einzufangen) den merkwürdigen Eindruck, den die zweidimensionale Hauptfigur von Flatland empfand, als sie sich der dritten Dimension gegenüberfand...

Diesen Eindruck hätte man schon, wenn im Zusammenhang einer Einstellung nur *ein einziges* kinesisches Zeichen aufträte. In Wirklichkeit aber verbinden sich im diachronischen Fluß der Photogramme innerhalb eines Photogramms mehrere kinesische Figuren und im Verlauf der Einstellung mehrere zu Syntagmen verbundene Zeichen zu einem kontextuellen Reichtum, welcher zweifellos aus dem Kinematographen einen Kommunikationstyp macht, der reicher ist als die Rede. Wie schon bei den ikonischen Aussagen folgen beim Kinematographen die verschiedenen Bedeutungen nicht längs der syntagmatischen Achse aufeinander, sondern erscheinen gleichzeitig und wirken gegenseitig aufeinander ein, indem sie verschiedene Konnotationen auslösen.

Man muß noch hinzufügen, daß der Eindruck von Wirklichkeit, den die dreifache visuelle Gliederung vermittelt, mit den komplementären Gliederungen der Töne und des Wortes noch komplizierter wird (aber diese Überlegungen betreffen nicht mehr den *Code des Kinematographen,* sondern eine Semiotik der *filmischen Botschaft*).

Wir wollen uns aber damit begnügen, bei der dreifachen Gliederung haltzumachen: Und der Schock ist so heftig, daß wir angesichts einer reicheren Konventionalisierung und somit angesichts einer Formalisierung, die geschmeidiger ist als alle anderen, glauben, daß wir uns einer Sprache gegenüber befinden, die

die Wirklichkeit wiedergibt. Und so entstehen die Metaphysiken des Kinos.

I. 9. Andererseits verlangt die Ehrlichkeit, daß wir uns fragen, ob nicht auch die Idee der dreifachen Gliederung zu einer semiotischen Metaphysik des Kinos gehört. Bestimmt besitzt das Kino, wenn man es als ein isoliertes Faktum annimmt, das aus keinem vorhergehenden Kommunikationssystem entsteht und wächst, diese drei Gliederungen. Aber in einer globalen semiotischen Betrachtung müssen wir an das erinnern, was wir schon in B. 3. II. [»Analytische und synthetische Codes«] gesagt haben, d. h. daß Hierarchien von Codes entstehen, von denen jeder syntagmatische Einheiten des synthetischeren Codes analysiert und der gleichzeitig die Syntagmen eines analytischeren Codes als seine eigenen relevanten Züge anerkennt. In diesem Sinne organisiert die diachronische Bewegung des Kinos als ihre Zeicheneinheiten die Syntagmen eines vorhergehenden Codes, *nämlich des photographischen Codes,* und dieser stützt sich seinerseits auf syntagmatische Einheiten des Wahrnehmungscodes ... Das Photogramm wäre also als ein photographisches Syntagma zu betrachten, das für die diachronische Gliederung des Kinematographen (welcher kinesische Figuren und Zeichen kombiniert) als Element der zweiten Gliederung gilt, das keine kinesische Bedeutung hat. Dies aber würde uns dazu zwingen, aus der Betrachtung des Kinos alle Bewertungen ikonischen, ikonologischen und stilistischen Charakters auszuschließen, kurz: alle Betrachtungen über das Kino als »figurative Kunst«. Andererseits ist das nur eine Frage der Festlegung von Verfahrensgesichtspunkten: Bestimmt kann man eine kinematographische *Sprache* als von den nicht weiter analysierbaren Einheiten, den Photogrammen, aus bewertbar auffassen, wenn feststeht, daß der »Film« als *Rede* sehr viel komplexer ist als der Kinematograph und nicht nur Wort- und Toncodes ins Spiel bringt, sondern auch die ikonischen, ikonographischen, Wahrnehmungs-, tonalen und Übertragungscodes (d. h. alle, die wir in B. 3. III. 5. [zusammenfassende Klassifizierung der visuellen Codes] untersucht haben) *wiederaufnimmt.*

Doch nicht nur diese, der Film nimmt dann auch noch die verschiedenen Erzählcodes, die sogenannten »Grammatiken« der Montage und einen ganzen rhetorischen Apparat auf, der heute von der Semiotik des Films untersucht wird (Bettetini, 1968).[6]
Nach all diesem kann die Hypothese einer dritten Gliederung aufrechterhalten werden, um den besonderen *Realitätseffekt* der kinematographischen Kommunikation zu erklären.
[...]

Anmerkungen

[Die genaueren bibliographischen Angaben wurden vom Herausgeber nach der »Bibliographie« in der Druckvorlage ergänzt.]

1 Pier Paolo Pasolini, »La lingua scritta dell'azione«, in: *Nuovi Argomenti* 2 (April–Juni 1966).
2 Christian Metz, »Le cinéma: langue ou langage?«, in: *Communications* 4 (1964), und »La grande syntagmatique du film narratif«, in: *Communications* 8 (1966); Pasolini (s. Anm. 1).
3 Es handelt sich um mündliche Anregungen, die uns Metz bei dem Rundgespräch über »Sprache und Ideologie im Film« (Pesaro, Juni 1967) nach einem Vortrag gegeben hat, der auf den in diesem Kapitel behandelten Themen basierte. In dieser Diskussion schien uns Metz eher, als es in seinem Artikel in *Communications* 4 den Anschein hatte, bereit, das kinematographische Bild im hier vorgeschlagenen Sinn weiter zu analysieren. In diesem Sinn müssen auch die Korrekturen und Anmerkungen gelesen werden, die er seinen Artikeln »Le dire et le dit au cinéma«, in: *Communications* 11 (1968), und »Au-delà de l'analogie, l'image«, in: *Communications* 15 (1970), beigefügt hat.
4 Claude Lévi-Strauss, »L'analyse morphologique des contes russes«, in: *International Journal of Slavic Linguistics and Poetics* 3 (1960).
5 Außer dem Artikel von Marcel Mauss, »Die Körpertechniken«, in: M. M., *Sociologie et anthropologie*, Paris 1950, führen wir als Untersuchungen der Kinesik an: Ray L. Birdwhistell, *Introduction to Kinesics*, Washington (D. C.) 1952; »Kinesics and Communication«, in: *Explorations in Communications*, hrsg. von E. Carpenter und M. McLuhan, Boston 1960; »Some Relations between American Kinesics and Spo-

ken American English«, in: *American Association for the Advancement of Science* (1963); Weston La Barre, »Paralinguistics, Kinesics and Cultural Anthropology«, in: *Approaches to Semiotics,* hrsg. von T. A. Sebeok, A. S. Hayes und M. C. Bateson, Den Haag 1964; F. Hayes, »Gesture: A Working Bibliography«, in: *Southern Folklore Quarterly* 21 (1957); R. E. Pittenger / H. L. Smith jr., »A Basis for Some Contribution of Linguistics to Psychiatry«, in: *Psychiatry* 2 (1957); Alfred G. Smith (Hrsg.), *Communication and Culture,* New York 1966; A.-J. Greimas, »Pratiques et langages gestuels«, in: *Langages* 10 (1968); B. Koechlin, »Techniques corporelles et leur notation symbolique«, in: *Langages* 10 (1968); Clelia Hutt, »Dictionnaire du langage gestuel chez les trappistes«, in: *Langages* 10 (1968); R. Cresswell, »Le geste manuel associé au langage«, in: *Langages* 10 (1968); Alfred S. Hayes, »Paralinguistics and Kinesics: Pedagogical Perspectives«, in: *Approaches to Semiotics,* hrsg. von T. A. Sebeok, A. S. Hayes und M. C. Bateson, Den Haag 1964.

6 Gian Franco Bettetini, *Cinema: lingua e scrittura,* Mailand 1968.

CHRISTIAN METZ

Probleme der Denotation im Spielfilm

1968

[Der Aufsatz stammt aus dem Jahre 1968. Sein Verfasser legt Wert auf die Feststellung, daß dieser Text insofern schon »historisch« ist, als er in den letzten 10 Jahren teilweise beträchtlich weiterentwickelt und revidiert werden mußte.]

Die Semiologie des Films neigt dazu, ihr Objekt mit Methoden anzugehen, die von der Linguistik her inspiriert sind. Dies ist dort am schwierigsten, wo sich die »kinematographische Sprache« [*langage*] von der Sprache im eigentlichen Sinn am meisten unterscheidet. Betrachten wir also die Punkte, wo der Unterschied am deutlichsten zutage tritt. Es handelt sich um zwei Punkte: das Problem der *Motivation* der Zeichen (vgl. Abschn. 1) und das Problem der *Kontinuität* der Bedeutungen [*significations*] (vgl. Abschn. 3). Oder mit anderen Worten: die Frage des Arbiträren (im Saussureschen Sinne) und die Frage der diskreten Einheiten.

1. Die Bedeutung ist im Film immer mehr oder weniger motiviert, niemals arbiträr

Die Motivation spielt sich dabei auf zwei Ebenen ab: im Verhältnis von *signifiant* und *signifié* der Denotation und im Verhältnis von *signifiant* und *signifié* der Konnotation.
(A) *Denotation.* Hier wird die Motivation durch die *Analogie* geliefert, und zwar durch eine perzeptive Ähnlichkeit von *signifiant* und *signifié.* Das gilt für den *Bildstreifen* (= das Bild eines Hundes ist einem Hunde ähnlich) wie auch für die *Tonspur* (= das Geräusch eines Kanonenschusses im Film ist einem echten Kanonenschuß ähnlich).
Es gibt eine visuelle und eine auditive Analogie; denn der Film

ist das Produkt von Photographie und Phonographie, die beide moderne Technologien einer *mechanischen Duplikation* sind. Gewiß, die durch diese Techniken ermöglichte Reproduktion ist keine perfekte; zwischen dem Objekt und seinem Bild bleiben immer einige perzeptive Unterschiede, die die Kinopsychologen untersucht haben. Aber vom semiologischen Standpunkt aus ist es, um von Motivation zu reden, auch nicht nötig, daß *signifiant* und *signifié identisch* sind; schon die einfache Analogie liefert Motivation genug.

Denn selbst wenn die mechanische Duplikation ihre Vorlage zum Teil deformiert, sie *analysiert* sie ja nicht nach spezifischen Einheiten. Also gibt es niemals eine echte *Transformation* des Objektes, sondern nur eine partielle, rein perzeptive *Deformation* des Objektes.

(B) *Konnotation.* Im Film sind auch die konnotativen Bedeutungen motiviert. Doch beruht die Motivation hier nicht notwendigerweise auf einer perzeptiven Analogie. Hier muß man sich daran erinnern, daß Eric Buyssens bei seiner Unterscheidung von immanenten und transzendenten Semen [*sèmes intrinsèques et extrinsèques*] schon feststellte, daß die Analogie nur eine der Formen von Motivation darstellt.

Da sich unser Text mit der Denotation beschäftigen soll, werden wir die Probleme der Konnotation im Film nicht weiter verfolgen. Wir bemerken nur, daß die kinematographische Konnotation immer *symbolischer* Natur ist: das *signifié* motiviert das *signifiant,* aber es geht noch über es hinaus. Der Begriff der *motivierten Bedeutungserweiterung* definiert fast alle Konnotationen im Film. In ähnlicher Weise sagt man, das Kreuz sei ein Symbol des Christentums, weil Christus am Kreuz gestorben ist (= Motivation), aber das Christentum beinhalte sehr viel mehr als nur das Kreuz (= Erweiterung).

Die *partielle Motivation* der Konnotationen im Film hindert diese nicht daran, oftmals Kodifizierungen oder Konventionalisierungen Platz zu machen, die je nachdem mehr oder weniger weitgehend sind. Ein einfaches Beispiel: in einem Tonfilm, wo der Held unter anderen diegetischen Eigenheiten die Gewohnheit hat, die ersten Takte einer bestimmten Melodie zu pfeifen, genügt – unter der Voraussetzung, daß der Zuschauer schon zu Anfang des Films auf diese Tatsache aufmerksam gemacht wird – schon allein das Auftauchen dieser Melodie auf der Tonspur (ohne das Erscheinen des Helden auf der Leinwand), um in einem späteren Teil der Erzählung, wo der Held weit entfernt oder womöglich vollkommen verschwunden ist, ganz deutlich seine Person wieder heraufzubeschwören; dies geschieht nicht ohne starke Konnotation, daß die betreffende Person damit gemeint ist. Bei diesem vereinfachten Beispiel sieht man, daß der Held nicht durch eine willkürlich ausgewählte Eigenschaft *»symbolisiert«* worden ist, sondern durch eine Eigenschaft, die ihm wirklich eigen ist (= Fehlen von vollkommener »Arbitrarität«); die Person im Ganzen besaß aber mehr Eigenheiten als die erwähnte Melodie: man hätte auch andere Charakteristika wählen können, die sie »symbolisieren« (und man hätte damit andere Konnotationen evoziert); es gibt demnach in der Beziehung zwischen dem *signifiant* der Konnotation (= der Melodie) und dem *signifié* der Konnotation (= der Person) einen *Anteil* an Arbitrarität.[1]

Die Konnotationen im Film, selbst die subtilsten und einfallsreichsten, beruhen letztlich auf diesem einfachen Prinzip, das man folgendermaßen formulieren könnte: wenn es erst einmal in seiner genauen syntagmatischen Position innerhalb der Rede, die der gesamte Film bildet, lokalisiert ist, gelingt es einem visuellen oder auditiven Motiv – oder auch einer Anordnung von visuellen oder auditiven Motiven –, mehr zu sein, als es ist, und eine Sinnerweiterung zu erhalten. Diese Sinnerweiterung ist jedoch nicht vollkommen »arbiträr«, denn was das Motiv auf diese Weise »symbolisiert«, ist eine Gesamtsituation oder ein Gesamtprozeß, *von dem es ein Teil ist* in der Geschichte, die der Film erzählt (oder von dem der Zuschauer weiß, daß es tatsächlich im Leben vorkommt). Kurz, der konnotierte Sinn *geht* über den denotierten Sinn *hinaus,* jedoch, ohne ihm zu *widersprechen* oder ihn zu *ignorieren.* Daher also die partielle Arbitrarität und auch das Fehlen von vollkommener Arbitrarität.

2. Reichweite und Grenzen des Analogie-Begriffs

Der Begriff der Analogie sollte mit aller Vorsicht gehandhabt werden. Für eine im eigentlichen Sinne kinematographische Semiologie stellt die Analogie die untere Grenze dar: an den Stellen, wo sie die Filmbedeutung zu tragen hat (insbesondere den Sinn jedes »Motivs« für sich genommen), fehlt jede *spezifisch kinematographische* Kodierung; deshalb müssen die Zeichensysteme des Films, die wir meinen, auf anderen Ebenen gesucht werden: als die besonderen Kodes der Konnotation (die teilweise »motivierten« Kodes inbegriffen, denn die reine »Arbitrarität« erschöpft nicht das Feld des Kodifizierbaren) oder auch als die auf die diskursive Organisation von Bild*gruppen* bezogenen Kodes der Denotation und Konnotation (vgl. beispielsweise die »großen Syntagmen des Films«, S. 336 ff.). Doch für eine *allgemeine* Semiologie bilden die analogischen Anteile in der Filmbedeutung [*signification filmique*] keine Grenze, denn viele Dinge, die für einen Filmanalytiker »vorausgesetztes Wissen« sind und insofern eine Art absoluten Anfang markieren, *von dem aus* sich erst das kinematographische Abenteuer abspielt, sind ihrerseits die komplexen Endergebnisse *anderer* kultureller Ereignisse und Zusammenhänge, deren Wirkungsfeld weit über das Kino hinausgeht, ohne es aber auszuschließen. Zu diesen ihrer Natur nach außerkinematographischen »Kodes«, die unter dem Deckmantel der Analogie auf der Leinwand auftauchen, muß man ihrer Natur nach mindestens zwei zählen – ohne daß damit die Aufzählung Genauigkeit und Vollständigkeit erlangt: die *Ikonologie,* die jeder soziokulturellen Gruppe von Herstellern oder Konsumenten des Films zu eigen ist (die mehr oder weniger institutionalisierten Modalitäten der Darstellung von Objekten, die Prozesse der Erkennung und der *Identifikation* der Objekte bei den verschiedenen Arten ihrer optischen und akustischen »Reproduktion« und noch allgemeiner: die kollektiven Auffassungen darüber, was ein *Bild* ist), und andererseits – bis zu einem gewissen Grade – die *Perzeption* selbst (die visuellen Gewohnheiten des Anvisierens und der Rekonstruktion von Formen und Figuren, die jeder Kultur eigene Darstellung des Raumes, die verschiedenen auditiven Strukturen etc.). Das Typische an den Kodes dieser Art ist, daß sie sozusagen mitten in der Analogie wirken, daß sie von dem Benutzer empfunden werden, als wären sie ein Teil der alltäglichsten und natürlichsten visuellen oder auditiven Dechiffrierung.

Im Unterschied zu dem, was wir vor vier Jahren geäußert haben (besonders in dem Artikel »Das Kino: *langue* oder *langage*?«[2]), scheint es uns heute möglich anzunehmen, *daß die Analogie selbst kodiert wird, ohne aber aufzuhören, authentisch als Analogie zu funktionieren im Verhältnis zu den Kodes der höheren Ebenen,* die überhaupt erst auf der Basis dieses primären Wissens ins Spiel kommen. Viele Mißverständnisse und Diskussionen über das Problem rühren daher, daß man noch nicht versucht hat, eine halbwegs vollständige Liste der verschiedenen heterogenen und sich überlagernden Kodes aufzustellen, die bei jeder kulturellen Aktivität von einiger Bedeutung *gemeinsam* wirken. Ebensowenig hat man versucht, die genaue Struktur ihrer Wechselwirkung aufzuklären.[3]

Es scheint uns, daß man in jedem Fall wenigstens zwei Arten von signifikanten Strukturierungen unterscheiden kann: die *kulturellen* und die *spezialisierten* Kodes. Erstere definieren die Kultur einer sozialen Gruppe, sie sind so allgegenwärtig und »assimiliert«, daß die Benutzer sie im allgemeinen als vollkommen »natürlich« und als konstitutiv für das Menschsein selber ansehen (obgleich sie offensichtlich *Produkte* sind, da sie in Raum und Zeit variieren); die Benutzung dieser Kodes erfordert keine *spezielle* Vorbereitung außer der, überhaupt in einer Gesellschaft zu leben, von ihr erzogen zu sein etc. Diejenigen Kodes, die wir »spezialisiert« nennen, betreffen dagegen spezifischere und eingeschränktere soziale Tätigkeiten, sie geben sich ganz explizit als Kodes aus und erfordern eine besondere Lehrzeit – die je nach den Umständen verschieden ausfällt; relativ »leicht« ist sie noch beim Film –, von der sich selbst der »Eingeweihte«, der schon das Kulturniveau seiner Gruppe besitzt, nicht entbinden kann.

Diese Zweiteilung ist nützlich für eine Untersuchung der gestischen Kodes, die wir hier als Beispiel nehmen. Die Gesten, die man etwa »expressiv« oder »affektiv«, »spontan«, »natürlich« oder »Begleiter der Rede« nennt, konstituieren *bereits* eine erste Ebene der Kodierung, da man weiß, daß ein und dieselbe Geste von Kultur zu Kultur einen anderen Sinn hat und daß ein und derselbe Sinn von verschiedenen Gesten ausgedrückt werden kann. Eine *zweite* Kodierungsebene stellen solche Gesten dar wie die der Taubstummensprache (allgemeiner: alle sogenannten »künstlichen«, »konventionellen«, »kodifizierten« oder »reglementierten« Gesten etc.), sie sind in besonderen sozialen Situationen angebracht, und ihre Aneignung erfordert eine besondere Lehrzeit. Ein in Frankreich geborener und erzogener Franzose braucht nicht eigens zu lernen, welche Gesten Ärger, Ablehnung oder resignierte Annahme ausdrücken können und welche »komm her!« bedeuten – er muß aber, obwohl er Franzose ist, die Fingersprache der Taubstummen lernen (d. h. der Taubstummen, die sich der französischen Sprache bedienen).

Die eigentlich kinematographischen signifikanten Figuren (wie Montage, Bewegungen der Kamera, optische Effekte, »Rhetorik der Leinwand«, Wechselwirkung des Visuellen mit dem Auditiven etc.) bilden zusammen die spezialisierten – wenn auch, wie später gesagt wird,[4] relativ »leichten« – Kodes; sie funktionieren *oberhalb* der photographischen und phonographischen Analogie. Die ikonologischen, perzeptiven Kodes etc. sind kulturelle Kodes; ein großer Teil ihrer Wirkung im Film liegt noch *unterhalb* der photographischen und phonographischen Analogie, worauf vor allem Umberto Eco hingewiesen hat,[5] dem die hier aufgestellte Hypothese viel verdankt.

Bisher ging es um die Denotation (den wörtlichen Sinn des Films). In der großen Menge der konnotierten Bedeutungen im Kino (alle Arten »symbolischen Sinns«) gibt es eine bestimmte Anzahl, die in den Film zugunsten der perzeptiven Analogie noch außerhalb der spezifisch kinematographischen Kodifizierungen eindringen: das geschieht in allen den Fällen, wo ein Objekt oder eine Anordnung von Objekten (visueller oder auditiver Art) im Film das »symbolisiert«, was es auch außerhalb des Films symbolisieren würde, d. h. in der Kultur (abgesehen von dem Fall, wo es darüber hinaus und allein im Film symbolische Bedeutungen manifestiert, die es seiner spezifischen Placierung in der kinematographischen Rede verdankt). Die Objekte (damit sind auch Personen gemeint), d. h. die verschiedenen »Hauptmotive« der filmischen Rede, treten nicht ohne Vorbelastung in den Film; sie tragen noch vor dem Auftauchen jeglicher »kinematographischen Sprache« bedeutend mehr bei sich als ihre bloße Identität, was den Zuschauer, der einer bestimmten Kultur angehört, aber nicht daran hindert, dieses *»Mehr«* gleichzeitig bei der Identifizierung des Objektes zu dechiffrieren. Hier stoßen wir auf den Begriff des *»im-segno«* [Bild-Zeichen], wie Pier Paolo Pasolini ihn formulierte (dieser wies jedoch nicht genügend darauf hin, daß das »im-segno« im Kino mitten in der perzeptiven Analogie zwischen dem Objekt und seinem Bild liegt).[6]

Diese neue spezifische Organisationsebene, die die den Objekten eigenen kulturellen Konnotationen bilden, hat sehr komplexe Beziehungen zu der *Ikonologie* (von der schon die Rede war); sie sind von sich aus schon komplex, aber dies wird noch gesteigert, wenn sie sich im Bereich des Films abspielen. Zwischen diesen beiden Ebenen des Verstehens liegt der gleiche Unterschied wie zwischen der Denotation und der Konnotation, aber es besteht auch die gleiche Ähnlichkeit aufgrund ihres gemeinsamen Verschmelzens mit der Perzeption des Benutzers; wir geben daher den vorfilmischen Konnotationen der Objekte vorläufig zu ihrer Unterscheidung und gleichzeitigen Annäherung an die (auch vorfilmische) Ikonologie, die die Denotation dieser gleichen Objekte organisiert, den Namen *Ikonographie.*

3. Das Kino enthält nichts, was der doppelten Artikulation der Sprachen entspricht

Zunächst müssen wir feststellen, daß das Kino selbst keine *distinktiven* Einheiten besitzt (d. h. eigene distinktive Einheiten).[7] Es hat nichts, was dem Phonem oder dem relevanten phonologischen Merkmal in der Ausdrucksebene entspricht, und ebenfalls nichts, was dem semantischen Merkmal (im Sinne von A.-Julien Greimas[8] oder in dem von Bernard Pottier[9]) in der Inhaltsebene entspricht.
Selbst dort, wo es sich um *bedeutungstragende* Einheiten handelt, besitzt das Kino auf den ersten Blick keine diskreten Elemente. Es geht in ganzen »*Realitätsblöcken*« vor, die in der Rede ihren globalen Sinn aktualisieren. Diese nennt man »Einstellungen«. Die in der filmischen Rede *auf einer anderen Ebene* lokalisierbaren diskreten Einheiten – wir werden sehen, daß es sie gibt – sind kein Äquivalent für die »erste Gliederung« in den Sprachen [*langues*].
Die *Montage* ist wohl in gewisser Hinsicht eine Analyse, eine Art von Gliederung der auf der Leinwand dargestellten Realität; anstatt uns eine Landschaft im Ganzen zu zeigen, zeigt uns der Filmemacher hintereinander mehrere Teilaspekte, die nach einem ganz festen Konzept *geschnitten* und *angeordnet* sind. Das Charakteristische des Kinos ist ja bekanntlich die Tatsache, daß es die *Welt* in eine *Rede* transformiert.
Doch diese Art von Gliederung[10] ist keine echte linguistische Gliederung. Selbst die partiellste und fragmentarischste »Einstellung« (d. h. das, was in der Filmsprache *Großaufnahme* genannt wird) stellt noch ein vollkommenes Stück Realität dar. Die Großaufnahme ist nur eine größere Einstellung als die anderen.
Die Kinosequenz ist sicher eine reale Einheit, d. h. eine Art *solidarisches Syntagma,* innerhalb dessen die »Einstellungen« (semantisch) aufeinander wirken. Dieses Phänomen erinnert in gewisser Weise an die Art des Aufeinanderwirkens der Wörter in einem Satz. Daher bezeichneten auch die ersten Theoretiker

des Kinos die »Einstellung« als Wort und die Sequenz als Satz. Aber diese Vergleiche waren ganz unzutreffend; man kann nämlich mit Leichtigkeit *fünf gravierende Unterschiede* zwischen der filmischen »Einstellung« und dem linguistischen Wort[11] hervorheben:

1. Die Zahl der möglichen Einstellungen ist unendlich im Gegensatz zu der Zahl der Wörter in einer Sprache. Unbeschränkt groß ist nur die Zahl der in einer Sprache formulierbaren Aussagen.
2. Die Einstellungen werden vom Filmemacher erfunden, im Gegensatz zu den Wörtern, die bereits im Lexikon existieren. Nur die Aussagen sind im Prinzip Erfindungen des Sprechers.
3. Die dem Empfänger einer Einstellung gelieferte Informationsmenge ist unbestimmt groß, nicht aber die von einem Wort gelieferte. Unter diesem Gesichtspunkt entspricht also die Einstellung nicht einmal einem Satz, sondern einer *komplexen Äußerung von unbestimmter Länge.* (Beispiel: wie soll man eine Filmeinstellung mit Hilfe einer natürlichen Sprache vollständig beschreiben?)
4. Die Einstellung ist eine aktualisierte Einheit, eine Einheit der Rede, eine Behauptung, das Wort ist dagegen eine rein potentielle (lexikalische) Einheit. Nur die Äußerung bezieht sich immer auf etwas Reales (selbst wenn sie fragenden oder befehlenden Charakter hat). Das Bild eines Hauses bedeutet nicht »Haus«, sondern eher »hier ist ein Haus«, denn aufgrund der Tatsache, daß es in einem Film vorkommt, enthält das Bild eine Art Aktualisierungsindex.[12]
5. Eine Einstellung erhält ihren Sinn nur in schwachem Maße durch die paradigmatische Opposition mit anderen Einstellungen, die an dem gleichen Punkt der Kette hätten erscheinen können (weil diese ihrer Zahl nach ja beliebig groß sind). Beim Wort aber spielt diese Opposition eine entscheidende Rolle; denn ein Wort ist immer Teil von semantischen Feldern, die mehr oder weniger gut organisiert sind. Das linguistische Phänomen, daß die präsenten Einheiten durch die absenten erhellt werden, spielt im Kino eine geringe Rolle. Das bestätigt aus se-

miologischer Sicht eine Feststellung, die die Filmästhetiker schon oft gemacht haben: Das Kino ist eine »Kunst der Anwesenheit« (durch die Macht des Bildes, das alles außer sich selbst »unterdrückt«).
Die »Einstellung« im Film ist also eher einer Äußerung als einem Wort *ähnlich.* Es wäre jedoch falsch zu sagen, daß die Einstellung im Film einer linguistischen Äußerung *äquivalent* sei. Es bestehen zwischen ihnen große Unterschiede. Selbst die komplexeste Äußerung ist letztlich *reduzierbar* auf diskrete Einheiten (Wörter, Morpheme, Phoneme, relevante Züge), die in ihrer Anzahl und ihrem Wesen festgelegt sind.
Die Einstellung im Film resultiert natürlich auch aus einer *Anordnung* verschiedener Elemente (z. B. die verschiedenen visuellen Motive, die in einem Bild vorkommen; dies wird häufig *innere Montage* genannt), doch diese Elemente sind in ihrer Zahl und ihrem Wesen unbestimmt, so wie auch die Einstellung selbst. Die Analyse einer Einstellung besteht darin, von einem nicht-diskreten Ganzen zu einem kleineren nicht-diskreten Ganzen überzugehen: man kann eine Einstellung zwar *zerlegen,* jedoch nicht *reduzieren.*
Die einzige Behauptung, die man aufrechterhalten kann, ist die, daß eine Einstellung einer Äußerung weniger *unähnlich* ist als einem Wort, ohne jedoch dabei einer Äußerung zu gleichen.

4. Ist die »Grammatik« des Kinos eine Rhetorik oder eine Grammatik?

Aufgrund des Vorhergehenden könnte man eher dazu neigen, die Grammatik des Kinos als Rhetorik zu betrachten, da ihre *kleinste Einheit* (die Einstellung) ja nicht festgelegt ist und sich folglich die Kodifizierung nur auf *große Einheiten* erstrecken kann.
Die »Dispositio« (oder große Syntagmatik), einer der Hauptteile der klassischen Rhetorik, besteht in einer *bestimmten Anordnung unbestimmter Elemente*: jede judiziale Rede soll fünf

Teile umfassen (ein Exordium, eine Dispositio etc. ...), aber alle diese Teile haben weder eine vorgeschriebene Länge noch eine vorgeschriebene innere Komposition. Alle Figuren der »kinematographischen Grammatik« – d. h. die Gebilde der Einheiten, die 1) signifikativ (im Gegensatz zu »distinktiv«), 2) diskret, 3) von großer Dimension, 4) für das Kino typisch und allen Filmen gemeinsam sind – unterliegen diesem gleichen Prinzip: so ist z. B. die »alternierte Montage« (Alternieren der Bilder = Simultaneität der Bezugsobjekte) eine Anordnung, die gleichzeitig *kodifiziert* (= allein die Tatsache des Alternierens) und *signifikant* ist (weil das Alternieren Simultaneität bedeutet), wobei die Länge und die innere Komposition der angeordneten Elemente (d. h. der alternierenden Bilder) vollkommen freigestellt sind.
Aber gerade hier taucht die größte Schwierigkeit in der Semiologie des Kinos auf. Denn diese Rhetorik *ist von einem anderen Blickwinkel aus zugleich eine Grammatik.* Die Untrennbarkeit von Rhetorik und Grammatik ist das Typische der Semiologie des Kinos, wie schon Pier Paolo Pasolini mit Recht behauptet hat.[13]
Warum bilden nun die kodifizierten und signifikanten Anordnungen eine Grammatik? Weil diese Anordnungen nicht nur die filmische *Konnotation organisieren,* sondern und *vor allem,* weil sie die Denotation organisieren. Das spezifische *signifié* der alternierten Montage bezieht sich auf die genaue Temporalität der Handlung, die primäre filmische Nachricht, selbst wenn die alternierte Disposition zwangsläufig verschiedene Konnotationen nach sich zieht.
Es ist nicht möglich zu behaupten, die »Grammatik« des Films betreffe in erster Linie die Denotation, ohne daß man gleichzeitig präzisiert, was man unter »in erster Linie« versteht. Es handelt sich um ein synchrones »in erster Linie«: das, was das *Funktionieren* der filmischen Anordnungen kennzeichnet, ist die Tatsache, daß der Zuschauer in erster Linie mit ihrer Hilfe den genauen Sinn des Filmes versteht. Von einem *diachronen* Blickwinkel aus sind dagegen die filmischen Anordnungen in erster

Linie zu Zwecken der Konnotation und nicht der Denotation kodifiziert worden. Es ist immerhin möglich, »eine Geschichte zu erzählen« einzig und allein durch die ikonische Analogie, und gerade das taten auch die ersten Filmemacher (wenn sie z. B. ein Boulevardstück in einer *music-hall* photographierten) in der Zeit, wo noch keine spezifisch »kinematographische Sprache« existierte (die Zeit von 1895 bis 1900 und teilweise noch die Zeit zwischen 1900 und 1915). Die Hauptfiguren der kinematographischen Sprache wurden ursprünglich eingeführt, um die Erzählung »lebendiger«, »mitreißender« etc. zu gestalten, ... also zu Zwecken der Konnotation; die empirische Geschichte des Kinos läßt darüber überhaupt keinen Zweifel. – Dann hat sich jedoch sofort eine Art von *semiologischem Stellenaustausch* ereignet: mit den Bemühungen um die Konnotation hat man schließlich auch die Denotation bereichert, organisiert und kodifiziert, indem man der Herrschaft der ikonischen Analogie als ausschließliches Mittel der Denotation ein Ende setzte. Nehmen wir das Beispiel der alternierten Montage: sie ist erfunden worden, um »Stileffekte« und Kompositionseffekte zu ermöglichen, aber sie ist zu einem *Schema für das Verstehen der Denotation* geworden, denn die Zuschauer wissen seitdem, daß das Alternieren der Bilder auf der Leinwand immer bedeutet, daß die dargestellten Ereignisse in der Temporalität der Fiktion simultan sein können.

Für das Kino gilt mehr als für alles andere, daß die *Konnotation nichts anderes ist als die Form der Denotation,* wie ein Ästhetiker des Kinos, nämlich Jean Mitry, einmal bemerkte.[14] Noch einmal zurück zu unserem Beispiel: Nehmen wir an, ein Filmemacher wollte zwei simultane Ereignisse darstellen (*signifié* der Denotation = unter anderem Simultaneität) und er hätte die Möglichkeit, als entsprechendes denotatives *signifiant* entweder die alternierte Montage oder eine gewöhnlichere Form der Montage, bei der die beiden Ereignisse nacheinander ohne Alternieren gezeigt werden (wobei das zweite Ereignis folgendermaßen zeitlich nachdatiert wird: Zwischentitel wie: »Währenddessen...«, Elemente des Dialogs, logische Folgerung aus irgendeinem Detail des Bildes etc. ...), zu wählen. In beiden Fällen wäre die Wirkung auf den Zuschauer (= *signifié* der Konnotation) nicht die gleiche; das konkrete Gefühl einer Simultaneität der beiden Ereignisse wäre stärker bei Anwendung der alternierten Montage. Das *signifié* der Denotation (= vollkommene Simultaneität) würde in beiden Fällen vollkommen verstanden. Jedoch wäre es nicht die gleiche Form der Denotation und damit auch nicht die gleiche Konnotation.

Kurz, wenn es dem Kino gelingt zu konnotieren, ohne normalerweise *spezielle* (= separate) Konnotatoren nötig zu haben, so deshalb, weil es ständig über das Wesentlichste des *signifiants* der Konnotation verfügen kann, wodurch es mehrere Möglichkeiten hat, die Denotation zu konstruieren. Gerade weil die *Denotation selbst konstruiert ist*[15] und weil sie sich heute nicht mehr auf das automatische Funktionieren der ikonischen Analogie reduziert und weil das Kino viel mehr als die Photographie ist, gelingt es dem Film, ohne ständige Hilfe von diskontinuierlichen Konnotatoren zu konnotieren. So kommt man auf semiologischem Wege zu einer bei den Ästhetikern des Kinos verbreiteten Behauptung, die besagt, daß die *präexistenten* Symbole (sozialer, psychoanalytischer Natur etc....), die künstlich auf die filmische Kontinuität gepreßt sind, ein schwaches und simplifizierendes Verfahren darstellen und daß das Wesen des kinematographischen Symbolismus ein anderes ist (das Symbol muß »aus dem Film geboren werden«).

5. *Über die großen Syntagmen des Films*

Wir haben bislang zwar den allgemeinen *Status* einer kinematographischen Grammatik untersucht, aber über ihren *Inhalt* haben wir noch nichts gesagt, d. h. wir haben noch keine Übersicht über die verschiedenen im Film gebräuchlichen Bildanordnungen gegeben.

Es ist an dieser Stelle auch nicht möglich, eine vollständige Übersicht zu geben, mit allen Erklärungen, die jedes der aufge-

zählten Anordnungsmuster benötigte, oder mit allen *Kommutationsprinzipien,* die die gegenseitige Unterscheidung (und folglich überhaupt erst die Aufzählung) der Muster erlauben.[16]
Begnügen wir uns hier deshalb mit einem vorläufigen »Resultat«, d. h. damit, eine Tabelle der Bildanordnungen lediglich grob zu skizzieren und das auch nur für die *großen Syntagmen* im Film (= Anordnungen auf der Ebene der großen[17] Einheiten des Films mit Ausnahme der akustischen Elemente). Dieses Problem ist selbstverständlich nur eines der Kapitel einer »kinematographischen Syntax«.
Um Zahl und Wesen der heute gebräuchlichen Haupttypen[18] von Syntagmen zu bestimmen, stützt man sich zunächst am besten auf schon geläufige Beobachtungen (die Existenz der »Szene«, der »Sequenz«, der »alternierten Montage« etc.) sowie auf verschiedene gewissermaßen präsemiologische Analysen von Filmkritikern, -historikern oder -theoretikern (»Montagetabellen« und diverse Klassifizierungen).[19] Dieses Material muß in verschiedenen wichtigen Punkten ergänzt werden – deswegen befreit es auch keineswegs davon, sich weiterhin möglichst zahlreiche Filme anzuschauen – und in ein kohärentes Ganzes eingeordnet werden, d. h. in das eine oder andere Feld einer Systematik, aus der in natürlicher Weise sämtliche Haupttypen von Bildanordnungen, die in den Filmen vorkommen, hervorgehen.
Man kommt damit zu einer ersten »Tabelle« einer kinematographischen Syntagmatik, einer Tabelle, die sich noch verhältnismäßig nahe an das konkrete Filmmaterial anlehnt, wenngleich sie vom Gesichtspunkt einer semiologischen Theorie aus noch nicht befriedigt. Wir werden dieses erste Stadium hier nicht in seiner vollen Kontinuität darlegen, was an sich unerläßlich wäre. Dies ist bereits geschehen in der Zeitschrift *Communications* Nr. 8 (1966)[20] und mündlich auf dem »Deuxième Festival de Pesaro«, Italien, Mai 1966.[21] Wir erinnern nur daran, daß wir dort sechs Haupttypen unterschieden haben: die autonome Einstellung, die Szene und die Sequenz (beide im eigentli-

chen Sinne des Wortes), das deskriptive Syntagma, das alternierende Syntagma (mit den drei Untertypen: voll-frequentativ, frequentativ mit »zusammenfassender Klammerung« und semi-frequentativ).

In der Zwischenzeit haben wir eine zweite Version dieser allgemeinen Tabelle der kinematographischen Syntagmatik ausgearbeitet. Wir haben sie in Nr. 201 der Zeitschrift *Image et Son* (1967)[22] und auf der »Conférence de Sémiologie de Kazimierz« in Polen (Sept. 1966)[23] dargestellt. Wir bringen sie hier etwas ausführlicher als dort. Wir haben diese Version auch der Analyse des Films *Adieu Philippine* von Jacques Rozier zugrunde gelegt.[24]

Sie unterscheidet sich von der ersten Version in zwei Einzelpunkten und in der angewandten Methode. Die beiden Punkte sind diese: Erstens schien es uns, daß man den »frequentativen« Typ – der übrigens ziemlich selten ist[25] – nicht auf derselben Ebene behandeln kann wie die anderen Typen, er ist eher eine besondere Modalität, die geeignet ist, einige andere Typen zu modifizieren;[26] zweitens schien uns der einheitliche Status, den wir dem »alternierenden Syntagma« gegeben haben, etwas künstlich (dadurch wurden zwangsläufig Syntagmen wie das alternierte und das parallele in den Rang von Untertypen verwiesen), denn Bilder, die sich auf der Leinwand serienweise abwechseln, kommen ausgesprochen häufig vor und eignen sich für den Ausdruck sehr verschiedener Bedeutungen.[27] Aus diesen Gründen sind das alternierende wie auch das frequentative Syntagma in unserer neuen Tabelle *als solche* nicht mehr enthalten.

Jetzt zum Unterschied in der Methode: Die verschiedenen Typen und Untertypen der ersten Tabelle, die dort einfach in einer *Liste* aufgezählt wurden, werden jetzt nach einem System der sukzessiven Dichotomien neu gruppiert, nach einem Verfahren also, das in der Linguistik üblich ist. Diese Art der Darstellung läßt die *Tiefenstruktur der Entscheidungen,* vor die sich der Filmemacher für jede einzelne »Sequenz« seines Films gestellt sieht, viel deutlicher werden. Eine zunächst empirische und rein

induktive Klassifizierung wird im nachhinein aus einem deduktiven System entwickelt; auf diese Weise kann sich eine Tatsachensituation, die zuerst nur einfach konstatiert und erläutert wurde, als logisch viel zusammenhängender enthüllen, als man gedacht hat (vgl. Synopsen, S. 363).
Im jetzigen Stadium der Ausarbeitung unterscheiden wir acht Haupttypen von *autonomen Segmenten,* d. h. von »Sequenzen« (wir werden aber den Namen »Sequenz« von nun an ausschließlich für zwei der acht Typen, für die Typen Nr. 7 und 8 reservieren).
Die autonomen Segmente bilden eine Unterteilung ersten Grades im Film, d. h., sie sind Teile des Films und nicht etwa Teile eines Teils (wenn z. B. ein autonomes Segment fünf sukzessive Einstellungen enthält, dann ist jede dieser Einstellungen Teil eines Teils, also nicht-autonomes Segment). Es muß freilich klar sein, daß die »Autonomie« der autonomen Segmente nicht ihre *Unabhängigkeit* bedeutet, denn jedes der Segmente erhält seine definitive Bedeutung erst durch die Beziehung zum Film als Ganzem; erst dieser ist eigentlich das *maximale Syntagma* im Kino.
Wenn man die »Einstellung« von der »Sequenz« unterscheidet, wie man es gewöhnlich tut, so heißt dies, daß es im Kino zwei verschiedene Ebenen gibt (ohne deswegen eventuelle Zwischenniveaus auszuschließen): einerseits das *minimale Segment,* nämlich die Einstellung (vgl. dazu [Text Nr. 4, s. Anm. 10] S. 149), andererseits das autonome Segment. Das hindert nicht, daß auch ein minimales Segment manchmal autonom sein kann.
Aber kommen wir jetzt zu den acht syntagmatischen Typen.

1

Eine erste Dichotomie scheidet die autonomen Segmente, die nur aus einer einzigen Einstellung bestehen – d. h. die *autonomen Einstellungen* –, von den sieben anderen Typen von autonomen Segmenten, die aus mehreren Einstellungen bestehen.

Erst diese letzteren sind dem Wortsinne nach *Syntagmen* (d. h. autonome Segmente, die *mehr* als ein minimales Segment enthalten). Allein bei den autonomen Einstellungen vermag eine einzelne Einstellung bereits eine Handlungs-»Episode« darzustellen. Daher ist die autonome Einstellung auch der einzige Fall, wo die einzelne Einstellung nicht aus einer Unterteilung zweiten Grades herrührt, sondern aus einer Unterteilung ersten Grades. Ähnlich ist in der Literatur der Satz eine Einheit niedrigeren Grades als der Paragraph, obgleich gewisse Paragraphen auch nur aus einem einzigen Satz bestehen. (Dieselbe Bemerkung ließe sich in der Linguistik für das Verhältnis Phonem : Monem oder das Verhältnis Monem : Äußerung machen; es handelt sich hier um ein in der Semiologie durchaus bekanntes Phänomen.) Zusammenfassend kann man sagen: Einige autonome Segmente im Film sind Syntagmen,[28] aber nicht alle; umgekehrt sind einige Einstellungen im Film autonom, aber andere nicht.

Die autonome Einstellung umfaßt mehrere Untertypen: einmal die berühmte »*Sequenz-Einstellung*« des modernen Kinos (eine ganze Szene wird in einer Einstellung behandelt, d. h. die Einheit der »Handlung« verleiht der Einstellung ihre Autonomie); zum anderen verschiedene Arten von Einstellungen, die ihre Autonomie dem Gesetz der syntagmatischen *Interpolation* verdanken und die man unter dem Begriff der *Einfügung* [*insert*] ordnen könnte. Wählt man als Klassifizierungsprinzip den *Grund* der Interpolation, dann ergeben sich vier Arten von Einfügungen: die *nicht-diegetische Einfügung* (ein Bild mit rein komparativem Wert, das also einen Gegenstand außerhalb der Handlung darstellt); die *subjektive Einfügung* (ein Bild, das etwas darstellt, was vom Handelnden nicht als anwesend empfunden wird, sondern als abwesend,[29] z. B. Erinnerungen, Träume, Befürchtungen, Vorahnungen etc.); die *diegetisch versetzte Einfügung* (ein Bild, das zwar völlig »real« ist, aber aus seiner normalen filmischen Umgebung herausgenommen und als eine Art Enklave in das Syntagma einer fremden Aufnahme eingebettet wurde; z. B. wird mitten in eine Sequenz, die die Verfolger darstellt, ein einzelnes Bild der Verfolgten eingefügt); und viertens schließlich die *explikative Einfügung* (ein gleichsam mit der Lupe vergrößertes Detail, das seiner natürlichen räumlichen Umgebung enthoben und in einen abstrakten, rein intellektuellen Raum gestellt wird, z. B. Visitenkarten oder Dokumente in Großaufnahme).

2 und 3

Innerhalb der Syntagmen (den aus mehreren Einstellungen gebildeten autonomen Segmenten) erlaubt ein zweites Kriterium zwischen *achronologischen und chronologischen* Syntagmen zu unterscheiden. In den ersteren bleibt das zeitliche Verhältnis der durch die Bilder dargestellten Tatsachen unbestimmt (vorläufiges Fehlen des *signifié* der zeitlichen Denotation); in den letzteren ist es definiert.
Es lassen sich zwei Haupttypen der achronologischen Syntagmen hervorheben. Der eine ist den Filmästhetikern gut bekannt unter dem Namen »Sequenz der parallelen Montage« (wir ziehen den Terminus *paralleles Syntagma* vor, um uns den Ausdruck »Sequenz« aufzusparen); Definition: die Montage bringt zwei oder mehrere Motive zusammen und verflicht sie miteinander, d. h., sie läßt sie im Wechsel wiederkehren, ohne daß die Annäherung ein präzises (zeitliches oder räumliches) Verhältnis zwischen den genannten Motiven konstituiert, jedenfalls nicht auf der Ebene der Denotation, jedoch vermittelt sie direkt einen symbolischen Wert (Szenen aus dem Leben der Reichen und Szenen aus dem Leben der Armen, Bilder der Ruhe und Bilder der Unruhe, Bilder von Stadt und Land, Meer und Kornfeld etc.).
Der zweite Typ der achronologischen Syntagmen wurde unseres Wissens bisher noch nicht beschrieben, aber es ist gar nicht so schwer, ihn zu isolieren; Definition: eine Serie kurzer Szenen, die solche Ereignisse darstellen, die als typische Beispiele für eine bestimmte Realität angesehen werden und die ganz bewußt nicht in ein zeitliches Verhältnis zueinander gebracht werden,[30]

um gerade dadurch ihre Zusammengehörigkeit innerhalb einer *Kategorie von Tatsachen* zu betonen. Genau diese Kategorie zu definieren und durch visuelle Mittel deutlich zu machen, setzt sich der Filmemacher zum Ziel. Keine der Einzelevokationen wird in der ganzen syntagmatischen Breite behandelt, auf die sie Anspruch hätte (System der *Andeutungen*); sie wirken nur im Ganzen und nicht einzeln, man könnte sie einzeln auch nicht mit einer gewöhnlichen autonomen Sequenz austauschen (es gibt also ein filmisches, gewissermaßen stotterndes Äquivalent zur Begriffs- bzw. Kategorienbildung). Beispiel: die erotischen Evokationen am Anfang von *Eine verheiratete Frau* (Jean-Luc Godard, 1964), die durch Variationen und teilweise Wiederholungen eine globale Bedeutung wie »moderne Liebe« skizzieren; oder auch die sukzessiven Evokationen von Zerstörung, Bombardierung und Trauer zu Beginn des Films *Quelque part en Europe* (Geza Radvanyi, 1947), eine beispielhafte Illustration des Komplexes Kriegselend.
Wir nennen diese Konstruktion von Bildern *Syntagma der zusammenfassenden Klammerung* [*syntagme en accolade*], weil sie unter den Ereignissen, die sie zusammenbringt, ein ähnliches Verhältnis schafft wie eine Klammer unter den von ihr vereinigten Wörtern. Beim Syntagma der zusammenfassenden Klammerung werden die verschiedenen, aufeinanderfolgenden Evokationen häufig durch bestimmte optische Effekte (wie z. B. wiederholte und rasche Überblenden, Vorhangblenden, Panoramaschwenke und weniger durch Abblenden) miteinander verbunden. Diese an sich redundante Anwendung bringt Biegsamkeit in die Sequenz und bestätigt dem Betrachter, daß er sie als Ganzes auffassen und nicht etwa in direkte Verbindung mit dem Erzählfortgang bringen soll; Beispiel: die Passage in *Scarlet Empress* (Josef von Sternberg, 1935), die das schreckliche und faszinierende Bild ausdrückt, das sich die zukünftige Herrscherin, damals noch ein kleines Mädchen, über das zaristische Rußland macht (die an riesige Glockenschwengel gebundenen Gefangenen, der Henker mit seinem Beil etc.).[31]
Allein schon das Vorhandensein eines Alternierens oder

Nicht-Alternierens der Bilder in den miteinander vermengten Serien erlaubt bei den achronologischen Syntagmen, zwischen dem parallelen Typ und dem Typ der zusammenfassenden Klammerung zu unterscheiden (mit Alternieren – paralleles Syntagma; mit Nicht-Alternieren – Syntagma mit Klammerung). Das Syntagma der zusammenfassenden Klammerung vereinigt die Bilder direkt zu einer Gruppe; das parallele Syntagma enthält zwei oder mehr Serien, jede aus mehreren Bildern bestehend, und diese Serien alternieren auf der Leinwand (z. B. ABAB etc....).

4

In den *chronologischen* Syntagmen werden die zeitlichen Verhältnisse zwischen den Ereignissen, die durch aufeinanderfolgende Bilder dargestellt werden, auf der Ebene der Denotation präzisiert (die dargestellten Handlungen oder Vorgänge laufen tatsächlich in der Zeit ab, es handelt sich nicht nur um einen bloß symbolischen oder »tiefen« Zeitverlauf). Diese genauen zeitlichen Verhältnisse müssen allerdings nicht notwendig solche der Konsekution sein, ebensogut ist auch *Simultaneität* möglich.
Es gibt nur einen syntagmatischen Typ, in dem das Verhältnis zwischen *allen* sukzessiv dargestellten Motiven das der Simultaneität ist – das ist das *deskriptive Syntagma* (= die verschiedenen Arten der Beschreibung im Film),[32] der einzige Fall, in dem den Abfolgen auf der Leinwand keine diegetischen Abfolgen entsprechen. (In diesem Zusammenhang sei daran erinnert, daß die Leinwand der Ort des *signifiant* ist und die Diegese der Ort des *signifié*.) Beispiel: die Beschreibung einer Landschaft (zuerst ein Baum, dann ein Ausschnitt dieses Baumes, dann ein kleiner Bach, der vorbeifließt, nun ein Hügel in der Ferne etc.). Im deskriptiven Syntagma ist das einzig verständliche Verhältnis der Koexistenz zwischen den Gegenständen, die von aufeinanderfolgenden Bildern dargestellt werden, das einer *räumlichen* Koexistenz.

Das impliziert allerdings nicht, daß man das deskriptive Syntagma nur auf *unbewegte* Gegenstände oder Personen anwenden könnte. Ein deskriptives Syntagma kann sehr gut auch Handlungen wiedergeben, sofern es Handlungen sind, bei denen in jedem Zeitmoment nur räumliche Parallelismen vorkommen, d. h. also Handlungen, die der Betrachter nicht in Gedanken zeitlich aneinanderreihen kann. Beispiel: eine Schafherde in Bewegung (Anblick der Schafe, des Schäfers, des Hundes etc.). Im Kino ist – wie auch sonst – die Beschreibung eine Modalität der Rede und nicht eine substantielle Eigenschaft des Objektes dieser Rede; dasselbe Objekt kann *beschrieben* oder *erzählt* werden, je nach der Logik in der Art der Mitteilung selbst.[33]

5

Alle anderen chronologischen Syntagmen, ausgenommen also das deskriptive Syntagma, sind *narrative Syntagmen,* d. h. Syntagmen, in denen die zeitliche Beziehung zwischen den im Bilde dargestellten Gegenständen oder Ereignissen auch eine der Konsekution ist und nicht *nur* eine der Simultaneität.[34] Unter den narrativen Syntagmen gibt es zwei Fälle: Das Syntagma kann entweder *mehrere* distinktive zeitliche Abfolgen vermischen oder nur aus einer einzigen Abfolge bestehen, die die Gesamtheit der Bilder umfaßt. Man unterscheidet demnach das alternierte narrative Syntagma (oder kurz *alterniertes Syntagma*) und die verschiedenen Arten von linearen narrativen Syntagmen.

Das alternierte Syntagma ist dem Filmtheoretiker unter Namen wie »alternierte Montage«, »parallele Montage«, »Synchronismus« etc. gut bekannt. Ein typisches Beispiel: erst Bilder, die die Verfolger zeigen, anschließend Bilder, die die Verfolgten zeigen etc. Definition: Durch den Wechsel in der Montage werden zwei oder mehr Ereignis-Serien so dargestellt, daß innerhalb jeder Serie die zeitlichen Beziehungen der Konsekution eingehalten werden, aber zwischen den *en bloc* aufgenommenen

Serien Simultaneität herrscht (was man in die Formel fassen könnte: »Alternieren der Bilder = Simultaneität der Fakten«).[35]

6

Unter den *linearen narrativen Syntagmen* (wo also eine *einzige* Zeitfolge sämtliche im Bild gesehenen Aktionen verbindet) erlaubt eine weitere Dichotomie, zwei Typen zu unterscheiden: die Zeitfolge kann *kontinuierlich* sein (ohne »Hiat« oder »Ellipsen«) oder *diskontinuierlich* (Vorkommen von »übersprungenen Zeitmomenten«). Zu den eigentlichen Ellipsen – die man *diegetische Hiate* nennen könnte – darf man allerdings nicht das rechnen, was wir einfach *Hiat der Kamera* nennen (die zeitliche Kontinuität wird durch die Verschiebung der Kamera oder durch einen Schnitt unterbrochen, um später genau an dem chronologischen Punkt wiederaufgenommen zu werden, der in der Zwischenzeit erreicht wurde).
Ist die Zeitfolge kontinuierlich (und liegt kein diegetischer Hiat vor), dann haben wir es mit dem einzigen Kino-Syntagma zu tun, das einer »Szene« aus dem Theater oder aus dem täglichen Leben ähnlich ist, d. h. das ein räumliches und zeitliches Ganzes darstellt, das man ohne »Bruch« empfindet. (Unter »Bruch« soll der Effekt des plötzlichen Erscheinens oder Verschwindens verstanden werden, der sich oft schon aus der Vielfalt der Einstellungen ergibt und den die Filmpsychologen[36] als einen der Hauptunterschiede zwischen der filmischen und der realen Perzeption festgestellt haben.) Dieses Syntagma ist die *Szene im eigentlichen Sinn* (oder kurz: Szene). Es ist die einzige Konstruktion, die schon den ersten Filmemachern bekannt war; es gibt sie selbstverständlich auch heute noch, freilich als einen Typ unter anderen (sie ist also kommutierbar geworden). Beispiel: Gesprächsszenen. (Die Bespielung der Tonspur mit aufeinanderfolgenden sprachlichen Äußerungen verlangt in vielen Fällen – wenn auch nicht notwendig – eine ebenso einheitliche und lükkenlose visuelle Konstruktion.)

Die Szene *re*konstruiert mit *schon* filmischen Mitteln (d. h. die getrennt aufgenommenen Bilder werden später zusammengefügt) eine *noch als* »konkret« empfundene Einheit: einen Ort, einen Augenblick, eine kleine einzeln festgehaltene Handlung. In der Szene ist das *signifiant* fragmentarisch: es besteht aus Einstellungen, die jeweils nur partielle »Profile« sind *(Abschattungen)*; jedoch wird das *signifié* als einheitlich und kontinuierlich wahrgenommen. Sämtliche Profile werden als aus einer gemeinsamen Masse kommend interpretiert. Das, was man das »Sehen« eines Films nennt, ist in der Tat ein sehr komplexes Phänomen, das ständig drei verschiedene Aktivitäten ins Spiel setzt (Perzeption, Restrukturierung des Blickfeldes und unmittelbares Gedächtnis), die einander ununterbrochen ergänzen und immer mit den Gegebenheiten arbeiten, die sie sich wechselseitig liefern.

7 und 8

Der Szene stehen mehrere Arten von linearen narrativen Syntagmen gegenüber, in denen die zeitliche Verkettung der dargestellten Tatsachen *diskontinuierlich* ist. Es sind die *Sequenzen im eigentlichen Sinn.* (Der Terminus »Sequenz« wurde ursprünglich fixiert, um eine rein filmische Konstruktion zu bezeichnen, etwa im Gegensatz zur Theater-»Szene«; in der Folgezeit ging man jedoch dazu über, mit »Sequenz« jede Folge von Einstellungen, die eine gewisse Einheit bildete, zu benennen, d. h. jedes autonome Segment, ausgenommen die autonome Einstellung. Die »Sequenz« im geläufigen Sinn ist also das, was wir *autonomes Syntagma* nennen, und unsere Tabelle enthält davon 7 Arten; deshalb präzisieren wir hier in zwei Fällen die »Sequenzen im eigentlichen Sinn«, deren Definition gleich folgt.)
Wir haben unter den Sequenzen im eigentlichen Sinn (die also eine einzige, aber diskontinuierliche zeitliche Abfolge darstellen) zwei Typen zu unterscheiden: Erstens kann die zeitliche Diskontinuität unorganisiert bleiben und ziemlich unregelmäßig vorkommen: man gibt sich einfach damit zufrieden, alle für

die Geschichte als uninteressant erachteten Momente zu überspringen; das ist dann die *gewöhnliche Sequenz,* ein im Film sehr häufig vorkommender Typ; zweitens kann die Diskontinuität *organisiert* und damit als solche zum Prinzip der Konstruktion und der Aussage der Sequenz erhoben werden; wir haben es dann mit dem zu tun, was wir *Sequenz durch Episoden* [*séquence par épisodes*] nennen. Definition: Es wird eine gewisse Anzahl sehr kurzer Szenen aneinandergereiht, die meistens voneinander mit Hilfe optischer Effekte getrennt werden (Überblenden etc.) und die chronologisch aufeinanderfolgen;[37] keine dieser Evokationen wird in ihrer vollen Breite abgehandelt: sie zählen für den Film nur im Ganzen, nicht einzeln, sie sind auch nur als Ganzes mit einer gewöhnlichen Sequenz austauschbar, stellen also in ihrer Ganzheit ein autonomes Segment dar. In ihrer extremen Form (d. h. wenn die aufeinanderfolgenden Episoden durch lange diegetische Zwischenzeiten getrennt sind) dient diese Konstruktion dazu, *langsame und in einer Richtung verlaufende Evolutionen* verkürzt darzustellen; Beispiel: in *Citizen Kane* (Orson Welles, 1941) ist es die Sequenz, die die zunehmende Verschlechterung der seelischen Beziehungen zwischen dem Helden und seiner ersten Frau darstellt durch eine chronologische Serie von kurzen Andeutungen der Mahlzeiten, die das Paar gemeinsam einnimmt und die in einer immer frostigeren Atmosphäre verlaufen. Diese Andeutungen werden durch sehr rasche Panoramaschwenke, die das Nachlassen der Gefühle über mehrere Monate hinweg einfangen, aneinandergereiht. – In einer etwas weniger spektakulären, aber strukturell identischen Form dient die Sequenz durch Episoden dazu, mit Hilfe einer Serie von regelmäßig verteilten Abkürzungen (die nur weniger »ergreifen«) verschiedene Arten kleinerer Handlungsabläufe darzustellen, die auch von geringer Gesamtdauer sind, indem systematisch einige der aufeinanderfolgenden »Momente« *isoliert* werden. (Dies wird später an mehreren Beispielen im Film *Adieu Philippine* gezeigt.)

Die gewöhnliche Sequenz und die Sequenz durch Episoden sind beides *Sequenzen* im echten – einschließlich außer-kinemato-

graphischen – Sinn des Wortes: die Idee einer einzigen zeitlichen Abfolge wird verbunden mit der Idee der Diskontinuität. Jedoch erscheint in der Sequenz durch Episoden jedes der Bilder deutlich als eine symbolische Zusammenfassung eines *Stadiums* einer ziemlich langen Entwicklung, die global in der Sequenz kondensiert wird. In der gewöhnlichen Sequenz zeigt jede Einheit der Erzählung einfach einen der nicht-übersprungenen Handlungsmomente. Daraus folgt, daß im ersten Fall jedes Bild mehr repräsentiert, als es selbst darstellt,[38] und daß man den Eindruck hat, als sei es aus einer Gruppe anderer gleichberechtigter Bilder entnommen, die jeweils eine Phase eines Prozesses darstellen[39] (was nicht verhindert, daß sich in bezug auf das Gesamtsyntagma jede einzelne der Evokationen zeitlich richtig einordnet), während in der gewöhnlichen Sequenz jedes Bild nur genau das repräsentiert, was es darstellt.
Doch schon die gewöhnliche Sequenz konstituiert eine Erzähleinheit, die sehr viel filmspezifischer ist und sich mehr entfernt von den Bedingungen der realen Wahrnehmung als die *Szene* im Kino (noch viel mehr als die Szene im Theater); im Gegensatz zur Szene fallen in der Sequenz die Zeit auf der Leinwand und die Zeit des Handlungsfortgangs (die Zeit des *signifiant* und die Zeit des *signifié*) nicht zusammen. Die Sequenz beruht auf der Einheit einer komplexeren Handlung (die einheitlich ist im Unterschied zum parallelen Syntagma oder zum Syntagma der zusammenfassenden Klammerung), einer Handlung, die diejenigen ihrer Teile »überspringt«, die sie überspringen kann, und die sich folglich an mehreren Orten entwickeln kann (im Gegensatz zur Szene). Ein typisches Beispiel: die Sequenzen der Flucht (es gibt dabei eine Art Einheit des Orts, aber nur dem Wesen nach und keine buchstäbliche: das ist der »Ort der Flucht«, d. h. die paradoxale Einheit eines beweglichen Orts). Unter den Sequenzen findet man auch die diegetischen Hiate (und nicht nur die Hiate der Kamera, wie in den Szenen), doch sind diese Hiate nicht als *signifiants* anzusehen – wenigstens nicht auf der Ebene der Denotation[40] –, und sie unterscheiden sich so von denjenigen, die das Abblenden [*fondu au noir*] un-

terstreicht oder irgendein anderer optischer Effekt *zwischen zwei autonomen Segmenten*;[41] diese letzten Hiate wirken als Super-*signifiants* schon auf der Ebene der Denotation: Es wird direkt wenig ausgesagt, aber es wird so getan, als wäre viel auszusagen (das Ab- und Aufblenden ist ein Segment, das zwar nichts zeigt, aber doch sehr sichtbar ist), und die derart betont »übersprungenen Momente« sind (im Gegensatz zu den inneren diegetischen Hiaten einer Sequenz) von Einfluß auf die im Film erzählten Ereignisse; sie sind in gewisser Weise, trotz der Absenz von Bildern zum genauen Verständnis dessen, was folgt, notwendig.

Diese zweite Version unserer Tabelle der großen Syntagmen muß nicht unbedingt die letzte sein, denn das Typische für eine Untersuchung ist ja, daß sie immer weitergeht, und für die Semiologie, daß sie viel Geduld erfordert. Mehr noch, die Anforderungen, die in der Linguistik unter dem Schlagwort *Formalisierung* bekannt sind, verlangen geradezu, in Etappen vorzugehen, besonders auf einem Gebiet, das in bezug auf die Semiologie noch ungenügend untersucht wurde. Im übrigen ist es vielleicht nicht so wichtig, ob eine Bildkonstruktion, die hier zu einem bestimmten Typ gezählt wird, eines Tages besser, je nach Fall (von uns oder jemand anders), zu zwei verschiedenen Typen der Gattung gerechnet wird oder ob andere Korrekturen vorgenommen werden.[42] Die Semiologie des Kinos ist ja noch in ihren Anfängen. Gerade deswegen war es unsere Absicht, einen Eindruck von den Problemen zu geben, die man zu erwarten hat, wenn man linguistische Methoden auf ein Gebiet wie den Film anwenden will, auf dem sie bisher noch nicht angewandt wurden.

6. Die Beziehung zwischen den großen Syntagmen und der kinematographischen »Montage«

Jeder der acht syntagmatischen Typen – mit Ausnahme der autonomen Einstellung, für die sich das Problem nicht stellt – kann

auf zwei Arten realisiert werden: entweder durch Rückgriff auf die *Montage im eigentlichen Sinn* (das war im früheren Kino der häufigste Fall) oder mittels Formen einer *subtileren syntagmatischen Anordnung* (wie im modernen Film). Anordnungen, die die *Kollage* vermeiden (kontinuierliches Drehen, lange Einstellungen, Sequenz-Einstellungen, Aufnahmen mit großer Tiefenschärfe, Benutzung der »Breitleinwand« etc.), bleiben dennoch *syntagmatische* Konstruktionen, d. h. Tätigkeiten einer Montage im weiteren Sinn, worauf besonders Jean Mitry hingewiesen hat.[43] Wenn die Montage als unverantwortliche, magische und allmächtige Manipulation überholt ist, so gilt dies nicht für die Montage als *Konstruktion von Verstehen mittels verschiedener »Annäherungen«,* weil der Film immer *Rede* ist, d. h. Ort des Zusammentreffens verschiedener aktualisierter Elemente.[44]
Beispiel: Eine filmische Beschreibung kann in einer einzigen »Einstellung« realisiert werden ohne Montage und mit Hilfe einfacher Kamerabewegungen. Die verständliche Struktur, die die verschiedenen dargestellten *Motive* verbindet, wird dieselbe sein wie diejenige, die die verschiedenen *Einstellungen* einer klassischen deskriptiven Montage vereinigt. Die Montage im eigentlichen Sinn ist nur eine *elementare* Form der großen Syntagmatik im Film, weil jede »Einstellung« im Prinzip genau ein Motiv isoliert. Deshalb entsprechen die *Verhältnisse zwischen Motiven recht gut den Verhältnissen zwischen Einstellungen,* wodurch die Analyse leichter gemacht wird für die komplexeren und moderneren Formen der kinematographischen Syntagmatik.
Eine weiter entwickelte Analyse der Syntagmatik des *modernen* Films erfordert folglich eine Revidierung des Begriffs der autonomen Einstellung – zumindest aber in seiner Form als »Sequenz-Einstellung« –, weil diese nämlich bis zu einem gewissen Grade Bildkonstellationen der sieben anderen syntagmatischen Typen, die weiterhin »in freier Form« vorkommen, enthalten kann. (Durch ein einfaches Nebeneinandersetzen der Wörter bedeutet der gebräuchliche Ausdruck »Sequenz-Einstellung« [*plan-séquence*] gerade dieses Phänomen.)

7. Bemerkungen zur diachronen Entwicklung des kinematographischen Kodes

Die große Syntagmatik des Kinos ist nicht unveränderlich. Sie ist diachron. Sie entwickelt sich *bedeutend schneller als die Sprachen* [*langues*], was auf die Tatsache zurückzuführen ist, daß die *Kunst* und die *Sprache* [*langage*] sich im Kino stärker überschneiden, als es auf dem Gebiet des Verbalen der Fall ist. Der kreative Filmemacher hat einen Einfluß auf die diachrone Entwicklung der kinematographischen Sprache, den der kreative Schriftsteller nicht hat in bezug auf die Entwicklung der Sprache [*idiome*], da diese auch ohne Kunst existieren würde, wohingegen das Kino eine Kunst sein *muß,* um obendrein auch noch eine Sprache [*langage*][45] mit einem partiellen Kode der Denotation zu sein. Die Filmemacher bilden eine begrenzte soziale Gruppe (Kreationsgruppe), während die Sprecher eine koextensive Gruppe zur ganzen Gesellschaft (Gruppe von Benutzern) bilden.[46]
Die große Syntagmatik des Kinos bildet dennoch eine in jedem synchronen »Stadium« kohärente Kodifizierung. Ein zu starker Verstoß gegen diese Kodifizierung in einem bestimmten Augenblick hätte zur Folge, daß der genaue Sinn des Films für den Großteil des Publikums unverständlich wäre (wie z. B. manche »avantgardistischen« Filme).

8. Über das Verhältnis von »natürlicher Logik« und konventioneller Kodifizierung in der Filmkomposition

Die kinematographische »Grammatik« ist kodifiziert, aber nicht arbiträr. Die Unterscheidung von Arbiträrem und Motiviertem koinzidiert hier keinesfalls mit der Unterscheidung von Kodifiziertem und »Freiem«.
Die syntagmatischen Typen, bei denen die Denotation nicht *analog* ist, behalten immer noch etwas *Natürliches*[47] in der Beziehung zwischen *signifiant* und *signifié.* So ist z. B. im alternier-

ten Syntagma die Denotation nicht analog, weil die Bilder alternieren, während die Fakten nicht als abwechselnd, sondern als simultan verlaufend angesehen werden sollen; wir haben gezeigt,[48] daß das spontane Verstehen dieses Typus von Montage auf einer Art spontaner Interpolation beruht, die der Zuschauer ziemlich selbstverständlich vornimmt (und von dem Augenblick an, wo die Alternanzen schneller aufeinanderfolgen, errät der Zuschauer, daß die Ereignis-Serie A in der Diegese weiterläuft, während auf der Leinwand ein Fragment der Ereignis-Serie B erscheint).

Doch diese »natürliche« Eigenschaft ist keine überwiegende, weshalb wir auch von partieller Kodifizierung reden. Von den möglichen Bildkonstellationen (deren Anzahl sehr groß ist) sind nur wenige konventionalisiert; das Kino besitzt nur eine beschränkte Anzahl von mehr oder weniger natürlichen (oder *logischen*) Schemata für das Verstehen, auf denen es seine syntagmatischen Anordnungen aufbauen kann. Aber dabei handelt es sich um wirklich *effektive* Schemata, die fast immer bei jedem erwachsenen und normalen Zuschauer funktionieren, sofern dieser zu einer kinogewohnten Gesellschaft gehört. Man ist erstaunt über die geringe Anzahl der *tatsächlich erscheinenden* Bildanordnungen im Vergleich zu denen, die überhaupt denkbar wären. So, wie es in der Semantik eine Arbitrarität in der Lexikalisierung gibt, gibt es auch im Kino eine Arbitrarität in der Grammatikalisierung.

Aus der Vereinigung von natürlicher Logik und konventioneller Kodifizierung ergibt sich eine Konsequenz, die schon mehr oder weniger klar von Psycho-Soziologen, Pädagogen, Filmologen und von Spezialisten der »Volksbelustigung« hervorgehoben wurde: das Kino erfordert beim Sender wie beim Empfänger (also beim Filmautor und Zuschauer) eine gewisse *Vorbereitungs-* (bzw. Lehr-)*Zeit,* aber diese Vorbereitungszeit ist *gering* im Vergleich zu der, die die Sprachen [*idiomes*] erfordern. Auf der phylogenetischen Ebene: es hat ungefähr zwanzig Jahre gedauert (von 1895 bis etwa 1915, d. h. von Lumière bis Griffith), ehe die kinematographische Sprache auftauchte: das ist einerseits lange, andrerseits aber auch nicht. Auf der ontogenetischen Ebene: es ist erwiesen, daß ein Kind, das vor dem zwölften Lebensjahr ins Kino geht, nicht imstande ist, den genauen Sinn eines normalen modernen Spielfilms in seiner ganzen Kontinuität zu verstehen; doch von diesem Alter ab gelingt ihm dies nach und nach, und zwar ohne große Ausbildung wie die, die das Erlernen fremder Sprachen (ja selbst das gründliche Erlernen der Muttersprache) erfordert. Das gleiche gilt für die Erwachsenen einer Gesellschaft ohne Kino (Afrika etc. ...); bei ihrem ersten Kontakt mit dem Kino verstehen sie zwar nicht sofort alle Filme unserer Gesellschaft, doch mit der Zeit gelingt es ihnen sogar ziemlich rasch. In diesem Punkt herrscht in allen Forschungsergebnissen Übereinstimmung.[49]

9. Syntagmatik und Paradigmatik in der »Grammatik des Films«

Die hier dargestellten Syntagmen bilden zusammen *gleichzeitig auch eine Paradigmatik.* Denn die Einheiten, zwischen denen der Filmautor für jede »Sequenz« seines Films wählen kann, sind genau die vorhandenen Typen der syntagmatischen Anordnung, und deren Zahl ist begrenzt. Man hat es also zu tun mit *Paradigmen von Syntagmen,* eine Situation, die bis zu einem gewissen Punkt auch in der Syntax vieler Sprachen besteht (etwa kann man zwischen verschiedenen Typen von »Sätzen« auswählen: »Finalsatz«, »Konsekutivsatz« etc.).
»Paradigmatisch« ist nicht zu verbinden mit »kleinen Einheiten« noch »syntagmatisch« mit »großen Einheiten«, so wie Louis Hjelmslev[50] schon bemerkte. Die Unterscheidung *zwischen Anordnung und Wahl* ist etwas anderes als die Unterscheidung zwischen *großen und kleinen Segmenten.* Es gibt einerseits syntagmatische Phänomene auf der Ebene kleiner Segmente (Beispiel: die Silbe in den Sprachen) und andererseits paradigmatische Phänomene auf der Ebene großer Segmente (wie z. B. die hier dargestellten Aspekte der »Grammatik« des Kinos).[51]

10. Die jeweilige Position der »großen« und »kleinen« Elemente in bezug zur Definition eines eigentlich kinematographischen signifikanten Systems

Es ist nicht ausgeschlossen – wenngleich es etwas früh ist, dies absolut zu behaupten –, daß die *Paradigmatik der großen Einheiten* bereits den Hauptteil einer vollständigen Paradigmatik der »kinematographischen Sprache« ausmacht, in einem Sinn, der nunmehr zu präzisieren ist. Man kann in dieser Hinsicht jetzt schon vier Bemerkungen machen.

1. Einige bisher noch nicht besprochene Paradigmen des Films (wie Bewegung der Kamera, interne Strukturen der »Einstellung«, »Gebrauch der Blende« und weitere optische Verfahren sowie die Haupttypen der Beziehung zwischen Bild und Ton) liefern zusammen mit den schon untersuchten Paradigmen den gemeinsamen Ausgangspunkt, um die schon einigermaßen »großen« syntagmatischen Elemente zu behandeln: nämlich *Folgen von Einstellungen*, die *Einstellung* selber, die *Interdependenz der »Motive«* innerhalb einer Einstellung (d. h. die Beziehungen zwischen zwei oder mehreren visuellen oder auditiven »Motiven«, die zwar isoliert aus der Gesamteinstellung, jedoch in ihren verschiedenen perzeptiven Aspekten gemeinsam betrachtet werden), die *Beziehungen zwischen Aspekten der Motive* (jeder dieser »Aspekte«, selbst wenn er von allen anderen Objekten abgelöst wird, konstituiert noch eine komplexe und globale Eigenschaft). Linguistisch gesehen, könnte man sagen, daß der *Bezugsrahmen* – oder die *Domäne* im Sinne von Zellig S. Harris – der einzelnen, kinematographisch wirklich relevanten Strukturen relativ »groß« bleibt, selbst noch der »kleinste« dieser Bezugsrahmen.

2. Obwohl zwar die gesprochene *Rede* [*parole*], seitdem es den Tonfilm gibt, ein sehr wichtiges Element im Film ist (manchmal sogar das wichtigste) und obwohl ihr Vorhandensein ebenso kleine Einheiten in die kinematographische Nachricht einführt, wie sie den Sprachen eigen sind, so hängt doch nur ein Teil der Untersuchung dieses verbalen Elements – eben gerade der Teil,

der sich mit den größeren Segmenten befaßt – von der spezifisch filmischen Semiologie ab: so die Analyse der Hauptbeziehungen zwischen Wort und Bild, zwischen Wort und dem Rest der Tonspur (Musik und Geräusche) etc. Wenn man die *filmischen Aspekte des gesprochenen Wortes* betrachtet, sollte man nie vergessen, daß das Wort nur deshalb so wichtig im Film geworden ist, weil es diesen mit den Möglichkeiten der Sprache [*langage*] bereichert; das heißt aber auch, daß man bei der Untersuchung der Sprache im Film – und besonders der ihrer kleinsten Einheiten – sehr schnell den Rahmen der eigentlich kinematographischen Theorie verläßt.

3. Von den *übrigen* Fakten einer kinematographischen Paradigmatik, die sich der Untersuchung anbieten, hängt die größte Zahl von *differentiellen* Analysen ab, d. h. von Analysen, die das »filmische Faktum«[52] mehr oder weniger als gegeben voraussetzen und die sich darauf erstrecken, die besonderen Manifestierungen zu untersuchen, die es in den verschiedenen *Filmen*, d. h. in Einzelwerken erfährt, wie auch in den *Teilen eines Films*, d. h. in seinen »Einzelpassagen«, oder in *Gruppen von Filmen*, die je nach Fall das »Werk eines Filmemachers«, einen »kinematographischen Genre« (Western etc.), den »Stil« einer Epoche, eines Landes, einer »Schule« etc. repräsentieren mögen (vgl. beispielsweise die »Stilistik des Films«, die in sehr präziser Form von Raymond Bellour vorgeschlagen wurde[53]). Es handelt sich also um Untersuchungen, die mit dem Studium der eigentlich kinematographischen Sprache nicht verwechselt werden sollten. Letztere konstituiert ein autonomes Zeichensystem, jeder einzelne Film aber (oder Teil eines Films oder Gruppe von Filmen) bildet seinerseits jeweils ein eigenes Zeichensystem aus. Die differentiellen Analysen werden sich wahrscheinlich auch oft mit Elementen befassen, die *kleiner* sind als jene, denen sich die Untersuchung der eigentlich kinematographischen Sprache widmet – jedoch bleiben diese kleineren Elemente immer noch relativ »groß«, zumindest in dem Sinne von Punkt 1.

4. Fände man schließlich eines Tages (bei der Untersuchung des Films oder bei der Untersuchung eines Films) diejenigen Ele-

mente, die – gemessen an der »Ausdehnung« des ganzen Streifens – als »klein« klassifiziert werden können, könnte man Glück haben, dabei nur solche diskreten Einheiten (und folglich Paradigmen) zu finden, die uns eine allgemeine Semantik liefern könnte oder eine Semiologie der Kulturen oder eine Semiologie der Objekte etc. – d. h. dabei keine solchen diskreten Einheiten zu finden, die nur der kinematographischen Sprache eigen sind. Das, was dann diese Sprache definiert, wäre lediglich eine bestimmte Art und Weise, »Teile der Realität« wiederzugeben und anzuordnen, Teile, die an sich selbst nichts speziell Filmisches haben (das nennt man dann »einen Film machen«). Der mechanische Charakter der Grundoperation des Filmens (nämlich die photographische Duplikation) bewirkt die Integration von Bedeutungsebenen in das Endprodukt Film, deren interne Struktur jedoch afilmisch und den allgemeinen kulturellen Paradigmen unterworfen bleibt. Und wenn einige der »Realitätsstücke«, die in den Film eingehen, speziell für den Film hergestellt wurden (= Begriff der *Regie*), dann gehorcht diese Fabrikation selbst – die ja niemals eine totale Neukonstruktion ist, weil die Gegenstände nicht noch einmal gemacht werden (sie werden höchstens durch die Sprache neu gemacht) – auch nicht vom Anfang bis zum Ende nur den Gesetzen der Filmkunst, sondern zu einem guten Teil denselben kulturellen Bedeutungen [*significations*], die zur Zeit der Verfilmung der mehr oder weniger präexistenten Gegenstände oder Prozesse wirken.

Man möge uns richtig verstehen: Beim heutigen Stand der filmsemiologischen Untersuchungen (und überhaupt der allgemeinen semiotischen Theorie) ist es unmöglich, eine genaue Schwelle *anzugeben,* die die Elemente, die wir »groß« nennen, von denen, die wir »klein« nennen, zu unterscheiden erlaubt. Verläuft die Grenze zu den *gefilmten Objekten,* d. h. zu den optischen oder akustischen Motiven (das »Auto«, das in einem Bild erscheint; das »Eisenbahngeräusch«, das ein anderes Bild begleitet)? Und wenn ja, wie können diese »Objekte« aus ihrer

Umgebung *geschnitten* und *aufgezählt* werden? Verläuft die Grenze zum *Aspekt* des gefilmten Objekts (die »*Farbe*« des Autos oder seine Größe, die »Stärke« des Eisenbahngeräusches)? Wie sollte man in diesem Fall diese Aspekte aber zerlegen? Oder verläuft die Grenze zu den *Teilen* des gefilmten Objekts (die »Motorhaube« eines Autos; der »Beginn« eines Eisenbahngeräusches)? Und wie wären diese Teile zu zerlegen?
All diese Probleme erscheinen vorläufig noch unlösbar. Es sind die *Sprachen* [*langues*], die unsere Erfahrungen in distinkte Einheiten zergliedern. Das Kino ordnet sie jedoch ganz anders an. Deshalb kann man diese Einheiten nicht als »spezifisch« für den *Film* ansehen, sie kommen in Wirklichkeit direkt aus der Muttersprache desjenigen, der den Film analysiert. Aber das ist auch gerade der Grund, warum die Analyse von Filmen eine Metasprache erfordert, um sich mit Hilfe der metasprachlichen *signifiés* den Realitäten des Films besser anzupassen. Freilich kann man dabei nicht umhin, die metasprachlichen *signifiants* der einen oder der anderen natürlichen Sprache zu entnehmen. Das Problem, eine geeignete Metasprache zu finden, bereitet gegenwärtig noch sehr große Schwierigkeiten.
Wenn auch der genaue *Ort* der Schwelle zwischen den »großen« und den »kleinen« Elementen des Films noch sehr ungewiß ist, so ist die Tatsache, daß eine solche Schwelle existiert, nicht ungewiß, und zwar aus zwei Gründen, die genaugenommen zusammenfallen:
1. Selbst dann, wenn die Verfilmung die gefilmte Sache maximal »manipuliert« – sei es durch die *Regie,* sei es beim *Drehen* selbst (durch Winkelperspektive und Achsendistanz der Aufnahmen, Wahl des Filmmaterials, der Brennweite etc.) oder durch die anschließende *Montage* (= die diskursive Anordnung der verschiedenen Aufnahmen) –, ist sie nicht in der Lage, das, was sie manipuliert, *über einen gewissen Grad hinaus* zu analysieren und zu rekonstruieren, und zwar deshalb, weil sie sich unweigerlich an ein Minimum von photographischer Treue hält, d. h. an den mechanischen Charakter der grundlegenden Operation des Filmens. In den Trickaufnahmen sind die einzelnen Fragmente

nicht auch noch trickartig, und in solchen Trickaufnahmen, die nicht durch Dekomposition, sondern durch globale Veränderung (z. B. Zeitraffung) zustande kommen, sind ebenfalls gewisse *Aspekte* nicht trickartig (bei der Zeitraffung bleiben *Form* und *Richtung* der Bewegung erhalten). Auch wenn man die Schwelle von den »großen« zu den »kleinen« Elementen ziemlich weit zu den »kleinen« verschiebt, wird man dennoch jenseits dieser Schwelle Elemente finden können, die genaugenommen »klein« genannt werden müßten, wenn man sich darauf einigt, mit diesem Wort dasjenige Größenniveau zu benennen, unterhalb dessen das filmische Vehikel bei den Elementen, die es integriert, nichts mehr ändern kann; es kann sie dann nur noch reproduzieren, wobei es freilich zusammen mit diesen Elementen auch alle Bedeutungen reproduzieren muß (die buchstäblichen und die diversen symbolischen, ganz oder teilweise systematisierten), die sich *außerhalb des Films,* d. h. in der Kultur, mit ihnen verbinden.

2. Diese Elemente sind, obwohl sie »klein« sind, *vom semantischen Standpunkt aus* noch immer viel größer als die kleinsten Einheiten der verbalen Sprache (z. B. die Seme bei A. J. Greimas), auch noch größer als gewisse schon relativ große linguistische Einheiten (wie das Wort). In den von uns gewählten Beispielen für »Motive« oder für Aspekte der Motive tragen die kleinsten filmischen Elemente schon eine *Informationsmenge,* für die die Sprachen mindestens einen Satz benötigen. Daraus geht hervor, daß *für eine Bedeutungsmenge desselben Umfangs* die Sprachen schon eine sehr komplexe Analyse anbieten (denn jeder Satz enthält bereits mehrere Moneme, eine Syntax etc. und trägt auf diese Weise die ganze Sprache [*idiome*] in sich) –, während die kinematographische Sprache *noch gar nicht* zu reden angefangen hat. In dieser Hinsicht ist das Kino eine recht grobe Sprache [*langage*]. Andrerseits ist es aber auch eine feine Sprache: Es läßt andere reden, bevor es eingreift; und alles, was es daran anschließend sagt, bereichert sich mit dem, was es nicht gesagt hat.

Sobald man zu den »kleinen« Elementen im Film kommt, trifft die Semiologie des Kinos auf ihre Grenzen; ob man es will oder nicht, man sieht sich verwiesen an tausend Strömungen der Kultur, an das konfuse Stimmengewirr vieler anderer Systeme: die Symbolik des menschlichen Körpers, die Sprache der Gegenstände, der Farben (bei Farbfilmen), des Hell-Dunkel (bei Schwarzweißfilmen), der Kleidung, der Landschaft etc. In allen diesen Fällen und in anderen, die wir nicht aufgezählt haben, liefert uns die (allerdings unerläßliche) Untersuchung der eigentlich filmischen Realisierung solcher Bedeutungen nicht die wesentlichen Paradigmen: diese großen sinnbildenden Strukturen bleiben in der Kultur verhaftet, wo sie eine sehr allgemeingehaltene, aber tiefgehende Semantik erklären müßte, selbst wenn ihr vereinzeltes Auftauchen im Film wiederum zu ihrer Neuformung beiträgt.[54]
Wenn die verbale Sprache [*langage*] schon spezifische Einheiten auf der Ebene ihrer kleinsten Elemente (relevante phonische und semantische Eigenschaften, Phoneme, Moneme etc.) besitzt, so deshalb, weil sie die menschliche Erfahrung *von Anfang bis Ende* analysiert und rekonstruiert, indem sie für die verschiedenen Aspekte dieser Erfahrung phonischen Ersatz liefert, welcher in sich keinerlei Gemeinsamkeit hat mit dem, was er bezeichnen soll; wenn dagegen die »kinematographische Sprache« erst bei ihren schon relativ großen Elementen spezifische Einheiten aufweist, dann deshalb, weil sie nur eine *partielle* Analyse und Rekonstruktion der menschlichen Erfahrung darstellt, dadurch daß sie auf ihre Weise die verschiedenen Aspekte dieser Erfahrung handhabt und ausdrückt, Aspekte, die sie in Form von ganzen Blöcken aufnimmt, so wie sie schon vorher bestanden. In diesem Zusammenhang stoßen wir – in anderer Formulierung – auf die für die Filmästhetiker wertvollsten Behauptungen: das Kino ist eine Sprache [*langage*] der Realität, das Charakteristische beim Kino ist seine Fähigkeit, die Welt in eine Rede zu transformieren, indem es ihr aber ihr »Welt-Sein« nicht nimmt. Hauptsächlich aufgrund ihrer stark rekonstruierenden Eigenschaft ist die verbale Sprache die Sprache *par excellence.*

Da der kinematographischen Sprache (wie auch manchen anderen Zeichensystemen) diese Eigenschaft fehlt, kann sie keinen Anspruch auf eine so zentrale, dauernde, etablierte und universelle anthropologische Bedeutung erheben, wie sie die eigentliche Sprache sogar noch in der modernen Industriegesellschaft besitzt, in der die »audiovisuellen« Kommunikationssysteme eine beachtliche Rolle spielen.

11. Film und Diegese. Semiologie des Kinos und Semiologie der Erzählung

Durch die bisherigen Darlegungen (insbesondere durch die Definition der verschiedenen Typen autonomer Segmente) ist vielleicht klargeworden, daß man nicht entscheiden kann, ob die große Syntagmatik des Films sich auf das *Kino* oder die kinematographische *Erzählung* beziehen soll. Alle erwähnten Einheiten sind zwar *im Film* zu entdecken, aber *in bezug auf* die Handlung. Dieser dauernde Wechsel von der (signifikanten) Instanz der Leinwand zur (signifikaten) Instanz der Diegese muß akzeptiert und sogar zu einem methodologischen Prinzip erhoben werden, denn nur so ist die Kommutation und folglich die Identifikation der Einheiten (hier sind es die autonomen Segmente) möglich.
Man kann niemals einen Film analysieren, indem man *nur* von der Diegese spricht (wie es in einigen Filmklubs üblich ist, wo die Diskussion direkt auf die Handlung und die darin implizierten menschlichen Probleme zusteuert). Das würde nämlich bedeuten, daß man die *signifiés* untersucht, ohne ihre *signifiants* zu berücksichtigen. Würde man andrerseits die filmischen Einheiten aus dem diegetischen *Ganzen* heraustrennen (wie es in den »Montageaufstellungen« mancher Theoretiker des Stummfilms geschah), so würde man nur mit den *signifiants* ohne die *signifiés* arbeiten, wo doch gerade das Typische des narrativen Films seine Narrativität ist.
Die autonomen Segmente im Film entsprechen gleich vielen Elementen der Diegese, jedoch nicht »der Diegese« an sich.

Letztere ist das *entfernte signifié* des Films im Ganzen: so würde man von einem Film z. B. sagen, daß er »die Geschichte einer unglücklichen Liebe im bürgerlichen Frankreich des späten 19. Jahrhunderts« erzählt. Die partiellen Elemente der Diegese bilden dagegen die *nahen signifiés* jedes einzelnen Segments im Film. Das nahe *signifié* ist mit dem Segment durch unlösliche Beziehungen semiologischer Reziprozität verbunden, welche ihrerseits die Basis für das Prinzip der Kommutation bilden.

Die hier beschriebene Notwendigkeit des Wechsels [vom Filmischen zum Diegetischen] ist nur eine Konsequenz eines kulturellen und sozialen Faktums: das Kino, das so vielen Zwecken hätte dienen können, wird tatsächlich meistens dazu benutzt, *Geschichten zu erzählen*; das geht so weit, daß sogar die theoretisch nicht-narrativen Filme (wie kurze Dokumentarfilme und didaktische Filme) im Prinzip den gleichen semiologischen Mechanismen gehorchen wie die »Hauptfilme«.[55]

Wenn im Kino nicht allmählich die Narrativität überwogen hätte, wäre seine »Grammatik« sicher vollkommen anders ausgefallen (oder existierte vielleicht gar nicht). Aber andrerseits erfährt eine Erzählung im Kino eine vollkommen andere semiotische Realisierung als in einem Roman, einem Programmballett oder einem Comic Strip etc.

Es gibt also zwei distinkte Vorhaben, die sich nicht gegenseitig ersetzen können: auf der einen Seite die Semiologie des narrativen Films, die wir versuchen zu entwickeln; auf der anderen Seite die strukturelle Analyse der *Narrativität* selbst, d. h. der Erzählung *ohne Berücksichtigung der Vehikel, die sie realisieren* (Film, Buch etc.).[56] Die Untersuchung des Narrativen erfährt gegenwärtig offensichtlich viel Interesse. Claude Brémond konzentriert z. B. alle seine wissenschaftliche Forschung auf die »signifikante Schicht« der Erzählung noch vor dem Auftauchen jeder narrativen »Stütze«; in dem folgenden Satz über die Autonomie der eigentlich narrativen Schicht[57] schließen wir uns ganz den Ergebnissen dieses Autors an: das *erzählte Ereignis,* das für die Semiologie der narrativen Vehikel (insbesondere des Kinos) ein *signifié* ist, wird in der Semiologie der Narrativität zum *signifiant.*

Schlußbemerkung

Der Begriff einer »kinematographischen Grammatik« ist heute sehr unpopulär; man hat den Eindruck, daß sie nicht existiert. Aber das ist deshalb so, weil man sie nicht dort gesucht hat, wo es nötig war. Man hat sich implizit immer an den *normativen Grammatiken von Einzelsprachen* orientiert (= den Muttersprachen der Filmtheoretiker), während aber das linguistische und grammatikalische Phänomen viel weitreichender ist und die *großen grundlegenden Figuren der Übertragung von Information* überhaupt betrifft. Nur die allgemeine Linguistik und die allgemeine Semiologie (die keine normativen, sondern nur analytische Disziplinen sind) können der Untersuchung der kinematographischen Sprache die methodologisch geeigneten »Modelle« liefern. Es genügt also nicht festzustellen, daß im Kino nichts existiert, was der konsekutiven französischen Präposition oder dem lateinischen Adverb entspricht, denn das sind sehr spezielle linguistische Phänomene, die weder notwendig noch universell sind. Der Dialog zwischen dem Filmtheoretiker und dem Semiologen kann nur in einem Punkt einsetzen, der oberhalb dieser sprachlichen Spezifizierungen oder dieser bewußt obligatorischen Vorschriften liegt. *Was man zu verstehen suchen muß, ist die Tatsache, daß die Filme verstanden werden.* Die ikonische Analogie genügt noch nicht, um von der Verständlichkeit der räumlich-zeitlichen Nebeneinanderstellungen im Film Rechenschaft abzulegen. Das zu tun ist vielmehr Aufgabe einer Syntagmatik im Großen.

Tabelle der großen Syntagmen im Film

Kursivdruck: Die syntagmatischen Typen, die in den filmischen Realisationen als erste entdeckt werden (induktive Methode), werden im System indes als letzte aufgefunden (deduktive Methode) – d. h. also die 8 *großen* syntagmatischen Typen. (Jeder dieser Typen trägt die gleiche Numerierung wie innerhalb dieses Artikels.)

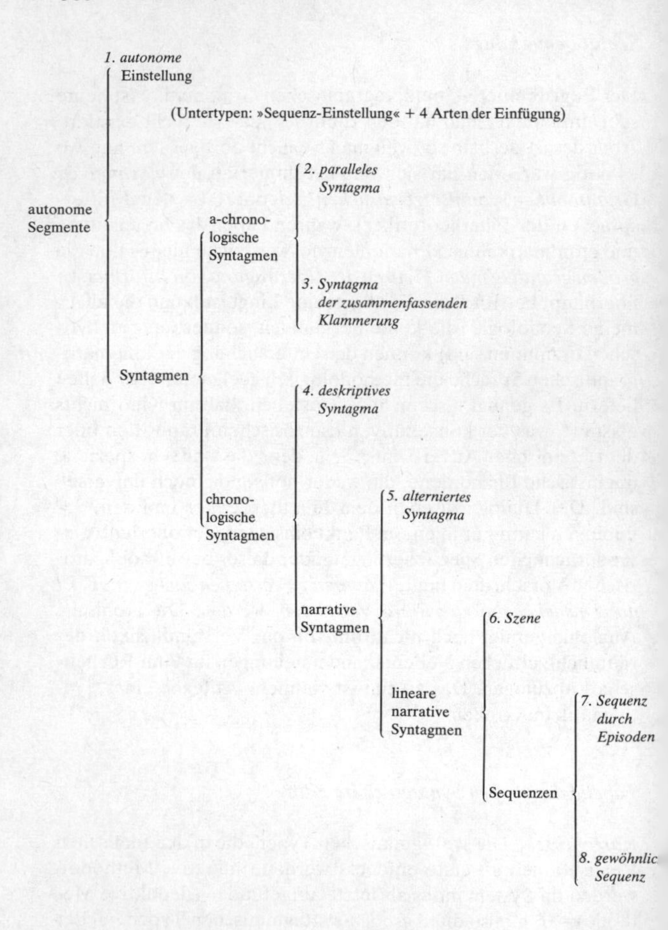
autonome
Segmente
1. autonome
Einstellung
(Untertypen: »Sequenz-Einstellung« + 4 Arten der Einfügung)
Syntagmen
a-chrono-
logische
Syntagmen
2. paralleles
Syntagma
3. Syntagma
der zusammenfassenden
Klammerung
chrono-
logische
Syntagmen
4. deskriptives
Syntagma
narrative
Syntagmen
5. alterniertes
Syntagma
lineare
narrative
Syntagmen
6. Szene
Sequenzen
7. Sequenz
durch
Episoden
8. gewöhnlic
Sequenz

Anmerkungen

[Der vorliegende Aufsatz aus dem Jahre 1968 ging aus drei Arbeiten des Verfassers hervor: »Problèmes de dénotation dans le film de fiction: contribution à une sémiologie du cinéma« (1966), »La grande syntagmatique du film narratif« (1966) und »Un problème de sémiologie du cinéma« (1967); vgl. dazu Anm. 23. – Zusätze des Herausgebers stehen in eckigen Klammern.]

1 Dies läuft auf die Bemerkung hinaus, daß die *Ellipse* und das *Symbol* ihrem tiefsten Wesen nach im Kino nicht zwei verschiedene Dinge sind, sondern vielmehr die präsente (= Symbol) und die absente Seite (= Ellipse) ein und derselben großen Strategie, durch die der Film die Welt in eine Rede transformiert, und zwar aus dem einen Grund, weil er immer auswählen muß, was er zeigen will und was nicht.

2 [(1964). Abgedruckt als Text Nr. 3 im gleichen Band des Verfassers: *Semiologie des Films,* S. 51–129.]

3 Die Diskussionen, die in den letzten Jahren um die Semiologie kreisten, haben immer deutlicher gezeigt, daß das *Kino als Totalität* ein Ort ist, wo *viele* Zeichensysteme sich überlagern und verschachteln, und daß die *kinematographische Sprache* nur eines dieser Systeme ist. Wir würden für unseren Teil die Gesamtheit der in der kinematographischen Nachricht auftretenden »Kodes« gerne in fünf hierarchisch geordnete Organisationsebenen einteilen (vgl. hierzu Text Nr. 3 [s. Anm. 2], S. 90–92, Anm. 75). Aber dies soll nur eine Art Hypothese sein.

4 Vgl. S. 352.

5 Besonders in seinem Beitrag zum Tischgespräch »Idéologie et langage au cinéma« im Rahmen des »Troisième Festival du Nouveau Cinéma« (Pesaro III, Italien, Juni 1967). Ausführlich wurden die wichtigsten Punkte dieses Beitrags wiederaufgenommen in dem Buch *Appunti per una semiologia delle communicazioni visive*, Florenz 1967, S. 139–152.
In Pesaro hat Umberto Eco einige Einwände gegen den Begriff der Analogie formuliert, wie wir ihn dargestellt haben; wir haben die Gespräche mit ihm (vgl. auch *Appunti,* S. 141) hier weitgehend berücksichtigt.

6 Vgl. Text Nr. 8 [»Das moderne Kino und das Narrative« (1966)], bes. S. 270–276 und Anm. 54, bezüglich der Literaturangabe für Pasolinis Theorie des »im-segno« und bezüglich der Darstellung und Diskussion dieser Theorie. – Der Begriff des im-segno ist trotz all dem, was

wir ihm vorwerfen, äußerst stimulierend, indem er nämlich zur Klärung unserer eigenen Ideen in Hinsicht auf eine Überlagerung mehrerer distinkter Organisationsebenen im Zentrum des »Kinos« als Totalität beigetragen hat.

7 Das soll präzisieren, daß nur die eigentlich kinematographische Sprache keine distinktiven Einheiten besitzt. Das »Kino« als Totalität integriert weitere Zeichensysteme, die ihr eigenes Verhältnis zum Problem der Gliederung haben. Vgl. zu diesem Punkt Text Nr. 3 [s. Anm. 2], S. 90–92, Anm. 75.
Das auffallendste Beispiel für die Überlagerungen (die ja das Problem der Gliederung im Kino so schwierig machen) verschiedener Kodes im Zentrum der kinematographischen Totalität ist – neben anderen, die aber weniger evident sind – die Präsenz des *verbalen Elements* im Tonfilm: dieses bewirkt eine Integrierung der zweifach gegliederten Bedeutungen in die globale Nachricht des Films, keineswegs aber in die spezifische »Sprache« des Kinos.

8 *Sémantique structurale,* Paris 1966.

9 *Systématique des éléments de relation,* Diss. 1955, unveränd. Ausg. Paris 1962. Der Begriff Sem – in dem Sinne, wie er uns hier interessiert – ist darin definiert, aber ohne diesen Namen, der allerdings später auftaucht in *Recherches sur l'analyse sémantique en linguistique et en traduction mécanique,* Publications de la Faculté des Lettres de Nancy, 1963.

10 Vgl. Text Nr. 4 [»Einige Gedanken zur Semiologie des Kinos« (1966)], S. 138 f.

11 Der folgende Abschnitt wiederholt praktisch das, was auf S. 47–49 [des Textes Nr. 2: »Bemerkungen zu einer Phänomenologie des Narrativen« (1966)] vorkommt.

12 Im Sinne von André Martinet, *Éléments de Linguistique Générale,* Paris ^{3}1963, S. 125.

13 »Le cinéma de poésie«, Beitrag zum »Premier Festival du Nouveau Cinéma« (Pesaro I, Italien, Juni 1965); abgedruckt in: *Cahiers du Cinéma* 171 (Oktober 1965) S. 55–64, hier S. 55 f.

14 *Esthétique et psychologie du cinéma,* Bd. 2: *Les formes,* Paris 1965, S. 381.

15 Vgl. zu diesem Punkt Text Nr. 4 [s. Anm. 10], S. 138 f.

16 Vgl. *Cinéma et langage* (Dissertation), in Vorbereitung.

17 Das heißt auf einer Ebene, die etwa derjenigen der »Sequenzen« im üblichen Sinn dieses Wortes entspricht. Der Terminus »*große* Syntagmatik« soll den Unterschied andeuten zum Beispiel zwischen einer Analyse, die Einstellung für Einstellung vorgeht, und einer

Analyse innerhalb der einzelnen Einstellungen. Das Adjektiv »groß« soll aber nicht vergessen lassen, daß es noch eine »größere« syntagmatische Ebene gibt: Sequenzengruppen, »große Abschnitte« des Films, Erinnerungen oder Motivwiederholungen in großen Abständen etc.

Wie wir später sehen werden (Abschn. 10, S. 354 ff.), gibt es einigen Grund für die Annahme, daß *alle* Einheiten, die die kinematographische Sprache ausmachen, bereits »groß« sind. Allerdings sind sie es in verschiedenem Maße.

Unsere »große Syntagmatik« besteht darin, den Film *auf einem bestimmten Größenniveau* in Segmente zu zerschneiden. Aber auch andere Niveaus wären möglich. Wir erwähnen nur, daß Adriano Aprã und Luigi Martelli in der italienischen Zeitschrift *Cinema e film* (Nr. 2, 1967, S. 198–207, unter dem Titel »Premesse sintagmatiche ad un'analisi di ›Viaggio in Italia‹«) eine Passage der *Viaggio in Italia* von Rossellini auf verschiedenen Niveaus gleichzeitig analysiert haben: zunächst auf der Ebene der autonomen Segmente, wobei sie sich unserer »Tabelle« bedienten, danach haben sie aber auch sowohl größere wie kleinere Einheiten als unsere »autonomen Segmente« untersucht. Ganz ähnlich geht auch der Linguist vor, wenn er eine verbale Äußerung möglichst vollständig beschreiben will: er repräsentiert sie (im Sinne Chomskys) in Ausdrücken von Phonemen wie auch in Ausdrücken von Morphemen.

Jeder Film ist eine Folge von Sequenzen, aber genausogut auch eine Folge von Einstellungen oder eine Folge »großer Episoden« etc. Jedes dieser Niveaus erschöpft für sich bereits die Gesamt*materie* eines Films; doch um seine Gesamt*struktur kennenzulernen,* ist es (idealiter) nötig, daß man ihn auf allen möglichen Niveaus nacheinander analysiert.

18 Das Wort »Typ« wird hier in dem Sinn benutzt, wie man z. B. vom absoluten Ablativ als von einem der lateinischen Sprache eigenen *Typ* spricht. In der Grammatik ist ein Typ eine analogisch produktive Matrix.

19 Unter den Autoren, die eine Montageaufstellung gemacht oder die verschiedene Klassifizierungen vorgenommen oder die nur diesen oder jenen Montagetyp untersucht haben, sind wir den folgenden besonders verpflichtet: Eisenstein, Pudowkin, Kuleschow, Timoschenko, Balázs, Arnheim, André Bazin, Edgar Morin, Gilbert Cohen-Séat, Jean Mitry, Marcel Martin, Henri Agel, François Chevassu, Anne Souriau und vielleicht noch einigen anderen mehr, die wir hier übersehen haben.

Aus Platzmangel können wir hier nicht im einzelnen zeigen, wie sich die verschiedenen Beiträge in bezug auf unsere eigene »Tabelle« verteilen. Man sollte aber nicht vergessen, daß viele der Definitionen und oft sehr scharfsinnigen Analysen von »Bildkonstruktionen« im Film noch *vor* der Anwendung der eigentlich semiologischen Methode entstanden. Es gab natürlich auch damals Versuche einer allgemeinen Klassifizierung, die sogar bis in ihre Unzulänglichkeiten durchaus instruktiv sind. So, wie wir die Semiologie verstehen, sollte sie sich immer einer zweifachen Stütze bedienen: einerseits der linguistischen Methoden, andrerseits der speziellen Theorien des betrachteten Gebiets.

20 Es handelt sich um den Artikel »La grande syntagmatique du film narratif«, der zu den dreien gehört, die in diesem Aufsatz »verschmolzen« sind.

21 Der Beitrag »Considérations sur les éléments sémiologiques du film« zum Tischgespräch »Per una nuova coscienza critica del linguaggio cinematografico«, das sich an das »Deuxième Festival du Nouveau Cinéma« (Pesaro I, Italien, 1966) anschloß, wurde publiziert in *Nuovi Argomenti,* N. S. Nr. 2 (April–Juni 1966) S. 46–66, unter dem Titel »Considerazioni sugli elementi semiologici del film«. (Dieser Text, in dem die Tabelle der großen Syntagmatik in ihrer ersten Form entwickelt wurde, ist in diesem Band nicht abgedruckt.)

22 Es handelt sich um den Artikel »Un problème de sémiologie du cinéma«, der hier mit zwei anderen verschmolzen ist.

23 Bericht mit dem Titel »Problèmes de dénotation dans le film de fiction: contribution à une sémiologie du cinéma« (der dritte der hier vereinigten Texte [siehe die Vorbemerkung des Herausgebers zu den Anmerkungen]).

24 Text Nr. 6 [»Aufstellung der ›autonomen Segmente‹ des Films *Adieu Philippine* von Jacques Rozier« (1967)] und 7 [»Syntagmatische Analyse des Films *Adieu Philippine* von Jacques Rozier« (1967)], S. 199–237.

25 In *Adieu Philippine* kommt er nicht ein einziges Mal vor.

26 Was wir damals das »voll-frequentative« Syntagma genannt haben (*Communications* 8, S. 122), ist in Wirklichkeit mit seinen serienweise wiederkehrenden Bildern eine frequentative Variante des parallelen Syntagmas oder, je nach Fall, des alternierten Syntagmas. Es ist in der Tat deutlich geworden, daß »die immer schneller werdende Folge von sich wiederholenden Bildern«, auf die wir uns berufen haben (*ibid.,* S. 121), von einer serienweisen Abwechslung der Bilder (durch die das parallele und das alternierte Syntagma charak-

terisiert sind) nicht durch eine strenge Permutation in den *Ausgangs*bedingungen unterschieden werden kann, d. h. durch eine Permutation, die der Analysierende dann macht, wenn er das *signifié* der Alternierung noch nicht kennt. Die Tatsache, daß der kinogewohnte Zuschauer immer schon *sofort* die *signifiés* kennt, hat uns dazu verleitet, zu verkennen, daß auf der rein formalen (d. h. der distributionellen) Ebene eine Alternierung (ABAB ...) immer eine Alternierung (ABAB ...) ist und daß der relevante Unterschied zwischen »gewöhnlichen« Alternierungen (= parallele oder alternierte Syntagmen) und »frequentativen« Alternierungen (= frequentative Varianten derselben Syntagmen) auf einer anderen Ebene gesucht werden sollte; das hat uns damals also zu der Einstufung als Untertypen veranlaßt. (Man weiß aus der Linguistik sehr gut, bis zu welchem Grad eine allzu große Familiarität mit den *signifiés* diesen oder jenen theoretisch sehr sichtbaren Charakter des *signifiants* zu verdecken oder zu verzerren vermag; so zum Beispiel, wenn man eine Fremdsprache, die man fließend beherrscht, mit den grammatischen Kategorien analysiert, die man unbewußt seiner Muttersprache entnimmt.)
Was wir »semi-frequentativ« genannt haben (*Communications* 8, S. 122), ist ebenfalls nur eine frequentative Variante, und zwar die der Sequenz durch Episoden: vgl. hierzu S. 347. Dementsprechend und aus denselben Gründen ist der »frequentativ mit zusammenfassender Klammerung« genannte Typ eine frequentative Variante des Syntagmas mit Klammerung: vgl. S. 342.
Unsere anfängliche Zuordnung von mehreren frequentativen Varianten, die in der Tat die verschiedenen Bildkonstruktionen auch verschieden beeinflussen, zu *einem* großen – auf derselben Ebene wie die anderen stehenden – syntagmatischen Typus brachte überdies noch einen anderen Nachteil der alten Einteilung ans Licht, indem sie gewisse ziemlich künstliche Unifizierungen aufzeigte, die die tatsächlichen Gegebenheiten der filmischen Anordnungen z. T. verzerrten. Die Test-Analysen, die mit Passagen der verschiedensten Filme angestellt wurden, haben insbesondere folgendes gezeigt: wenn die frequentative Modalität mit einem serienweisen Alternieren der Bilder im Fall unseres früher »vollfrequentativen« Typs einhergeht, dann gelingt es, dieselbe Modalität des *signifiés* auch völlig unabhängig von jeder Alternierung zu erreichen, nämlich in Fällen unserer früheren Typen »frequentativ mit Klammerung« und »semi-frequentativ«. Die relative Einheit, die für die Gesamtheit der frequentativen Varianten der verschiedenen autonomen Segmente unbedingt erhalten

werden sollte, wird man deshalb auf einer anderen Ebene suchen müssen als in der Tatsache der Alternierung (wir werden auf diesen Punkt in *Cinéma et langage* zurückkommen).

27 Vgl. zu diesem Problem [Text Nr. 4, s. Anm. 10] S. 146 f., Anm. 51. – Daß in unserer neuen Tabelle nicht mehr *ein* einzelner großer syntagmatischer Typ enthalten ist, der durch die *bloße* Tatsache der Alternierung definiert ist, bedeutet nicht, daß das *Kriterium der Alternierung* ohne jede Realität wäre (das Problem besteht nur darin, zu wissen, auf welcher Ebene es zur Geltung kommen soll); denn es ist ja evident, daß in den Filmen Passagen vorkommen, in denen die Bilder serienweise abwechseln, und andere Passagen, in denen sie es nicht tun. Es hat sich nur als wenig hilfreich erwiesen, diese Tatsache *schon zu Beginn* einer Klassifizierung als Gegebenheit vorauszusetzen, weil an dieser Stelle andere Kriterien einen viel schnelleren Zugang zu den allgemeinen Grundprinzipien erlauben (vgl. beispielsweise die Probleme der »Adäquatheit« und der »Einfachheit« in der linguistischen Formalisierung).

28 Unsere »Tafel« umfaßt also acht Typen von Syntagmen, aber nur sieben Syntagmen. Die autonome Einstellung ist ihrer Definition nach kein Syntagma; sie ist jedoch ein syntagmatischer Typ, da sie zu den Typen gehört, die in der Gesamtsyntagmatik des Films vorkommen. Allgemeiner ausgedrückt, die Syntagmatik ist ein Teilgebiet der Semiologie, in welchem man es von vorneherein mit »Reden« zu tun hat, die ja immer Syntagmen von größerem oder kleinerem Ausmaße sind, aber bei denen die Einheiten, die man herausschneidet, nicht alle zwangsläufig Syntagmen sind, da manche dieser Einheiten »unzerschneidbar« sind unter diesen oder jenen Bedingungen.
Die Existenz der autonomen Einstellungen hat uns dazu gebracht, unsere syntagmatischen Typen »autonome Segmente« zu nennen (aber nicht »autonome Syntagmen«). So haben wir einen Begriff, der sich auf alle acht Typen anwenden läßt (der Ausdruck »autonomes Segment« hatte zudem noch den Vorzug, daß er eine deutliche Opposition bildete zu dem des »kleinsten Segments«).

29 Vgl. hierzu »Le cinéma, monde et récit«, in: *Critique* 216 (Mai 1965).

30 Diese Tatsache (= der vorläufige Bruch der vektorenhaften Temporalität, der in den meisten Filmen die Regel ist) hat uns in unserer ersten Version der Tafel der großen Syntagmatik (vgl. *Communications* 8, S. 122) veranlaßt, diesen Montagetypus der »frequentativen« Kategorie zuzuordnen. Aber es stellt sich immer mehr heraus, daß die normale Zeitabfolge im Kino vielseitig unterbrochen werden kann (vgl. beispielsweise das parallele Syntagma oder das deskriptive Syn-

tagma) und daß die Konstruktion mit Klammerung *selbst* nichts Iteratives an sich hat (sie geht *mehrere Fakten* gleicher Ordnung an, ohne dabei zu suggerieren, daß jedes dieser Fakten *mehrmals* stattgefunden hat; das gleiche gilt für die »*Motivwiederkehr*«, die auch hier vorkommen kann, aber nicht die Regel ist). Das hindert aber nicht daran, daß das Syntagma mit Klammerung sich gerade durch sein Wesen dazu eignet, *zusätzlich* mit einer frequentativen Modalität zu erscheinen (daher unser anfänglicher Irrtum).

31 In diesem Beispiel bestehen die optischen Effekte im Überblenden. Diese Sequenz ist übrigens ein gutes Beispiel für das Syntagma mit Klammerung und frequentativer Modalität.

32 Wir sprachen schon in anderem Zusammenhang über die Beschreibung und ihre Beziehung zur Narrativität und zum Bild; vgl. Text Nr. 2 [s. Anm. 11], S. 38–40.

33 Ein gutes Beispiel dafür finden wir in dem autonomen Segment Nr. 45 des Films *Adieu Philippine* (vgl. [Text Nr. 6, s. Anm. 24] S. 220 f.).

34 Selbstverständlich wird man in den filmischen Erzählungen *auch* Gleichzeitigkeiten finden: denn der Film, selbst wenn er erzählt, tut das mit Bildern, und es ist die Eigentümlichkeit eines Bildes, oft mehrere Dinge zugleich zu zeigen. Im Film ist es also nicht das *Vorhandensein von Simultanem,* vielmehr das *Nichtvorhandensein von Konsekutivem,* das die Frage »Beschreibung oder Erzählung?« zu entscheiden erlaubt.

35 Neben dem alternierten Syntagma gibt es eine (und vielleicht auch mehrere) spezifische Anordnung(en) von Bildern, deren genauer Ort in der »Logik des Film« uns noch nicht ganz klar ist. Ein gutes Beispiel hierfür bietet das autonome Segment Nr. 32 in dem Film *Adieu Philippine* (vgl. [Text Nr. 6, s. Anm. 24] S. 215 f.), wo diese Frage erörtert wird. Wir haben diesen Typ vorläufig (mit einem Fragezeichen) dem alternierten Syntagma zugeordnet, dem es näher steht als allen anderen.

36 Besonders A. Michotte Van Den Berck, »Le caractère de réalité, des projections cinématographiques«, in: *Revue Internationale de Filmologie* 3/4, Bd. 1 (Oktober 1948) S. 249–261, insbes. S. 252–254 (zum »Leinwand-Effekt« [*l'effet-écran*]).

37 Hierin besteht der große Unterschied zwischen der Sequenz durch Episoden und dem Syntagma der zusammenfassenden Klammerung. Jedoch weisen beide offensichtlich viele gemeinsame Züge auf.

38 Das gilt *von der Ebene der Denotation ab* (dem genauen Sinn des Filmes), weil es sozusagen ein Gesetz für diesen Typ des Syntagmas ist.

Die Tatsache, daß auf der Ebene der Konnotationen (affektive Resonanzen, symbolische Verlängerungen etc.) *jedes* Bild mehr wert ist als es selbst, ist ein anderes Problem, das mit der vorliegenden Analyse nichts zu tun hat.

39 Dieser Umstand erklärt auch, warum wir in unserer ersten Version der großen Syntagmatik (vgl. *Communications* 8, S. 122) diesen Typ der Montage einer »frequentativen« Kategorie zugeordnet haben (allerdings mit der Einschränkung, die der Name »*semi*-frequentativ« andeutet). Doch in Wirklichkeit beruht diese Konstruktion, bei der ein einzelnes Bild als Beispiel für eine potentielle Gesamtheit vieler anderer Bilder steht, mehr auf einer Art der *Kondensation* als auf einer Form der *Iteration* (und die Iteration wirkt auch nicht auf der Ebene des Syntagmas als Gesamtheit genommen, weil die Bilder als die entsprechenden Phasen einer vom Film resümierten Evolution chronologisch aufeinanderfolgen). Der hier analysierte syntagmatische Typ hat also *in sich selbst* nichts Frequentatives. Er ist jedoch geeignet, ebenso wie auch andere der acht großen *Montagetypen* (vgl. S. 338, Anm. 26), manchmal in einer speziellen Variante aufzutreten, bei der eine frequentative Modalität hinzukommt; deshalb unser anfänglicher Irrtum.

40 Zahl und Natur dieser Hiate sind ohne Zweifel von großer Bedeutung für das Erfassen der *signifiés* der Konnotation (und unter anderem auch für den *Stil* verschiedener Filme und Filmemacher).

41 Das impliziert natürlich nicht, daß es zwischen zwei autonomen benachbarten Segmenten *immer* einen optischen Effekt geben muß.

42 Zum Beispiel wäre es möglich, daß die autonome Einstellung (jetzt Typ Nr. 1 unserer Aufstellung) eher eine Klasse von Typen als ein einzelner Typ ist, weil sie zahlreiche und sehr verschiedene Bildkonstruktionen umfaßt; sie ist der einzige unserer Typen, der mehrere Untertypen enthält, und in diesem Bruch mag sich eine *Unzulänglichkeit der Formalisierung* in dem entsprechenden Punkt zeigen. Andererseits ist jedoch, wie sich gleich zeigen wird (vgl. S. 350), die autonome Einstellung in gewisser Weise auch in der Lage, alle anderen Typen »zu enthalten«. Und schließlich muß man bemerken, daß die erste unserer Dichotomien – die die autonome Einstellung von den anderen sieben Typen, d. h. den Syntagmen, »isolierte« – auf einer Eigenschaft des *signifiant* beruhte (»Eine einzige Einstellung oder mehrere Einstellungen?«), während sich alle anderen Dichotomien, die die Unterscheidungen unter den Syntagmen erlauben, von den *signifiés* her bestimmen (trotz der vielfachen Hinweise auch in den entsprechenden *signifiants*). Aus diesen drei Gründen wäre vielleicht der

Status der autonomen Einstellung zu überdenken, und das wird indirekt gewisse Änderungen in der allgemeinen Form unserer Aufstellung mit sich bringen müssen. Vielleicht ist es sogar sinnvoll, *zwei* Tabellen für die Syntagmatik des Films aufzustellen (die sich eventuell sehr ähnlich wären oder wenigstens in vielen Punkten *homolog*), eine Tabelle der Syntagmen und eine andere der inneren Konfigurationen der autonomen Einstellung (die einen Elemente sind syntagmatisch »frei«, die anderen syntagmatisch »gebunden«, wie das zum Beispiel in der amerikanischen Linguistik für die Morpheme angenommen wird). Diese Situation entspräche – methodologisch, wenn nicht gar substantiell – derjenigen vieler Sprachen, deren phonologisches System sich viel klarer fassen läßt, wenn man es als aus zwei Untersystemen gebildet ansicht, einem »vokalischen« und einem »konsonantischen« System.
Es muß auch betont werden, daß die Probleme, die mit den früher zusammenfassend »alternierend« genannten Syntagmen zusammenhängen (vgl. [Text Nr. 4, s. Anm. 10] S. 144–147, Anm. 51, und S. 338 mit Anm. 26), noch keineswegs ganz gelöst sind; das zeigt z. B. die Diskussion um das autonome Segment Nr. 32 des Films *Adieu Philippine* (vgl. [Text Nr. 6, s. Anm. 24] S. 215 f. mit Anm. 9).

43 *Esthétique et psychologie du cinéma,* Bd. 2: *Les formes,* Paris 1965, S. 9–61.

44 Vgl. zu diesem Punkt »›Montage‹ et discours dans le film. Un problème de sémiologie diachronique du cinéma«, in: *Hommage à André Martinet,* o. O. 1968.

45 Vgl. hierzu Text Nr. 3 [s. Anm. 2], S. 86; außerdem »Une étape dans la réflexion sur le cinéma«, in: *Critique* 214 (März 1965) S. 227–248, bes. S. 228–230.

46 Vgl. zu diesem Problem Text Nr. 4 [s. Anm. 10], S. 141 f.

47 Zum Verständnis dieses Begriffs vgl. Text Nr. 3 [s. Anm. 2], S. 112, Anm. 111.

48 Es handelt sich dabei um die Untersuchungen von Anne Souriau, die schon in Text Nr. 4 [s. Anm. 10], S. 145, kommentiert wurden.

49 Vgl. zu dem Problem *des filmischen Verstehens* Text Nr. 3 [s. Anm. 2], S. 64 und 104 f.

50 »La structure morphologique«. Dieser Bericht war vorgesehen für einen Vortrag beim 5. Internationalen Linguisten-Kongreß, 1939 (der durch die Kriegserklärung abgebrochen werden mußte; der Beitrag war jedoch schon vor dem Kongreß gedruckt worden). Neudruck in: *Essais linguistiques,* Kopenhagen 1959, S. 113–138. Zu unserem Thema vgl. S. 123–128.

51 Diese Unterscheidung von zwei Unterscheidungen ist im Prinzip ziemlich einfach. Schwieriger ist es dagegen, ihre Anwendungspunkte deutlich voneinander abzusetzen, und zwar bei der Untersuchung eines konkreten neuen Gebietes: gerade das haben wir in manchen unserer ersten Analysen weitgehend unterlassen; vgl. dazu Text Nr. 3 [s. Anm. 2], S. 99, Anm. 89.

52 Im Sinne von Gilbert Cohen-Séat, *Essai sur les principes d'une philosophie du cinéma,* Paris 1946.

53 »Pour une stylistique du film«, in: *Revue d'esthétique* 19,2 (April–Juni 1966) S. 161–178. – Es ist evident, daß der Ausschluß solcher Untersuchungen – wenn sie eine gewisse Stringenz besitzen – aus dem Gebiet der »Semiologie des Kinos« nur einen Wort- und Definitionsstreit zur Folge haben würde, der im jetzigen Stadium der noch in den Anfängen befindlichen kinematographischen Forschung in jedem Fall unnötig und unentscheidbar wäre; dennoch sind Untersuchungen dieser Art im Vergleich zu der Gesamtaufgabe eine *Phase* oder auch eine *Analyse,* die von der Untersuchung der »kinematographischen Sprache« im allgemeinen abweicht. Deshalb ist es von wenig Belang, ob man die Stilistik des Films als ein Teilgebiet der Kino-Semiologie oder als ein gesondertes Gebiet betrachtet; sogar auf dem Sektor des Verbalen sind die Beziehungen zwischen der Stilistik und der reinen Linguistik noch sehr unklar. Der Begriff »Stilistik« scheint uns in beiden Fällen durchaus passend für die Art der Forschung, wie sie Raymond Bellour beschreibt.

54 An anderer Stelle dieses Buches kommen wir in anderem Zusammenhang auf dieses Problem zurück, nämlich im Rahmen einer Besprechung der Theorie Pasolinis der »im-segni«: vgl. Text Nr. 8 [s. Anm. 6], S. 270–276 mit Anm. 54. – Vgl. auch die Besprechung von *L'Avventura,* Text Nr. 3 [s. Anm. 2], S. 107 f., Anm. 101.

55 Vgl. zu dieser »Begegnung zwischen Kino und Narrativität« und deren Bedeutung Text Nr. 3 [s. Anm. 2], S. 69–73, und Nr. 4 [s. Anm. 10], S. 131–135.

56 In Text Nr. 2 dieses Bandes mit dem Titel »Bemerkungen zu einer Phänomenologie des Narrativen« haben wir die zweite Richtung vertreten.

57 Vgl. besonders »Le message narratif«, in: *Communications* 4 (1964) S. 4–32, vor allem S. 31 f., und »La logique des possibles narratifs«, in: *Communications* 8 (1966) S. 60–76.

JAN MARIE PETERS

Die Struktur der Filmsprache

1962

Ob wir von einer Film*sprache* sprechen dürfen, hängt in erster Linie ab von der Antwort auf die Frage, was wir unter »Sprache« verstehen wollen. Sehen wir die Wortsprache als das einzige linguistische Phänomen, dann ist jede Diskussion über den Sprachcharakter des Films sinnlos. Erkennen wir neben der Wortsprache noch andere »Sprachen« an und gehen wir von einem sehr allgemeinen Begriff »Sprache« aus, dann kann man wohl auch an eine »Sprache« des Films denken. Wenn wir jedoch auf diesem Wege zu der Schlußfolgerung kommen, daß die Verwendung des Ausdrucks »Filmsprache« vollkommen verantwortet ist, haben wir dennoch nur ein sehr geringes Resultat erreicht. Die Benennung »Sprache« sagt in diesem Falle nichts Neues über die Eigenart des Films aus. Wir können aber auch die Wortsprache als *Modell* denken, ihren wesentlichen Kennzeichen nachforschen und dann untersuchen, inwiefern diese wesentlichen Kennzeichen beim Film wiederzufinden sind. Diese vergleichende Methode scheint uns recht fruchtbar, weil sie uns den Unterschied zwischen Film- und Wortsprache klarmacht und weil sie uns vielleicht auch etwas über die eigene Struktur des Mediums Film offenbaren wird.

Die Wortsprache verwenden wir in der Regel als Kommunikationsmittel, als Mittel zum geistigen Verkehr mit anderen. Wir veräußerlichen beim Sprechen (und Schreiben) unsere Gedanken, Gefühle oder Wünsche, damit jemand anderes – bisweilen ein »alter ego« – davon Kenntnis nehmen kann. Diese Veräußerlichung geschieht mittels eines Systems von Zeichen einer sehr bestimmten Struktur. Die Verwendung des Ausdrucks *Medium Film* weist darauf hin, daß der Film gleichfalls ein Mittler ist, dessen man sich bedienen kann, um anderen, den Zuschauern, etwas mitzuteilen. Keiner wird bestreiten, daß Filmbilder

Zeichen sind, das heißt: an der Stelle »von etwas anderem« stehen, oder besser: etwas anders als sich selbst kennbar machen wollen. Was wir aber näher untersuchen müssen, ist die Frage, ob diese Zeichen eine ähnliche Struktur aufweisen wie die der Wortsprache und ob in der Verwendung von Filmzeichen auch eine ähnliche Systematik verborgen ist wie in der Wortsprache. Unter Vernachlässigung der Tatsache, daß es viele Wort*arten* gibt, nehmen wir das einzelne Wort als kleinste Sprachgebrauchseinheit, um es zu vergleichen mit der kleinsten Gebrauchseinheit des Mediums Film. Als solche glauben wir das einzelne Filmbild, das heißt eine einzige Aufnahme mit einer stillstehenden oder bewegten Filmkamera, betrachten zu dürfen. Ein solches Filmbild ist also ein Zeichen für die Sache (eine Person, ein Ding, eine Handlung, ein Geschehen), die darin abgebildet wird. Aber wie kann ein Filmbild etwas Innerliches, einen Gedanken, ein Gefühl oder einen Wunsch veräußerlichen? Man kann doch die Filmkamera nicht vor ein Gefühl oder vor einen Gedanken hinstellen, um diese auf dem empfindlichen Zelluloid zu konservieren! Macht ein Bild eigentlich etwas anderes sichtbar als die Sache, die es abbildet, also die äußere Hülle? Tatsächlich macht ein Bild die dargestellte Sache nur *sichtbar,* aber in einer Weise, die stark abweicht von der Sichtbarkeit einer Sache in natura. Das Bild besitzt einen gewissen Abstraktionsgrad, und es besteht immer eine Distanz zwischen Bild und Abgebildetem. Das Bild ist kein Duplikat des Abgebildeten, sondern ein Zeichen, in dem das Abgebildete *verstanden* wird. In dieser Hinsicht ist der Unterschied zwischen Wort und Bild nicht allzu groß: Auch das Wort ist kein Duplikat für die Sache, die es bezeichnet (das *Wort* »Hund« bellt ja nicht), sondern im Worte wird die Sache verstanden. Der Unterschied liegt »nur« in der Art dieses Verstehens. Beim Wort ist das Verstehen die Anwendung eines Begriffs, den wir bereits vorher kannten. Beim Bild fordert das Verstehen der Bedeutung nur einen Wahrnehmungsakt. Man kann diesen Unterschied auch formulieren, indem man sagt, daß das Wort ein *Konzept* (eine vom Denken abgeleitete Abstraktion) einer Sache gibt und das Bild ein *Perzept* (eine von der Wahrnehmung abgeleitete Abstraktion).

Weil Worte und Bilder Konzepte beziehungsweise Perzepte einer Sache geben, kann man darin *Urteile über die Sache* formulieren, kann man darin Gedanken, Gefühle oder Wünsche zum Ausdruck bringen, kann man darin *Mitteilungen* geben. Um Mißverständnissen vorzubeugen, müssen wir aber darauf hinweisen, daß der Ausdruck »Bedeutung« mindestens zwei »Bedeutungen« hat. Das Wort und das Bild haben eine Bedeutung im Sinne eines Konzeptes oder Perzeptes. Aber auch dasjenige, was wir nun ein Urteil über eine Sache oder »das Mitgeteilte« nennen, hat eine »Bedeutung«. Besser wäre es jedoch, hier vom »Inhalt der Mitteilung« oder vom »Sinn« zu sprechen. Bei der Wortsprache nennt man die formulierte Mitteilung einen Satz. Bisweilen besteht ein solcher Satz aus einem einzigen Wort: »Halt!« zum Beispiel. Daß eine Mitteilung durch das Bild aus einem einzigen Bild bestehen könnte, kommt uns auf den ersten Blick unwahrscheinlich vor: denn ist der Gebrauch eines einzigen Bildes mehr als nur ein Sichtbarmachen einer Sache unter einem speziellen Gesichtspunkt? Es gibt aber tatsächlich Fälle genug, aus denen hervorgeht, daß in einer bestimmten Situation sogar eine möglichst objektive und neutrale Abbildung eine Mitteilung enthalten kann. Die Darstellung eines Fußgängers auf einer Verkehrstafel ist mehr als die Sichtbarmachung eines Fußgängers, es ist die Mitteilung, daß es hier einen Übergang für Fußgänger gibt. In diesem Sinne waren die allerersten Filmvorführungen Mitteilungen und nicht nur Abbildungen. Die ersten Kinobesucher sahen nicht nur einen Zug auf dem Gare du Nord ankommen, sondern ihnen wurde *mitgeteilt,* daß da ein Zug ankam. Zudem macht ein Bild, wie gesagt, eine Sache immer sichtbar unter einem speziellen Gesichtspunkt. Der Gesichtspunkt, unter dem eine Sache gezeigt wird, *spezifiziert* die Mitteilung, macht das Bild zu einer Formulierung eines *bestimmten* Gedankens oder Gefühls. Ob wir ein Gesicht in einer Großaufnahme zu sehen bekommen oder als Teil einer Totalaufnahme der betreffenden Person, bedeutet einen großen Unterschied. In der Großaufnahme wird unsere Aufmerksamkeit hingelenkt auf das Gesicht allein, in der Totale geht dieser Akzent verloren. Die *Form* des Bildes zwingt uns, das Dargestellte in *dieser* Form und unter *diesem* Gesichtspunkt zu betrachten.

Sätze, die aus einem einzigen Wort bestehen, sind selten. Gewöhnlich werden, wenn man Mitteilungen formuliert, mehrere Worte zu einem Satz zusammengefügt. Wie wir eine Sprachäußerung in *einem* Wort mit dem Gebrauch *eines* Bildes vergleichen können, so können wir auch eine Gruppe von Worten mit einer Gruppe von Bildern vergleichen. Die Kombination von Filmbildern bedeutet – wie beim gesprochenen Satz – oft eine Mitteilung, die in jedem der einzelnen Bilder – oder Worte – nicht enthalten ist. Wenn wir in Aufnahme I einen Jungen schnell durch eine Straße laufen sehen und wir sehen anschließend in Aufnahme II einen Polizisten durch dieselbe oder eine andere Straße laufen, dann ziehen wir den Schluß, daß der Junge vom Polizisten verfolgt wird.

Was die Struktur und Funktion der gebrauchten Zeichen und Zeichengruppen angeht, besteht also in wesentlichen Punkten eine Übereinstimmung zwischen Wortsprache und Film. Beide Zeichen bestehen aus einer sensiblen Form mit einem intelligiblen Inhalt. In beiden Zeichen und Zeichenkombinationen lassen sich Mitteilungen formulieren. Mit dieser letzten Feststellung treten wir unmittelbar in den Vergleich des zweiten Kennzeichens der Wortsprache ein: in die Problematik des *Systems*. Das System setzt voraus, daß jedes Zeichen etwas anderes bedeutet, daß dieser Bedeutungsunterschied sich in verschiedenen Formen ausdrückt und daß zu jeder Zeichenform ein mehr oder weniger fester Zeicheninhalt gehört. Fehlt dieser Zeicheninhalt, dann ist keine Kommunikation, kein Einvernehmen möglich. Innerhalb einer gleichen Sprachgemeinschaft bezeichnet das Wort »Stuhl« sowohl für den Sprecher wie für den Hörer einen Stuhl, nichts anderes. Das gleiche gilt für Zeichen*kombinationen*: jede Kombination hat ihren eigenen Sinn. Schon eine Änderung der Interpunktion ändert oft auch die Bedeutung (den »Inhalt«) des Satzes. Eine Änderung der Wortfolge gibt gleichfalls in den meisten Fällen eine Änderung des Satzinhalts. »System« bedeutet auch, daß die gegenseitigen Formunterschiede zwischen Zeichen und Zeichengruppen von festen Regeln bestimmt und nicht beliebig vertauscht werden. Bei der Wortbildung sind gewisse Formkombinationen sehr wohl und andere nicht möglich. Auch die Satzbildung fügt sich bestimmten Gesetzen für die Kombination und Stellung der Worte. Schließlich bedeutet die Existenz eines Systems, daß die Zahl der Zeichen und Zeichengruppen beschränkt ist und daß man nicht beliebig neue Zeichen anfertigen kann.

Ließe man aus unserer bisherigen Bestimmung von »Sprache« den Ausdruck »System« weg, dann dürfte auch jede Kunst »Sprache« – im eigentlichen und nicht nur im metaphorischen Sinne – genannt werden. Ohne Zweifel ist ein Kunstwerk eine Form oder ein Komplex von Formen, in dem etwas vom Innerlichen des Künstlers zu einem für andere wahrnehmbaren Ausdruck gebracht wird. Jedoch: obwohl zwei Künstler über die gleichen Techniken verfügen können, sind die Formen, die sie schaffen, nie die gleichen. Ebensowenig haben sie feste Bedeutungen und können nach festen Regeln kombiniert werden. »Filmsprache« und »Filmkunst« sind demnach nicht dasselbe, sowenig, wie Wortsprache und Dichtkunst identisch sind. Zwar muß sich auch der Dichter – in der Regel – dem Sprachsystem unterordnen, will seine Sprache verständlich bleiben, aber der praktische Sprachgebrauch läßt ihm die persönliche Freiheit, daß er darin ursprüngliche und einmalige Formen schaffen kann.

So kann und muß sich auch der Filmkünstler seiner eigenen Sprache *bedienen,* obwohl das Sprachmaterial für jeden Filmkünstler stets das gleiche ist. Es geht demnach nicht an, den Begriff »Filmsprache« mit »Filmkunst« gleichzusetzen, obwohl mitunter der *Gebrauch* der Filmsprache zur Filmkunst führen kann. Nicht alle Formen, die wir in einem Filmprodukt unterscheiden können, sind Sprachformen. Mit einer Analyse des Filmsprachgebrauchs (selbst des persönlichen, expressiven Sprachgebrauchs) ist die ästhetische Analyse des Filmkunstwerks noch nicht erschöpft.

Diese vorbereitenden Gedanken sollten es möglich machen, nun die Frage zu behandeln, ob und inwiefern das Medium Film eine »Sprachsystematik« aufweist.
Die ersten Streifen der Filmgeschichte haben noch keine eigentliche Filmsprache entwickelt. Solange ein Film nur aus *einer* Aufnahme besteht – die freilich einige Minuten andauern kann –, zeigt er noch keinen Sprachcharakter im eigentlichen Sinne, abgesehen von der bereits festgestellten Tatsache, daß die Vorführung dieser Aufnahme eine *Mitteilung* ist. Diese ersten Filme enthielten eine Menge von Mitteilungen, aber es waren noch keine Mitteilungen in Filmsprache. Die Filmbilder waren lediglich *Abbildungen von Mitteilungen in anderen Medien*. Die Hersteller der Filme beschränkten sich auf die Dokumentation von Äußerungen in auch außerhalb des Films verwendeten Sprachen. Wie das Morsesystem keine selbständige Sprache darstellt, sondern nur eine Codierung der Wortsprache, so ist auch eine auf Zelluloid fixierte Mitteilung in Wort- oder Gebärdensprache immer noch Wort- oder Gebärden-, aber keine Filmsprache. Das gilt bis in die Gegenwart. In den meisten heutigen Filmen ist noch immer ein großer Teil der Mitteilungen des Filmregisseurs nicht in der Filmsprache formuliert. Monologe oder Dialoge, Kommentar, Gesichtsausdruck, Körperhaltung und -bewegung, das Auftreten und Benehmen der Schauspieler, Kostüme, Dekor, Musik und allerlei Objekte mit konventionell-symbolischer Bedeutung sind neben der Filmsprache die Träger der Mitteilungen des Regisseurs.
Aber wenige Jahre nach der Erfindung des Films wird auch die *Montage* von zwei oder mehr Aufnahmen erfunden – und damit beginnt die eigene Sprache des Films. Denn: sobald in der Zusammenfügung von zwei oder mehr Bildern etwas zum Ausdruck kommt, was in den einzelnen Bildern nicht enthalten ist, »spricht« der Filmregisseur (oder derjenige, der für die Montage verantwortlich ist) durch die *Form* der Bilderkombination. Man beschränkte sich anfangs auf die allereinfachsten Formen filmischer »Satzbildung« wie die Aufeinanderfolge, die Ursache – und Wirkung –, Subjekt – Objekt –, Ganzes – und Teile – Re-

lationen. Der Kontext mußte jeweils entscheiden, von welcher Art die Beziehung zwischen den Bildinhalten war. Erst später – bei Griffith und den Regisseuren der russischen Avantgarde – entwickelte sich die Subtilität des filmischen »Satzbaues«.
Vorläufig genügten die einfachen Montageverfahren für die Wiedergabe eines Geschehens, das sich nicht an *einem* festen Ort abspielte und das man nicht in *einer* Aufnahme festlegen konnte. Griffith und seine Nachfolger gehen einen Schritt weiter: denn sie wollen etwas *erzählen.* Im Gegensatz zur Wiedergabe oder Registratur eines Geschehens setzt eine Erzählung die Darstellung von Zusammenhängen voraus, über die das Geschehen selbst keine Auskunft gibt. In einer Erzählung müssen ferner die wichtigsten Stellen des Geschehens und die Ordnung der Teile betont werden. Die Abwechselung von Totalen mit Großaufnahmen, die »Découpage« einer Szene, um die darin wiedergegebene Handlung durch eine andere zu unterbrechen, und die Anwendung filmischer Interpunktionsmittel – wie die Überblendung – ergeben allmählich eine Reihe völlig neuer Formen filmischer Mitteilungen.
Bevor sich in der Montage, also im filmischen »Satzbau«, eine größere Subtilität entwickelte, hat es schon viele Möglichkeiten gegeben, um den Ausdruck mittels der *Bildkomposition* zu verfeinern. Unter »Bildkomposition« verstehen wir hier die Anordnung aller Details innerhalb des vom Bildrahmen begrenzten Sichtbaren, also die Gruppierung von Menschen und Dingen in Ruhe oder Bewegung, die Verteilung von Licht und Dunkel (und später von Farben), der Verlauf der Bewegungen der Objekte im Bilde, die Wirkung der waagerechten, senkrechten und in die Tiefe gehenden Linien und – später – das Verhältnis der visuellen zu den auditiven Bildkomponenten. Zur Bildkomposition gehört die Zeitdauer des Bildes, die Schärfe, Unschärfe oder die Deformation des Sichtbaren durch das Objektiv, die Einrahmung des Sichtbaren durch spezielle »Masken« und die dadurch ermöglichte Spaltung des Bildes in zwei Bildhälften.
Es versteht sich, daß andere Künste den Filmregisseuren hierbei zunächst als Vorbild gedient haben. Gruppierung von Personen

und Objekten im Bildraum zum Beispiel ist eine Mitteilungsweise, deren sich auch der Theaterregisseur und der naturalistische Maler bedienten und bedienen. Stellt man eine Person in den Vordergrund, eine andere in den Mittel- und eine dritte in den Hintergrund, so gibt man damit im allgemeinen zu erkennen, daß die erste Person in *dieser* Szene eine besonders wichtige Rolle spielt.

Sicher ist die *Bewegung* von Menschen und Dingen im Bild das wichtigste bildkompositorische Mitteilungsmittel des Films, wenn es auch schwierig ist, mit Worten zu sagen, was der Sinn einer bestimmten Bewegung ist. Das Näherkommen eines Objektes kann drohend wirken, das Sichentfernen entspannend. Eine langsame Bewegung einer Person wird manchmal als erregend, manchmal als befreiend erfahren. Auch dieses Mittel ist nicht rein filmisch. Die Tanzkunst und das Theater haben die Sprache der Bewegung schon in frühesten Zeiten entwickelt. Das Filmbild jedoch kann Bewegungen auffallender und damit wirksamer machen. Im Grunde hat jede Bewegung einen Sinn; jede Bewegung »sagt« dem Zuschauer etwas. Aber es ist nicht leicht, diesen Sinn eindeutig zu interpretieren, denn die Sprache der Bewegung ist eine Gefühlssprache. Emotionelle Bedeutungen aber lassen sich immer nur schwer übersetzen in die logischen Kategorien der Wortsprache. Wir *fühlen* ihren Sinn, ohne ihm sprachlichen Ausdruck verleihen zu können.

Wer sich in der Filmgeschichte auskennt, weiß, daß alle diese Mitteilungsmöglichkeiten der Bildkomposition teilweise wieder vernachlässigt wurden, als der Tonfilm seinen Einzug hielt. Auch Töne können im Film selbständiges Kommunikationsmittel sein. Worte, Musik, Naturgeräusche haben ihren eigenen Sinn, woran die Tatsache, daß wir sie nicht in natura, sondern nur im Film hören, oft nichts ändert. Vor allem das gesprochene Wort spielte in der ersten Periode des Tonfilms eine beherrschende Rolle, und zwar auf Kosten der filmischen Mitteilungsmittel. Sobald der Filmregisseur eine echt filmische Mitteilungsweise anstrebt, muß er auch den Ton als bildkompositorischen Faktor einsetzen – und als nicht mehr. Zum Beispiel: entsprechende musikalische Untermalung einer Szene, in der ein Ehepaar im Gespräch gezeigt wird, kann dem Zuschauer deutlich machen, daß in den beiden Gesprächspartnern etwas ganz anderes vorgeht, als sie es mit ihren Worten sagen.

Absichtlich haben wir in der bisherigen Darlegung über die Bildkomposition die *Kameraperspektive* oder *Kamerabewegung* kaum erwähnt, obwohl man sie meist unter der »Bildkomposition« zu behandeln pflegt. Wir sind aber der Meinung, daß die Aufstellung und »Eigenarbeit« der Kamera ein besonderes Mitteilungsmittel und in vielen Fällen deutlich von der Bildkomposition zu unterscheiden ist. Wir vertreten ferner die Auffassung, daß die Kameraposition nicht nur ein besonderes, sondern auch das wichtigste *filmische* Mitteilungsmittel ist.
Ein Spielfilm von anderthalb Stunden hat durchschnittlich etwa 600 bis 1000 Einstellungen. Das bedeutet, daß der Zuschauer das verfilmte Geschehen nacheinander von 600 bis 1000 verschiedenen »Standorten« zu sehen bekommt. Gewiß, er bleibt während der ganzen Vorführungszeit auf seinem Platz im Kino sitzen, und doch sieht er im Grunde alles aus dem Standpunkt, den die Kamera während der Dreharbeiten eingenommen hat. Wenn wir aber ein Bühnenstück miterleben, dann sehen wir die Schauspieler fortwährend aus *einem* unveränderlichen Standort.
Der Zuschauer im Kino schaut immer mit dem Kamera-Auge, auch wenn er sich dessen nur selten bewußt ist. Es ergibt sich also die sonderbare Tatsache, daß wir – obwohl körperlich fortgesetzt an gleicher Stelle – aus einem stets wechselnden Blickpunkt der Filmhandlung folgen. Unser Sehen mit dem »Kamera-Auge« geschieht nicht aus körperlichen, sondern aus einer virtuellen Position heraus. Die optische Identifikation des Zuschauers mit dem Kamerastandpunkt kann dabei so weit gehen, daß er beim Sehen einer mit bewegter Kamera aufgenommenen Szene selbst das Gefühl hat, in Bewegung zu sein. Die Psychologie nennt dieses Phänomen »induzierte Bewegung«.
Bei jeder Veränderung des Kamerastandpunktes ändert sich

auch der virtuelle Blickpunkt des Zuschauers. Die Zahl der möglichen virtuellen Standpunkte ist unbeschränkt, doch lassen sich vier verschiedene Hauptgruppen unterscheiden:
Position I: Der Zuschauer fühlt sich als »Außenseiter«, er befindet sich in einer neutralen Position hinsichtlich der Menschen und Dinge im Bilde, er ist in keinerlei Weise beteiligt. Das ist fast immer der Fall beim Anfang eines Films oder beim Anfang einer neuen Szene.
Position II: In gewissen Augenblicken der »Außenseiter-Position« erfährt der Zuschauer eine Einstellung jedoch sehr deutlich als eine Anweisung, als eine Betonung, eine Charakterisierung, einen vom Filmregisseur gegebenen Hinweis. Er erlebt diese Einstellung so, als ob der Filmregisseur ihn auf irgend etwas aufmerksam machen und seine Wahrnehmung in eine bestimmte Richtung steuern will.
Position III: Es gibt Fälle, wo sich die Kamera *zwischen* die Menschen und Dinge begibt. Der Zuschauer, bisher noch außenstehend, findet sich plötzlich ebenfalls zwischen die Menschen und Dinge gestellt. Er ist jetzt selbst *im* Bild. Die typische Kinosituation erleichtert ihm diesen komplizierten Übergang. Die Dunkelheit im Filmtheater, die Anonymität des Dabeiseins verwischen die Distanz zwischen ihm und der Leinwand.
Position IV: Wenn der Zuschauer schließlich den Standpunkt des Schauspielers einnimmt (d. h. mit dessen Augen, von dessen Standpunkt und aus dessen Blickrichtung zu sehen beginnt), ist die vollkommene optische Identifikation mit dem Geschehen erreicht. Der Zuschauer ist nun nicht mehr nur *im* Bild, er ist Mitspieler geworden. – Neben dieser völligen optischen Identifikation kann aber noch eine partielle Identifikation unterschieden werden. Bisweilen läßt die Kamera den Zuschauer wohl aus der gleichen Blickhöhe, aber nicht aus dem gleichen Blickabstand wie die Schauspieler das Geschehen verfolgen. Bisweilen ist auch der betreffende Akteur selbst noch teilweise im Bild zu sehen, und die Kamera läßt uns sozusagen über seine Schultern zuschauen.
Wir können also festhalten, daß die Bild*komposition* als solche

nur in der Position I wirksam wird, in der sich der Zuschauer in einer relativ neutralen und objektiven Situation dem Bildinhalt gegenüber befindet. Nur dann können Gruppierung und Bewegung von Objekten, Licht und Farbe, Linienspiel, das Verhältnis von Sicht- und Hörbarem, von Dauer und Schärfe des Bildes vollauf die Mitteilungsfunktion ausüben, die oben beschrieben wurde. Die Bildkomposition fällt also immer zusammen mit der Kameraposition I. In Position II, die der Position I noch sehr nahesteht, wird die Wirkung der Bildkomposition als solche bereits verdrängt vom anweisenden, determinierenden und interpretierenden Eingreifen des Filmregisseurs. Aber ganz ausgeschaltet wird die Wirkung der Bildkomposition wahrscheinlich nie. Wenn eine Einstellung in Position III längere Zeit auf der Leinwand stehenbleibt, dann macht das Gefühl, im Bildraum zu sein, beim Zuschauer wieder Platz für die Position I. Die Bildkomposition wird auch dann theoretisch eine Rolle spielen, wenn wir es mit der Position III oder IV zu tun haben, wenn auch die eigenen Mitteilungsmöglichkeiten der Position II, III und IV die Bildkomposition im Erlebnis des Zuschauers oft zurückdrängen.

Welches sind nun die eigenen Mitteilungsmöglichkeiten der Kamera? Über Position II haben wir das Wichtigste bereits vorweggenommen. Der Sinn dieser Position ist, daß wir den auffallenden Kameraschwenk, die besondere Beleuchtung, die außergewöhnliche Kameraperspektive, das »Einkreisen« usw. erfahren als eine Anweisung, Kennzeichnung, Akzentuierung, als einen Appell des Regisseurs an das Publikum. Der Zuschauer soll erkennen, was in *seinen,* des Filmregisseurs Augen, wichtig ist und wie *er* die Dinge sieht. Der Ausdruck der Hochachtung, der beispielsweise durch eine Aufnahme aus der Froschperspektive, der Ausdruck der Geringschätzung, der durch eine Einstellung von erhöhtem Kamerastandpunkt hervorgerufen werden kann, sind Beispiele für die echte Bild*sprache* und Bildmetaphorik des Films.

In der virtuell-räumlichen Beziehung zum Bildvorgang in Position III kann sich der Zuschauer in eine geistige Beziehung zu den Personen und Dingen im Bild versetzt fühlen. Die Distanz des Zuschauers zum Vorgang wird eine geistige Distanz, d. h. wird zum Ausdruck des Gewichts, das er der abgebildeten Sache zusprechen soll. Eine größere Entfernung stellt den Zuschauer einer Sache objektiver gegenüber als eine Kamera-Einstellung, die ihn mit der Nase auf die Dinge stößt. Geringe oder große Distanz kann in anderen Fällen verstanden werden als Intimität bzw. als Ablenkung. Es ist kein Zufall, daß sich auch die Wortsprache oft bestimmter Ausdrücke bedient, die dem räumlichen Erleben entnommen sind, um damit geistige Beziehungen wiederzugeben. »Man nimmt von etwas Abstand«, um es objektiv beurteilen zu können, »man wahrt Distanz«, wenn man mit einer Person nichts zu tun haben will, oder »man hält einen in angemessener Entfernung«. Wie die Sprache der Bewegung im Bilde ist auch die Sprache der Kamera-Perspektive – und die Veränderung der Kamera-Perspektive – eine Gefühlssprache. In Position IV schließlich bekommt auch der Zuschauer die Dinge zu sehen, die der betreffende Schauspieler sieht, und er erlebt sie so, wie dieser sie sieht. Der Zuschauer wird damit zum Subjekt oder Objekt eines Film-»Satzes«.

Wir kommen auf die Montage zurück. Es sind vor allem die russischen Regisseure der zwanziger Jahre gewesen, die den einfachen Montage-Verfahren zur Wiedergabe von Aufeinanderfolge, Ursache und Wirkung, Subjekt- und Objektrelation usw. eine neue Dimension hinzugefügt haben. Ebenso wie Griffith ging es auch Pudowkin, dem ersten Theoretiker der neuen Montagelehre, zunächst nur um das Erzählen einer Geschichte. Aber für Pudowkin war von Anfang an Erzählen nicht ein Aneinanderreihen von Begebenheiten in chronologischer Folge, sondern die *Konstruktion* von Situationen und die *Konstruktion* eines Handlungsablaufs aus signifikanten Einzelheiten. Die *Anordnung* dieser Einzelheiten löst dann die Eindrücke aus, die der Filmkünstler auf sein Publikum übertragen will. Man denke auch an die berühmten Experimente von Pudowkins Kollegen Kuleschow: Im Einklang mit der damals vorherrschenden Assoziationslehre der Psychologie meinte Pudowkin, daß die Verbindung von zwei Bildern eine Assoziation von zwei Eindrücken im Geiste des Zuschauers zur Folge hätte. Aus der Aufeinanderfolge der Bilder ergibt sich also eine Bildmetapher, ein Vergleich (das Eistreiben in der Newa und die vorwärtsstürmende Arbeitermasse in *Die Mutter*) oder eine Antithese (der Sturmangriff der Soldaten und die Erstürmung der Börse in *Die letzten Tage von St. Petersburg*). Zwar kannte schon Griffith ähnliche Parallelmontagen, bei Pudowkin aber wird dieses Verfahren zum Prinzip. Eine ganze Geschichte wird aus solchen Einzelheiten zusammengebaut, die erst als Ganzes den beabsichtigten Eindruck hervorrufen. Bei Griffith (und vielen anderen) ergab noch jede Einstellung einen vollständigen Satz, und die Kombination von zwei oder mehr Bildern war eigentlich nichts anderes als die Kombination von mehreren in sich abgerundeten Sätzen. Pudowkin aber baut aus mehreren Bildern, dic als solche keine Mitteilung enthalten, *einen* Satz auf. Das ist das wirklich Neue in der Montage der russischen Filmkünstler.

Auch Eisenstein wollte die Anordnung der Bilder als Mitteilungsmittel verwenden. Aber er formulierte es anders, er sprach vom Aufwecken der *Ideen* und *Konzepte* durch Verbindung von Bildern. Es sind jedoch keine Gefühlsassoziationen, die diese Verbindung auslösen sollen, wie bei Pudowkin, vielmehr soll zwischen den zusammengefügten Bildern ein »Konflikt« entstehen, und der Zuschauer soll sich ein intellektuelles Urteil formen. Eisensteins Vergleich des Montageprozesses mit der Struktur der Hieroglyphensprache macht klar, was er im Grunde meint. Die Zeichnung von einem Hunde und einem Maul bedeutet »bellen«, die von einem Kind und einem Mund »schreien«, die von einem Vogel und einem Schnabel »singen«, die von einem Herzen und einem Messer »Kummer« usw. So wird z. B. in dem Film *Oktober* aus der Gestalt Kerenskys im Winterpalast in St. Petersburg und der folgenden Einstellung einer Statue, welche einen Lorbeerkranz in der Hand hält, das Urteil deduziert: Kerensky ist ein eitler Streber.

Daß der virtuellen Beteiligung des Zuschauers am Filmgeschehen von Pudowkin, Eisenstein und ihrer ganzen Schule kaum Bedeutung beigemessen wird, liegt auf der Hand. Um »assoziieren« (Pudowkin) und »deduzieren« (Eisenstein) zu können, muß der Zuschauer in geistiger Entfernung gehalten werden. Er darf sich nicht so mit den Vorgängen auf der Leinwand identifizieren, daß das Verstehen der Absichten »hinter« der Bildmontage zurücksteht. Der Zuschauer bleibt demnach fortwährend in der Position I. Bewußt wird die Abwechselung in der virtuellen Beziehung des Zuschauers zum Bildinhalt dann auch erst später als Mitteilungsmöglichkeit der Montage angewendet. Der Übergang von der einen Position in die andere (von Position I in II oder III, von III in IV – andere Übergänge sind »syntaktisch« unmöglich, wie wir später noch sehen werden) kann etwas aussagen über eine Veränderung in der Stimmung oder Atmosphäre (Übergang von Position III in Position I), kann ein Gefühl der Gespanntheit entstehen lassen (Übergang von I in III und dann in IV) oder im Gegenteil in einer geladenen Atmosphäre für Entspannung sorgen (Rückgang von Position IV in I).

Zusammenfassend können wir feststellen, daß die Sprachmöglichkeiten des Films enthalten sind sowohl in der Form der einzelnen Bilder wie in der Form der Bilderkombination. Zu »Form« rechnen wir nachdrücklich die »objektive« Komposition und Gruppierung von Bildern *und* die »subjektive« Kameraposition und immer wechselnde Beziehung des Zuschauers zum Bildinhalt. Diese doppelte Einteilung ergibt die Koordinaten für das *semantische* System der Filmsprache.
Nun muß zwar berücksichtigt werden, daß nicht jede Bildform mitteilend ist. Es gibt Bildformen, die selbst nichts »sagen«, aber dennoch den Mitteilungsinhalt der Bildgruppe, zu der sie gehören, unterstützen. Die Position III z. B. beabsichtigt oft nur, das »Sich-dabei-Fühlen« zu fördern. Es gibt auch Bildformen, die nur als Verbindungsglied zwischen anderen Bildern fungieren, die dadurch zu einer Gruppe zusammengefügt werden. Und mitunter sind gewisse Bildformen zwar als Mitteilun-

gen beabsichtigt, aber sie funktionieren nicht als solche, weil sie nicht genügend *artikuliert* sind. Das bedeutet nicht, daß jede Bildform eine derartig »deformierte« Wiedergabe eines Sachverhaltes sein muß, daß der Zuschauer gezwungen wird, sich reflexiv darüber Rechenschaft zu geben. Wohl aber sollte sich die eine Bildform der Form nach von der anderen unterscheiden.
Das führt zu der Frage, ob das Medium Film auch hinsichtlich von Formunterschieden, Formverbindungen und Formkombinationen eine Systematik erkennen läßt; das heißt, ob es neben dem semantischen System im Film auch ein morphologisches und syntaktisches System gibt. Welche Formen, Verbindungen und Kombinationen sind möglich und welche nicht; welche Formen und Formkombinationen sind als selbständige Einheiten erkennbar und von anderen zu unterscheiden? Bezüglich der Formen der Bildkomposition und der Kamera-Aufstellung ist zunächst grundsätzlich jede Form möglich. Eine *bestimmte* Komposition ist jedoch nur als solche wieder erkennbar, wenn die Anordnung der Bildkomponenten (Gruppierung von Menschen und Dingen, Verteilung von Licht und Schatten, usw.) den Gesetzen der guten »Gestalt« entspricht. In einer extremen Totale z. B. wirkt die zentrale Figur nicht mehr als zentrale Figur im geistigen Sinne. Und eine *bestimmte* Kameraeinstellung ist nur als solche wiedererkennbar, wenn sie einem reellen Wahrnehmungsstandpunkt des Zuschauers entspricht. So gesehen ist z. B. die Aufstellung der Kamera in einem offenen Herd, um von dort aus durch das Feuer hindurch die Menschen im Zimmer zu zeigen, eine »unmögliche« Kamera-Aufstellung.
Eine Gruppe von Einstellungen kann auf verschiedenen Wegen als eine mehr oder weniger selbständige Ganzheit gekennzeichnet werden. Da ist zuerst die filmische Interpunktion in der Form einer Auf-, Ab- oder Überblendung zu nennen. Ferner ist an die Verbindungsglieder zwischen den zusammengehörigen Einstellungen zu denken. Diese Glieder sind in den Bildern selbst enthalten, und sie sind sehr verschiedener Art. Sie können Wiederholung oder Fortsetzung eines Teiles der Bildkomposition sein, z. B. ein über mehrere Einstellungen fortlaufender

Dialog, ein Kommentar oder eine Begleitmusik. Es kann sich um eine von Bild zu Bild gleichbleibende Belichtung, die Geschwindigkeit der Bewegung oder die Bewegungsrichtung in den aufeinanderfolgenden Einstellungen handeln, die das Zusammengehörige dieser Einstellungen zum Ausdruck bringen. Bisweilen ist es die Blickrichtung einer Person im ersten Bilde, die mit der Blickrichtung einer anderen Person im nächsten Bild korrespondiert. Es mag in semantischer Hinsicht keinen Unterschied bedeuten, ob eine Person, deren Gesicht wir in einer Großaufnahme und in Seitenansicht sehen, nach links oder nach rechts schaut; am *Inhalt* der Mitteilung ändert die Blickrichtung manchmal wenig oder gar nichts. Wenn aber angenommen werden soll, daß diese Person mit einer anderen ein Ferngespräch führt, die wir im unmittelbar vorhergehenden Bild nach rechts haben schauen sehen, dann *muß* die Blickrichtung nun, im zweiten Bild, nach links gehen. Ist das nicht der Fall, dann kommt die Satzeinheit dieser zwei Einstellungen mit dem Satzinhalt »Herr A telefoniert mit Herrn B« nicht zustande. Daß der Zuschauer aus dem Kontext des Geschehens oder auch aus dem Dialog dennoch entnehmen kann, daß Herr A mit Herrn B telefoniert, ändert nichts an der Tatsache, daß der erfahrene Zuschauer diese Unstimmigkeit der Blickrichtung als einen Montagefehler bezeichnen wird. Die Blickrichtung ist hier ein syntaktisches Element. Fehlen derartige syntaktische Elemente, so ist die Form der Bildgruppe nicht deutlich, und der Sinn bleibt versteckt.

Schließlich sind nicht alle Kombinationen gleich gut oder überhaupt möglich. Position IV z. B. ist nur möglich nach einer unmittelbar vorhergehenden Position III. Ein Sprung von I nach IV wirkt verwirrend. Der Fachmann weiß, daß es eine ganze Menge »Montagegesetze« gibt, die er nicht straflos vernachlässigen darf. Sie sorgen dafür, daß die Bildgruppe ein *Bewegungsganzes* ist, sie machen das Wahrnehmen und Verstehen der Bilderreihe rhythmisch leichter, und sie sind auch in ästhetischer Hinsicht sehr wichtig.

Abschließend stellen wir zwei Fragen. Die erste und dringendste Frage betrifft den Film als eine Ausdrucksform der Kunst. Macht die Systematik, die uns berechtigt, vom Film als von einer Sprache im eigentlichen Sinne zu reden, das Medium Film nicht für die Wiedergabe der freien, stark persönlich gefärbten Gedanken- und Gefühlswelt des Künstlers ungeeignet? Diese Befürchtung ist unzutreffend, denn die *Anwendung* der Filmsprache läßt eine unendliche Zahl von Variationen zu. Jede Einstellung hat neben ihrem eigenen Sinn auch noch einen »expressiven Wert«, einen »Gefühlswert«, der vergleichbar ist mit dem expressiven Wortklang in der Dichtkunst. Dieser »expressive Wert« entsteht meist dadurch, daß der Zuschauer das Dargestellte assoziiert mit persönlichen Ideen, Erfahrungen und Vorstellungen. Schließlich stellt die Systematik der Filmsprache keine Gefahr für die »künstlerische Freiheit« dar, weil der Regisseur seine Vorstellungen nicht nur in der Film*sprache* ausdrückt, sondern auch mit anderen Mitteln, wie Rhythmus, dramaturgischem Bau, Symbolik u. ä.

Die zweite Frage betrifft die bisherigen Darlegungen selbst. Haben die vorausgegangenen Analysen dazu beigetragen, das Wissen um das Medium Film zu bereichern, oder blieben sie etwa nur intellektuelles Spiel? Wir sind davon überzeugt, mit unseren Überlegungen zumindest zwei neue Einsichten gewonnen zu haben. Die erste betrifft den Unterschied zwischen der *Filmsprache* und der *Filmkunst.* Es dürfte deutlich geworden sein, daß zwischen Filmsprache und Filmkunst ein ähnliches Verhältnis besteht wie zwischen Wortsprache und Dichtkunst. Diese Erkenntnis öffnet Perspektiven für eine künftige Filmästhetik. Zum zweiten ist ein Ordnungsprinzip für die wichtigsten Ausdrucksmittel des Filmkünstlers entwickelt worden. Diese Ausdrucksmittel sind sprachlicher oder nicht-sprachlicher Natur. Die sprachlichen Ausdrucksmittel lassen sich in semantische, morphologische und syntaktische Mittel gliedern. Die Kennzeichnung des Films als eine Sprache bedeutet ferner, daß das Medium Film keine *Summe* von Ausdrucksmitteln ist, sondern ein wohlgegliedertes System. Gewisse Vorstellungen von der *Filmsprache* sind fast so alt wie der Film selbst, doch wurden diese Vorstellungen noch nie so weit entwickelt, daß sie zu einem brauchbaren Instrument der Filmforschung wurden. Wir hoffen, hier einen neuen Weg gezeigt zu haben.

LAURA MULVEY

Visuelle Lust und narratives Kino*

1973

1. *Einleitung*

A. Psychoanalyse als politisches Mittel

In diesem Aufsatz wird versucht, mit Hilfe der Psychoanalyse zu klären, wie die Faszination des Films durch bereits vorhandene Faszinationsmuster sowie durch die sozialen Formationen, von denen es geprägt wurde, verstärkt wird. Wir gehen davon aus, daß Film die ungebrochene, gesellschaftlich etablierte Interpretation des Geschlechtsunterschiedes reflektiert, sogar damit spielt und die Bilder, die erotische Perspektive und Darstellung kontrolliert. Dabei ist es hilfreich, sich zu erinnern, was das Kino war, wie seine Magie in der Vergangenheit gearbeitet hat. Gleichzeitig soll versucht werden, eine Theorie und Praxis zu entwickeln, die diesem Kino der Vergangenheit den Kampf ansagen. Hier wird Psychoanalyse als politische Waffe gebraucht. Es soll gezeigt werden, wie das Unbewußte der patriarchalischen Gesellschaft die Filmform strukturiert hat.
Das Paradox des Phallozentrismus in all seinen Manifestationen ist, daß er auf das Bild der kastrierten Frau angewiesen ist, um seiner Welt Ordnung und Sinn zu verleihen. Eine bestimmte Vorstellung von der Frau gehört zu den Grundpfeilern des Systems: da sie keinen Phallus besitzt, produziert sie die symbolische Gegenwart des Phallus, und sie hat das Bedürfnis, das, was das Fehlen des Phallus anzeigt, auszugleichen. In den in letzter Zeit von *Screen* veröffentlichten Aufsätzen zu dem Thema Psychoanalyse und Film wurde die hohe

* Aus dem Englischen übersetzt von Karola Gramann.

Bedeutung der Repräsentation der weiblichen Gestalt in einer symbolischen Ordnung, die letzten Endes nur von Kastration und nichts anderem spricht, nicht genügend deutlich. Um es kurz zusammenzufassen, die Frau hat bei der Bildung des patriarchalischen Unbewußten zweierlei Funktionen: durch den tatsächlichen Penismangel symbolisiert sie die Kastrationsdrohung und erhebt als Folge davon ihr Kind ins Symbolische. Ist das gelungen, so ist ihre Bedeutung in diesem Prozeß abgegolten, sie reicht nicht in die Welt von Gesetz und Sprache, außer in Form einer Erinnerung, die zwischen der Erinnerung an reiche Mütterlichkeit und der Erinnerung an den Mangel oszilliert. Beide beruhen auf Natur (oder der Anatomie, nach der berühmten Formulierung Freuds). Die Sehnsucht der Frau ist ihrem Bild als Trägerin der blutenden Wunde unterworfen, sie existiert nur im Verhältnis zur Kastration, die sie nicht transzendieren kann. Sie macht ihr Kind zum Signifikanten des eigenen Wunsches nach einem Penis (ihrer Meinung nach die Bedingung des Zugangs zum Symbolischen). Entweder muß sie mit Würde dem Wort, dem Namen des Vaters und dem Gesetz den Vorrang lassen oder sie muß kämpfen, um ihr Kind bei sich im Halbdunkel des Imaginären zu halten. Die Frau steht in der patriarchalischen Kultur als Signifikant für das männliche Andere, gefesselt von einer symbolischen Ordnung, in der Männer ihre Phantasien und Obsessionen durch die Herrschaft der Sprache ausleben können, indem sie sie dem schweigenden Bild der Frau aufzwängen, der die Stelle des Sinnträgers zugewiesen ist, nicht die des Sinnproduzenten. Zweifellos ist dies für Feministinnen ein interessanter analytischer Ansatz, es steckt Schönheit darin, der Wunsch, die Frustration, die wir in der phallozentrischen Ordnung erfahren haben, genau zu bestimmen. Sie bringt uns den Wurzeln unserer Unterdrückung, der Artikulation des Problems näher, konfrontiert uns mit der entscheidenden Frage, wie wir das einer Sprache gleich strukturierte Unbewußte (dessen kritisches Entstehungsmoment mit dem ersten Auftreten von Sprache zusammenfällt) zu bekämpfen vermögen, während wir noch der Sprache des Patriarchats verhaftet sind. Natürlich können wir keine Alternative aus dem Ärmel zaubern. Wir können jedoch beginnen, das Patriarchat mit den Mitteln zu untersuchen, die es uns selbst zur Verfügung stellt und von denen die Psychoanalyse nicht das einzige, wohl aber ein wichtiges ist. Es trennt uns immer noch viel von der Erkenntnis der für das weibliche Unbewußte zentralen Sachverhalte, die für die phallozentrische Theorie kaum von Belang sind: der Sozialisierung des weiblichen Kindes und seiner Beziehung zum Symbolischen, der sexuell reifen Frau als Nicht-Mutter, der Mutterschaft außerhalb des Bereichs der Signifikanz des Phallus ... Doch kann die psychoanalytische Theorie in ihrer gegenwärtigen Version wenigstens dazu beitragen, den Status quo, die patriarchalische Ordnung, in der wir gefangen sind, zu erhellen.

B. Destruktion der Lust als radikale Waffe

Als ein hochentwickeltes Repräsentationssystem wirft das Kino die Frage auf, wie das Unbewußte (geprägt von der herrschenden Ordnung) Wahrnehmungsformen und die Lust am Schauen strukturiert. Das Kino hat sich im Laufe der letzten Jahrzehnte gewandelt. Es ist nicht mehr das monolithische, auf großen Kapitalinvestitionen beruhende System, wie das Hollywood der dreißiger, vierziger und fünfziger Jahre. Technische Entwicklungen (16 mm etc.) haben die ökonomischen Bedingungen der Filmproduktion verändert. Heute kann sowohl in einem handwerklichen als auch in einem kapitalistischen Rahmen produziert werden.
Ein alternatives Kino ist entstanden. Wie selbstkritisch und ironisch Hollywood sich auch geben mochte, es kam nie über eine formale mise-en-scène hinaus, die das dominierende ideologische Kinokonzept spiegelt. Das alternative Kino schafft Raum für ein sowohl im politischen wie im ästhetischen Sinne radikales Kino und greift den gängigen Kinofilm

in seinen Fundamenten an. Dabei handelt es sich nicht um eine moralische Ablehnung, sondern um den Versuch, aufzudecken, daß die Form des traditionellen Films die psychischen Zwangsvorstellungen der Gesellschaft, die ihn hervorbrachte, festschreibt. Das alternative Kino muß eben diesen Vorstellungen widersprechen. Sowohl politisch wie ästhetisch ist ein Avantgarde-Kino jetzt möglich, es kann sich bisher jedoch nur kontrapunktisch bestimmen.

Die Magie des Hollywood-Stils in seiner höchsten Vollendung (und des Kinos, das unter seinem Einfluß stand) gründete, wenn auch nicht ausschließlich, so doch mit wichtigen Elementen, in der geschickten und befriedigenden Manipulation der visuellen Lust. Unangefochten codierte der gängige Kinofilm das Erotische in die Sprache der herrschenden patriarchalischen Ordnung. Im hochentwickelten Hollywood-Kino konnte das entfremdete Subjekt, in seiner imaginären Erinnerung hin- und hergerissen zwischen dem Gefühl des Verlustes und dem Terror potentiellen Mangels in seiner Phantasie, nur über diese Codes ein Stück Befriedigung finden: an dessen formaler Schönheit und durch das Spiel mit den eigenen formativen Vorstellungen. Wir wollen die Dialektik jenes erotischen Vergnügens, seiner Bedeutung und der zentralen Stellung der Frau im Film untersuchen. Man sagt, daß durch Analysieren Vergnügen oder Schönheit zerstört werde. Genau dies habe ich mir vorgenommen. Die Befriedigung und die immer neue Bestätigung des Ego, wie sie die bisherige Filmgeschichte kennzeichnen, müssen destruiert werden – weder zugunsten eines rekonstruierten, abstrakten Vergnügens noch zugunsten eines intellektualisierten Unbehagens, sondern um der totalen Negation des Behagens und der Fülle des narrativen, fiktionalen Films den Weg zu bahnen. Die Alternative ist die Spannung, die wir empfinden, wenn wir die Vergangenheit, ohne sie abzulehnen, zurücklassen, über abgegriffene oder unterdrückerische Formen hinausgehen und es wagen, mit gewohnten angenehmen Erwartungen zu brechen, um zu einer neuen Sprache des Begehrens zu gelangen.

2. *Lust am Schauen / Faszination der menschlichen Gestalt*

(A) Das Kino bietet eine Reihe möglicher Vergnügen. Eines davon ist die Skopophilie. Manchmal bereitet das Schauen an sich Lust, ebenso wie es lustvoll sein kann, angesehen zu werden. In den *Drei Abhandlungen zur Sexualtheorie* hat Freud die Skopophilie als eine der Instinktkomponenten isoliert, die als Triebe relativ unabhängig von den erogenen Zonen existieren. Dabei hat er Skopophilie im Zusammenhang gesehen damit, daß andere Leute zu Objekten gemacht, dem kontrollierenden und neugierigen Blick ausgesetzt werden. Als Beispiel nennt er die voyeuristischen Aktivitäten von Kindern, ihr Bedürfnis, das Private und Verbotene zu entdecken, sich darüber Gewißheit zu verschaffen (ihre Neugierde an der Genital- und Körperfunktion des nichtvorhandenen oder vorhandenen Penis und, retrospektiv, der Ur-Szene). Im Rahmen dieser Analyse ist die Skopophilie notwendigerweise aktiv. Später entwickelte Freud dieses Konzept der Skopophilie weiter, indem er sie mit prägenitalem Autoerotismus verknüpfte – die Lust am Schauen werde durch Analogie auf andere übertragen. Es besteht hier ein enger Konnex zwischen dem aktiven Instinkt und seiner Weiterbildung in eine narzißtische Form. Wenngleich der Instinkt durch andere Faktoren modifiziert wird, im besonderen durch die Konstitution des Ich, bleibt er die erotische Basis für die Lust, eine andere Person als Objekt anzuschauen. Im Extremfall kann das zur Perversion werden: bei zwangshaften Voyeuren oder Spannern, die einzig durch aktives, kontrollierendes Beobachten, durch Objektivierung des Anderen, sexuelle Befriedigung erlangen können.
Auf den ersten Blick scheint es keine Verbindung zwischen dem Kino und der verborgenen Welt der geheimen Beobachtung eines unwissenden und unfreiwilligen Opfers zu geben. Was auf der Leinwand wahrzunehmen ist, wird offen gezeigt. Die meisten gängigen Kinofilme jedoch und die Konventionen, innerhalb derer sie sich herausbildeten, präsentieren eine hermetisch abgeschlossene Welt, die sich magisch entrollt,

ohne die Anwesenheit der Zuschauer zu beachten, woraus für diese das Gefühl von Trennung und Abtrennung entsteht, während gleichzeitig mit ihren voyeuristischen Phantasien gespielt wird. Nicht zuletzt trägt der extreme Kontrast zwischen der Dunkelheit des Zuschauerraums (die auch die Zuschauer voneinander trennt) und der Helligkeit der wechselnden Licht- und Schattenmuster dazu bei, die Illusion voyeuristischer Distanziertheit zu befördern. Obwohl der Film tatsächlich gezeigt wird und zum Anschauen da ist, vermitteln die Vorführbedingungen und Erzählkonventionen dem Zuschauer die Empfindung, Einblick in eine private Welt zu nehmen. Ganz eindeutig ist die Position der Zuschauer im Kino die, daß sie ihren eigenen Exhibitionismus unterdrücken und die unterdrückten Wünsche auf den Schauspieler projizieren.

(B) Das Kino erfüllt den ursprünglichen Wunsch nach lustvollem Betrachten, zugleich entfaltet es das narzißtische Moment der Skopophilie. Die Konventionen des gängigen Kinofilms ziehen die Aufmerksamkeit auf die menschliche Gestalt. Größenverhältnis, Raum und Story gehen vom menschlichen Körper als Maßstab aus. Hier mischen sich Neugierde und der Wunsch, zu betrachten, mit der Faszination von Ähnlichkeit und Wiedererkennen: das menschliche Gesicht, der menschliche Körper, die Beziehung zwischen der menschlichen Gestalt und ihrer Umgebung, die sichtbare Präsenz der Person und der Welt. Jacques Lacan hat beschrieben, wie bedeutungsvoll der Augenblick, in dem das Kind sein Bild im Spiegel erkennt, für die Konstitution des Selbst ist. Das »Spiegelmoment« tritt auf, wenn die physischen Bedürfnisse des Kindes seinen motorischen Fähigkeiten voraus sind, mit dem Ergebnis, daß das Wiedererkennen seiner selbst ihm Freude bereitet, da es annimmt, sein Spiegelbild sei fertiger, vollendeter als das, was ihm sein Körper an Erfahrung vermittelt. Erkennen wird also von »Falsch-Erkennen« überlagert. Das erkannte Bild erscheint als der reflektierte Körper des Selbst. Das »Falsch-Erkennen« projiziert jedoch diesen Körper als ein ideales Ich, das entfremdete Subjekt, welches, als Ich-Ideal wieder introjiziert, die künftige Identifikation mit anderen möglich macht. Dieses »Spiegelmoment« geht dem Spracherwerb des Kindes voraus.

Wichtig ist, daß ein Bild die Matrix des Imaginären konstituiert: Erkennen/Falsch-Erkennen und Identifikation und damit die erste Artikulation des »Ich«, kurz: Subjektivität. Dies ist ein Augenblick, in dem eine bereits vorhandene Faszination am Schauen (das Gesicht der Mutter ist ein naheliegendes Beispiel) mit der ursprünglichen Ahnung von Selbst-Bewußtsein kollidiert. Es ist die Entstehung einer langen Liebesbeziehung und zugleich der Hoffnungslosigkeit zwischen Bild und Selbstbild, was sich im Film mit solcher Intensität niedergeschlagen hat und freudvolles Wiedererkennen beim Kinopublikum hervorruft. Abgesehen von den äußerlichen Ähnlichkeiten zwischen Leinwand und Spiegel (Einrahmen der menschlichen Gestalt und ihrer Umgebung) verfügt das Kino über Faszinationsmuster, die stark genug sind, einen vorübergehenden Verlust des Ego mit dessen gleichzeitiger Verstärkung zu koppeln. Das Gefühl, die Welt in dem Maße zu vergessen, wie das Ego sie als Folge davon wahrnimmt (ich vergaß, wer ich bin und wer ich war), ist eine wehmütige Reminiszenz an diesen präsubjektiven Augenblick, in dem das Bild erkannt wurde. Gleichzeitig hat sich das Kino der Projektion von Ich-Idealen verschrieben, deren Ausdruck das Starsystem ist – die Stars vereinen die Präsenz auf der Leinwand mit der Präsenz in der Filmhandlung, sie setzen einen komplexen Prozeß von Ähnlichkeit und Verschiedenheit in Gang (das Glamouröse verkörpert das Gewöhnliche).

(C) Die Abschnitte 2 A und B haben zwei gegensätzliche Aspekte der lustbringenden Strukturen des Schauens in der konventionellen Kinosituation aufgezeigt. Die erste, skopophilische, resultiert aus der Lust, eine andere Person durch Anschauen als Objekt sexueller Stimulation zu benutzen; die zweite, entwickelt durch Narzißmus und die Konstitution des Ego, erwächst aus der Identifikation mit dem Bild, das gesehen wird. Im Hinblick auf den Film bedeutet die eine Struktur die Trennung der erotischen Identität des Subjekts vom Objekt auf der Leinwand (aktive Skopophilie), die andere verlangt die Identifikation des Ego mit dem Objekt auf der Leinwand über die Faszination des Zuschauers durch das Ähnliche und das Wiedererkennen des Ähnlichen. Die erste ist eine Funktion der Sexualtriebe, die zweite der Ich-Libido. Diese Dichotomie war für Freud von entscheidender Wichtigkeit. Obwohl er meinte, daß beide interagieren und einander überlagern, markiert die Spannung zwischen instinktuellen Trieben und Selbsterhaltung einen dramatischen Kontrast in der Lust. Einzeln haben sie keine Signifikanz, sie müssen mit einer Idealisierung verbunden sein. Beide sind darauf gerichtet, Indifferenz hinsichtlich der wahrnehmbaren Realität zu begründen und so das imaginierte erotisierte Konzept der Welt hervorzubringen, das die Wahrnehmungen des Subjekts formt und die empirische Objektivität zur Farce werden läßt.

Im Laufe seiner Geschichte hat das Kino offenbar eine ganz bestimmte Illusion von Realität hervorgetrieben, in deren Rahmen aus dem Widerspruch zwischen Libido und Ego eine wunderbar ergänzende Phantasiewelt entsprungen ist. In der *Realität* ist die Phantasiewelt auf der Leinwand dem Gesetz unterworfen, von dem sie produziert wird. Sexuelle Instinkte und Identifikationsprozesse haben innerhalb der symbolischen Ordnung die Bedeutung, das Begehren zu artikulieren. Das Begehren, zusammen mit der Sprache entstanden, erlaubt, das Instinktive und das Imaginäre zu transzendieren; aber sein Bezugspunkt ist stets der traumatische Augenblick seiner Geburt: der Kastrationskomplex. Deshalb kann das Betrachtete formal angenehm sein, inhaltlich jedoch eine Bedrohung darstellen. Und dieses Paradox kristallisiert sich in der Frau als Repräsentation/Bild.

3. *Die Frau als Bild, der Mann als Träger des Blickes*

(A) In einer Welt, die von sexueller Ungleichheit bestimmt ist, wird die Lust am Schauen in aktiv/männlich und passiv/weiblich geteilt. Der bestimmende männliche Blick projiziert seine Phantasie auf die weibliche Gestalt, die dementsprechend geformt wird. In der Frauen zugeschriebenen exhibitionistischen Rolle werden sie gleichzeitig angesehen und zur Schau gestellt, ihre Erscheinung ist auf starke visuelle und erotische Ausstrahlung zugeschnitten, man könnte sagen, sie konnotieren »Angesehen-werden-Wollen«. Die Frau als Sexualobjekt ist das Leitmotiv jeder erotischen Darstellung: von Pin-ups bis zum Striptease, von Ziegfeld bis Busby Berkley. Der Blick ruht auf ihr, jedenfalls für das männliche Verlangen, das sie bezeichnet. Der gängige Kinofilm hat die Darstellung mit dem Erzählten geschickt komponiert. (Man beachte jedoch, wie bei den Gesangs- und Tanznummern im Musical der Fluß unterbrochen wird.) Die Präsenz der Frau ist ein unverzichtbares Element der Zurschaustellung im normalen narrativen Film, obwohl ihre visuelle Präsenz der Entwicklung des Handlungsstrangs zuwider läuft, den Handlungsfluß in Momenten erotischer Kontemplation gefrieren läßt. Diese fremde Präsenz muß mit der Geschichte in Zusammenhang gesehen werden. Budd Boettischer hat das folgendermaßen formuliert: »Es kommt darauf an, was die Heroine bewirkt, mehr noch, was sie repräsentiert. Sie ist es, oder vielmehr die Liebe oder Angst, die sie beim Helden auslöst, oder anders, das Interesse, das er für sie empfindet, die ihn so handeln läßt, wie er handelt. Die Frau an sich hat nicht die geringste Bedeutung.«
Neuerdings gibt es eine Tendenz im narrativen Film, das Problem auszusparen; seit der Entwicklung dessen, was Molly Haskell »buddy movie« (Männerfreundschafts-Film) genannt hat, in dem der aktive homosexuelle Erotizismus des männlichen Charakters die Geschichte ohne Ablenkung tragen kann. Traditionsgemäß war die Zurschaustellung der Frau auf zwei Ebenen von Bedeutung: sie war erotisches Objekt für die

Charaktere im Film und erotisches Objekt für den Betrachter im Zuschauerraum, wobei die Spannung zwischen den Blikken auf beiden Seiten der Leinwand wechselte. Das Showgirl als Filmfigur macht es möglich, die beiden Blicke zu vereinen, praktisch ohne offensichtliche Brüche in der Diegese. Tritt eine Frau in einer Handlung als Schauspielerin auf, wird auch hier der Blick des Zuschauers mit dem des männlichen Charakters im Film kombiniert, ohne die Wahrscheinlichkeit der Handlung zu beschädigen. Für einen Augenblick versetzt die sexuelle Ausstrahlung der auftretenden Frau den Film in ein Niemandsland außerhalb seiner eigenen Zeit und seines Raumes, z. B. Marilyn Monroes erster Auftritt in *Fluß ohne Wiederkehr* mit Lauren Bacalls Lied in *To Have or Have Not*. Auf ähnliche Weise integrieren konventionelle Nahaufnahmen von Beinen (Dietrich, z. B.) oder eines Gesichts (Garbo) Erotizismus in der Geschichte. Ein Teil eines fragmentierten Körpers zerstört den Renaissance-Raum, die Illusion der Tiefe, die die Erzählung fördert, sie erzeugt Flächigkeit, gibt der Leinwand eher die Qualität eines Ausschnittes oder Bildes, als daß sie zur Glaubwürdigkeit des Geschehens beitrüge.

(B) Eine aktiv/passive heterosexuelle Arbeitsteilung hat die narrative Struktur ebenfalls kontrolliert. Entsprechend den Prinzipien der herrschenden Ideologie und den sie fundierenden psychischen Strukturen kann der Mann nicht zum Sexualobjekt gemacht werden. Der Mann weigert sich, den Blick auf sein sich exhibitionierendes Ähnliches zu richten. Folglich unterstützt die Trennung zwischen der Darstellung und der Geschichte die Rolle des Mannes als desjenigen, der aktiv die Handlung vorantreibt, Ereignisse initiiert. Der Mann kontrolliert die Phantasie des Films und tritt so in einem weiteren Sinne als Repräsentant der Macht hervor: als der Träger des Blickes des Zuschauers, indem er ihn hinter die Leinwand versetzt, um die extra-diegetischen Tendenzen, die durch die Frau als Schauobjekt hereinkommen, zu neutralisieren. Dies wird möglich, weil der Film um eine kontrollierende Hauptfigur strukturiert ist, mit der sich der Zuschauer identifizieren kann.

Dadurch, daß sich der Zuschauer mit dem männlichen Protagonisten[1] identifiziert, heftet er seinen Blick auf seinen Stellvertreter auf der Leinwand, so daß die Macht des Protagonisten, der das Geschehen kontrolliert, mit der aktiven Macht des erotischen Blicks zusammenfällt – das Ergebnis ist ein Omnipotenz-Gefühl. Die glanzvollen Eigenschaften des männlichen Filmstars sind folglich nicht die des erotischen Objekts des Blicks, sondern die des perfekteren, vollständigeren, mächtigeren, idealen Ich, die in dem ursprünglichen Augenblick des Wiedererkennens vor dem Spiegel erlebt wurden. Der Figur in der Geschichte gelingt es besser, Dinge geschehen zu lassen, die Ereignisse zu kontrollieren, als dem Zuschauer, so wie das Bild im Spiegel die motorischen Fähigkeiten besser kontrollieren konnte. Im Gegensatz zu der Frau als Abbild verlangt die aktive männliche Figur (das Ichideal des Identifikationsprozesses) einen dreidimensionalen Raum, entsprechend dem des Wiedererkennens, vor dem Spiegel insofern, als das entfremdete Selbst seine eigene Repräsentation dieser imaginären Existenz internalisierte. Sie ist eine Gestalt in einer Landschaft. Der Film hat hier die Funktion, so genau wie möglich die ›natürlichen‹ Bedingungen menschlicher Wahrnehmung zu reproduzieren. Kameratechnische Möglichkeiten (besonders am Beispiel der Tiefenschärfe zu exemplifizieren) und Kamerabewegung (bestimmt durch die Aktion des Protagonisten), kombiniert mit unsichtbarem Schnitt (den der Realismus erfordert), tragen dazu bei, die Grenzen des Leinwandraumes zu sprengen. Der männliche Protagonist hat die Bühne zur freien Verfügung, eine Bühne von räumlicher Illusion, in der er den Blick artikuliert und Schöpfer der Handlung ist.

(C,1) Die Abschnitte 3 A und B haben eine Spannung zwischen einer möglichen Repräsentationsweise der Frau im Film und Konventionen im Umfeld der Diegese aufgezeigt. Beide stehen in Verbindung mit einem Blick: dem des Zuschauers in direktem skopophilischen Kontakt mit der weiblichen Gestalt, die für seine Lust zur Schau gestellt wird (männliche Phanta-

sie konnotiert), und dem des Zuschauers, der von seinem Ähnlichen fasziniert ist, das in einem illusionären natürlichen Raum steht und durch das er innerhalb der Diegese zur Kontrolle über die Frau, gleichzeitig in ihren Besitz gelangt. (Diese Spannung und der Wechsel zwischen den beiden Polen können durchaus einen einzelnen Text strukturieren. Das ist sowohl in *Nur Engel haben Flügel* als auch in *To Have and Have Not* der Fall; der Film beginnt mit der Frau als Objekt des kombinierten Blicks von Zuschauer und allen männlichen Protagonisten im Film. Sie ist isoliert, glamourös, ein Schaustück, sexualisiert. Im Verlauf der Handlung verliebt sie sich in den männlichen Helden und wird sein Besitz, womit sie ihre äußeren glamourösen Eigenschaften verliert, ihre generalisierte Sexualität, die Showgirl-Konnotationen; ihr Erotizismus ist dem männlichen Star unterworfen. Durch Identifikationsmittel, durch Partizipation an seiner Macht kann auch der Zuschauer sie, indirekt, besitzen.)
In Kategorien der Psychoanalyse stellt die weibliche Figur jedoch ein anderes Problem dar. Sie konnotiert etwas, worum der Blick ständig kreist, was er jedoch nicht zur Kenntnis nehmen will: die Abwesenheit eines Penis, die die Kastrationsdrohung und, folglich, Unbehagen einschließt. Die Frau steht für sexuelles Anderssein, für die Abwesenheit des Penis (visuell verifizierbar), für die materielle Evidenz des Kastrationskomplexes, der von hoher Bedeutung für die Organisation des Eintritts in die symbolische Ordnung und das Gesetz des Vaters ist. So droht die Frau als Abbild, zur Schau gestellt für den Blick und die Lust von Männern, immer wieder die Angst zu wecken, die sie ursprünglich bezeichnete. Das männliche Unbewußte hat zwei Möglichkeiten, dieser Kastrationsangst zu entkommen: es kann entweder das Trauma erneut durchleben (die Frau untersuchen, ihr Geheimnis entmystifizieren), wobei ein Gegengewicht durch Abwertung, Bestrafung oder Rettung des schuldigen Objekts geschaffen wird (ein typisches Beispiel hierfür ist das Vorgehen des *Film Noir*), oder die Kastration ignorieren, indem es ein Fetischobjekt einsetzt bzw.

die repräsentierte Figur selbst in einen Fetisch umwandelt, so daß sie eher ein Gefühl der Bestätigung als der Gefahr vermittelt (also Überbewertung, der weibliche Starkult). Das zweite Verfahren, fetischistische Skopophilie, gründet auf der physischen Schönheit des Objekts, das erste auf Verbindungen zum Sadismus – die Zuschreibung von Schuld (die sofort mit Kastration assoziiert wird) verschafft Lust, sichert die Kontrolle und unterwirft die schuldige Person durch Bestrafung oder Vergebung. Dieser sadistische Aspekt paßt gut mit dem narrativen Element zusammen. Sadismus benötigt eine Story, ist darauf angewiesen, daß etwas passiert, daß eine Person sich ändert, daß ein Kampf über Willen und Stärke stattfindet, mit Sieg und Niederlage, in einer linearen Zeit, die Anfang und Ende hat. Fetischistische Skopophilie ist nicht an lineare Zeit gebunden, da der erotische Instinkt ausschließlich auf das Schauen gerichtet ist. Diese Widersprüche und Ambiguitäten lassen sich am Werk Hitchcocks oder Sternbergs illustrieren, von denen man sagen kann, daß sie den Blick zum Inhalt oder Gegenstand vieler ihrer Filme gemacht haben. Hitchcocks Methode ist komplexer, da er sich beider Mechanismen bedient; Sternbergs Werk dagegen liefert zahlreiche reine Beispiele fetischistischer Skopophilie.

(C,2) Es ist bekannt, daß Sternberg sagte, es wäre ihm durchaus recht, wenn man seine Filme gegenläufig projizierte, damit die Beschäftigung des Zuschauers mit der Story und den Charakteren nicht den Genuß des Bildes auf der Leinwand beeinträchtige. Diese Bemerkung ist enthüllend und ingeniös zugleich. Ingeniös deshalb, weil Sternbergs Filme tatsächlich fordern, daß die Figur der Frau (Dietrich in dem Zyklus von Filmen, den er mit ihr drehte, ist wohl das beste Beispiel) identifizierbar sein soll; enthüllend dagegen, weil sie unterstreicht, daß ihm der bildliche Raum, umschlossen vom Bildrahmen, wichtiger ist als die Geschichte oder der Identifikationsprozeß. Während Hitchcock auf den Voyeurismus setzt, produziert Sternberg den Fetisch schlechthin, bis zu dem Punkt, an dem der machtvolle Blick des männlichen Protagonisten (charakteristisch für den traditionellen narrativen Film) zugunsten des Bildes in direktem Kontakt mit dem Zuschauer gebrochen wird. Die Schönheit der Frau als Objekt und der Bildraum verschmelzen miteinander; sie trägt nicht länger Schuld, sondern ist ein perfektes Produkt, dessen stilisierter und durch Großaufnahmen fragmentierter Körper zum Filminhalt und zum unmittelbaren Adressaten des Zuschauerblicks wird. Sternberg spielt die Illusion der Bildtiefe herunter, seine Leinwand neigt zur Eindimensionalität, so wie auch Licht und Schatten, Spitze, Dampf, Laubwerk, Netz, Luftschlangen etc. das Blickfeld einschränken. Im Gegenteil, die halbdunkle Präsenz La Bessières in *Marokko* steht für die des Regisseurs, abgelöst von der Identifikation des Publikums. Abgesehen davon, daß Sternberg darauf beharrte, daß seine Stories unwichtig sind, ist es bezeichnend, daß es darin meist um Situationen geht und nicht um Spannung, eher um zyklische als um lineare Zeit, während Komplikationen in der Handlung in aller Regel auf Mißverständnissen beruhen, nicht auf Konflikten. Am wichtigsten ist jedoch, daß der kontrollierende männliche Blick fehlt. In den typischen Dietrich-Filmen erreicht das emotionale Drama seinen Höhepunkt, verwirklichen sich die Momente stärkster erotischer Spannung in Abwesenheit des Mannes, den sie in der Fiktion liebt. Es gibt andere Zeugen, andere Beobachter auf der Leinwand, ihr Blick ist eins mit dem des Publikums, statt für diesen zu stehen. Am Schluß von *Marokko* ist Tom Brown bereits in der Wüste verschwunden, wenn Amy Jolly ihre goldenen Sandalen wegwirft und ihm folgt. Am Schluß von *Entehrt* ist Kranau das Schicksal von Magda gleichgültig. In beiden Fällen ist Erotik, durch den Tod von der Sünde gereinigt, als Schauspiel für das Publikum dargeboten. Der männliche Held mißversteht und, noch wichtiger, er sieht nicht.

Im Gegensatz dazu sieht der männliche Held bei Hitchcock genau das, was das Publikum ebenfalls sieht. Die Filme, auf die ich mich hier berufe, haben die Faszination durch ein Bild zum Gegenstand, die über skopophilischen Erotizismus hergestellt wird. Zugleich werden am Helden die Widersprüche und Spannungen klar, denen der Zuschauer ausgesetzt ist. Besonders in *Aus dem Reich der Toten*, aber auch in *Marnie* und *Das Fenster zum Hof* ist der Blick von zentraler Bedeutung; er oszilliert zwischen Voyeurismus und fetischistischer Faszination. Hitchcock nutzt den Identifikationsprozeß, der üblicherweise mit ideologischer Treue und dem Wiedererkennen anerkannter Moralvorstellungen einhergeht, um deren pervertierte Seite hervorzukehren, was ihm durch einen Kniff, eine weitere Manipulation des normalen Wahrnehmungsprotestes gelingt, die gewissermaßen Aufschluß über diesen Prozeß gibt. Hitchcock hat nie ein Hehl aus seinem Voyeurismus gemacht, weder im Film noch außerhalb des Films. Seine Helden stehen exemplarisch für die symbolische Ordnung und das Gesetz – ein Polizeibeamter (*Aus dem Reich der Toten*), ein dominierender Mann, der über Geld und Macht verfügt (*Marnie*) –, doch ihre Triebe bringen sie in gefährliche Situationen. Die Gewalt, eine andere Person auf sadistische Weise dem Willen oder auf voyeuristische Weise dem Blick zu unterwerfen, richtet sich in beiden Fällen gegen die Frau als Objekt. Die Macht wird durch die Gewißheit, im Recht zu sein, und durch die Aufdeckung der Schuld der Frau (ein Akt, der an Kastration erinnert, um es psychoanalytisch zu fassen) gestützt. Hitchcock wird nicht müde zu zeigen, daß die wahre Perversion sich hinter der Maske ideologischer Korrektheit verbirgt – der Mann steht auf der richtigen Seite des Gesetzes, die Frau auf der falschen. Dadurch, daß er sich der Identifikationsprozesse geschickt bedient und häufig den subjektiven Kamera-Blick vom Standpunkt des männlichen Protagonisten betont, zwingt er den Zuschauer in dessen Situation und bringt ihn dazu, dessen unbehaglichen Blick zu teilen. Das Publikum wird in eine voyeuristische Lage im Kontext der Ereignisse auf der Leinwand und der Diegese versetzt und davon absorbiert, wobei sich dieser Vorgang im Film selbst parodiert. In seiner Analyse von *Das Fenster zum Hof* hat Douchet diesen Film als Metapher für »Kino an sich« bezeichnet.

Jeffries steht für das Publikum, die Vorfälle in dem gegenüberliegenden Haus spielen sich gleichsam auf einer Leinwand ab. Indem er beobachtet, werden sein Blick um eine erotische Dimension und das Drama um ein zentrales Bild erweitert. Er empfand kaum sexuelles Interesse für seine Freundin Lisa, sie war ihm eher lästig, solange sie sich auf der Seite des Zuschauers befand. Erst als sie die Schranke zwischen seinem Zimmer und dem gegenüberliegenden Wohnhaus durchbricht, wird ihre Beziehung erotisch neu geboren. Er betrachtet sie, ein entferntes und bedeutungsträchtiges Bild, nicht mehr nur durch sein Fernglas, er sieht sie nun auch als schuldigen Eindringling, der von seinem gefährlichen, mit Bestrafung drohenden Mann überführt und schließlich gerettet wird. Lisas Exhibitionismus wurde bereits durch ihr zwanghaftes Verhältnis zu Kleidung und Mode etabliert, was sie zum passiven Bild sichtbarer Perfektion macht; Jeffries Voyeurismus und sein Handeln wurden durch seine Tätigkeit als Fotojournalist und Bildjäger erklärt – seine zunehmende Inaktivität, die ihn an seinen Platz als Betrachter fesselt, versetzt ihn in die Position des Kinopublikums.

In *Aus dem Reich der Toten* dominiert die subjektive Kamera. Abgesehen von einer Rückblende aus Judys Sicht rankt sich die Geschichte um Scotties Wahrnehmungen oder Nichtwahrnehmungen. Das Publikum verfolgt seine wachsende erotische Besessenheit und die sich daraus ergebende Verzweiflung genau aus seiner Perspektive. Scotties Voyeurismus ist eklatant: er verliebt sich in eine Frau, der er folgt und nachspioniert, ohne mit ihr zu sprechen. Das sadistische Moment seines Voyeurismus ist ebenso offenkundig: er wurde Polizeibeamter (und zwar aus freien Stücken, denn er war ein erfolgreicher Anwalt), weil sich ihm dadurch alle Möglichkeiten eröffneten, jemanden zu verfolgen und auszukundschaften. Das Ergebnis davon ist, daß er sich in ein perfektes Bild weiblicher Schönheit und weiblichen Mysteriums verliebt, dem er nachstellt und das er beobachtet. Als es schließlich zu einer Konfrontation kommt, veranlaßt ihn sein erotischer Trieb, der Frau im Verhör ein Geständnis abzupressen und sie dann zu vernichten. Im zweiten Teil des Films durchlebt er noch einmal seine zwanghafte Beschäftigung mit dem Bild, das heimlich zu beobachten er so liebte. Er rekonstruiert Judy als Madeleine und verlangt von ihr, ihr Äußeres bis ins letzte Detail dem seines Fetischs anzugleichen. Ihr Exhibitionismus, ihr Masochismus machen sie zum idealen Gegenpart von Scotties aktiv sadistischem Voyeurismus. Sie weiß, daß sie spielen muß und daß nur immer erneutes Spiel Scotties erotisches Interesse an ihr wachhalten kann. Doch in der Wiederholung vernichtet er sie und kann ihre Schuld beweisen. Seine Neugier siegt, und sie wird bestraft.

In *Aus dem Reich der Toten* führt die erotische Beschäftigung mit dem Blick zur Desorientierung: die Faszination des Zuschauers wendet sich im Verlauf der Geschichte gegen ihn, und er wird zum Opfer des Prozesses, der in ihm selbst abläuft. Narrativ gesehen steht der Hitchcocksche Held unumstößlich innerhalb der symbolischen Ordnung. Er hat alle Eigenschaften des patriarchalischen Über-Ichs. Der Zuschauer, der sich durch das legale Handeln seines Stellvertreters in Sicherheit wiegt, sieht mit dessen Augen und findet sich der Komplizenschaft überführt, gefangen in der moralischen Ambiguität des Schauens. Weit davon entfernt, nur eine schlichte Annotation zu Perversionen des Polizeiverhaltens zu liefern, werden in *Aus dem Reich der Toten* die Implikationen des Aktiven/Schauens und des Passiven/Angesehenwerdens im Zusammenhang mit der Geschlechterdifferenz und die Macht des männlichen Symbolischen, das der Held verkörpert, verdeutlicht. Auch Marnie spielt für den Blick Marc Rutlands und macht die Maskerade des perfekten, zum Angeschautwerden verurteilten Bildes mit. Auch er steht auf der Seite des Gesetzes, bis er in seiner zwanghaften Fixierung auf ihre Schuld, ihr Geheimnis, ihr bei einer kriminellen Handlung zusehen will, um sie geständig zu machen und sie dann retten zu können. So wird auch er zum Komplizen, indem er die Möglichkeiten seiner Macht ausspielt. Er kann über Geld und Worte verfügen, er hat den Spatz in der Hand und die Taube auf dem Dach.

4. *Zusammenfassung*

Der psychoanalytische Ansatz, um den es hier ging, ist aufschlußreich für die Lust und das Unbehagen, die der traditionelle narrative Film anbietet. Der skopophilische Instinkt (die Lust, eine andere Person als erotisches Objekt anzuschauen) und, im Unterschied dazu, die Ichlibido (die Identifikationsprozesse formiert) sind Strukturen und Mechanismen, die das Kino sich zunutze gemacht hat. Der Begriff von Frau als (passives) Material für den (aktiven) Blick des Mannes, bringt die Argumentation der Struktur von Repräsentation einen Schritt näher, indem sie eine weitere Ideologieschicht der patriarchalischen Ordnung hinzufügt, wie sie in ihrer bevorzugten filmischen Form auftritt – dem illusionistischen narrativen Film. Dabei muß noch einmal auf den psychoanalytischen Kontext rekurriert werden, da die Frau als Repräsentation für Kastration steht, die voyeuristische oder fetischistische Reaktionen auslöst, um der Bedrohung zu entgehen. Keine dieser Schichten ist ein unabdingbares Element des Films, jedoch einzig in der Filmform können sie zu einem vollkommenen und wunderschönen Widerspruch verschmelzen, dank der Möglichkeit des Kinos, die Gewichtung des Blickes zu verändern. Es ist die Position des Blickes, der das Kino definiert, die Möglichkeit, ihn zu variieren und sichtbar zu machen. Darin ist das Kino mit seinem voyeuristischen Potential grundverschieden von, beispielsweise, Striptease, Theater oder Shows etc. Das Kino tut weit mehr, als den Wunsch der Frau, angesehen werden zu wollen, hervorzuheben, diese Sehweise geht vielmehr in die Darstellung selbst ein. Dadurch, daß sie mit der Spannung spielen, die den Film als Gegenstand auszeichnet, der die Dimension der Zeit (Schnitt, Erzählung) und des Raumes (Veränderung der Distanz, Schnitt) kontrolliert, inaugurieren die filmischen Codes einen Blick, eine Welt und ein Objekt, die eine Illusion erzeugen, die auf den Maßstab des Verlangens zugeschnitten sind. Es sind diese filmischen Codes und ihre Beziehung zu formativen äußeren Strukturen, die zerstört

werden müssen, bevor der gängige Kinofilm und die Lust, die er verschafft, herausgefordert werden können.
Ein Anfang ist es, den voyeuristischen, skopophilischen Blick an sich zu zerstören, der ein Grundbestandteil des traditionellen Filmvergnügens ist. Im und für den Film gibt es drei verschiedene Arten von Blicken: den der Kamera, die das pro-filmische Geschehen aufzeichnet, den des Publikums beim Betrachten des Endprodukts und den, den die Figuren innerhalb der Leinwandillusion miteinander wechseln. Die Konventionen des narrativen Films verneinen die beiden ersten Formen und ordnen sich der dritten unter, in der Absicht, die störende Präsenz der Kamera zu eliminieren und ein Bewußtsein von Distanz beim Publikum zu verhindern. Ohne die beiden ersten Momente zu unterdrücken (die materielle Existenz des Aufzeichnungsprozesses und das kritische Lesen durch den Zuschauer), kann das fiktionale Drama keine Realität, Überzeugungskraft und Wahrheit erlangen. Wie ich zu zeigen versuchte, birgt die Struktur des Sehens im narrativen Spielfilm einen Widerspruch in sich: das weibliche Abbild als Kastrationsdrohung bringt ständig die Geschlossenheit der Diegese in Gefahr und bricht in die Welt der Illusion als störender, statischer, eindimensionaler Fetisch ein. Folglich sind die beiden Blicke, die in Zeit und Raum materiell gegenwärtig sind, zwangsläufig den neurotischen Bedürfnissen des männlichen Ego untergeordnet. Die Kamera wird zu einem Mechanismus, der die Illusion des Renaissance-Raumes herstellt, fließende Bewegungen, die dem menschlichen Auge angepaßt sind, eine Ideologie der Repräsentation, die mit der Wahrnehmung des Subjekts zu tun hat; der Blick der Kamera wird unterdrückt, um eine Welt zu schaffen, in der der Stellvertreter des Zuschauers überzeugend handeln kann. Gleichzeitig wird dem Publikum die Chance verweigert, in diesen Prozeß einzugreifen – sobald die fetischistische Repräsentation des weiblichen Abbildes den Bann der Illusion zu brechen droht und das erotische Bild dem Zuschauer direkt (ohne Vermittlung) erscheint, sorgt die Fetischierung, mittels der die Kastrations-

angst überbrückt wird, dafür, daß der Blick angehalten wird, legt den Zuschauer fest und verhindert, daß ein distanzierendes Moment zwischen ihn und das Bild tritt.

Diese komplexe Interaktion ist eine Besonderheit des Films. Der erste Schlag gegen die monolithische Akkumulation traditioneller Filmkonventionen (den radikale Filmemacher bereits geführt haben) hat zum Ziel, den Blick der Kamera zu befreien, ihre Materialität in Zeit und Raum herzustellen, den Blick des Zuschauers zu einem dialektischen zu machen, eine leidenschaftliche Trennung herbeizuführen. Ohne Zweifel zerstört das die Befriedigung, die Lust, das Privileg des »unsichtbaren Gastes« und wirft ein Licht darauf, daß Film auf voyeuristischen aktiven/passiven Mechanismen beruht. Frauen, deren Bild fortwährend zu diesem Zweck gestohlen wurde, können dem Verfall der traditionellen Filmform mit kaum mehr als sentimentalem Bedauern zusehen.*

Anmerkung

1 Natürlich gibt es Filme, in denen der Protagonist eine Frau ist. Dieses Phänomen ernsthaft zu analysieren, würde hier zu weit führen. Pam Cooks und Claire Johnstons Untersuchung von *The Revolt of Mamie Stover* in: Phil Hardy (Hrsg.), *Raoul Walsh*, Edinburgh 1974, macht an diesem Beispiel überzeugend klar, daß die Stärke der Protagonistin eher vordergründig als real ist.

* Dieser Text ist die überarbeitete Fassung eines Papers, das im Frühjahr 1973 am Fachbereich für französische Sprache der Universität Wisconsin, Madison, vorgetragen wurde.

GILLES DELEUZE

Das Bewegungs-Bild und seine drei Spielarten*

Zweiter Bergson-Kommentar

1983

1

Die historische Krise der Psychologie fällt mit dem Zeitpunkt zusammen, in dem eine bestimmte Position unhaltbar geworden war; diese Position bestand darin, die Bilder ins Bewußtsein und die Bewegungen in den Raum zu versetzen. Qualitative Bilder ohne Ausdehnung gäbe es ihr zufolge nur im Bewußtsein; quantitative, ausgedehnte Bewegungen nur im Raum. Aber wie vollzieht sich der Übergang von dem einen Bereich in den anderen? Wie ließe sich eine Erklärung dafür finden, daß Bewegungen plötzlich ein Bild erzeugen – wie in der Wahrnehmung – oder daß das Bild eine Bewegung hervorbringt – wie in der willensbestimmten Handlung? Wenn man sich auf das Gehirn beruft, muß man ihm wunderbare Fähigkeiten zusprechen. Und wie könnte man vermeiden, daß die Bewegung nicht schon wenigstens ein virtuelles Bild und daß das Bild nicht schon der Möglichkeit nach Bewegung ist? Was als ausweglos erschien, war letztlich die Konfrontation von Materialismus und Idealismus. Jener wollte den Aufbau des Bewußtseins aus reinen Materiebewegungen, dieser den Aufbau des Universums mit reinen Bewußtseinsbildern rekonstruieren.[1] Diese Dualität von Bild und Bewegung, Bewußtsein und Ding mußte um jeden Preis überwunden werden. Zur selben Zeit widmeten sich zwei sehr verschiedene Autoren dieser Aufgabe: Bergson und Husserl. Jeder warf seinen

* Aus dem Französischen übersetzt von Ulrich Christians und Ulrike Bokelmann.

Schlachtruf in die Debatte: alles Bewußtsein ist Bewußtsein *von* etwas (Husserl) oder mehr noch: alles Bewußtsein *ist* etwas (Bergson). Daß die frühere Position unhaltbar geworden war, hatte zweifellos seinen Grund in vielen Faktoren, die außerhalb der Philosophie lagen. Es waren gesellschaftliche und wissenschaftliche Einflüsse, die immer mehr Bewegung ins bewußte Erleben und immer mehr Bilder in die materielle Welt brachten. Wie sollte da der Film außer acht bleiben – dessen Entstehung sich ebenfalls zu dieser Zeit anbahnte und der mit seiner eigenen Existenz die Evidenz eines Bewegungsbildes zu liefern vermochte? Zwar sieht Bergson, wie schon erwähnt, im Film nur einen falschen Verbündeten. Was Husserl betrifft, so bezieht er sich unserer Kenntnis nach überhaupt nicht auf den Film (es ist bemerkenswert, daß noch Sartre, sehr viel später, bei der Verfertigung seines Inventars und seiner Analyse aller Arten von Bildern in *L'imagination* das kinematographische Bild nicht berücksichtigt). Merleau-Ponty versucht bei Gelegenheit eine Gegenüberstellung Film-Phänomenologie, sieht aber – auch er – im Film nur einen zweifelhaften Verbündeten. Nur sind die Begründungen der Phänomenologie und die Bergsons so verschieden, daß ihr Widerspruch selbst uns leiten sollte. Was die Phänomenologie zur Norm erhebt, sind die »natürliche Wahrnehmung« und ihre Bedingungen. Nun sind diese Bedingungen existentielle Koordinaten, die eine »Verankerung« des wahrnehmenden Subjekts in der Welt definieren, ein In-der-Welt-sein, eine Öffnung zur Welt, die sich in dem berühmten »alles Bewußtsein ist Bewußtsein von etwas« ausdrücken wird ... Von daher versteht sich die – wahrgenommene oder vollzogene – Bewegung sicher nicht im Sinn einer intelligiblen Form (Idee), die sich in der Materie vergegenwärtigte, sondern als eine Empfindungsform (Gestalt), die das perzeptive Feld in Abhängigkeit von einem intentionalen Bewußtsein in einer Situation organisiert. Nun mag der Film uns nahe an die Dinge heranbringen, uns von ihnen entfernen oder sie umkreisen; auf jeden Fall befreit er das Subjekt aus seiner Verankerung ebenso wie von der Horizontgebundenheit seiner Sicht der Welt, indem er die Bedingungen der natürlichen Wahrnehmung durch ein implizites Wissen und eine zweite Intentionalität ersetzt.[2] Mit den anderen Künsten, die durch die Welt mehr auf ein Irreales abzielen, hat er nichts gemein, sondern er macht aus der Welt selbst ein Irreales oder eine Erzählung: mit dem Film wird die Welt ihr eigenes Bild und nicht ein Bild, das zur Welt wird. Es sei darauf hingewiesen, daß die Phänomenologie demgegenüber in mancher Hinsicht auf vor-filmischen Bedingungen verbleibt, was ihre Verlegenheit erklärt: Sie gibt der natürlichen Wahrnehmung ein Vorrecht, aus dem hervorgeht, daß die Bewegung sich noch auf *Posen* (einfach existentielle statt essentielle) bezieht; von daher wird die kinematographische Bewegung im Verhältnis zur natürlichen Wahrnehmung als Verzerrung abgelehnt, zugleich aber auch gepriesen als neue Darstellung, die in der Lage ist, sich dem Wahrgenommenen und dem Wahrnehmenden, der Welt und der Wahrnehmung »anzunähern«.[3]

Bergson attackiert den Film in ganz anderer Weise als zweifelhaften Verbündeten. Denn wenn der Film die Bewegung verkennt, dann in derselben Weise wie die natürliche Wahrnehmung und aus denselben Gründen: »Von der vorübergleitenden Realität nehmen wir sozusagen Momentbilder auf (...), Wahrnehmung, intellektuelle Auffassung, Sprache, sie alle pflegen so zu verfahren.«[4] Das heißt, daß für Bergson die natürliche Wahrnehmung nicht das Modell sein kann; sie genießt keinerlei Vorzug. Das Modell wäre vielmehr ein Zustand der Dinge, der sich unaufhörlich veränderte, ein Materiestrom, in dem kein Verankerungspunkt oder Bezugszentrum angebbar wäre. Von diesem Zustand der Dinge aus müßte gezeigt werden, wie sich an irgendwelchen Punkten Zentren bilden, an denen sich feststehende Momentbilder aufdrängen. Es handelte sich also um eine »Deduktion« der bewußten – natürlichen *oder* kinematographischen – Wahrnehmung.[5] Doch besitzt der Film vielleicht einen großen Vorteil: gerade weil ihm ein Verankerungspunkt, die Bindung an einen festen Horizont fehlt, hindern ihn die Schnitte, die er vornimmt, nicht daran, den Weg zurückzuverfolgen, den die natürliche Wahrnehmung geht. Anstatt von einem nichtzentrierten Zustand der Dinge zur zentrierten Wahrnehmung zu kommen, konnte er in Richtung auf den nichtzentrierten Zustand der Dinge zurückgehen, sich ihm annähern. Sieht man von dem Ausdruck Annäherung ab, wäre es das Gegenteil von dem, worauf sich die Phänomenologie beruft. Sogar in seiner Kritik am Film befände sich Bergson durchgängig mit ihm auf einer Linie, weit mehr noch, als er es selbst annimmt. Das wird mit dem hervorragenden ersten Kapitel von *Matière et mémoire* offensichtlich.

Tatsächlich befinden wir uns vor der Exposition einer Welt, in der BILD = BEWEGUNG ist. Nennen wir Bild die Menge dessen, was erscheint. Man kann nicht einmal sagen, daß ein Bild auf ein anderes einwirkt oder auf ein anderes reagiert. Es gibt nichts Bewegliches, das sich von der ausgeführten Bewegung unterschiede, es gibt nichts Bewegtes, das getrennt von der übertragenen Bewegung bestünde. Alle Dinge, das heißt alle Bilder fallen mit ihren Aktionen und Reaktionen zusammen: das ist die universelle Veränderlichkeit. Jedes Bild ist nur ein »Weg, über den in allen Richtungen die Modifikationen verlaufen, die sich in der Unermeßlichkeit des Universums verbreiten«. *Jedes Bild wirkt auf andere und reagiert auf andere, in »allen seinen Ansichten« und »durch all seine Grundbestandteile«*.[6] »In Wahrheit sind die Bewegungen als Bilder sehr deutlich, und es gibt keinen Grund dafür, in einer Bewegung etwas anderes zu suchen als das, was man an ihr sieht.«[7] Ein Atom ist ein Bild, das so weit reicht wie seine Wirkungen und Reaktionen. Mein Körper ist ein Bild, also ein Ensemble von Aktionen und Reaktionen. Mein Auge, mein Gehirn sind Bilder von Teilen des Körpers. Wie kann mein Gehirn Bilder enthalten, wenn es selbst eines unter anderen ist? Die äußeren Bilder wirken auf mich ein, übermitteln Bewegung, und ich gebe Bewegung weiter: wie wären die Bilder in meinem Bewußtsein, wenn ich selbst Bild, das heißt Bewegung bin? Und

kann ich auf dieser Ebene überhaupt noch von Ich, von Auge, Gehirn und Körper reden? Allenfalls aus Bequemlichkeit, denn es gibt nichts mehr, was sich in dieser Weise identifizieren ließe. Eher könnte man sagen, es handelte sich um einen gasförmigen Zustand. Ich, mein Körper, wäre eher eine Menge von Atomen und Molekülen, die sich unablässig erneuern. Kann ich überhaupt von Atomen sprechen? Sie unterschieden sich nicht von Welten, atomaren Wechselwirkungen.[8] Dieser Materiezustand ist zu heiß, als daß man noch feste Körper unterscheiden könnte. Es ist eine Welt universeller Veränderlichkeit, universeller Wellenbewegung, des universellen Plätscherns: in ihr gibt es weder Achsen noch Zentrum, weder rechts noch links, weder oben noch unten …
Eine solche unbegrenzte Menge aller Bilder wäre gewissermaßen die Ebene der Immanenz. Das Bild existierte an sich, auf dieser Ebene. Dieses An-sich des Bildes ist die Materie: nicht irgendetwas, was hinter dem Bild verborgen wäre, sondern im Gegenteil die absolute Identität von Bild und Bewegung. Es ist die Identität von Bild und Bewegung, die uns unmittelbar auf die Identität von Bewegungs-Bild und Materie schließen läßt. »Behaupten Sie, daß mein Körper Materie oder daß er Bild sei …«[9] *Das Bewegungs-Bild und der Materiestrom* sind genau dasselbe.[10] Handelt es sich bei diesem materiellen Universum um ein mechanisches? Nein, denn der Mechanismus impliziert (wie in *L'évolution créatrice* gezeigt wird) geschlossene Systeme, die miteinander in Verbindung treten, unbewegliche Momentschnitte. Nun lassen sich gewiß aus jenem Universum oder jener Ebene geschlossene Systeme, endliche Ensembles herausschneiden: das ist möglich, denn die Teile dieses Universums sind einander äußerlich. Aber es ist nicht selbst ein System. Es ist ein Ensemble, aber ein unbegrenztes: die Ebene der Immanenz ist die Bewegung, der zweidimensionale Raum der Bewegung, der sich zwischen den Teilen jedes Systems und von einem System zum anderen herstellt, durch sie alle hindurchgeht, sie vermischt und einem Bedingungszusammenhang unterwirft, der ihre absolute Geschlossenheit

verhindert. Auch dabei handelt es sich um einen Schnitt; aber er ist, trotz gewisser Doppeldeutigkeiten in der Terminologie Bergsons, kein unbeweglicher Momentschnitt, sondern ein beweglicher Schnitt oder eine zeitliche Perspektive. Es handelt sich um einen Raum-Zeit-Block, da zu ihm jedesmal die Bewegungszeit gehört, die in ihm abläuft. Es wird sogar eine unendliche Reihe solcher Blöcke oder beweglicher Schnitte geben, denen in der Abfolge der Bewegungen des Universums ebenso viele Darstellungen jener Immanenzebene entsprechen.[11] Und zwischen dem Bild und den Darstellungen der Immanenzebene besteht kein Unterschied. Hier handelt es sich nicht mehr um ein mechanisches, sondern ein maschinelles Weltbild. Das materielle Universum, die Ebene der Immanenz, ist *die automatische Anordnung der Bewegungsbilder.* Daraus ergibt sich ein ungewöhnlicher Vorsprung Bergsons: Er sieht das Universum als Film an sich, als Meta-Film, und das bedeutet für den Film eine ganz andere Betrachtungsweise als jene, die er in seiner expliziten Kritik entwickelte.
Aber wie kann man von Bildern an sich reden, die für niemanden vorhanden sind und sich an niemanden richten? Wie kann von einem Erscheinen die Rede sein, wenn es nicht einmal ein Auge gibt? Aus zwei Gründen zumindest. Der erste dient dazu, sie von Dingen zu unterscheiden, die als Körper erfahren werden. Tatsächlich unterscheidet unsere Wahrnehmung und unsere Sprache Körper (Substantive), Eigenschaften (Adjektive) und Handlungen (Verben). Die Handlungen aber haben, in ebendiesem Sinn, die Bewegung bereits durch die Vorstellung eines vorläufigen Ortes ersetzt, auf den sie zuläuft, oder die eines Resultates, das sich aus ihr ergibt; die Eigenschaft setzt an die Stelle der Bewegung die Vorstellung eines Zustands, der darauf wartet, von einem anderen ersetzt zu werden; und der Körper läßt die Bewegung hinter der Vorstellung eines Subjekts verschwinden, das sie ausführt, eines Objekts, das ihr unterliegt, oder eines Vehikels, das sie trägt.[12] Wir werden sehen, daß solche Bilder tatsächlich im Universum entstehen (Aktionsbilder, Affektbilder, Wahrnehmungs-

bilder). Sie hängen aber von weiteren Bedingungen ab und können sicher im Augenblick nicht erscheinen. Im Moment haben wir nur Bewegungen, die zu ihrer Unterscheidung von all dem, was sie noch nicht sind, Bilder genannt werden. Dennoch reicht eine solche negative Bestimmung nicht aus. Die positive Bestimmung liegt darin, daß die Ebene der Immanenz ganz und gar Licht ist. Die Menge der Bewegungen, Aktionen und Reaktionen ist sich verteilendes, »ohne Widerstand und Verlust«[13] sich verbreitendes Licht. Die Identität von Bild und Bewegung hat ihren Grund in der Identität von Materie und Licht. Das Bild ist Bewegung, wie die Materie Licht ist. Später kommt Bergson – in *Durée et simultanéité* – dazu, die Bedeutung der Umkehrung nachzuweisen, die die Relativitätstheorie zwischen »Lichtlinien« und »festen Linien«, »Lichtfiguren« und »festen oder geometrischen Figuren« vornimmt. Mit der Relativitätstheorie ist es »die Figur des Lichts, die der harten Figur ihre Bedingungen auferlegt«.[14] Wenn man sich den tiefgreifenden Vorsatz Bergsons in Erinnerung bringt, eine Philosophie zu entwickeln, die auf der Höhe der modernen Wissenschaft steht (nicht im Sinne der Reflexion dieser Wissenschaft, das heißt einer Epistemologie, sondern im Gegenteil im Sinne einer Einführung von autonomen Begriffen, die in der Lage sind, den neuen Symbolen der Wissenschaft zu entsprechen), versteht man, daß die Auseinandersetzung Bergsons mit Einstein unvermeidlich war. Nun geht es in dieser Auseinandersetzung zunächst um die Behauptung, daß sich das Licht über die gesamte Immanenzebene verteilt oder ausbreitet. Im Bewegungsbild gibt es noch keine Körper oder harten Linien, sondern nichts als Lichtlinien oder Lichtfiguren. Die Raum-Zeit-Blöcke sind solche Figuren. Sie sind Bilder an sich. Wenn sie für niemand in Erscheinung treten, das heißt für kein Auge, dann deswegen, weil das Licht noch nicht gebrochen oder angehalten worden ist und, »sich immer weiter ausbreitend, sich niemals offenbart«.[15] Mit anderen Worten, das Auge ist in den Dingen, in den Licht-Bildern selbst. *»Die Fotografie, wenn es überhaupt*

eine Fotografie ist, ist für alle Punkte des Raums im Inneren der Dinge schon aufgenommen und entwickelt ...«
Dies bedeutet eine Abkehr von der gesamten philosophischen Tradition, die das Licht mehr dem Geist zuordnete und aus dem Bewußtsein ein Strahlenbündel machte, das die Dinge aus ihrer ursprünglichen Dunkelheit holte. Die Phänomenologie stand noch völlig in der antiken Tradition; anstatt aus dem Licht ein inneres Licht zu machen, blendete sie es nach außen auf, ein wenig, wie wenn Bewußtseinsintentionalität der Strahl einer elektrischen Lampe wäre (»alles Bewußtsein ist Bewußtsein *von* etwas ...). Bergson ist ganz gegenteiliger Ansicht. Es sind die Dinge, die aus sich selbst leuchten, ohne daß irgendetwas sie beleuchten würde: alles Bewußtsein *ist* etwas, es fällt mit der Sache zusammen, das heißt mit dem Bild des Lichts. Dennoch handelt es sich um ein richtiges Bewußtsein, das sich überall verteilt und nicht enthüllt; es handelt sich wirklich um ein bereits aufgenommenes und entwickeltes Foto in allen Dingen und für alle Punkte, wenngleich um ein »transluzides«. Wenn es später dazu kommt, daß sich im Universum ein faktisches Bewußtsein herausbildet, an dieser oder jener Stelle im zweidimensionalen Raum der Immanenz, dann deswegen, weil ganz besondere Bilder das Licht absorbieren oder reflektieren und den »schwarzen Schichtträger« liefern, der der Plattenbeschichtung fehlte.[16] Kurz, nicht das Bewußtsein ist Licht, sondern die Menge der Bilder – oder das Licht, das der Materie immanent ist – ist Bewußtsein. Was *unser* faktisches Bewußtsein angeht, so ist es nur die Lichtundurchlässigkeit, ohne die sich »das immer weiter ausbreitende Licht niemals offenbart hätte«. In dieser Hinsicht besteht ein radikaler Gegensatz zwischen Bergson und der Phänomenologie.[17]
Damit können wir nun sagen, was die Ebene der Immanenz oder der Materie ist: nämlich die Gesamtheit der Bewegungsbilder; eine Ansammlung von Lichtlinien oder Lichtfiguren; die Reihe der Raum-Zeit-Blöcke.

2

Was geschieht oder was kann in einem nichtzentrierten Universum geschehen, in dem alles auf alles reagiert? Ein von ihm verschiedener, andersartiger Faktor darf nicht eingeführt werden. Dann kann folgendes passieren: über irgendwelchen Punkten bildet sich ein *Intervall*, ein Abstand zwischen Aktion und Reaktion. Mehr verlangt Bergson nicht: Bewegungen und Intervalle zwischen Bewegungen, die als Einheiten dienen (genau dies fordert auch Dziga Vertov in seiner materialistischen Konzeption des Films[18]). Offensichtlich ist ein solches Intervallphänomen nur in dem Maße möglich, wie die Materieebene Zeit enthält. Bergson wird sich mit dem Abstand, dem Intervall, begnügen, um einen – wenn auch ganz besonderen – Typus von Bildern zu definieren: den der Lebensbilder oder der lebenden Materie. Während die anderen Bilder mit allen ihren Seiten und Teilen wirken und reagieren, liegen hier Bilder vor, die Einwirkungen nur auf einer Seite oder bestimmten Partien erfahren und über andere Teile – oder in anderen Teilen – nur Reaktionen ausführen. In gewisser Weise handelt es sich um auf Distanz gebrachte Bilder. Zunächst wirkt sich ihre spezialisierte Seite, die man später rezeptiv oder sensorisch nennen wird, auf die Bilder, die sie beeinflussen, oder die Reize, die sie aufnimmt, in einer merkwürdigen Weise aus: wie wenn sie bestimmte unter all denen, die im Universum zusammenlaufen oder zusammenwirken, isolierte. Das ist der Ort, an dem sich geschlossene Systeme, »gerahmte Bilder«, konstituieren können. Lebewesen »lassen gewissermaßen jene äußeren Wirkungen, die ihnen gleichgültig sind, durch sich hindurchgehen«; dadurch werden die anderen isoliert und eben durch diese Isolierung zu »Wahrnehmungen«.[19] Das ist genau der Vorgang, aus dem eine *Kadrierung* besteht: bestimmte Einwirkungen werden in der Bildfeldbegrenzung isoliert, und von nun an werden sie vorweggenommen, vorhergesehen. Auf der anderen Seite jedoch sind die ausgeführten Reaktionen nicht mehr unmittelbar mit der Einwirkung ver-

knüpft: wegen des Intervalls sind es aufgeschobene Reaktionen, die für die Wahl ihrer Elemente, ihre Organisation und Integration in eine neue Bewegung Zeit haben. Darauf kann aus einer einfachen Verlängerung des Erregungsreizes unmöglich geschlossen werden. Derartige Reaktionen, die etwas Unvorhersehbares oder Neuartiges darstellen, wird man im eigentlichen Sinn »Aktion« nennen. So wird das lebende Bild »Werkzeug der Analyse in bezug auf die aufgenommene Bewegung und Werkzeug der Auswahl in bezug auf die ausgeführte Bewegung«.[20] Da die lebenden Bilder dieses Vorrecht nur dem Abstands- oder Intervallphänomen verdanken, werden sie sich zu »Zentren der Indeterminiertheit« im nichtzentrierten Universum der Bewegungsbilder herausbilden.
Und wenn man die andere Seite, die Lichtseite der Materie, in Betracht zieht, wird man sagen müssen, daß die lebenden Bilder oder lebendigen Materieformen als der schwarze Schichtträger dienen, der der Beschichtung der Fotoplatte fehlte und so das Sichtbarwerden der Bildeinwirkung (das Foto) verhinderte. In diesem Fall stößt die Licht-Linie oder das Licht-Bild – anstatt sich in alle Richtungen überallhin zu verteilen und fortzupflanzen – auf einen Widerstand bzw. eine Undurchlässigkeit, die jene reflektieren wird. Eben dieses Bild, das durch ein lebendes Bild zurückgeworfen wird, wird man Wahrnehmung nennen. Und diese beiden Aspekte sind streng komplementär: das spezifische Bild – das lebende Bild – ist zugleich Zentrum der Indetermination und schwarzer Schichtträger. Daraus resultiert eine wesentliche Konsequenz: *die Existenz eines zweifachen Bezugssystems, eines doppelten Referenzbereichs der Bilder.* Zunächst gibt es ein System, in dem jedes Bild in sich variiert und alle Bilder, auf allen Seiten und in allen Teilen, wechselseitig aufeinander einwirken und reagieren. Dazu kommt jedoch ein weiteres System, in dem alle Bilder prinzipiell in bezug auf ein einziges Bild variieren, das die Einwirkung der anderen Bilder auf seiner einen Seite empfängt, während es auf seiner anderen darauf reagiert.[21]
Die Bild-Materie-Ebene wird dabei nicht verlassen. Bergson

wiederholt immer wieder, daß man nichts verstanden habe, wenn man nicht zunächst von der Gesamtheit der Bilder ausgeht. Nur auf einer solchen Ebene kann sich ein einfaches Bewegungsintervall herstellen. Und das Gehirn ist nichts anderes: Intervall, Abstand zwischen Aktion und Reaktion. Das Gehirn ist gewiß kein Zentrum von Bildern, das man als Ausgangspunkt nehmen könnte, sondern es stellt für sich selbst ein besonderes Bild unter anderen dar, ein Indeterminiertheitszentrum im nichtzentrierten Universum der Bilder. Aber mit dem Gehirnbild geht Bergson – in *Matière et mémoire* – sogleich von einem sehr komplexen, organisierten Zustand des Lebendigen aus. Denn das Leben stellt sich ihm nicht als Problem dar (in *L'évolution créatrice* wird er es dann ausführlich behandeln, allerdings unter einem anderen Gesichtspunkt). Dennoch fällt es nicht schwer, die Leerstellen auszufüllen, die Bergson absichtlich gelassen hat. Schon auf der Stufe der einfachsten Formen des Lebens müßte man Mikrointervalle einführen, immer kleinere Intervalle zwischen immer schnelleren Bewegungen. Die Biologen gehen mit der Hypothese einer »Ursuppe«, die alles Leben ermöglichte und in der sogenannte rechtsdrehende und linksdrehende Stoffe eine wesentliche Rolle spielten, noch weiter: dort erscheinen in einem nichtzentrierten Universum die Vorformen von Achsen und Zentren, rechts und links, oben und unten. Sogar für die »Ursuppe« wären Mikrointervalle vorauszusetzen. Nach Meinung der Biologen konnte dieses Phänomen nicht auftreten, solange die Erde sehr heiß war. Man müßte also ein Erkalten der Immanenzebene annehmen, korrelativ zu den ersten Lichtundurchlässigkeiten, den ersten Schichtträgern, die der Ausbreitung des Lichts entgegenstanden. Dort bildeten sich die ersten Vorformen der festen – oder harten, geometrischen – Körper aus. Und schließlich wird, Bergson zufolge, dieselbe Entwicklung, die die Materie zu Feststoffen organisiert, das Bild in immer differenziertere Formen der Wahrnehmung bringen, die die Festkörper zum Gegenstand hat.

Das Ding und die Wahrnehmung des Dings sind ein und das-

selbe, ein und dasselbe Bild, aber jeweils zu dem einen oder dem anderen der beiden Referenzsysteme in Bezug gesetzt. Das Ding ist das Bild, wie es an sich ist, wie es sich auf alle anderen Bilder bezieht, deren Einwirkung es ganz und gar unterliegt und auf die es unmittelbar reagiert. Die Wahrnehmung des Dings ist das gleiche Bild, aber bezogen auf ein bestimmtes anderes Bild, von dem es begrenzt wird, dessen Wirkung es nur in begrenztem Maße aufnimmt und auf das es nur mittelbar reagiert. Wird die Wahrnehmung so definiert, ist in ihr niemals etwas anderes oder mehr als im Ding; im Gegenteil, in ihr ist »weniger«.[22] Wir nehmen das Ding wahr unter Abzug dessen, was uns in bezug auf unsere Bedürfnisse nicht interessiert. Ob nun aus Bedürfnis oder Interesse, die Linien oder Punkte, die wir vom Ding aufnehmen, sind als Funktion unserer Rezeptorfläche zu verstehen, und die Wahl unserer Aktionen hängt von der Reaktionsverzögerung ab, zu der wir imstande sind. Auf diese Weise läßt sich das erste materielle Moment der Subjektivität definieren: sie subtrahiert, sie zieht vom Ding ab, was sie nicht interessiert. Umgekehrt muß sich das Ding als solches freilich dann auch selbst als Wahrnehmung darstellen: als vollständige, unmittelbare und diffuse Wahrnehmung. Das Ding ist Bild, und in diesem Sinn nimmt es sich selbst und alle anderen Dinge wahr, insoweit es ihrer Einwirkung ausgesetzt ist und darauf auf allen seinen Seiten und in all seinen Teilen reagiert. Ein Atom zum Beispiel erfährt unendlich viel mehr als wir selbst, es erfährt im Grenzfall das gesamte Universum: Ausgangspunkt der Einwirkungen, denen es ausgesetzt ist, bis zu dem Punkt, den die von ihm ausgehenden Reaktionen erreichen. Kurz, Dinge und Wahrnehmungen sind *Erfassungen*; allerdings sind die Dinge totale und objektive Erfassungen, während die Wahrnehmungen partielle und parteiische, subjektive Erfassungen sind.
Wenn die natürliche, subjektive Wahrnehmung für den Film keineswegs Modell ist, dann deswegen, weil die Beweglichkeit seiner Zentren, die Veränderlichkeit seiner Kadrierungen immer zu einer Wiederherstellung von ausgedehnten Zonen

ohne Zentrum, ohne Bildfeldbegrenzungen, führt; er tendiert also zu einer Rückkehr zum ersten System der Bewegungsbilder: universelle Variation, totale, objektive und diffuse Wahrnehmung. In Wirklichkeit bewegt er sich in beiden Richtungen. Aus unserer derzeitigen Sicht gehen wir von der totalen, objektiven Wahrnehmung, die mit der Sache zusammenfällt, zur subjektiven Wahrnehmung über, die sich von jener durch einfaches Eliminieren oder Subtrahieren unterscheidet. Diese subjektive, monozentrische Wahrnehmung nennt man im eigentlichen Sinne Wahrnehmung. Und das ist die erste Metamorphose des Bewegungsbildes: bezieht man es auf ein Indeterminationszentrum, wird es *Wahrnehmungsbild.*

Dennoch darf man nicht glauben, daß die gesamte Operation nur aus einer Subtraktion besteht. Es kommt noch etwas anderes hinzu. Wenn das Universum der Bewegungsbilder zu einem der spezifischen Bilder, das in ihm ein Zentrum bildet, in Beziehung gesetzt wird, krümmt sich das Universum und umschließt das Bild, organisiert sich als dessen Umgebung. Der Weg führt noch immer von der Welt zum Zentrum, aber die Welt hat eine Krümmung bekommen, sie ist Peripherie geworden, bildet einen Horizont.[23] Man ist noch im Wahrnehmungsbild, geht aber bereits in das Aktionsbild über. Tatsächlich ist die Wahrnehmung nur die eine Seite des Abstands, dessen andere die Aktion ist. Was man im eigentlichen Sinne Aktion nennt, ist die verzögerte Reaktion des Indeterminationszentrums. Nun ist ein solches Zentrum in diesem Sinn nur deshalb handlungsfähig, das heißt in der Lage, eine unvorhersehbare Antwort zu organisieren, weil es den Reiz auf einer besonderen Fläche erfährt und aufnimmt, den Rest jedoch eliminiert. Das erinnert uns daran, daß jede Wahrnehmung zunächst sensomotorisch ist: die Wahrnehmung »ist ebensowenig in den sensorischen wie in den motorischen Zentren, sie ist das Maß der Komplexität ihrer Beziehungen«.[24] Wenn sich die Welt um das Wahrnehmungszentrum krümmt, dann bereits unter dem Aspekt der Aktion, von dem die Wahrnehmung nicht zu trennen ist. Durch die Krümmung bieten mir die

Dinge ihre nützliche Seite dar, während meine verzögerte, Aktion gewordene Reaktion ihre Verwendung erlernt. Der Abstand entspricht genau einem Strahl, der von der Peripherie zum Zentrum geht: sobald ich die Dinge wahrnehme, wie sie sind, erfasse ich die »virtuelle Aktion«, die sie auf mich ausüben, und zwar zur gleichen Zeit wie die »mögliche Aktion«, die ich unternehmen kann, um sie zu erreichen oder ihnen zu entkommen, indem ich die Distanz vermindere oder vergrößere. Dasselbe Abstandsphänomen drückt sich also zeitlich in meiner Aktion und räumlich in meiner Wahrnehmung aus: je mehr die Reaktion an Unmittelbarkeit verliert und in der Tat mögliche Aktion wird, desto mehr geht die Wahrnehmung auf Abstand, greift vor und setzt die virtuelle Aktion der Dinge frei. »Die Wahrnehmung beherrscht den Raum genau in dem Verhältnis, in dem die Aktion die Zeit beherrscht.«[25]

Das ist also die zweite Metamorphose des Bewegungsbilds: es wird *Aktionsbild.* Unmerklich geht man von der Wahrnehmung zur Aktion über. Das entsprechende Verfahren besteht nicht mehr in der Eliminierung, der Auswahl oder Bildfeldbegrenzung, sondern in der Krümmung des Universums, woraus sich zugleich die virtuelle Einwirkung der Dinge auf uns und unsere mögliche Einwirkung auf sie ergeben. Das ist der zweite materielle Aspekt der Subjektivität. Ebenso wie die Wahrnehmung die Bewegung mit »Körpern« (Substantiven) in Beziehung bringt, das heißt mit festen Objekten, die als Bewegungsträger oder als Bewegtes dienen, setzt die Aktion die Bewegung zu »Handlungen« (Verben) in Beziehung, die einem vorgezeichneten Ziel oder einem vermuteten Resultat entsprechen.[26]

Aber das Intervall definiert sich nicht nur aus der Spezialisierung der beiden Grenzflächen, einer perzeptiven und einer affektiven. Es gibt ein Dazwischen. Der Affekt ist das, was das Intervall in Beschlag nimmt, ohne es zu füllen oder gar auszufüllen. Er taucht plötzlich in einem Indeterminationszentrum auf, das heißt in einem Subjekt, zwischen einer in gewisser

Hinsicht verwirrenden Wahrnehmung und einer verzögerten Handlung. Er ist eine Koinzidenz von Subjekt und Objekt oder stellt die Art dar, in der sich das Subjekt selbst wahrnimmt – oder vielmehr sich »von innen« empfindet oder spürt (dritter materieller Aspekt der Subjektivität[27]). Er setzt die Bewegung zu einer »Eigenschaft« (Adjektiv) in Beziehung, die als Zustand erlebt wird. Tatsächlich reicht die Annahme, daß die Wahrnehmung dank der Distanz das uns Interessierende zurückbehält oder reflektiert und das uns Gleichgültige unberücksichtigt läßt, nicht aus. Notwendigerweise wird es einen Anteil von äußeren Bewegungen geben, den wir »absorbieren« oder in einer Brechung ablenken und der sich weder in Objekte der Wahrnehmung noch in Handlungen des Subjekts verwandelt; diese Bewegungen bezeichnen eher die Koinzidenz von Subjekt und Objekt im Reinzustand. Das ist die letzte Metamorphose des Bewegungsbilds: *das Affektbild*. Es wäre ein Irrtum, darin ein Fehlkonstrukt des Systems Wahrnehmung-Aktion zu sehen. Im Gegenteil handelt es sich um eine dritte, absolut notwendige Gegebenheit. Denn wenn wir, als lebendige Materie oder Indeterminationszentren, eine unserer Seiten oder manche unserer Punkte zu rezeptiven Organen ausgebildet haben, so geschah es um den Preis ihrer Unbeweglichkeit; während wir unsere Aktivität an Reaktionsorgane delegiert haben, die seitdem frei beweglich sind. Wenn unter diesen Umständen unsere fixierte rezeptive Seite Bewegung absorbiert, anstatt sie in einer Brechung abzulenken, kann unsere Aktivität nicht mehr anders antworten als mit einer »Strebung«, einer »Anspannung«, welche die momentan oder örtlich unmöglich gemachte Aktion ersetzt. Von daher stammt der sehr gute Definitionsvorschlag Bergsons für den Affekt: »eine Art motorischer Strebung in einem sensorischen Nerv«, das heißt eine motorische Anstrengung auf einer unbeweglich gemachten rezeptiven Platte.[28]
Es gibt also eine Beziehung des Affekts zur Bewegung im allgemeinen, den man folgendermaßen formulieren könnte: die Bewegungsverlagerung wird in ihrer direkten Ausbreitung

durch ein Intervall, das nach der einen Seite die empfangene Bewegung, nach der anderen Seite die ausgeführte Bewegung leitet und beide in gewisser Weise inkommensurabel macht, nicht nur unterbrochen. Zwischen beiden liegt der Affekt, der die Beziehung wiederherstellt; aber gerade hier, im Affekt, hört die Bewegung auf, bloße Verlagerung zu sein und wird Ausdrucksbewegung, das heißt Eigenschaft, einfache Strebung, die ein unbewegliches Element erregt. Es ist nicht verwunderlich, daß in dem Bild, das wir sind, das Gesicht in seiner relativen Unbeweglichkeit und mit seinen rezeptiven Organen diese Ausdrucksbewegungen an den Tag bringt, während sie am übrigen Körper zumeist verborgen bleiben. Abschließend können wir sagen, daß *sich die Bewegungs-Bilder in drei Arten von Bildern unterteilen, wenn man sie auf ein Indeterminationszentrum als spezifisches Bild bezieht*: Wahrnehmungsbild, Aktionsbild und Affektbild. Jeder von uns ist als spezifisches Bild oder etwaiges Zentrum nichts anderes als eine Anordnung dieser drei Bilder, eine Fusion von Wahrnehmungsbild, Aktionsbild und Affektbild.

Anmerkungen

1 Das ist ganz allgemein das Thema des ersten Kapitels und der Zusammenfassung von Henri Bergson, *Matière et mémoire*; dt.: *Materie und Gedächtnis*, Frankfurt a. M. 1964.

2 Maurice Merleau-Ponty, *Phénoménologie de la perception*, Paris 1945, S. 82; dt.: *Phänomenologie der Wahrnehmung*, Berlin 1966, S. 92.

3 Diesen Eindruck gewinnt man jedenfalls aus der komplexen, phänomenologisch inspirierten Theorie von Albert Laffay, *Logique du cinéma*, Paris 1964.

4 Henri Bergson, *L'évolution créatrice*, S. 753 (305). [Wir zitieren die Texte Bergsons nach der sogenannten Centenaire-Ausgabe (Paris 1959) und geben in Klammern die Seitenzahl der üblicherweise verwendeten Einzelausgaben (bei Presse Universitaire de France) an.] Dt.: *Schöpferische Entwicklung*, Jena 1921, S. 309.

5 Bergson, *Matière et mémoire*, S. 182 (28); dt.: *Materie und Gedächtnis*, Frankfurt a. M. 1964, S. 63: »Ich folgere also, daß die bewußte Wahrnehmung sich herstellen muß.«

6 Ebd., S. 187 (34); dt.: S. 68.

7 Ebd., S. 174 (18); dt.: S. 57.

8 Ebd., S. 188 (36); dt.: S. 69; vgl. Atome oder Kraftlinien.

9 Ebd., S. 171 (14); dt.: S. 53.

10 Bergson, *L'évolution créatrice* (s. Anm. 4) S. 748 (299); dt.: S. 303 f.

11 Mit diesem Begriff einer Immanenzebene und den Eigenschaften, die wir ihr zuschreiben, scheinen wir uns von Bergson zu entfernen. Dennoch glauben wir, ihm treu zu bleiben. Bergson stellt die Ebene der Materie durchaus manchmal als einen »Momentschnitt« des Werdens dar (*Matière et mémoire* [s. Anm. 5] S. 223 [81]; dt.: S. 102). Das geschieht aber aus darstellungstechnischen Gründen. Denn es handelt sich dabei – wie Bergson schon bemerkt hat und später noch genauer formulieren wird (ebd., S. 292 [169]; dt.: S. 166) – um eine Ebene, auf der die Bewegungen, welche die Veränderungen im Werden ausdrücken, unaufhörlich erscheinen und sich ausbreiten. Sie impliziert also Zeit, und zwar Zeit als Variable der Bewegung. Mehr noch: die Schnittebene ist, wie Bergson sagt, selbst beweglich. In der Tat entspricht jedem Ensemble von Bewegungen, das eine Veränderung ausdrückt, eine Darstellung der Ebene. Die Vorstellung von Raum-Zeit-Blöcken widerspricht Bergson also keineswegs.

12 Bergson, *L'évolution créatrice*, S. 749–751 (300–303); dt.: S. 304 ff.

13 Bergson, *Matière et mémoire*, S. 188 (36); dt.: S. 69.

14 Bergson, *Durée et simultanéité*, 5. Kapitel. Die Bedeutung, aber auch die Doppeldeutigkeit dieses Buches, in dem sich Bergson mit der Relativitätstheorie auseinandersetzt, sind bekannt. Wenn Bergson sich genötigt sah, seine Neuauflage zu untersagen, dann geschah das nicht, weil er sich über vermeintliche Irrtümer in diesem Buch klargeworden wäre. Die Doppeldeutigkeit lag vielmehr bei den Lesern, die meinten, Bergson diskutiere unmittelbar die Theorien Einsteins. Das war natürlich nicht der Fall; allerdings konnte Bergson dieses Mißverständnis nicht mehr auflösen. Wie wir gerade gesehen haben, hatte Bergson gegen die Annahme eines Primats des Lichts und gegen die Annahme von Raum-Zeit-Blöcken nicht das geringste einzuwenden. Die Diskussion bezog sich auf etwas anderes: Schließen diese Blöcke die Existenz einer universellen Zeit, die sich als Werden oder Dauer auffassen ließe, tatsächlich aus?

Bergson hat die Relativitätstheorie niemals für falsch gehalten; er hat nur gemeint, daß sie nicht imstande sei, eine angemessene Philosophie der wirklichen Zeit zu begründen.

15 Bergson, *Matière et mémoire*, S. 186 (34); dt.: S. 67.

16 Ebd., S. 188 (36); dt.: S. 69 »… die Photographie des Ganzen [bleibt] Licht, denn es fehlt die Platte, auf der das Bild aufgefangen wird.«

17 Sartre hat die Bergsonsche Umkehrung sehr deutlich ausgesprochen; vgl. Jean-Paul Sartre, *L'imagination*, Paris 1950, S. 44: »Es gibt reines, phosphoreszierendes Licht ohne beleuchtete Materie; allein, dieses reine, überall diffuse Licht wird nur aktuell, wenn es sich auf bestimmten Oberflächen reflektiert, die gleichzeitig als Schirm gegenüber anderen Lichtzonen dienen. Es liegt hier also gleichsam eine Umkehrung des klassischen Vergleichs vor: Statt daß das Bewußtsein ein Licht ist, das vom Subjekt zum Ding verläuft, ist es ein Leuchten, das vom Ding zum Subjekt geht.« Sartres Anti-Bergsonismus bringt ihn jedoch dazu, die Tragweite dieser Umkehrung zu verringern und das Neue an der Bergsonschen Konzeption des Bildes zu leugnen.

18 Dziga Vertov, *Articles, journaux, projets*, Paris 1972 (eines der ständigen Themen in Vertovs Manifesten); dt.: D. V., *Schriften zum Film*, München 1973.

19 Bergson, *Matière et mémoire*, S. 186 (33); dt.: S. 67. Dieser Abschnitt gibt ein sehr schönes Resümee der gesamten Argumentation Bergsons.

20 Ebd., S. 181 (27); dt.: S. 63.

21 Ebd., S. 176 (20); dt.: S. 58.

22 Ebd., S. 185 (32); dt.: S. 66.

23 Ein Thema, das im ersten Kapitel von *Matière et mémoire* beständig präsent ist: die Krümmung der Welt »um« das Indeterminationszentrum.

24 Ebd., S. 195 (45); dt.: S. 75.

25 Ebd., S. 183 (29); dt.: S. 64.

26 Bergson, *L'évolution créatrice*, S. 751 (302); dt.: S. 307.

27 Bergson, *Matière et mémoire*, S. 169 (11 f.); dt.: S. 52.

28 Ebd., S. 203–205 (56–58); dt.: S. 83.

KRISTIN THOMPSON

Neoformalistische Filmanalyse*

Ein Ansatz, viele Methoden

1988

Die Ziele der Filmanalyse

So etwas wie Filmanalyse ohne einen Ansatz gibt es nicht. Kritiker und Wissenschaftler sehen sich Filme nicht einfach an, um Tatsachen zu sammeln, die sie dann in unberührter Form an andere weitergeben. Was angesichts eines bestimmten Films als »Tatsache« gelten soll, hängt von unseren Annahmen darüber ab, was einen Film ausmacht, wie Filme von Zuschauern gesehen werden, wie sie sich auf die Welt als Ganzes beziehen, und schließlich davon, welche Absichten man mit der Analyse verfolgt. Wenn wir uns über diese Annahmen nicht im klaren sind, kann der eigene Ansatz willkürlich und in sich widersprüchlich sein. Wenn wir jedoch unsere eigenen Annahmen näher beleuchten, so besteht zumindest die Möglichkeit, daß wir zu einem einigermaßen systematischen Ansatz für die Analyse kommen. So wie ich diesen Begriff hier verwende, bezieht sich also ein ästhetischer *Ansatz* (*approach*) auf eine Reihe von Annahmen bezüglich der Gemeinsamkeiten zwischen verschiedenen Kunstwerken, bezüglich der Abläufe, mittels derer die Zuschauer Kunstwerke verstehen, und bezüglich der Beziehungen zwischen Kunst und Gesellschaft. Diese Annahmen lassen sich verallgemeinern, und insofern skizzieren sie zumindest in Umrissen eine allgemeine Kunsttheorie. Der Ansatz bietet also dem Wissenschaftler eine Grundlage, um widerspruchsfreie Aussagen über mehr als ein Kunstwerk treffen zu können. Den Begriff

* Aus dem Amerikanischen übersetzt von Margret Albers und Johannes von Moltke.

der *Methode* (*method*) verwende ich dagegen in einem spezifischeren Sinn: Er bezeichnet eine Reihe von Vorgehensweisen, die im konkreten analytischen Prozeß Verwendung finden.
[...]
Die neoformalistische Analyse[1] kann durchaus theoretische Fragestellungen aufwerfen. Vorausgesetzt, daß wir uns nicht wieder und wieder mit demselben theoretischen Material befassen wollen, muß unser jeweiliger Ansatz flexibel genug sein, um auf solche Fragestellungen einzugehen und sie aufzugreifen. Der Ansatz muß auf jeden Film anwendbar sein, sich stets in Frage stellen lassen und für daraus entstehende Veränderungen offen sein. Jede Analyse sollte uns nicht allein etwas über den jeweiligen Film verraten, sondern auch über die künstlerischen Möglichkeiten von Film schlechthin. Eine grundlegende Eigenschaft des Neoformalismus besteht in seinem Bedürfnis, sich ständig zu modifizieren. Er setzt einen Austausch zwischen Filmtheorie und -analyse voraus. Insofern handelt es sich beim Neoformalismus, wie gesagt, *nicht* um eine Methode im engeren Sinne. Als Ansatz hingegen liefert er eine Reihe von allgemeinen Annahmen darüber, wie Kunstwerke aufgebaut sind und wie es ihnen gelingt, die Aufmerksamkeit des Zuschauers auf sich zu ziehen. Allerdings schreibt der Neoformalismus nicht vor, *wie* diese Annahmen in einzelnen Filmen ausgeformt sind. Vielmehr können die Grundannahmen dazu verwendet werden, eine Methode zu entwickeln, die den spezifischen Problemen des jeweiligen Films entspricht. Einen solchen begrenzten Begriff von »Methode« hat Boris Ejchenbaum schon 1924 hervorgehoben:

> Dem Wort »Methode« muß seine frühere bescheidene Bedeutung als Verfahren zur Erforschung eines bestimmten konkreten Problems zurückgegeben werden. Die Methoden zum Studium der Form können, bei einem einheitlichen Prinzip, völlig verschiedenartig sein, je nach dem Thema, dem Material und der Fragestellung. Methoden zum Studium des Textes, des Verses, zur Untersu-

> chung eines bestimmten Autors, einer Epoche usw., – das ist der normale Gebrauch des Wortes »Methode«. [...] Verehrte Kollegen, begreifen Sie, daß wir nicht über Methoden, sondern über ein Prinzip sprechen. Denken Sie sich beliebig viele Methoden aus – die beste Methode ist die, die am zuverlässigsten zum Ziel führt. Wir haben selbst Methoden, soviel Sie wollen. Aber es kann keine friedliche Koexistenz von zehn Prinzipien geben, nicht einmal von zwei. Es kann nur ein Prinzip geben, das den Inhalt oder den Gegenstand einer bestimmten Wissenschaft festlegt. Unser Prinzip ist das Studium der Literatur als einer spezifischen Reihe von Erscheinungen.[2]

Was Ejchenbaum »Prinzip« und ich »Ansatz« nenne, erlaubt uns zu entscheiden, welche der (unendlich) vielen Fragen, die man an ein Werk richten könnte, die nützlichsten und interessantesten sind. Die Methode wird dann zum Instrument, das wir zur Beantwortung dieser Fragen entwerfen. Da sich diese aber von Werk zu Werk (zumindest geringfügig) unterscheiden, wird auch die Methode notwendigerweise jeweils eine andere sein. Selbstverständlich könnten wir uns die Sache einfacher machen, indem wir jedesmal die gleiche Frage stellen, die gleiche Art von Filmen aussuchen und die gleiche Methode anwenden. Doch würde das den Zweck verfehlen, der darin besteht, in jedem neuen Werk gerade das zu entdecken, was fasziniert oder herausfordert; ebenso wenig wäre ein solches Vorgehen in der Lage, unseren Ansatz mit jeder neuen Analyse zu verändern und neu zu beleuchten.
[...]

Die Natur des Kunstwerks

[...]
Bevor nun der Neoformalismus als konservativ verurteilt wird, soll angemerkt werden, daß seine Auffassung vom Zweck der Kunst sich gegen den traditionellen Begriff von der

ästhetischen Kontemplation als passiver richtet. Die Beziehung des Zuschauers zum Kunstwerk wird aktiv. Nelson Goodman hat die ästhetische Haltung beschrieben: Sie ist »rastlos, suchend und erprobend – sie ist eher Aktion als Einstellung: Kreation und Rekreation«.[3] Der Zuschauer sucht im Werk aktiv nach Hinweisen (*cues*) und reagiert darauf mit den Wahrnehmungsfähigkeiten (*viewing skills*), die er durch seinen Umgang mit anderen Kunstwerken und mit dem Alltagsleben erworben hat. Der Betrachter wird perzeptiv, emotional und kognitiv gefordert, wobei diese drei Ebenen unauflösbar miteinander verbunden sind. Goodman schreibt: »Bei ästhetischen Erlebnissen funktionieren *Emotionen kognitiv.* Das Kunstwerk wird ebenso durch Gefühle wie durch die Sinne verstanden.«[4] Der neoformalistisch argumentierende Wissenschaftler geht also nicht davon aus, daß die ästhetische Kontemplation Gefühlsregungen vermittelt, die außer Kunstwerken kein Gegenstand hervorzurufen in der Lage wäre. Kunstwerke fordern den Betrachter vielmehr auf allen Ebenen und verändern unser Wahrnehmen, Fühlen und Denken. (Ich verwende den Begriff »Wahrnehmung« als vereinfachte Formel, die auch emotionale und kognitive Prozesse abdeckt.)
Der Grund für die Fähigkeit von Kunstwerken, unsere mentalen Prozesse zu erneuern, liegt in ihrem ästhetischen Spiel, welches die russischen Formalisten als *Verfremdung* (*ostranenie*) bezeichnet haben. Die nicht praktisch orientierte Wahrnehmung ermöglicht es uns, innerhalb eines Kunstwerkes alles anders zu sehen als in der Realität, da die Dinge in diesem neuen Kontext fremd erscheinen. Die berühmt gewordene Formulierung Viktor Šklovskijs zur Verfremdung bietet wohl die beste Definition dieses Begriffes:

> Vergegenwärtigen wir uns die allgemeinen Gesetze der Wahrnehmung, so sehen wir, daß zur Gewohnheit gewordene Handlungen automatisch ablaufen. [. . .] Dieser Automatisierungsprozeß erklärt auch die Gesetze unserer Prosarede mit ihren nicht durchkonstruierten Sätzen und

> verstümmelten Wörtern. [...] Bei solcher algebraischen Denkweise fassen wir die Dinge als Zahl und Raum, wir sehen sie nicht, sondern erkennen sie an zwei, drei Merkmalen. Die Dinge ziehen wie eingewickelt an uns vorbei, wir identifizieren sie anhand ihrer Lage im Raum, sehen jedoch nur ihre Oberfläche. So wahrgenommen, vertrocknen die Dinge, zuerst in der Wahrnehmung, später dann auch in der Wiedergabe [...] So kommt das bedeutungslos gewordene Leben abhanden. Die Automatisierung verschlingt die Dinge, die Kleider, die Möbel, die Frau und den Schrecken des Krieges. [...] Um nun die Empfindung des Lebens wiederzugewinnen, die Dinge wieder zu fühlen, den Stein steinern zu machen, gibt es das, was wir Kunst nennen. Ziel der Kunst ist es, ein Empfinden für die Dinge zu vermitteln, das sie uns sehen und nicht nur wiedererkennen läßt; ihre Verfahren sind die »Verfremdung« der Dinge und die erschwerte Form, ein Verfahren, das die Wahrnehmung erschwert und verlängert, denn dieser Wahrnehmungsprozeß ist in der Kunst Selbstzweck und muß zeitlich gedehnt werden. Durch die Kunst erleben wir das Machen der Dinge, das Gemachte ist ihr unwichtig.[5]

Die Kunst verfremdet die gewohnte Wahrnehmung der Alltagswelt, der Ideologie (»Die Angst vor dem Krieg«), anderer Kunstwerke usw., indem Material aus diesen Quellen entnommen und transformiert wird. Die Transformation geschieht dergestalt, daß das Material in einen neuen Kontext gestellt und dadurch in ungewohnte formale Muster eingebunden wird. Wenn sich aber eine ganze Reihe von Kunstwerken derselben Mittel wieder und wieder bedient, wird deren verfremdende Kraft eingeschränkt; mit der Zeit verliert sich die Fremdheit. Das Ungewohnte wird vertraut und der künstlerische Zugang weitgehend zur automatisierten Routine. Die häufigen Veränderungen, die im Lauf der Zeit von Künstlern in ihre Werke eingebracht werden, entsprechen dem Versuch, der Automatisierung zu entkommen und neue Mittel zur Verfremdung der künstlerischen Form des jeweiligen Werks zu finden. Mit dem Begriff der Verfremdung bezeichnet der Neoformalismus also den grundlegenden Zweck der Kunst in unserem Leben. Der Zweck selbst bleibt im Lauf der Geschichte unverändert, während das konstante Bedürfnis, die Automatisierung zu vermeiden, erklärt, warum sich Kunstwerke im Verhältnis zum historischen Kontext verändern und warum Verfremdung auf unendlich vielen Wegen erreicht werden kann.

[...]

Dank der Begriffe der Verfremdung und der Automatisierung ist der Neoformalismus in der Lage, ein zentrales Problem der meisten ästhetischen Theorien auszuschalten: die Trennung von Form und Inhalt. Bedeutung ist nicht das Endresultat eines Kunstwerks, sondern eine seiner formalen Komponenten. Zum Aufbau eines Kunstwerks bedient sich der Künstler unter anderem verschiedener Bedeutungen. Unter Bedeutung verstehe ich hier das System, mit dem das Werk *cues* auf Denotationen und Konnotationen bereitstellt. (Einige dieser *cues* bestehen in bereits existierenden Bedeutungen, die das Werk als Ausgangsmaterial verwendet – Klischees und Stereotypen sind naheliegende Beispiele für solche verfügbaren Bedeutungen, deren Funktion im Kunstwerk dann allerdings variieren kann.) Es lassen sich grundsätzlich vier Ebenen der Bedeutung unterscheiden. Die Denotation kann mit *referentieller* Bedeutung (*referential meaning*) arbeiten, d. h. der Zuschauer erkennt lediglich die Identität jener Aspekte der Wirklichkeit, auf die sich das Werk bezieht. So begreifen wir beispielsweise, daß der Held in *Ivan Grozny* (UdSSR 1944–1946, Sergej M. Eisenstein) einen historischen Zaren repräsentiert, der im 16. Jahrhundert in Rußland lebte, und wir können verstehen, daß die Handlung von *The Wizard of Oz* (USA 1939, Victor Fleming) eine lange Traumsequenz enthält. Darüber hinaus können Filme abstraktere Vorstellungen direkt mitteilen; diese Art von Bedeutung soll hier als *explizit* (*expli-*

cit) bezeichnet werden. Weil der General in *La Règle du Jeu* (Frankreich 1939, Jean Renoir) unaufhörlich über den Verlust der Werte der Oberschicht lamentiert, darf der Zuschauer annehmen, daß der Film vermittels eines Aspekts seines formalen Systems explizit die These vertritt, diese Klasse sei im Untergang begriffen. Da referentielle wie explizite Bedeutungen in einem Film angelegt sind, wird der Zuschauer sie entsprechend seiner bisherigen Erfahrungen mit Kunst und der Welt entweder verstehen oder nicht.

Das Verstehen konnotativer Bedeutungen hingegen erfordert Interpretation. Konnotationen können als *implizite* Bedeutungen (*implicit meanings*) auftauchen, auf die das Werk verweist. Wir neigen dazu, zunächst nach referentiellen und expliziten Bedeutungen zu suchen, und erst dann, wenn auf diesem Weg keine Bedeutung auszumachen ist, begeben wir uns auf die Ebene der Interpretation. Am Ende von *L'Eclisse* (Italien 1960) werden wir zum Beispiel kaum annehmen, daß uns Antonioni sieben Minuten lang leere Straßen zeigt, nur um sich auf Straßen zu beziehen – die Länge und die exponierte Stellung dieser Sequenz am Schluß des Films sprechen eindeutig gegen eine solche Annahme. Auch die explizite Bedeutung – daß nämlich weder Vittoria noch Piero zum Rendezvous erscheinen – reicht nicht aus, um die Sequenz angemessen zu erklären. Das Ende von *L'Eclisse* regt den Betrachter dazu an, die Beziehung des Paares sowie dessen Umfeld zu überdenken und weitere Schlußfolgerungen zu entwickeln – etwa über die Sterilität ihres Lebens und der modernen Gesellschaft überhaupt. Die Interpretation dient jedoch auch dazu, Bedeutungen zu schaffen, die über die Ebene des einzelnen Werks hinausgehen und helfen, dessen Bezug zur Welt zu bestimmen: Wenn man von der nicht expliziten Ideologie eines Filmes spricht oder vom Film als Reflexion gesellschaftlicher Tendenzen oder etwa davon, daß der Film einen Eindruck von der geistigen Lage größerer Gruppen vermittele, dann interpretiert man dessen *symptomatische* Bedeutungen (*symptomatic meanings*). Siegfried Kracauers Darstellung des deutschen Stummfilms als Zeichen für das kollektive Bedürfnis der Bevölkerung, sich der Autorität des Naziregimes zu unterwerfen, wäre in diesem Sinne eine symptomatische Interpretation.[6]

Alle vier Ebenen der Bedeutung – referentiell, explizit, implizit und symptomatisch – können zum verfremdenden Effekt eines Films beitragen. [...]

Der Neoformalismus geht davon aus, daß die Bedeutung von Film zu Film verschieden ist, da sie, wie jeder andere Aspekt des Films auch, ein Verfahren darstellt. Das Wort *Verfahren** meint jedes einzelne Element oder jede Struktur, die im Kunstwerk eine Rolle spielt – eine Kamerabewegung, eine Rahmenhandlung, ein wiederholtes Wort, ein Kostüm, ein Thema usw. Für den Neoformalisten sind all diese Verfahren des Mediums und der formalen Organisation hinsichtlich ihres Verfremdungspotentials und ihrer Möglichkeiten, ein filmisches System aufzubauen, gleichwertig. Ejchenbaum macht darauf aufmerksam, daß die ältere ästhetische Tradition die Elemente eines Werks als »Ausdruck« der Künstlerpersönlichkeit betrachtete; die russischen Formalisten hingegen sehen diese Elemente als künstlerische Verfahren.[7] Sie gehen davon aus, daß die Struktur der Verfahren nicht einzig und allein dazu dient, Bedeutung auszudrücken, sondern Verfremdung bewirkt. Um Verfahren zu untersuchen, können wir sie auf ihre Funktion und ihre Motivation befragen.

Jurij Tynjanov definiert *Funktion* als die »Korrelation jedes Elementes eines als System gesehenen literarischen Werkes zu den anderen Elementen und folglich zum ganzen System«.[8] Es handelt sich mit anderen Worten um den Zweck des jeweiligen Verfahrens. Die Funktion ist für das Verständnis der einzigartigen Eigenschaften eines spezifischen Kunstwerks entscheidend: denn während ein und dasselbe Verfahren in vielen Werken auftreten kann, kann seine Funktion dabei doch je

* *Verfahren* ist die Übersetzung des formalistischen Begriffs *priëm* (engl.: *device*), der von Viktor Šklovskij in seinem programmatischen Text (s. Anm. 5) geprägt wurde. [Anm. d. Übers.]

verschieden sein. Es ist riskant anzunehmen, daß einem bestimmten Verfahren von Film zu Film die gleiche festgelegte Funktion zukommt. Als Beispiel sei hier auf zwei Klischees der Filmwissenschaft verwiesen: Gitterähnliche Schatten symbolisieren nicht grundsätzlich, daß ein Charakter »gefangen« ist, und Vertikalen innerhalb einer Komposition legen nicht automatisch nahe, daß die Charaktere auf beiden Seiten voneinander isoliert sind. Jedes gegebene Verfahren dient, abhängig vom spezifischen Kontext des Werkes, verschiedenen Funktionen, und es ist eine der Hauptaufgaben der Analyse, diese Funktionen in ihren jeweiligen Kontexten zu ermitteln. Die Funktionen spielen darüber hinaus für die Beschreibung des Verhältnisses zwischen Werk und Geschichte eine wesentliche Rolle. Die Verfahren selbst unterliegen leicht dem Prozeß der Automatisierung, und der Künstler kann sie in diesem Fall durch neue, stärker verfremdend wirkende Verfahren ersetzen. Die Funktionen allerdings tendieren dazu, stabiler zu sein, da sie mit jedem Wechsel der Verfahren erneuert werden, und historisch gesehen haben sie länger Bestand als das einzelne Verfahren. Man kann verschiedene Verfahren, die dieselbe Funktion erfüllen, als *funktionale Äquivalente* bezeichnen. Nach Ejchenbaum ist für den Analysierenden normalerweise die Funktion des Verfahrens im Kontext wichtiger als das Verfahren selbst.[9]

Die verschiedenen Verfahren erfüllen zwar im Kunstwerk bestimmte Funktionen, doch muß das Werk vorab auch irgendeinen Grund für die Verwendung des jeweiligen Verfahrens liefern. Die Begründung für das Auftreten eines Verfahrens bezeichnen wir als dessen *Motivation*. Die Motivation läßt sich als *cue* auffassen, der vom Werk ausgeht und uns dazu veranlaßt, uns über die Rechtfertigung des jeweiligen Verfahrens Gedanken zu machen; Motivation bezeichnet somit eine Form der Interaktion zwischen der Werkstruktur und der Aktivität des Zuschauers. Es lassen sich vier Grundtypen der Motivation unterscheiden: kompositionell, realistisch, transtextuell und künstlerisch.[10]

Eine *kompositionelle Motivation* rechtfertigt die Verwendung eines jeden Verfahrens, das für die Konstruktion der narrativen Kausalität, des Raumes und der Zeit vonnöten ist. In den meisten Fällen geht es bei der kompositionellen Motivation um die frühzeitige Vergabe von Informationen (*planting of information*), die der Zuschauer später benötigt. [...] Häufig unterstützt dieser Motivationstypus nicht gerade die Plausibilität der dargestellten Ereignisse, aber zugunsten des Fortgangs der Geschichte ist der Zuschauer bereit, dies zu übersehen. Šklovskij hat diesen Umstand folgendermaßen beschrieben:

> Darum kann man auf die Frage Tolstojs, warum Lear den Grafen Kent und Kent Edward nicht erkennt, antworten: weil das zur Schaffung eines Dramas notwendig ist. Das Unwirkliche dieser Situation beunruhigte Shakespeare ebensowenig wie einen Schachspieler die Frage beunruhigt, warum der Springer nicht gerade schlagen kann.[11]

Kompositionelle Motivationen dienen so der Erstellung einer Art internen Regelwerks.
Plausibilität hingegen gehört in den Bereich der *realistischen Motivation*, die als eine Art *cue* dient, mit dem das Werk den Betrachter auf Vorstellungen von der Wirklichkeit verweist, um die Anwesenheit eines Verfahrens zu rechtfertigen. [...] Vorstellungen von der Realität sind kein direktes, natürliches Weltwissen, sondern auf verschiedene Weise kulturell determiniert. Demzufolge vermag realistische Motivation zwei weitgefaßte Wissensgebiete anzusprechen: einerseits Wissen über das Alltagsleben, das durch die direkte Interaktion mit Natur und Gesellschaft erworben wird; andererseits das Bewußtsein über die vorherrschenden, kanonisierten ästhetischen Realismusbegriffe in einer bestimmten Periode des stilistischen Wandels der Kunst. [...] Da realistische Motivationen eher an unsere Vorstellungen von der Realität appellieren, als die Realität selbst zu imitieren, können die Mittel ih-

rer Hervorbringung selbst in ein und demselben Werk stark voneinander abweichen.

[...]

Der dritte der vier Typen, die *transtextuelle Motivation*, umfaßt jede Form des Bezugs zu Konventionen anderer Kunstwerke und kann folglich in dem Maße variieren, wie es die historischen Umstände erlauben. Hier führt das Werk somit ein Verfahren ein, das es selbst nicht hinreichend motiviert; es hängt vielmehr davon ab, daß der Zuschauer es aufgrund früherer ästhetischer Erfahrungen wiedererkennt. Im Film hängen die verschiedenen Arten transtextueller Motivation zumeist vom Wissen über die Anwendung des jeweiligen Verfahrens innerhalb eines Genres ab, von unserem Wissen über Stars und über ähnliche Konventionen in anderen Kunstformen. Beispielsweise ist in Sergio Leones *Il Buono, Il Brutto, Il Cattivo* (Italien/Spanien 1967) das lange Hinführen zum *shoot-out* weder besonders realistisch, noch ist es für die Erzählung unerläßlich (ein schneller Schußwechsel würde das Problem innerhalb von Sekunden lösen), aber da der Zuschauer bereits unzählige Western gesehen hat, weiß er, daß der *shoot-out* zu einem Ritual des Genres geworden ist, und genauso wird er auch von Leone verwendet. Ebenso vermag ein bekannter Star Assoziationen wachzurufen, die der Film nutzen kann. Wenn Chance (gespielt von John Wayne) das erste Mal in *Rio Bravo* (USA 1959, Howard Hawks) erscheint, ist es nicht notwendig, ihn als Protagonisten einzuführen; er kann sich ohne eine erklärende Exposition in die Handlung stürzen, denn sein Verhalten stimmt mit unserem Bild von anderen John-Wayne-Charakteren überein. Ein Beispiel für eine Konvention, die der Film von einer anderen Kunstform adaptiert hat, ist das »*cliffhanger*«-Ende: Es wurde im Verlauf des neunzehnten Jahrhunderts durch die Praxis, Romane in Fortsetzungen zu drucken, etabliert und ab 1910 für Filmserien übernommen.

Unsere Erwartungen hinsichtlich transtextueller Konventionen sind derart umfassend, daß wir sie in vielen Fällen wahrscheinlich nahezu automatisch akzeptieren; andererseits kann das Kunstwerk leicht mit diesen Erwartungen spielen, indem es Genrekonventionen verletzt oder Schauspieler entgegen ihren Typ besetzt, usw. [...] Transtextuelle Motivation ist folglich eine spezielle Form, die bereits vor dem jeweiligen Werk existiert und auf die sich der Künstler sehr direkt oder aber spielerisch beziehen kann. (Ein Werk, das vor allem von der Brechung spezifischer transtextueller Motivationen lebt, wird meist als Parodie wahrgenommen.)

Künstlerische Motivation ist der am schwersten zu definierende Typus. Einerseits ist jedes Verfahren in einem Kunstwerk künstlerisch motiviert, da es zur Schaffung der abstrakten übergreifenden Gestalt des Werks – seiner Form – beiträgt. Dennoch haben viele, vielleicht sogar die meisten Verfahren eine zusätzliche, stärker hervortretende kompositionelle, realistische oder transtextuelle Motivation. In diesen Fällen ist die künstlerische Motivation nicht besonders auffallend – obwohl der Zuschauer seine Aufmerksamkeit bewußt auf die ästhetischen Qualitäten eines Werks lenken kann, selbst wenn es anderweitig stark motiviert ist. Andererseits ist die künstlerische Motivation nur dann wirklich erkennbar und signifikant, wenn die anderen drei Motivationstypen zurückgehalten werden. Ihre übergreifende Qualität setzt die künstlerische Motivation von den anderen Typen ab. Meir Sternberg schreibt dazu: »Hinter jeder quasi-mimetischen Motivation steht eine künstlerische Motivation [...], allerdings nicht umgekehrt«.[12] D. h. künstlerische Motivation kann selbständig, ohne die anderen Arten vorkommen, während diese nicht unabhängig von ihr existieren können. Manche Filme stellen zuweilen die künstlerische Motivation in den Vordergrund, indem sie die anderen drei Typen zurückstellen; in solchen Fällen empfinden wir die Gesamtmotivation als »dünn« oder auch unangemessen, und wir werden uns bemühen, abstrakte Beziehungen zwischen den Verfahren zu entdecken.

Einige ästhetische Richtungen wie beispielsweise nicht-programmatische Musik, dekorative und abstrakte Malerei oder der abstrakte Film beruhen fast ausschließlich auf künstlerischer Motivation, wobei sich ihr Publikum dieser Tatsache bewußt ist. Allerdings kann selbst in narrativen Filmen die künstlerische Motivation systematisch in den Vordergrund gerückt werden. Wenn dies der Fall ist und künstlerische Strukturen mit den narrativen Funktionen der Verfahren um die Aufmerksamkeit des Betrachters konkurrieren, entsteht eine parametrische Form. In solchen Filmen werden bestimmte Verfahren wie Farben, Kamerabewegungen und akustische Motive innerhalb der gesamten Form des Werkes wiederholt und variiert; diese Verfahren werden so zu Parametern. Sie können zwar zur Bedeutung der Erzählung beitragen, indem sie beispielsweise Parallelen oder Kontraste herstellen, aber ihre abstrakten Funktionen gehen über diesen Beitrag zur Bedeutungskonstitution hinaus und ziehen die Aufmerksamkeit stärker auf sich. [...]

Der Film im historischen Prozeß

Wenn wir nun aber davon ausgehen, daß der Film dem Zuschauer durch Verfremdung die Möglichkeit zum erneuernden Spiel bietet, stellt sich die Frage, wie bestimmt werden kann, welche Methode dem jeweiligen Film angemessen ist. Der Neoformalismus begegnet dieser Frage teilweise, indem er darauf besteht, daß ein Film niemals als abstraktes Objekt außerhalb eines historischen Kontextes betrachtet werden kann. Jede Filmrezeption geschieht in einer spezifischen Situation, und der Zuschauer kann sich nur dadurch auf einen Film einlassen, daß er Sehfähigkeiten anwendet, die durch Begegnungen mit anderen Kunstwerken und durch Alltagserfahrung erworben wurden. Ausgehend von einem Begriff von Norm und Abweichung stellt der Neoformalismus folglich die Analyse einzelner Filme stets in einen historischen Kontext. Die häufigsten und typischsten Erfahrungen bilden dabei perzeptuelle Normen, von denen sich die eigensinnigen, verfremdenden Erfahrungen deutlich abheben.

Der Neoformalismus bezeichnet Normen der Erfahrung als *Hintergründe* (*backgrounds*), denn einzelne Filme werden innerhalb des übergreifenden Kontextes solcher früherer Erfahrungen gesehen. Es gibt drei grundlegende Arten von Hintergründen. Zunächst einmal ist die Alltagswelt zu nennen, denn ohne ein Wissen über sie wären wir gar nicht in der Lage, referentielle Bedeutung zu erkennen, und es wäre uns unmöglich, Geschichten, das Verhalten von Figuren und andere elementare Verfahren des Films zu verstehen. Darüber hinaus brauchen wir unser Alltagswissen, um zu begreifen, wie der Film symptomatische Bedeutungen hinsichtlich unserer Gesellschaft hervorbringt. Der zweite Hintergrund umfaßt andere Kunstwerke: Von Kindesbeinen an sehen und hören wir eine große Anzahl von Kunstwerken und lernen allmählich, deren Konventionen zu verstehen. Die Fähigkeit, eine Handlungslinie zu verfolgen, den filmischen Raum von Einstellung zu Einstellung zu erfassen oder die Wiederholung musikalischer Themen in einer Sinfonie zu bemerken, ist keineswegs angeboren. Der dritte Hintergrund besteht im Wissen um den praktischen Gebrauch von Filmen (als Werbung, als Reportage oder als Mittel zur rhetorischen Überzeugung usw.), hinsichtlich dessen wir den künstlerischen Gebrauch des Films im Kino als etwas Verschiedenes begreifen. Wenn wir also einen künstlerischen Film sehen, nehmen wir ihn in seinem spezifischen Unterschied zur Realität, zu anderen Kunstwerken und zum praktischen Gebrauch wahr. Der Gegenstand der Analyse eines Films ist dessen Festhalten an und das Abweichen von solchen Hintergrundnormen, und der durch die Hintergründe bereitgestellte historische Kontext liefert die *cues* für die Entwicklung einer angemessenen Methode. Demgegenüber haben jene Methoden, die der Interpretation den Vorrang geben, oftmals keine Möglichkeit, Filme unterschiedlicher Epochen und Herkunft auch unterschiedlich zu betrachten, werden doch alle in dasselbe Bedeutungsmuster gepreßt. Für den Neoformalismus dagegen sind die Funktionen und Motivationen eines Films nur historisch zu verstehen.

Dies soll jedoch nicht bedeuten, daß der Neoformalismus einfach die Umstände, unter denen ein Film von seinem ursprünglichen Publikum gesehen wurde, rekonstruiert. Schließlich existieren viele Filme über den Moment ihrer Entstehung und ersten Vorführungen hinaus und können in sehr verschiedenen Kontexten gesehen werden. Außerdem wäre es bei den meisten Filmen schlichtweg unmöglich, die ursprünglichen Rezeptionsbedingungen zu erschließen; so wird man wahrscheinlich nie exakt herausfinden, wer die Filme aus den Jahren vor 1909 gesehen hat und unter welchen Umständen. Wir können die Filme der »primitiven« Ära auch heute noch interessant und unterhaltsam finden, doch können wir uns niemals sicher sein, sie auf dieselbe Art und Weise zu verstehen wie das historische Publikum. Der Zugang zu den ursprünglichen Hintergründen ist uns verstellt, und Filmwissenschaftler wie Historiker müssen diese Filme gezwungenermaßen vor dem Hintergrund des späteren, klassischen Films analysieren. (Ich will damit nicht vorschlagen, daß wir historische Recherchen über die ursprünglichen Kontexte eines Films vermeiden sollten, sondern es geht darum, daß wir erkennen, inwiefern unsere Perspektive unweigerlich von jüngeren Entwicklungen beeinflußt ist.) [. . .]

Die Rolle des Zuschauers

Da das Werk unter ständig wechselnden Umständen fortlebt, wird es im Lauf der Zeit vom Publikum auch jeweils anders wahrgenommen. Es kann folglich nicht davon ausgegangen werden, daß die Bedeutungen und Muster, die wir bemerken und interpretieren, voll und ganz im Werk existieren, wo sie auf ewig die gleichen bleiben. Vielmehr liefern die Verfahren des jeweiligen Werks eine Reihe von *cues*, die uns dazu anregen, bestimmte Wahrnehmungsaktivitäten aufzunehmen. Welche Formen diese Aktivitäten allerdings annehmen, hängt unausweichlich von der Beziehung zwischen dem Werk und seinem historischen Kontext sowie dem historischen Kontext des Zuschauers ab. Vom Standpunkt des Neoformalismus aus betrachtet, werden die Verfahren eines Films in der Analyse folglich nicht als feste selbstgenügsame Strukturen behandelt, die unabhängig von unserer Wahrnehmung dieser Verfahren existieren. Als Gegenstand existiert der Film selbstverständlich in seiner Dose, auch wenn ihn niemand betrachtet, aber all diejenigen Eigenschaften, die für die Analyse von Interesse sind – seine Einheitlichkeit, seine Wiederholungen und Variationen, seine Darstellung von Handlung, Raum und Zeit, seine Bedeutungen –, resultieren aus der Interaktion zwischen den formalen Strukturen des Werks und den mentalen Verarbeitungsprozessen des Zuschauers, mit denen er auf diese Strukturen antwortet.

Wie gezeigt wurde, sind Perzeption, Emotion und Kognition in neoformalistischer Hinsicht zentral für die Funktion der formalen Eigenschaften eines Films. Diese Sichtweise verankert den Zuschauer nicht völlig »im Text«, da sich auch dahinter eine statische Auffassung verbirgt. Hintergründe, die sich im Lauf der Zeit verändern, könnten unser Verstehen eines Films nicht mehr verändern, wenn wir als Zuschauer ausschließlich von der inneren Form des Werks bestimmt wären. Der Zuschauer ist jedoch auch kein »idealer«, denn diese traditionelle Sichtweise impliziert ebenfalls, daß es zwischen Werk und Betrachter eine konstante, von der Geschichte unberührte Beziehung gibt. Um die Wirkung der Geschichte auf den Zuschauer zu berücksichtigen, sollte man allerdings auch nicht in das entgegengesetzte Extrem verfallen und sich ausschließlich mit den Reaktionen einzelner, empirischer Rezipienten beschäftigen. (Es ist zum Beispiel unnötig, auf Zuschauerbefragungen zurückzugreifen, um herauszufinden, wie Filme gesehen werden, noch braucht man sich auf einen totalen Subjektivismus zurückzuziehen, der die jeweils eigenen Reaktionen als die einzig zugänglichen ansieht.) Mit dem Konzept von Normen und Abweichungen können Annahmen darüber getroffen werden, wie ein gegebenes Verfahren von den Zuschauern vermutlich verstanden wird.

Der Neoformalismus betrachtet die Zuschauer nicht als passive »Subjekte«, wie das gegenwärtig bei marxistischen oder psychoanalytischen Ansätzen der Fall ist, sondern die Zuschauer sind weitgehend aktiv und tragen damit wesentlich zur letztendlichen Wirkung eines Werkes bei. Der Zuschauer vollzieht eine Reihe verschiedener Aktivitäten: physiologische, vorbewußte, bewußte und vermutlich unbewußte. *Physiologische* Prozesse umfassen jene automatischen Reaktionen, die vom Zuschauer nicht kontrolliert werden können, wie etwa die Wahrnehmung einer Folge statischer Bilder als Bewegung, die Unterscheidung von Farben oder das Hören von Schallwellen als Ton. Derartige Wahrnehmungen erfolgen automatisch und unausweichlich; wir können sie uns durch Introspektion weder bewußt machen, noch können wir sie willentlich beeinflussen (so ist es beispielsweise unmöglich, einen Film als eine bloße Abfolge unbeweglicher Bilder, unterbrochen durch kurze Dunkelphasen zu sehen). Das Medium Film ist von diesen automatischen Fähigkeiten des Gehirns und der Sinne abhängig, aber sie erscheinen im Rahmen der Filmwissenschaft oft als so selbstverständlich, daß sie im Grunde nicht weiter von Interesse sind; sie können als gegeben angenommen werden, und die Analyse kann sich im weiteren ausschließlich den vorbewußten und bewußten Aktivitäten widmen. (Einige Filme, insbesondere aus dem Bereich des modernen Experimentalfilms, spielen mit solch physiologischen Reaktionen und machen uns so auf sie aufmerksam; Stan Brakhages *Mothlight*, USA 1963, beispielsweise lenkt die Aufmerksamkeit auf den Flickereffekt und die Wahrnehmung scheinbarer Bewegung.)

Vorbewußte Aktivitäten sind für die Analyse von allgemeinerem Interesse, bestehen sie doch in einfachen, fast automatischen Informationsverarbeitungsprozessen, mit denen man so vertraut ist, daß über sie nicht nachgedacht werden muß. Das Erkennen von Objekten ist weitgehend vorbewußt, so z. B., wenn wir bemerken, daß dieselbe Person in Einstellung A und B erscheint (wie etwa beim *match on action*) oder daß bei einer Kranfahrt nicht etwa die Landschaft nach unten »wegsinkt«, sondern die Kamera sich nach oben bewegt (selbst wenn ersteres eher dem Wahrnehmungseffekt auf der Leinwand entspricht). Im Gegensatz zu physiologischen Prozessen sind diese mentalen Aktivitäten unserem Bewußtsein zugänglich. Wenn wir darüber nachdenken, wird uns klar, warum wir den Fortgang des Geschehens über den Schnitt hinweg erkennen oder die Stabilität des Bodens in der Aufwärtsfahrt unterstellen. Wir können diese stilistischen Vorgänge willentlich als abstrakte Muster betrachten. Unser Umgang mit stilistischen Verfahren ist vermutlich deshalb zum großen Teil vorbewußt, weil wir Schnittechniken, Kamerabewegungen usw. aus klassischen Filmen so nachhaltig kennengelernt haben, daß wir darüber für gewöhnlich nicht mehr nachdenken müssen. (Es ist zum Beispiel lehrreich, einen Kinderfilm anzusehen und zu beobachten, wie das junge Publikum seine Eltern befragt: Die Kinder sind dabei, Fähigkeiten zu erwerben, die später vorbewußt ablaufen werden.) Das Erkennen von Gegenständen und andere Vorgänge werden also vorbewußt oder bewußt ablaufen, je nachdem, wie vertraut sie uns sind. Während bekannte Objekte ohne Anstrengung erkannt werden, kann die Auseinandersetzung mit neuen Verfahren eines Films durchaus schwierig sein.

Bewußte Prozesse – die Aktivitäten, die wir selber bemerken – spielen ebenfalls beim Betrachten von Filmen eine wesentliche Rolle. So sind zum Beispiel viele kognitive Aspekte der Filmwahrnehmung bewußt: Wir sind darum bemüht, eine Geschichte zu verstehen, bestimmte Bedeutungen zu interpretieren, uns darüber klar zu werden, warum ein ungewöhnlicher Kamerawinkel verwendet wird, usw. Diese bewußten Prozesse sind für den Neoformalismus im allgemeinen die wichtigsten, denn auf dieser Ebene fordert ein Kunstwerk die gewohnten Seh- und Denkweisen am stärksten heraus und kann die habitualisierten Weisen, mit der Welt umzugehen, bewußt machen. Vom Standpunkt des Neoformalismus aus ist es in gewissem Sinne das Ziel aller originären Kunst, die Denkprozesse des

Zuschauers möglichst weitgehend auf diese Ebene der bewußten Wahrnehmung zu verlagern.
Die vierte Ebene mentaler Prozesse ist die *unbewußte*. Ein großer Teil der jüngeren Filmtheorie und -analyse hat sich der Anwendung psychoanalytischer Methoden verschiedenster Richtungen verschrieben, um die Wahrnehmung von Filmen als Aktivität zu beschreiben, die vor allem im Unterbewußtsein des Betrachters abläuft. Für den Neoformalismus ist die unbewußte Ebene jedoch ein weitgehend unnötiges Konstrukt. Zum einen sind die textuellen *cues* – wie etwa die Wiederholung und Variation von Motiven, die Verwendung von Blicken sowie Symmetrien in der narrativen Struktur –, derer sich der psychoanalytische Ansatz bedient, für den Neoformalismus ebenso verwendbar. Die psychoanalytische Argumentation beruht auf den Interpretationen, die diese *cues* ermöglichen, doch handelt es sich hier im allgemeinen um die Plätzchenform-Variante, die aus jedem Film einen Kastrationskomplex ausstanzt oder feststellt, daß »wer über den Blick verfügt, auch über die Macht verfügt«. Und obwohl die psychoanalytisch ausgerichtete Filmwissenschaft behauptet, eine »Theorie des Zuschauers« zu bieten, ist sie an letzterem de facto nicht besonders interessiert. Die meisten psychoanalytischen Filmuntersuchungen verwenden zur Erklärung der internen Operationen des Textes einfach ein Freudsches oder Lacansches Modell (in dem der Film als analog zum Diskurs eines Patienten der Psychoanalyse gesetzt wird), um den Film als einzelnen Gegenstand interpretieren zu können. Der Zuschauer wird zum passiven Empfänger textueller Strukturen und darüber hinaus außerhalb des historischen Kontextes angesiedelt. Wenn man aber davon ausgeht, daß der Zuschauer bei der Rezeption im wesentlichen keine bewußten Leistungen vollbringt, dann nutzt er oder sie auch keine zuvor erworbenen Erfahrungen aus der Auseinandersetzung mit der Welt oder mit anderen Kunstwerken. Demzufolge kann es hier nichts Vergleichbares zu dem geben, was ich als Hintergrund beschrieben habe, und historische Umstände können die

Filmrezeption in keiner Weise beeinflussen. Man könnte vielleicht behaupten, daß historische Hintergründe eventuell einen Einfluß auf das Unbewußte haben (doch wie ließe sich das je verifizieren?), aber in der Praxis der psychoanalytisch orientierten Filmanalyse sind die Kategorien, die zur Charakterisierung des Unbewußten beim Zuschauer verwandt werden, bislang allgemein und statisch. Wenn das Kino-Erlebnis für den Zuschauer immer und immer wieder den Eintritt in das Imaginäre während des Spiegelstadiums wiederholt, den Traum imitiert oder an die Mutterbrust erinnert (alle diese Erklärungen tauchen in der jüngeren Theorie auf), dann passiert dies vermutlich bei allen Zuschauern und bei jedem Film auf dieselbe Art und Weise. Wir müßten demnach annehmen, daß sämtliche Wirkungsmechanismen des Films ausschließlich aus seinen internen Strukturen herrühren und er unveränderbar außerhalb der Geschichte existiert. Tatsächlich sehen viele psychoanalytische Lesarten im Film einen solchen ahistorischen Gegenstand. [. . .]

Die Psychoanalyse interessiert sich nicht in dem Maße für Wahrnehmung und alltägliche kognitive Prozesse, wie es beim Neoformalismus notwendigerweise der Fall ist, wenn dieser sein Interesse für Verfremdung, Hintergründe usw. aufrechterhalten will. Das soll nun nicht bedeuten, daß der Neoformalismus bereits eine vollständige Theorie darstellt; dafür wären weitreichendere Theoretisierungen und Forschungsarbeiten vonnöten. Der springende Punkt ist jedoch, daß der Neoformalismus einen vertretbaren Aufriß einer Ontologie, Epistemologie und Ästhetik zur Beantwortung der jeweils gestellten Fragen anbietet, und diese sind mit den Setzungen des Saussureschen-Lacanschen-Althusserschen Paradigmas inkommensurabel.

Eine Verbindung mit anderen Spielarten des Marxismus ist hingegen eher vorstellbar, denn der Marxismus als sozio-ökonomische Theorie befaßt sich nicht mit dem Bereich der Ästhetik. Marxisten, die sich mit der Analyse ideologischer Beziehungen zwischen Kunstwerken und Gesellschaft beschäftigen, könnten die neoformalistische Analyse ohne weiteres als grundlegenden Ansatz verwenden, um die formalen Eigenschaften von Gegenständen der Kunst herauszuarbeiten; ihr besonderes Interesse würde in diesem Falle denjenigen Funktionen formaler Verfahren gelten, die Kunst mit Gesellschaft verbinden. Aber alle Ausprägungen des Marxismus, die sich auf eine psychoanalytische Epistemologie stützen, scheinen mir mit dem Neoformalismus unvereinbar zu sein.

Der Neoformalismus vertritt die Position, daß Zuschauer aktiv sind, daß sie Verarbeitungsprozesse durchführen. Im Gegensatz zur psychoanalytischen Richtung nehme ich an, daß die Filmwahrnehmung vorrangig in nichtbewußten, vorbewußten und bewußten Aktivitäten besteht. Tatsächlich läßt sich der Zuschauer als eine hypothetische Entität fassen, die auf der Basis von automatischen perzeptiven Prozessen und seiner Erfahrung aktiv mit *cues* in einem Film umgeht. Da durch die Einwirkung historischer Kontexte die Rezeptionsvorgänge intersubjektiv werden, kann man Filme analysieren, ohne auf Subjektivität zu rekurrieren. Nach David Bordwell bieten neuere konstruktivistische Theorien psychologischer Aktivitäten für einen Ansatz, der sich selbst vom russischen Formalismus mit seiner Orientierung auf Werkstrukturen herleitet, das brauchbarste Modell vom Zuschauer und seinen Verarbeitungsprozessen (konstruktivistische Theorien machen in der kognitiven und Wahrnehmungspsychologie seit den sechziger Jahren die vorherrschenden Ansätze aus). Wahrnehmen und Denken sind hier aktive und zielorientierte Prozesse, in Bordwells Formulierung: »Der Organismus konstruiert ein perzeptives Urteil auf der Basis nichtbewußter Schlußfolgerungen (*nonconscious inferences*)«.[13] So erkennen wir beispielsweise, daß die Formen auf der flachen Kinoleinwand einen dreidimensionalen Raum repräsentieren, weil wir *cues* auf Tiefenverhältnisse sehr schnell verarbeiten können; normalerweise denken wir nicht darüber nach, wie wir räumliche Darstellung erfassen – es sei denn, der Film spielt mit unserer Wahrnehmung, indem er schwer verständliche oder widersprüchliche *cues* einführt. Ähnlich tendieren wir dazu, den Ablauf der dargestellten Zeit automatisch zu registrieren, solange der Film nicht mit einer komplexen Zeitfolge arbeitet, in der Ereignisse übersprungen, wiederholt oder die Grenzen zwischen den Zeitstufen verwischt werden; in solchen Fällen beginnen wir, die zeitlichen *cues* bewußt zu sortieren.

Weil wir über eine breite Erfahrung im Umgang mit ähnlichen Situationen verfügen, sind wir in der Lage, solche filmischen Eigenschaften überhaupt zu verstehen. Andere Filme, das Alltagsleben, Filmtheorie und -kritik – all diese Bereiche versorgen uns mit zahlreichen *Schemata*, erlernten Denkmustern, gegen die wir die Verfahren und Situationen eines Films abgleichen. Bei der Filmrezeption werden diese Schemata genutzt, um kontinuierlich Hypothesen zu bilden – Hypothesen über die Handlungsweise einer Figur, den Raum außerhalb des Bildes, den Ursprung eines Geräusches, letztlich über jedes noch so begrenzt oder aber auch umfassend eingesetzte filmische Verfahren, das wir wahrnehmen. Im Verlauf des Films werden diese Hypothesen bestätigt oder aber widerlegt; im letzteren Fall werden neue Hypothesen gebildet usw. Das Konzept fortwährender Hypothesenbildung hilft, die ständige Aktivität des Zuschauers zu erklären, und das verwandte Konzept des Schemas macht deutlich, warum diese Aktivität historisch verankert ist: Schemata ändern sich im Lauf der Zeit. Die von mir angeführten »Hintergründe« sind folglich nichts anderes als *cluster* historischer Schemata, die durch die Analyse geordnet werden, um Aussagen über die Reaktionen von Zuschauern zu treffen.

Nach Bordwell ist »jedes Kunstwerk so gestaltet, daß es zur Anwendung bestimmter Schemata anregt, selbst wenn diese schließlich im weiteren Verarbeitungsprozeß verworfen werden müssen«.[14] Aus diesem Grund kann man sagen, daß ein Werk die Wahrnehmung und Verarbeitung in eine bestimmte Richtung weist (*to cue*). Diese *cues* herauszuarbeiten und auf ihrer Basis zu entscheiden, welche »Antworten« des Zuschauers seinem Hintergrundwissen entsprechend zu erwarten

wären, wird zur Aufgabe der Analyse. Es wird also keine Reihe von statischen Strukturen analysiert (ein Verfahren, wie es von einer »leeren« formalistischen oder »l'art pour l'art«-Position vertreten werden dürfte), sondern eine dynamische Wechselwirkung zwischen den Werkstrukturen und den rezeptiven Prozessen eines hypothetischen Zuschauers. [...]
Bestätigt ein Kunstwerk in erster Linie bereits bestehende Wahrnehmungsfähigkeiten, werden wir unseren Gebrauch von Schemata und die Hypothesenbildung kaum bemerken. Manche Filme kommen uns daher »leicht« vor, und man könnte fast annehmen, wir verfugten über eine quasi »natürliche« Fähigkeit, sie zu verstehen. (Natürlich durchlaufen wir selbst beim Sehen des eingängigsten Films noch hochgradig komplexe Verarbeitungsprozesse, um Strukturen der Kausalität, der Zeit und des Raums zu verstehen.) Demgegenüber gibt es andere Filme, die unsere Erfahrung stärker herausfordern: Wenn man sich das Geschehen auf der Leinwand nicht mehr erklären kann, wird uns diese Verwirrung bewußt, und wir werden uns darüber klar, daß hier die eigenen Erwartungen verschoben oder sogar dauerhaft frustriert werden.
Genau jene Filme, die wir aufgrund ihrer Komplexität und Originalität sehr schätzen, fordern unsere Erwartungen und Sehgewohnheiten heraus. *L'Année dernière à Marienbad* (Frankreich/Italien 1961, Alain Resnais) ist ein berühmtes Beispiel für einen Film, der den Zuschauer veranlaßt, immer wieder neue Hypothesen hinsichtlich seiner kausalen, zeitlichen und räumlichen Widersprüche zu formulieren; schließlich führt er zur Schlußfolgerung, daß diese sich nicht in Einklang bringen lassen (oder aber er verursacht ein fortwährendes Gerangel zwischen Zuschauern, die darauf bestehen, den Film in ein vertrautes Muster zu pressen: Die Protagonistin ist wahnsinnig, oder der Erzähler ist wahnsinnig, oder es handelt sich bei beiden um Gespenster usw.).[15] Andere, vielleicht subtilere Beispiele liefern die Filme von Ozu; fast ständig spielt er mit unseren gewohnten Erwartungen bezüglich der Gestaltung des Raumes von einer Einstellung zur nächsten in Fil-

men, die nach Prinzipien des *continuity editing* geschnitten sind. So unterläuft er in *Banshun* (*Später Frühling*, Japan 1949) wiederholt unsere Erwartungen bezüglich der Position der Figuren, indem er Richtlinien des *continuity editing* umkehrt. In ähnlicher Weise zwingt uns Tatis Weigerung, bestimmte Gags mit einer Pointe zu versehen, dazu, den Rest selbst zu ergänzen. In diesem Fall fördert Tati die aktive Beteiligung des Zuschauers, indem er uns zunächst dazu veranlaßt, bestimmte Hypothesen zu bilden, ohne sie jedoch anschließend zu bestätigen oder zu widerlegen.

Wenn wir historische *cues* und Hintergründe heranziehen, lassen sich die Ziele einer Filmanalyse genauer bestimmen. Denn der Zuschauer kann nur in dem Maße aktiv auf einen Film reagieren, in dem er oder sie einerseits dessen *cues* bemerkt und andererseits auch die entsprechenden Sehfähigkeiten erworben hat, die eine Reaktion auf diese *cues* ermöglichen. In beiden Fällen kann die Analyse behiflich sein: indem sie die *cues* herausarbeitet und vorschlägt, wie der Zuschauer mit ihnen umgehen könnte. Ein solcher Ansatz läßt sich auf alle Arten von Werken anwenden – von den komplexen, herausfordernden bis hin zu den gewöhnlichen und sehr vertrauten. Der Zuschauer kann ein originelles Werk als unverständlich empfinden, da ihm oder ihr die Vertrautheit mit den entsprechenden Sehkonventionen fehlt. Andererseits ist es möglich, daß er bei einem Film, der sich eng an die Normen hält, automatisch solche Fertigkeiten anwendet, die inzwischen zur Gewohnheit geworden sind, und so kann es sein, daß er wegen mangelnden Interesses viele *cues* des Films schlicht übergeht.

Um *cues* herauszuarbeiten und neue Perspektiven in der Wahrnehmung einzelner Filme zu eröffnen, benötigt der Wissenschaftler keinen feineren Geschmack oder höhere Intelligenz als der Zuschauer. Vielmehr wird der Versuch unternommen, die historischen Umstände aufzudecken, die auf relevante Sehfertigkeiten für einen Film hindeuten. Weiterhin gilt es, sich beim ausgedehnten Sehen, auf dem die Analyse basiert, der eigenen Verwendung jener Fähigkeiten so bewußt wie möglich zu werden. Beschreibungen, die auf dieser Grundlage entstehen, können dann auf zusätzliche, weniger offensichtliche *cues* und Muster innerhalb eines Films hinweisen – Dinge, die Gelegenheitszuschauer interessant finden könnten, aber sich selbst nicht im einzelnen zu erklären vermögen. Ein derartiger Ansatz ist ebenso für vertraute, weniger originelle Filme nützlich. Der Neoformalismus beschäftigt sich häufig mit besonders originellen, herausfordernden Werken, aber sein Ziel ist es auch, sich mit vertrauten oder sogar klischeehaften Filmen zu befassen und ein neues Interesse für sie zu wecken – sie »wieder zu verfremden« (*redefamiliarize*). [...]

Die grundlegenden Werkzeuge der Analyse

Der Neoformalismus geht von zwei weitgefaßten und komplementären Annahmen bezüglich der Struktur künstlerischer Filme aus: Filme sind artifizielle Konstrukte, und sie erfordern eine spezifisch ästhetische, nicht-praktische Art der Wahrnehmung. Diese Annahmen helfen uns zu bestimmen, wie auch sehr spezielle und punktuelle Arten der Analyse durchgeführt werden.
Filme sind Konstrukte, die keine natürlichen Eigenschaften aufweisen. Hinsichtlich irgendeiner absoluten oder permanenten Logik wird die Auswahl der Verfahren für die Erstellung eines Films zwangsläufig zum größten Teil willkürlich sein. [...] Selbst jene Verfahren, die in Filmen verwendet werden, die sich um eine möglichst genaue Imitation der Realität bemühen, verändern sich von Epoche zu Epoche, von Film zu Film; Realismus ist, wie alle Sehnormen, eine historisch begründete Vorstellung. Sicherlich gibt es bestimmte Zwänge, die bei der Wahl ästhetischer Verfahren eine Rolle spielen – Zwänge, die dem einzelnen Werk äußerlich sind. Ideologische Zwänge, die Situation des Films und der anderen Künste zum

Zeitpunkt der Entstehung eines Werkes, die Entscheidungen des Künstlers hinsichtlich einer Neukombination und Veränderung von Verfahren zum Zweck der Verfremdung – all das trägt dazu bei, daß Kunstwerke eher auf kulturellen als auf natürlichen Druck reagieren. Demnach ist in jedem Werk eine Spannung zwischen den in einer Kultur bereits existierenden Konventionen und dem jeweiligen Grad an Erfindungsreichtum, den der Filmemacher in die individuelle Form des Films einbringt, zu erwarten.

[...]

Da Filme in der Auseinandersetzung mit kulturellen und nicht mit Naturprinzipien entstehen, sollte man es vermeiden, sie im Rahmen einer Mimesistheorie zu analysieren. Es ist niemals »bloß natürlich«, daß ein Filmemacher irgendein bestimmtes Verfahren in einem Werk anwendet, so realistisch der Film auch erscheinen mag. An dieser Stelle kommt den Begriffen der Motivation und der Funktion eine zentrale Bedeutung zu. Es läßt sich immer die Frage stellen, warum ein Verfahren vorkommt; für gewöhnlich stellt sich dabei heraus, daß ein wesentlicher Anteil filmischer Verfahren dazu dient, die spezifischen Strukturen eines Films zu schaffen und aufrechtzuerhalten. Wiederholung kann den Eindruck von Einheitlichkeit fördern, narrative Parallelen schaffen oder sogar die Aufmerksamkeit auf eine stilistische Ausschmückung lenken. Die erste Aufgabe eines jeden Films besteht darin, den Zuschauer so eindringlich wie möglich zu fesseln, und viele, wenn nicht die meisten Motivationen und Funktionen dienen unter anderem genau diesem Zweck. Das Hauptanliegen der Kunst ist es, ästhetisch *zu sein*.

Zusätzlich zu der Annahme, daß Filme eher willkürliche als natürliche Konstrukte sind, geht der Neoformalismus von einem zweiten allgemeinen Postulat aus, welches sich vom Begriff der Verfremdung herleitet. Da die alltägliche Wahrnehmung gewohnheitsmäßig abläuft und ein Maximum an Effizienz und Leichtigkeit anstrebt, verfolgt die ästhetische Wahrnehmung das entgegengesetzte Ziel. Filme sind darauf

aus, konventionelle Verfahren des Erzählens, der Ideologie, des Stils und des Genres zu verfremden. Da die alltägliche Wahrnehmung effizient und leicht ist, versucht der künstlerische Film, das Erlebnis zu verlängern und aufzurauhen – er versucht, uns dazu zu bewegen, uns auf die perzeptiven und kognitiven Prozesse um ihrer selbst willen zu konzentrieren und nicht zu einem praktischen Zweck. [. . .] *Erschwerte Form* und *Retardation* sind zwei für den neoformalistischen Ansatz wichtige Begriffe. Da derartige Strukturen Kunstwerke durchziehen, nehmen sie in verschiedenen Filmen verschiedene Formen an, und folglich werden auch die Methoden, mit denen wir sie untersuchen, variieren. Doch können wir davon ausgehen, daß jeder Film diese Strukturen in irgendeiner Form enthält. Die meisten Filme werden dabei eine Spannung zwischen Strategien, die die Wahrnehmbarkeit und Verständlichkeit der Form erleichtern und solchen, die sie behindern, aufweisen.
Der umfassendere Begriff der erschwerten Form bezieht sich auf alle Arten von Verfahren und Beziehungen zwischen den Verfahren, die dazu neigen, Wahrnehmung und Verstehen zu erschweren. D. W. Griffiths Entscheidung, die vier Epochen in *Intolerance* (USA 1916) parallel darzustellen, erschwert beispielsweise die Form des Films, obwohl der ganze Film bei einer linearen Erzählweise womöglich dieselbe Länge gehabt hätte. Luis Buñuels scheinbar unmotivierter Einsatz zweier Schauspielerinnen für eine Rolle in *Cet Obscur Objet Du Désir* (Frankreich/Spanien 1977) ist ein weiteres Beispiel für erschwerte Form. Ein bestimmtes Verfahren kann wie in den genannten Beispielen durchgängig über die gesamte Struktur des Werkes hinweg verwendet werden oder nur in einzelnen Abschnitten, wie in der »weiß auf weiß«-Gefängnissequenz aus George Lucas' THX 1138 (USA 1971), in der die räumliche Orientierung zeitweise auf ein Minimum reduziert wird.
Erschwerte Form kann eine unendliche Vielzahl von Effekten hervorrufen, aber eine ihrer häufigsten Erscheinungsformen besteht im Einsetzen von Retardationen. Nun ist die Länge ei-

nes Films hinsichtlich seiner übergreifenden formalen Organisation willkürlich. [...] Das Einfügen von zusätzlichem kausalen Material kann aber den Fortgang zum Ende der Erzählung verzögern. So können auch dieselben Ereignisse in einer mehr oder weniger komprimierten Art präsentiert werden; eine Ausweitung hat auch eine Retardation zur Folge.[16] [...] Ein wesentliches Verfahren des narrativen Films besteht in der Gruppe von Verfahren, die das Ende bis zu einem für die Gesamtgestaltung angemessenen Punkt zurückhalten. Bis auf die kürzesten narrativen Filme haben wahrscheinlich alle einige Retardationsstrukturen.

Das Muster derartiger Verzögerungen wird als *Stufenkonstruktion*[17] bezeichnet. Dieser metaphorische Ausdruck meint die abwechselnde Anordnung von Abschnitten der Handlung, in denen die Ereignisse einem Ende entgegen fortschreiten, und solchen, in denen Abschweifungen und Verzögerungen die Handlung von ihrem direkten Verlauf ablenken. Šklovskij weist darauf hin, daß die Möglichkeiten für zusätzliche Retardationen unbegrenzt sind:

> Ich habe vor allem einen Kompositionstypus [der Erzählung] skizziert, die stufenartige Anhäufung von Motiven. Die Zahl solcher Anhäufungen ist unendlich, ebenso wie die der auf diesem Kompositionsschema beruhenden Abenteuerromane.[18]

[...]

Der Begriff der Stufenkonstruktion impliziert, daß einige Materialien für den erzählerischen Fortgang entscheidender sind als andere. Jene Handlungen, die uns auf das Ende hinführen, sind für die Gesamterzählung notwendig; wir können sie als *gebundene Motive* bezeichnen. Die Abweichungen oder »Treppenabsätze« dienen der Verzögerung des Endes und sind wahrscheinlich Handlungen am Rande, die variiert, herausgenommen oder ersetzt werden könnten, ohne die grundlegende Kausallogik zu verändern. Diese Verfahren zur Verzögerung werden als *freie Motive* bezeichnet. Wie jedes andere Verfahren können Retardationen mehr oder weniger gründlich motiviert sein. Eine umfassende kompositionelle und realistische Motivation kann ein freies Motiv für die Erzählung genauso wichtig erscheinen lassen wie ein gebundenes, und in diesen Fällen wird man die Abweichungen als solche nicht bemerken [...]; andererseits können Retardationen künstlerisch motiviert und so für den Zuschauer deutlich wahrnehmbar werden [...]. (Es ist zu bemerken, daß freie Motive funktionell genauso wichtig sind wie die gebundenen, da der ästhetische Effekt der Kunst von Verzögerung abhängt.) Erschwerte Form, Stufenkonstruktion, gebundene und freie Motive sind demzufolge allgemeine Komponenten der Gesamtform eines Films; wie aber lassen sich ihre Funktionen in verschiedenen narrativen Filmen analysieren?

Die Analyse narrativer Filme

Eines der wertvollsten methodologischen Verfahren, das von den russischen Formalisten zur Analyse von Erzählungen erdacht wurde, ist die Unterscheidung zwischen Sujet und Fabel. Das Sujet ist im wesentlichen die Kette aller kausal wirksamen Ereignisse, wie wir sie im Film selbst zu sehen und zu hören bekommen. In der Regel werden einige Ereignisse direkt gezeigt werden, während andere nur erwähnt sind; darüber hinaus werden uns Ereignisse oft außerhalb ihrer chronologischen Abfolge präsentiert, zum Beispiel im Falle von Rückblenden oder wenn uns eine Figur von schon vergangenen Ereignissen berichtet, die wir als Zuschauer nicht »miterlebt« haben. Das Verständnis dieser Sujet-Ereignisse erfordert häufig ihre geistige Umordnung in eine chronologische Reihenfolge. Selbst wenn ein Film die Ereignisse einfach in ihrer 1-2-3-Folge prasentiert, müssen wir deren kausale Verbindungen noch aktiv begreifen. Diese geistige Anordnung von chronologisch und kausal verbundenem Material ist die Fabel. Ein derartiges Umordnen ist eine Fähigkeit, die wir durch das Sehen narrativer Filme und durch den Umgang mit anderen narrativen Kunstwerken gründlich erlernen. Bei den meisten Filmen läßt sich die Fabel ohne große Mühe konstruieren. Doch können die Unterschiede zwischen Fabel und Sujet auf unzählige verschiedene Weisen manipuliert werden; daher eröffnet die Unterscheidung zwischen den beiden Begriffen der Analyse den Zugang zu einem der nachhaltigsten Verfremdungsverfahren, das dem narrativen Film zur Verfügung steht.

Bei der Analyse des Sujets erweist sich die Unterscheidung zwischen einer proairetischen und einer hermeneutischen Linie als hilfreich.[19] Der *proairetische* Aspekt einer Erzählung ist die Kausalkette, die es uns ermöglicht zu verstehen, wie eine Handlung logisch mit anderen verknüpft ist. Die *hermeneutische* Linie hingegen besteht aus einer Reihe von Rätseln, die die Erzählung aufwirft, indem sie Informationen zurückhält. Die Wechselbeziehung zwischen diesen beiden Kräften ist für das Aufrechterhalten unseres Interesses an einer Erzählung von Bedeutung. Beim Begreifen der proairetischen Linie ist der Zuschauer durch das Verstehen der Handlungen befriedigt, aber die andauernden Fragen, die das hermeneutische Material aufwirft, erregen sein Interesse und halten ihn weiter dazu an, Hypothesen zu bilden. Folglich sind diese beiden Aspekte des Sujets wichtig, da sie eine aktive Wahrnehmung seitens des Zuschauers anregen. Die unterschiedlichen Funktionen der proairetischen und hermeneutischen Linien sind zum großen Teil für den Vorwärtsdrang einer Erzählung verantwortlich. Ihre wichtigste Funktion besteht jedoch darin, den Zuschauer zum Aufbau der Fabel anzuspornen. Ohne die Wechselbeziehung zwischen Kausalität und Rätsel wären die Ereignisse lediglich aneinandergereiht und würden einen Sinn für Dynamik vermissen lassen.

Jeder narrative Film hat einen Anfang und ein Ende. Keiner dieser beiden Punkte ist ein zufälliger Teil des Gesamtsujets. Der Anfang versorgt uns in der Regel mit den wesentlichen Informationen, aufgrund derer wir die stärksten und beharrlichsten Hypothesen über die Fabel bilden. Das Ende hingegen ist im wesentlichen der Moment, an dem die wichtigsten Informationen, die die Erzählung uns bislang verweigert hat, schließlich preisgegeben werden – oder wir erlangen zumindest die Gewißheit, diese Information niemals zu erhalten; folglich besteht eine wichtige Funktion der hermeneutischen Linie darin, uns ein Gefühl dafür zu vermitteln, wann die Erzählung zum Ende kommt. Nicht alle Formen des Erzählens heben Anfang und Ende so eindringlich hervor. Šklovskij weist darauf hin, daß eine einfache Erzählung die Stufenkonstruktion u. U. lediglich dazu verwendet, eine Reihe von Ereignissen aneinanderzureihen, so daß eine pikarische Erzählweise entsteht; indem man Episoden hinzufügt oder wegläßt, könnte man ein solches Werk (z. B. den *Decamerone*) verlängern oder verkürzen, ohne den Aufbau des Ganzen in signifikanter Weise zu berühren. Wenn jedoch der Anfang proairetische oder hermeneutische Linien anlegt, deren Antwort oder Vollendung durch die Erzählung hindurch bis zu ihrem Ende verzögert wird, dann nehmen wir das ganze Sujet als eine Einheit von aufeinander bezogenen Ereignissen wahr. Šklovskij bezeichnet dies als die »Ringkomposition« bzw. als »Komposition in Form einer Schlinge«,[20] da das Ende in gewisser Weise den Anfang umkehrt und sich auf ihn bezieht; man empfindet das Ende als solches, da die Ausgangssituation in ihm aufgehoben ist. [. . .] Jene Erzählformen, die alle für die Lösung des Rätsels notwendigen Informationen bereitstellen und alle Wirkungen kausaler Handlungen verdeutlichen, bezeichne ich als »geschlossen«; sie erlangen Geschlossenheit, indem sie den Kreis zur Vervollständigung der Schlingenkomposition schließen. Einige Erzählweisen vermitteln nicht diese Art der Geschlossenheit. Filme, die Ursachen nicht mit Wirkungen versehen und keine vollständige Lösung des Rätsels liefern, verwenden eine »offene« Erzählform.

Wie schon erwähnt, sind die *Figuren* die wichtigsten Träger der verschiedenen kausalen Ereignisse einer Erzählung (obgleich auch soziale und natürliche Kräfte einiges an kausal verknüpftem Material liefern können). Für den Neoformali-

sten sind die Figuren keine realen Menschen, sondern eine Anhäufung von *Semen* oder Charakterzügen. Da »Züge« Eigenschaften sind, die man realen Menschen zuschreibt, verwende ich an dieser Stelle Roland Barthes' Begriff der »Seme« und bezeichne damit die Verfahren, die eine Figur in einer Erzählung charakterisieren.[21] Da Figuren keine Menschen sind, beurteilen wir sie nicht notwendigerweise nach den Maßstäben alltäglichen Verhaltens und alltäglicher Psychologie. Vielmehr müssen die Figuren ebenso wie alle anderen Verfahren oder Verfahrenskombinationen unter dem Gesichtspunkt ihrer Funktion im Gesamtwerk analysiert werden. Einige Figuren sind relativ neutral und existieren hauptsächlich zum Zweck, eine Reihe von eingebetteten pikaresken Erzählungen zusammenzuhalten; Šklovskij stellt fest, daß »Gil Blas keine Person [ist], er ist ein Faden, der die Episoden des Romans miteinander verbindet. Und dieser Faden ist grau«.[22] Selbst in einer einheitlicheren, psychologisch orientierten Erzählung haben die Figuren verschiedene Funktionen: Sie können Informationen liefern, aber auch zu deren Zurückhaltung eingesetzt werden, sie können Parallelen entstehen lassen, Formen und Farben verkörpern, die für die Komposition einer Einstellung von Bedeutung sind, sie können sich im Raum bewegen, um Kamerafahrten zu motivieren, usw.
Figuren können sehr eingehend, mit einer Vielzahl von Zügen präsentiert werden, aber diese müssen nicht notwendigerweise realen psychologischen Mustern entsprechen. Charakterisierung kann das Hauptanliegen eines Werkes sein (doch werden dadurch die Figuren in keiner Weise weniger artifiziell und verfahrensabhängig). Wie sehr sie auch auf den Zuschauer als »wirkliche Menschen« wirken mögen, man kann diesen Eindruck immer auf eine Reihe von spezifischen Verfahren zur Figurengestaltung zurückverfolgen.
Der Prozeß, durch den das Sujet in einer bestimmten Reihenfolge Fabelinformationen präsentiert oder zurückhält, ist die *Narration*. Die Narration leitet den Zuschauer demzufolge beim Sehen eines Films stets dazu an, hinsichtlich der Ereig-

nisse der Fabel Hypothesen zu bilden. [...] David Bordwell verweist auf drei Grundeigenschaften, mit deren Hilfe sich jegliche Narration analysieren läßt: Dabei handelt es sich um den jeweiligen Grad an Wissensreichtum (*knowledgeability*), Selbstbezogenheit (*self-consciousness*) und Mitteilungsbereitschaft (*communicativeness*) eines Werkes.[23]

Der augenscheinliche *Grad an Wissensreichtum* der Narration hängt erstens von dem *Umfang* der Fabelinformationen ab, auf welche sie Zugriff hat. So kommt es häufig vor, daß sich die Narration auf das jeweilige Situationsverständnis einer oder weniger Figuren beschränkt, um so andere Informationen zurückzuhalten. Ein solches Muster findet sich beispielsweise für gewöhnlich in jenen Detektivfilmen, deren Narration sich auf das konzentriert, was die Ermittler erfahren, aber offenbar nichts von dem weiß, was nur die Verbrecher wissen können. Zweitens hängt der Wissensreichtum der Narration von ihrer *Tiefe* ab – d. h. von dem Ausmaß, in dem sie uns den Zugang zum Innenleben der Figuren gewährt. Umfang und Tiefe der Erzählung sind unabhängige Variablen; ein Film könnte eine Menge objektiver Informationen präsentieren, ohne viel von der Reaktion der Figuren auf die Ereignisse zu berichten.

Eine Erzählung kann mehr oder weniger *selbstbezogen* sein, je nachdem, ob der Film deutlicher oder weniger deutlich erkennen läßt, daß er seine narrativen Informationen an ein Publikum richtet. Wenn eine Figur sich direkt an das Publikum wendet, ein Off-Erzähler »du« oder ähnliche Formen der Adressierung verwendet, wenn die Kamera an ein wichtiges Detail heranfährt, ohne daß die Fahrt subjektiv motiviert wäre – solche und ähnliche Verfahren verraten einen gewissen Grad an Selbstbezogenheit. Umgekehrt kann eine gründliche Motivation für die Enthüllung jeder einzelnen Information den Prozeß der Narration vertuschen. Wenn die gesamte Exposition dadurch motiviert ist, daß die Figuren im Dialog Informationen austauschen, werden wir die Narration als solche wahrscheinlich weniger deutlich bemerken – sie ist weniger selbstbezüglich.

Schließlich kann die Narration mehr oder weniger *mitteilungsbereit* sein. Diese Eigenschaft unterscheidet sich vom Grad an Wissensreichtum insofern, als die Narration mitunter deutlich signalisieren kann, daß sie über bestimmte Informationen verfügt, sie uns aber vorenthält. Wenn man beispielsweise auf die Enthüllung der Identität einer mysteriösen maskierten Figur gewartet hat und die Szene im Augenblick der Demaskierung ausgeblendet wird, dann trägt die Narration ihre eigene Weigerung zur Schau, Informationen mitzuteilen, die sie tatsächlich weitergeben könnte. Dieses Beispiel legt den Schluß nahe, daß sich ein geringer Grad an Wissen und eine geringe Mitteilungsbereitschaft mit um so größerer Wahrscheinlichkeit bemerkbar machen, je selbstbezogener die Narration ist. Tatsächlich wird die Narration eines jeden Films zumindest ein wenig in ihrem Wissenshorizont oder ihrer Mitteilungsbereitschaft eingeschränkt sein, da alle Erzählungen notwendigerweise ein gewisses Maß an Fabelinformation zurückhalten müssen (und sei es nur die Information darüber, was als nächstes geschieht). Doch wird uns das oft nicht auffallen, wenn die Narration einen gewissen Grad an Selbstbezogenheit aufweist. Die filmische Narration verfügt selbstverständlich über viele Kombinationsmöglichkeiten. So fußt der realistische Eindruck, den *La Règle du Jeu* vermittelt, wesentlich auf einer recht wissensreichen und im Großen und Ganzen mitteilungsbereiten Narration, die jedoch einige entscheidende Teile der Fabelinformation zurückhält; das geschieht wiederum so, daß wir es aller Wahrscheinlichkeit nach kaum bemerken werden, da die Narration nicht sonderlich selbstbezüglich ist. In einem narrativen Film wird sich der Prozeß der Narration im allgemeinen auf viele Motivationen und Funktionen einzelner Verfahren auswirken.

Die Erzählung ist in vielen Filmen eine wichtige Struktur, doch wird jede Erzählung, die ein Film präsentiert, durch die Anwendung von Techniken dieses Mediums geschaffen. Man kann den charakteristischen, wiederholten Gebrauch dieser Verfahren in einem Film als dessen *Stil* bezeichnen. Ich beabsichtige an dieser Stelle nicht, mich mit dem Medium selbst auseinanderzusetzen, denn dies wäre die Aufgabe eines einführenden Textbuches zum Film. An dieser Stelle sei nur erwähnt, daß ich mich auf filmische Techniken beziehe, die zur Vermittlung folgender Größen dienen:

1. *Raum* – die Repräsentation der drei Dimensionen und des Raumes außerhalb des Bildausschnittes;
2. *Zeit* – ein Zusammenspiel der Fabel- und Sujetzeiten;
3. das abstrakte Spiel zwischen den nicht-narrativen räumlichen, zeitlichen und visuellen Aspekten des Films – die graphischen, auditiven und rhythmischen Eigenschaften des Bildes und des Tons.

Alle filmischen Techniken haben in einem Film ihre Motivationen und Funktionen und können den Zwecken der Erzählung dienen oder neben dieser herlaufen und nicht-narrative Strukturen bilden, die um ihrer selbst willen von Interesse sind.
Auch auf der Ebene stilistischer Strukturen sind die Art und Weise, wie ein Werk einzelne Verfahren miteinander verknüpft, willkürlich und hängen von der gewählten Motivation und Funktion eines jeden Verfahrens ab. Stilistische Verfahren können mittels einer durchgängigen kompositionellen Motivation der erzählenden Linie untergeordnet werden. In diesen Fällen wird die Verfremdung wahrscheinlich auf der Ebene des Erzählens wirksam (ein derartiger Ansatz ist für das klassische Kino charakteristisch). Die Techniken des Mediums können jedoch als hinderndes Material verwendet werden, das die Aufmerksamkeit zum Teil oder periodisch auf sich selbst zieht und so ein Gefühl für die Erzählung erschwert (wie bei Godard und Renoir). Schließlich kann bei weitreichender künstlerischer Motivation der Stil um seiner selbst willen ein vollständiges perzeptives Spiel hervorbringen, das mit der narrativen Linie um die Aufmerksamkeit des Zuschauers konkurriert.
Verfremdung ist keine Struktur, sondern eine Wirkung des Werkes. Um die spezifische Form, die sie in jedem Werk an-

nimmt, zu analysieren, arbeitet der Neoformalismus mit dem Begriff der *Dominante*: Sie ist das wesentliche formale Prinzip, unter welchem ein Werk oder eine Gruppe von Werken Verfahren zu einem Ganzen ordnet. Die Dominante bestimmt, welche Verfahren und Funktionen sich als wichtige verfremdende Merkmale ausweisen und welche weniger wichtig sein dürften. Die Dominante durchzieht, lokale und umfassende Verfahren beherrschend und verbindend, das ganze Werk; durch die Dominante treten die stilistischen, narrativen und thematischen Ebenen in Beziehung zueinander.
Die Dominante zu ermitteln ist für die Analyse wichtig, da sie den ausschlaggebenden Hinweis darauf gibt, welche spezifische Methode dem Film oder der Gruppe von Filmen angemessen ist. Das Werk verweist uns selbst auf seine Dominante, indem es bestimmte Verfahren in den Vordergrund stellt und andere weniger auffallend plaziert. Man kann damit beginnen, jene Verfahren zu isolieren, die als besonders interessant und wichtig erscheinen: In einem besonders originellen Film sind dies meist die ungewöhnlichsten und herausforderndsten, während es in einem Standardfilm die typischsten und am leichtesten erkennbaren sein werden. Eine Auflistung dieser Verfahren macht noch keine Dominante; wenn es aber möglich ist, diesen Verfahren eine gemeinsame und durchgängige Funktionsstruktur zuzuordnen, so ist anzunehmen, daß diese mit der Dominante in einer engen Beziehung steht. Mit dem Auffinden der Dominante kann die Analyse beginnen.

Anmerkungen

1 Neoformalismus ist ein Ansatz, der weitgehend auf den theoretischen Arbeiten der russischen Formalisten basiert. Vgl. dazu: Kristin Thompson, *Eisenstein's »Ivan the Terrible«: A neoformalist analysis*, Princeton 1981, Kap. 1; Victor Erlich, *Russischer Formalismus*, mit einem Geleitwort von René Wellek, Frankfurt a. M. 1987.

2 Boris Ejchenbaum, »Zur Frage der ›Formalisten‹ (1924)«, in: *Marxismus und Formalismus. Dokumente einer literaturtheoretischen*

Kontroverse, hrsg. von Hans Günther und Karla Hielscher, Frankfurt a. M. [u. a.] 1976, S. 69–82, hier S. 72 f.

3 Nelson Goodman, *Languages of Art*, Indianapolis 1968, S. 242.

4 A. a. O., S. 248.

5 Viktor Šklovskij, »Kunst als Verfahren (1916)«, in: *Die Erweckung des Wortes. Essays der russischen Formalen Schule*, hrsg. von Fritz Mierau, Leipzig 1987, S. 11–32, hier S. 16–18.

6 Vgl. Siegfried Kracauer, *Von Caligari zu Hitler. Eine psychologische Geschichte des deutschen Films*, Frankfurt a. M. 1979.

7 Vgl. Boris Ejchenbaum, »Sur la théorie de la prose«, in: *Théorie de la littérature. Textes des Formalistes russes*, hrsg. von Tzvetan Todorov, Paris 1969, S. 228.

8 Jurij Tynjanov, »Über die literarische Evolution (1927)«, in: J. T., *Poetik. Ausgewählte Essays*, Leipzig/Weimar 1982, S. 31–48, hier S. 34.

9 Vgl. Boris Ejchenbaum, »Die Theorie der formalen Methode (1925)«, in: B. E., *Aufsätze zur Theorie und Geschichte der Literatur*, Frankfurt a. M. 1965, S. 7–52, hier S. 26.

10 Die russischen Formalisten unterschieden nur zwischen drei Typen, und transtextuelle Motivation ist in Tomaševskijs ertragreicher Untersuchung der Motivation nicht enthalten. (Vgl. Boris Tomaševskij, »Thematics (1925)«, in: *Russian Formalist Criticism: Four essays*, hrsg. von Lee T. Lemon und Marion J. Reis, Lincoln 1965). David Bordwell hat den Begriff »transtextuell« bei Gérard Genette entlehnt, um zu erklären, wie Kunstwerke sich direkt auf von anderen Kunstwerken etablierte Konventionen beziehen – eine Art des Bezuges, die nicht explizit von den anderen drei Typen abgedeckt wird (vgl. D. B., *Narration in the Fiction Film*, Madison 1985, S. 36).

11 Viktor Šklovskij, »Die Beziehungen zwischen den Kunstgriffen des Handlungsaufbaus und den allgemeinen stilistischen Kunstgriffen (1925)«, in: V. S., *Theorie der Prosa*, hrsg. und aus dem Russ. übers. von Gisela Drohla, Frankfurt a. M. 1984, S. 25–54, hier S. 43.

12 Meir Sternberg, *Expositional Modes and Temporal Ordering in Fiction*, Baltimore 1978, S. 251 f.

13 Bordwell (s. Anm. 10), S. 31.

14 A. a. O., S. 32.

15 Zur Analyse der unlösbaren Widersprüche in *L'Année dernière à Marienbad* vgl. David Bordwell und Kristin Thompson, *Film Art: An Introduction*, Reading 1979, S. 304–308.

16 Dieselben Prinzipien können auch nicht-narrative Strukturen bestimmen. Zu einer Diskussion der vier Typen nicht-narrativer

formaler Organisationsprinzipien vgl. Bordwell/Thompson (s. Anm. 15), Kap. 3 und 9.

17 Vgl. Šklovskij (s. Anm. 11), S. 33.

18 Ders., »Der Aufbau der Erzählung und des Romans (1929)«, in: V. S., *Theorie der Prosa* (s. Anm. 11), S. 55–77, hier S. 55.

19 Ich habe die Unterscheidung von proairetischen und hermeneutischen Linien aus Roland Barthes' *S/Z* (Frankfurt a. M. 1976) übernommen. Barthes faßt sie dort als proairetische und hermeneutische »Codes«, aber dies deutet auf eine bereits existierende Funktion der beiden hin, und so habe ich entschieden, sie als Strukturen oder »Linien« zu fassen, die ein Werk durchziehen und in jedem Kontext variieren.

20 Šklovskij (s. Anm. 18), S. 56.

21 Vgl. Barthes (s. Anm. 19), S. 68; Tomaševskij (s. Anm. 10), S. 88.

22 Šklovskij (s. Anm. 18), S. 72.

23 Bordwell (s. Anm. 10), S. 57–61.

JOACHIM PAECH

Überlegungen zum Dispositiv als Theorie medialer Topik

1997

> »Unter einer Disposition stellt man sich etwas vor, das immer vorhanden ist und aus dem das Verhalten folgt. Dies wird in Analogie gesehen zur Struktur einer Maschine und ihrem Verhalten.«[1]

Die folgenden Überlegungen sind Teil einer theoriegeschichtlichen Arbeit, die den Film als Medium und symbolische Form im geistes- und kulturgeschichtlichen Kontext verstehen will. In der Lektüre diskursiver und figurativer Transformationen im Rahmen von Intermedialität[2] ist die Situation Anfang der 70er Jahre von der Auflösung des ›Cinéma‹[3] gekennzeichnet durch deutliche Merkmale kultureller Wandlungen im Zeichen medialer De/Konstruktion. Dabei kommt der Trias *dispositio* (als Anordnung der Rhetorik), *disposition* (als Anlage in einer psychologisierenden Ästhetik) und des *dispositivs* (als mediale Topik) besondere Bedeutung zu. Der Begriff des ›Dispositivs‹ taucht in der poststrukturalistischen Debatte um ideologische Effeke auf, deren Ursprung nicht mehr dem Werk eines Autors unterstellt, sondern in der Struktur medialer (bzw. textueller) Produktivität durch die Anordnung ihrer sämtlichen Elemente gesucht wird. Es soll deutlich werden, daß im Aufbrechen eines homogen strukturierten Feldes Cinéma (analog zu Verwerfungen in anderen kulturellen Feldern), dessen Reflexion im Paradigma einer dispositiven Struktur erst die Dynamik erkennbar macht, die nicht nur das Cinéma ergriffen hat, sondern sämtliche medialen Strukturen, deren technisch-apparative Voraussetzungen (Optik, Aufzeichnungsträger, analog/digital), interaktiven Formen und ästhetischen Erscheinungen dabei sind, sich zu verändern. Im folgenden geht es um die Ausgangslage im diskursiven Feld der Filmtheorie-Debatte Anfang der 70er Jahre.

Apparat oder Dispositiv?

Zwei Aufsätze von Jean-Louis Baudry zum kinematographischen Basisapparat (1970) und Dispositiv (1975) sind als symptomatische Texte immer wieder[4] an den Anfang einer filmtheoretischen Debatte gestellt worden, die entweder als poststrukturalistische Wende oder als Apparatus-Theory firmiert. Der erste der beiden Texte (1970) vollzieht zunächst den entscheidenden Schritt von der Ebene der Produkte (Film als »Inhalt, das Feld des Signifikanten«[5]) zur Struktur ihrer apparativen Produktion, d. h. zuerst »müssen wir den Platz der instrumentellen Basis in der Summe der Operationen festlegen, die in der Produktion eines Films sich verbinden.« Zwischen objektiver Realität (dem ›Außen‹ des Cinéma) und Zuschauersubjekt vermittelt ein kinematographischer Produktionsprozeß, der im Zuschauer die Wiederholung des äußeren Realen als inneren Realitätseindruck oder dessen Wiedererkennen als ideologischen Effekt zur Folge hat. Baudry nennt drei Faktoren, die im wesentlichen für diesen Effekt verantwortlich sind oder vorausgesetzt werden: Die Konstruktion optischer Geräte (Kamera und Projektor) nach dem (mathematischen) Modell der Perspektivkonstruktion des Quattrocento – seitdem Basismodell figuraler Repräsentation –, die Konstruktion des Psychischen nach dem Modell optischer Apparate (in der Psychoanalyse Freuds) und das Verschwinden aller Momente (Strukturen) von Differenz zwischen Repräsentation und Rezeption. Dazu gehören die Verbannung aller Spuren von (technisch-apparativer) Arbeit aus der Repräsentation, das Verdecken der konstitutiven Differenz zwischen den Einzelbildern und der Spuren der Montage zugunsten des Eindrucks einer kontinuierlichen figurativen Bewegung und das Unsichtbarmachen der Distanz zwischen Auge und Projektion in der dunklen Höhle des Kinos, damit Kamera- und Betrachterauge im selben Blick identisch werden können. Die Frage ist nun, ob das (ideologische) Verkennen[6], das im apparativ vermittelten Wiedererkennen des Realen (im Realitätseindruck) unvermeidlich ist, durch die Veränderung oder Aufhebung dieser Faktoren unterbunden werden kann; immerhin versteht sich dieser Diskurs als Beitrag zu einer »revolutionären Praxis«. Die Antwort Baudrys ist symptomatisch für das theoretische Umfeld, dem sie sich verdankt. Die Einschreibung der Produktionsbedingungen in das Produkt selbst, die Thematisierung der Arbeit, die »Rückkehr des Unterdrückten« hätte die notwendige Distanz wiederherzustellen, zumal »der Film, der seine Arbeit in seinem Produktionsprozeß reflektiert, eine Haltung des ›zweiten Blicks‹ [beim Zuschauer] hervorruft, die durchaus Vergnügen bereitet.«[7] Die »Ankunft der Apparate«[8] wird in Vertovs vorbildlichem Film *Der Mann mit der Kamera* (1928) gefeiert.[9]

Baudrys Thesen verweisen auf zeitgenössische Parallelen in der kulturkritischen Strukturalismusdebatte seit dem Ende der 60er Jahre, insbesondere innerhalb der Gruppe Tel Quel, der Baudry neben Julia Kristeva, Philippe Sollers, Marcelin Pleynet, Jacques Derrida u. a. angehörte.[10] In der Vermittlung eines ökonomisch (marxistisch) und semiologisch begründeten Produktionsbegriffes wurde dort die literarische Praxis der Sinnproduktion, das Schreiben, auf den Text selbst als eine Funktion bezogen, »die [nach Kristevas Semiologie] gleichwohl im Schreiben nicht sich ausdrückt, sondern die vielmehr das Schreiben disponiert: in einer dramatischen Ökonomie, deren ›geometrischer Ort‹ nicht abbildbar ist (er öffnet sich als ein Handlungsspielraum)«.[11] Dieser Raum textueller Produktivität ordnet gewissermaßen das Schreiben auf dem »Schauplatz des Sinns« in einer unabschließbaren transformationellen Praxis an (disponiert es). Auch die Analyse des Cinéma hat zunächst einmal den Schauplatz der Sinnproduktion zu bestimmen, der ebenso wenig wie die Praxis des Schreibens auf der Ebene der *mise en page* für die Praxis des Cinéma in der *mise en scène* eines individuellen Produkts Film zu suchen ist. Das Unsichtbarwerden des Signifikanten im *degré zéro* filmischer *écriture*, das Verstecken (der Produktivität) des Textes hinter der Äußerung eines Autors (Regisseurs) oder die Transparenz der Repräsentation auf der Leinwand zum Eindruck einer scheinbar sichtbaren (und hörbaren) Realität, all das sind Effekte des Cinéma, das insgesamt über sein Schreiben/Lesen disponiert. Baudry hat an anderer Stelle gegen die idealistische (ideologische) textuelle Wiederholung eines referentiellen ›Außen‹, einer ›Äußerung‹ des Textes (*un rapport au réel*[12]) die Strategie der Verdoppelung der *écriture* gestellt, was im Cinéma der (figurativen) Einschreibung der Produktion in das Produkt (den Film) entspricht; darauf verweist er auf der textuellen Ebene, wenn er von der ideogrammatischen Wiederholung spricht (die *écriture* ›figuriert‹ z. B. in der Hieroglyphe als *écriture*). Gemeint ist ein Aufsteigen des Textes an seine Oberfläche, deren ›Maske‹[13] keine Tiefe verbirgt, sondern nur noch simuliert. Wie ein Gitter strukturiert sie die intertextuelle Bewegung, die auf ihrer Oberfläche Spuren ihrer Einschreibung hinterläßt. Damit auch der kinematographische Signifikant seine Textualität figuriert, muß die scheinbare Transparenz räumlicher Tiefe zum Oberflächeneffekt aufgehoben werden (das gilt auch für Vertovs Film), d. h. die Perspektivkonstruktion muß in ihrem repräsentativen Effekt dekonstruiert werden (eine Praxis in der Malerei seit Cézanne). Diese ist allerdings im Zeichen wissenschaftlicher Objektivität in den optischen Gesetzen der Apparate selbst materialisiert und definiert nicht nur die ikonische Repräsentation, den dargestellten Raum, sondern konstituiert auch das Subjekt für diesen Raum: Sie strukturiert den Betrachter darin, indem sie ihn vor der Abbildung im perspektivischen Sehpunkt plaziert.

Die Perspektivkonstruktion garantiert also die Durchsicht oder Transparenz der textuellen Oberfläche der Abbildung in die räumliche Tiefe des Realitätseindrucks und verbürgt damit wesentlich einen »ideologischen Effekt« durch die Anordnung des Cinéma. Die Frage ist allerdings, ob nicht diese starke Betonung der ideologischen Rolle der Perspektivkonstruktion für den *effet de réel* des Cinéma auf dem Mißverständnis eines Textes von Pierre Francastel beruht, dem die Einführung dieses Paradigmas in die filmtheoretische Diskussion zu verdanken ist.[14] Francastel hatte zwar die Renaissance-Perspektive auch auf die Konstruktion eines filmischen Illusionsraumes angewandt, die Fixierung des perspektivischen Wahrnehmungsraumes sah er jedoch in der filmischen Bewegung und dem daraus entstehenden Zeit-Raum-Konflikt relativiert, so daß ihr Effekt erst »im psychologischen und sozialen Charakter der Perspektive«[15] zum Tragen kommt. Es handelt sich also eher um eine phänomenologische Frage der Perspektivierung, die als mediale Ausrichtung (Anordnung) zur Welt zu Buche schlägt. Hubert Damisch ist 1987 auf diese »merkwürdige Polemik[16] der 70er Jahre« um die ideologische Bedeutung der Renaissance-Perspektive zurückgekommen, um sie als »dispositif idéologique«[17] aus dem Verkehr zu ziehen.

Und dann ist da schließlich der »Basisapparat« selbst, die kinematographische Aufnahme-, Verarbeitungs- und Wiedergabetechnik. Vor jeder spezifisch anderen, »militanten« Verwendung der Apparate hätten sich die Filmemacher um die grundsätzlich ideologische Determiniertheit der Technik (der Kamera vor allem) zu kümmern. »Der kinematographische Apparat ist ein strikt ideologischer Apparat; er verbreitet vor allem bürgerliche Ideologie. [...] die Ideologie, die von diesen Bewußtseins-Apparaten produziert wird, ist bisher nicht bedacht worden.«[18] Wirklich? Der »zweite Blick«, von dem Fargier spricht, das Staunen darüber, daß sich ein kontinuierlicher Bewegungseindruck aus einer Folge von Einzelbildern herstellt, war historisch der erste Blick auf den Film. Der Kinematograph war zuerst ein technisches Wunder; Bergson etwa hat im Film nur eine Folge von Einzelbildern gesehen und ihn deshalb kritisiert (*Schöpferische Entwicklung*, 1907). Die

Avantgarde hat von der *Intelligence d'une machine* (Epstein[19]) gesprochen, und Walter Benjamins Medientheorie der Kunst ist eine Analyse ihrer apparativen Bedingungen.[20] Bleibt zu erwähnen, daß auch die Mediengeschichte des Films bis zur Entstehung des Kinematographen am Ende des 19. Jahrhunderts als Geschichte der apparativen Techniken ihrer Pioniere geschrieben wurde. Apparate und Produktionsverfahren (Montage) haben solange eine dominante Rolle auch bei der Diskussion von Wirkungen des Films gespielt, bis eine bestimmte Produktionsweise von Filmen, der klassische Hollywood-Tonfilm und die ihr zugrunde liegende gesellschaftliche Verfaßtheit, aggressiv dominant wurden, deren Strategie der Sichtbarkeit gerade auf dem Unsichtbarmachen ihrer apparativen (bzw. Macht-)Voraussetzungen beruhte. Das Vergessen der apparativen Bedingtheit ist also auch ein Effekt ihres Unsichtbarwerdens durch eine historisch eingrenzbare Produktionsweise (des Cinéma).

In einem signifikanten Zusammenhang führt Baudry in seinem Aufsatz (1970) einen neuen Begriff ein. Damit der »Mechanismus [der Kontinuität] seine Rolle als ideologische Maschine spielen kann, muß eine weitere Ergänzungsoperation hinzugefügt werden, die durch ein besonderes Dispositiv vorbereitet wird«[21]. Es geht um die Identifikation des Zuschauers durch seine spezifische Anordnung in der ›Höhle des Kinos‹ zum ›Spiegel der Leinwand‹: »Die Disposition der verschiedenen Elemente – der Projektor, der dunkle Saal [salle obscure], die Leinwand – rekonstruiert (außer daß sie in auffallender Weise die *mise en scène* der Höhle [Platons] wiederherstellt, das exemplarische Dekor aller Transzendenz und das topologische Modell des Idealismus) das für die Auslösung der von Lacan entdeckten Spiegelphase notwendige Dispositiv.«[22] Damit der entscheidende Realitätseindruck beim Zuschauer entstehen kann, ordnet das Dispositiv (hier die Höhle des Kinos) seine Elemente – das sind die Apparate, ein definierter Raum und ein Spiegel der Leinwand – auf eine bestimmte Weise an, so daß deren Disposition rekonstruiert werden kann. Platons

Höhle dient ihrerseits als topologisches Modell für die idealistische Struktur des Dispositivs. Offenbar haben die im Dispositiv angeordneten Elemente eine Eigenschaft (eine Disposition), die sie in der topologischen Struktur des Dispositivs realisieren, das modellhaft in der von Lacan beschriebenen Spiegelphase gegeben ist.
Genau diese Modelle dispositiver Strukturen wendet Baudry in seinem fünf Jahre später erschienenen Aufsatz »Das Dispositiv« (1975) auf die Diskussion der Mechanismen, die zum Realitätseindruck als ideologischem Effekt führen, an. Die optische, perspektivische (etc.) Ordnung der Apparate ist gewissermaßen in ihrer dispositiven An/Ordnung oder medialen Topik aufgegangen. Baudry merkt zwar an, daß umgekehrt der Basisapparat das Dispositiv der Projektion einschließe, wobei das Dispositiv »allein die Projektion betrifft«[23], im folgenden verfährt er jedoch so, als seien sämtliche An/Ordnungen von Elementen dispositiv strukturiert. Nicht im Kino, sondern im topologischen Modell des Idealismus, Platons Höhle(ngleichnis) oder dem »Mythos der Höhle«[24], entfaltet er nun die Struktur der An/Ordnungen, die in ihrem Dispositiv die Dispositionen ihrer Elemente installiert, da Platon »sich ein Dispositiv vorstellt oder zu Hilfe nimmt, welches im Prinzip das Dispositiv des Kinos und die Situation des Zuschauers nicht nur evoziert, sondern überaus genau beschreibt.«[25] Die wesentlichen Bestandteile der dispositiven Struktur in Platons Modell sind: eine dunkle, nur von einem Feuer beleuchtete Höhle, darin Gefangene, die zur Unbeweglichkeit verurteilt sind, was sie daran hindert, bewegte Schattenbilder, die sie vor sich auf einer Mauer sehen, auf ihre Realität zu überprüfen. Sie müssen sich also mit dem Realitätseindruck, den das Dispositiv ihnen vermittelt, begnügen, und es »ist gerade das Dispositiv, das die Illusion erzeugt, und nicht die mehr oder weniger genaue Nachahmung des Realen«.[26] Vervollständigt wird die An/Ordnung durch Töne, die als »Zwischenglied« zwischen dem Simulacrum der Bilder und ihrer Projektion (»was projiziert wurde war bereits Simulacrum«[27]) bei den Gefange-

nen einen zusätzlichen Realitätseffekt produzieren. Ohne Modell und Interpretation hier weiter diskutieren zu können,[28] wird erkennbar, daß Baudry vor allem an der Unbeweglichkeit der Zuschauer als Bedingung für das illusionistische Funktionieren des Dispositivs interessiert ist, die er »in der besonderen Sicht des Kinodispositivs«[29] besonders betont: »Wir können noch hinzufügen, daß die Unbeweglichkeit des Zuschauers zum Dispositiv des Kinos im Ganzen zugehört.«[30] Sie ist auch das wesentliche Element interdispositiver Vermittlungen: Sie kehrt wieder in der motorischen Reduktion des Zuschauers in seinem Kinosessel, sie findet im Schlaf und in der erzwungenen Unbeweglichkeit des Neugeborenen statt, das, nachdem es sich gerade der einen Höhle entwunden hat, offenbar sehnsüchtig die Rückkehr in die uterinäre Höhle des Kinos erwartet. Das Dispositiv versteht Baudry sehr umfassend als eine »metaphorische Beziehung zwischen Orten, oder um eine Beziehung zwischen metaphorischen Orten, um eine Topik«[31], die die Szene des Traums am Ort des Unbewußten im psychischen Apparat mit dem Spiegel der Spiegelphase i. S. Lacans[32] genauso in Beziehung setzen kann wie den Körper des Zuschauers zur Leinwand oder den Platz des Subjekts zum kinematographischen Text, der es an dieser Stelle konstituiert ... Etwas verkürzt läßt sich die Argumentation, die hinreichend bekannt ist, so zusammenfassen: Der Traum setzt die Unbeweglichkeit des Schlafes voraus, die Unbeweglichkeit des Kinozuschauers läßt ihn, in schlafähnlichem Zustand, die Filmprojektion als (eine Art) Traum erfahren, dessen Realitätsprüfung, wie die des Traumes während des Schlafs, durch die Unbeweglichkeit unmöglich ist. Der Traum als Wunscherfüllung läßt den Wunsch nach dem (Kino)-Traum mit dessen Erfüllung als Realitätseffekt und Simulation einhergehen. Das Cinéma – ein Traum?

Fast kann man sagen, daß Baudry diese Frage sowohl phylogenetisch im Sinne individueller Erfahrung als auch ontogenetisch im Sinne des Kinos als Menschheitstraum ›von Anfang an‹ beantwortet. Individuell regredieren wir im Kino zum »jubilierenden Säugling« vor dem Spiegel, wo wir uns – wie jener – als Effekt ungeteilter Einheit mit der Realität(ssimulation) imaginieren. Und dann die ontologische Wendung: »Wenn das Kino nun aber tatsächlich die Wirkung eines dem Strukturaufbau des Seelenlebens innewohnender Wunsch ist«[33] nach der Möglichkeit sekundärer Wunschbefriedigung, deren Realitätseffekt dem des Traumes nicht nachsteht? Dann ist zumindest die Linie zwischen Platons Höhle über die anthropologische Konstante sekundärer Wunscherfüllung und Ganzheitsphantasien bis in die Kinohöhlen unserer Tage gezogen, wo sie sich mit der anderen, ontologischen (d. i. idealistischen) Linie André Bazins trifft, der seinen *Mythe du cinéma total* unweit der Höhlen von Lascaux beginnen und am Ideenhimmel Platons Gestalt annehmen läßt: »Das Cinéma ist ein idealistisches Phänomen. Die Idee davon existierte vollständig in den Köpfen der Menschen wie am platonischen Himmel, und was uns heute so verblüfft, ist mehr der Widerstand, den die Materie der Idee entgegensetzt, als die Möglichkeiten der Technik gegenüber den Vorstellungen der Forscher.«[34]

In welcher Vorstellung vom Cinéma scheinen hier beide Theorien zu konvergieren? 1970 hatte Baudry den idealistischen Diskurs Bazins zitiert und dessen Filmtheorie als Metaphysik verurteilt.[35] Im Dispositiv der ›Traumhöhle Kino‹ dagegen sitzen beide offensichtlich einträchtig zusammen, und zu ihnen hat sich inzwischen auch mit kritischer Distanz Christian Metz gesellt (dieses Kino ist von Theoretikern aller Art gut besucht).

In einem Aufsatz, der zusammen mit Baudrys Text im selben Heft *Psychanalyse et Cinéma* der Zeitschrift *Communications* 1975[36] erschienen ist, sagt Metz ganz präzise, was unter Cinéma zu verstehen ist, wenn von der Analogie von Film und Traum die Rede ist. Nicht um Traum(arbeit) kann es hier gehen, sondern um die dispositiven Bedingungen, die (angeblich) zu einer Rezeptionserfahrung im Kino führen, die dem Traum gleich oder ähnlich sind. Baudry hatte als Bedingungen genannt: Körperliche Bewegungslosigkeit, Dunkelheit des

Saales und Kontinuität der filmischen Wiedergabe einer Diegese (fiktionalen Erzählung). Weil das Cinéma diese Bedingungen erfüllt, ist es möglich, mit Filmen einen Realitätseindruck zu simulieren, der jenem der Traumerfahrung gleichkommt. Die Kinozuschauer sind Gefangene ihres Wunsches, auf diese simulierte Weise zu Wunscherfüllungen zu kommen, wie sie auch der Traum bietet. Obwohl er zunächst im vorgegebenen dispositiven Rahmen bleibt, baut Metz diese Konstruktion des Zusammenhangs von Film/Rezeption und Traum in vier Argumentationsschritten ab: Normal ist ein Zustand, bei dem »Film und Traum sich nicht miteinander vermischen: der Filmzuschauer ist nämlich ein wacher Mensch, der Träumende hingegen ein Mensch, der schläft.«[37] Schlafen und Träumen im Kino, was durchaus vorkommen soll, geschieht unabhängig von dem Film, den die anderen wachen Zuschauer tatsächlich sehen. Der Filmzustand ist also eher eine »Variante von vielen Wachzuständen«.[38] Gewisse »Elemente einer motorischen Hemmung« lassen den Filmzustand dennoch als »kleine[n] Schlaf, ein[en] Wachschlaf«[39] erscheinen, dessen verminderte Aufmerksamkeit zuläßt, das »Dargestellte als real wahrzunehmen.«[40] Schließlich ist es eine Situation, die Metz in anderem Zusammenhang als »fetischistisch« beschreibt,[41] (›ich weiß, daß ich mich im Kino befinde, vor einer Filmprojektion, dennoch lasse ich mich in einen traumähnlichen Zustand versetzen‹), die ihn zu dem Schluß kommen läßt, daß unter »den verschiedenen Ordnungen des Wachzustands […] der filmische Zustand einer von denen [ist], die dem Schlaf und dem Traum, dem Schlaf mit dem Traum, am wenigsten unähnlich sind.«[42] Dieses Cinéma verführt also durch die Umstände, unter denen es diegetische (fiktionale) Filme zeigt, die diesen Umständen angepaßt sind, dazu, sich das Dargestellte in der Form von Tagträumen (*rêveries*) anzueignen. Genau das war gemeint, als Anfang der 30er Jahre in polemischer Absicht der Terminus »Traumfabrik« (Penelope Huston, René Fülöp-Miller, Ilja Ehrenburg) aufkam. Siegfried Kracauer hat es auf den Punkt gebracht: »Die blödsinnigen und irrealen Filmphantasien sind die Tagträume der Gesellschaft, in denen ihre eigentliche Realität zum Vorschein kommt, ihre sonst unterdrückten Wünsche sich gestalten.«[43] Zwischen (Film-)Phantasie und (Zuschauer-)Tagtraum reflektiert das Cinéma die Wirklichkeit der Wünsche seiner Zuschauer, und insofern sind Filme »Spiegel der bestehenden Gesellschaft«.[44] Sie sind ein Spiegel der Gesellschaft nicht der »blödsinnigen und irrealen Filmphantasien« wegen, die sie erzählen, sondern sie ermöglichen in Tagträumen die Wünsche zu erfüllen (besser gestalten), die ihnen die gesellschaftliche Realität vorenthält, weil die dispositive Struktur der Kinorezeption das Tagträumen ermöglicht. Die Analogie, die Kracauer zwischen Film und Gesellschaft herstellt, ist eine strukturelle, die in seinem Sinne treffender als symptomatische zu bezeichnen wäre. Da es sich vielmehr um die (dispositive) Form der Symbolisierung eines Mangels handelt, das Dispositiv kinematographischer Wunscherfüllung als symbolische Form eines Mangels erscheint, ist die Form auch ›lesbar‹, in der der Mangel symbolisiert wird. Lacans Modell der Spiegelphase wäre womöglich auf dieser Ebene zum Cinéma, d. h. zu einem bestimmten, historisch definierbaren Cinéma in Beziehung zu setzen.

Die feministische Kritik[45] der Apparatus-Theory hebt genau diese Struktur des Mangels im Sinne Lacans hervor und fragt vor allem, was an die Stelle des Verlustes tritt, den die (dispositive) Trennung oder das Verschwinden [*aphanasis*] des Subjekts im Anderen (der Projektion) als Entfremdung erfährt. Der Mangel als Antrieb des Begehrens kann nicht aufgehoben werden, er wird durch einen anderen Mangel, eine Lücke im Diskurs überlagert (*suturiert*), deren Besetzung dem Subjekt ermöglicht, an einem anderen Punkt sein Verschwinden mit sich selbst zu verdecken. Während Joan Copjec an dieser Stelle den weiblichen Körper situieren möchte,[46] setzt Constance Penley auf das Verhältnis Phantasie und Film, da in der phantasmatischen Beziehung zum Bild die sexuelle Differenz wieder eine Rolle spielen kann, die vom klassischen Erzählkino, von der apparativen Konstruktion filmischer Wahrnehmung und affirmativ in deren Apparatus-Theorie systematisch ausgeschlossen wurde. Daher spricht Constance Penley auch von der Apparatus-Theorie als einer »Junggesellenmaschinen«-Theorie[47] des Films. Beide, Penley und Copjec, sind sich einig, daß die Unterscheidung zwischen ›Apparatus‹ und ›Dispositiv‹, die in der Abfolge der beiden Artikel Baudrys bereits angelegt gewesen sei, allerdings in der englischen Übersetzung rückgängig gemacht wurde, ermöglicht, gegen eine männliche Anthropologisierung des Apparates die Struktur der (sexuellen) Differenz in der Anordnung (*arrangement*) des Dispositivs hervorzuheben.

Zurück zu Metz. Da heißt es, der »filmische Zustand, den ich zu beschreiben versucht habe, ist nicht der einzig mögliche; er umfaßt nicht die Gesamtheit der sehr verschiedenen Bewußtseinseinstellungen, die jemand einem Film gegenüber einnehmen kann«[48], die ihrerseits unterschiedlichen Anordnungen der Subjekte und ihrer Verhaltensweisen entsprechen. Der diegetische oder romanhafte Film, der dem Zustand des Tagtraums offenbar entspricht, setzt die Erzähltradition des »Romans der Großen Epoche – des 19. Jahrhunderts –« fort; »er erfüllt dieselbe gesellschaftliche Funktion.«[49] Mitglieder dieser Gesellschaft und ihrer Kultur bringen Wertvorstellungen und Verhaltensweisen (z. B. aus dem Theaterbesuch) mit, auf die sie für ein Cinéma, das das nahelegt, zurückgreifen können. Kinogänger, die außerhalb dieser geographischen, kulturellen, sozialen, ethnischen etc. Tradition stehen, aber auch solche, die aufgrund ihres Berufs (Filmkritiker oder -wissenschaftler) ein notwendig distanziertes, professionelles Verhältnis pflegen müssen oder aufgrund ihres Alters etc. nur bedingt Zugang zum Kino haben, können sich durchaus dissymmetrisch zu den dispositiven Strukturen verhalten, die ihnen für die Rezeption des klassischen diegetischen Films nahegelegt werden: Kulturkritische Dossiers beschreiben das Publikum des frühen Stummfilmkinos als aktiv interagierende Ansammlung von Menschen, die im Kino auch ihr physisches Vergnügen suchen; von Traum kann auch bei Liebespaaren in den hinteren Reihen keine Rede sein; Kinder reagieren oft spontan auf dargestellte Aktionen; ähnliches gilt für Angehörige anderer als mitteleuropäischer Kulturen (der argentinische Zuschauer, der in einer Vorführung des Films *Das Leben Christi* empört auf Judas geschossen hat, hat sicherlich nicht geträumt[50]). Offenbar ist das im Cinéma des klassischen diegetischen Films strukturierte Verhalten des Zuschauers eher die Ausnahme, die nur für eine bestimmte Kultur und soziale Schicht in einer bestimmten Epoche gilt: Es handelt sich um den »erwachsene[n] Zuschauer, Mitglied einer gesellschaftlichen Gruppe, in der man dem Film sitzend und stumm beiwohnt«[51], weil man dieses Verhalten kulturell erlernt hat und die Bedingungen dafür im Cinéma wiederfindet. Fällt eine der Bedingungen weg, verändert sich das kulturelle Verhalten dieser Schichten oder löst sich die zugrundegelegte dispositive Struktur des Cinéma auf, sind dem klassischen diegetischen Cinéma (dem Film, seinem Kino) die Grundlagen entzogen.

Habitus (Bourdieu) und Dispositiv können also in Bezug auf das Cinéma in einem kongruenten, aber ebenso auch in einem konfliktreichen Spannungsverhältnis zueinander stehen. Bis zur Mitte des vergangenen Jahrhunderts ist es gelungen, im wesentlichen das traditionelle Theater-Dispositiv des Cinéma (das schließt populäre Formen des Vaudeville bedingt ein) mit dem klassischen diegetischen Hollywood-Film durchzusetzen. Die Veränderung des soziokulturellen Habitus seit den 60er Jahren in den westlichen Gesellschaften und die Entstehung neuer medialer Umwelten und der trotzigen Beibehaltung des alten Dispositivs haben zur Krise des Cinéma geführt, während dieselben Filme in der neuen dispositiven Struktur des Fernsehens oder des Home Video erfolgreich aufgeführt werden, Verlagerungen, die sehr schnell auch zur Veränderung der Filme selbst geführt haben und weiterhin führen werden.

Bis zu diesem Punkt handelt es sich darum, den zu kurz greifenden Apparatus-Ansatz auf das Dispositiv zu erweitern, was sich theoriegeschichtlich auch konsequent durchgesetzt hat, wenn es auch vor allem durch terminologische Probleme bei Übersetzungen ins Englische undeutlich blieb, wo *dispositif* mit *apparatus* oder *situation* mißverständlich übersetzt und rezipiert wurde. Allerdings wird das Modell des Dispositivs zu affirmativ auf eine bestimmte Erscheinung des klassischen diegetischen Cinéma begrenzt, nicht zuletzt, weil es an diesem Modell (auch seiner Kritik) entwickelt wurde. Die »Notwendigkeit einer Kritik des diegetischen Kinos« schließt auch die Notwendigkeit einer Kritik der reduzierten Verwendung des Dispositiv-Modells ein: Metz plädiert für die »Weigerung, in ihm [dem klassischen Kino] den natürlichen Endpunkt eines universalen und zeitlosen Wesens oder einer Berufung des Kinos zu sehen«[52]. Die dynamische Entwicklung der audio-visuellen Medien, die selbstverständlich auch das Cinéma verändert, deren Exponent es für eine »Epoche des Kinos« war, gibt ihm recht. Eine »Geschichte der Audiovisionen« weist dem Cinéma eine transitorische Stellung zu in der Entfaltung ihrer Dispositive. »Sie als historisch unterscheidbare Dispositive zu begreifen heißt vor allem, die jeweilige kulturelle Vorherrschaft einer Anordnung zu kennzeichnen und dabei herauszuarbeiten, aufgrund welcher Verknüpfungen im Gesellschaftlichen und Privaten es zu dieser Art von Hegemonie kam und wie sie sich durchsetzte.«[53] Das Modell des Dispositivs ist selbst ein kritisches, dynamisches Modell, dessen An/Ordnungen auf Widersprüche reagieren, also einander widersprechen. Der zweite Teil der Überlegungen wird daher, ausgehend vom Dispositiv-Begriff, zu verstehen versuchen, was filmtheoretisch damit begriffen werden kann.

dispositio – disposition – dispositiv

»Rhetorik ist deshalb eine ›Kunst‹, weil sie ein Inbegriff von Schwierigkeiten mit der Wirklichkeit ist.«

Hans Blumenberg

Womit man es zu tun hat, wenn man sich des Dispositivs in der filmtheoretischen Argumentation bedient, folgt aus der Geschichte des Begriffs selbst, insbesondere aus seinen Ursprüngen in der Rhetorik. Unter der *dispositio* wird in der klassischen Rhetorik die »zweckmäßige Anordnung des Stoffs und der Teile einer Rede im parteiischen Interesse«[54] verstanden. Neben der *inventio*, dem (Er-)Finden des Stoffes der Rede und der *elocutio*, dessen Artikulation unter Zuhilfenahme besonderer Figuren (den Tropen), kommt der *dispositio* aus zwei hier interessierenden Gründen besondere Bedeutung zu. Einerseits handelt es sich um die diskursive »Ordnung der Dinge« in persuasiver Absicht, wobei der Anordnung wesentliche Bedeutung für das Gelingen der diskursiven Argumentation zukommt. Aber die *dispositio* ist weniger eine syntagmatische Ordnung auf der Ebene des Diskurses selbst als eine Grammatik, nicht eine Ordnung der (Rede-)Figuren, sondern eine Figur ihrer Ordnung. In ihr wird andererseits der Abstand erkennbar zwischen Ausdruck und Verstehen, oder sie ist, wie Hans Blumenberg im Motto andeutet, der Inbegriff der Schwierigkeiten, die im Umgang mit der intentionalen Rede auftreten und auf einer anderen als der diskursiven Ebene gelöst werden wollen. Die *dispositio* ist der Ort der Theorie, des Metadiskurses oder auch des Modells oder der Wissenschaft, in diesem Falle der Rhetorik selbst.[55] Man kann sagen, daß die rhetorische Theorie »auf einem Mißerfolg [beruht], der dort stattfindet, wo der Hörer sich nicht angeredet fühlt und, statt zuzuhören, analysiert.«[56] In diesem Fall nimmt der Hörer nicht den ihm im Diskurs zugewiesenen Platz ein. Die Rhetorik wendet sich in der *dispositio* selbst auf ihr Verfahren an.

In diesem Sinne hat Christian Metz die rhetorische *dispositio* als Modell seiner »großen Syntagmatik« eingeführt und die von ihm beschriebenen »Figuren der ›kinematographischen Grammatik‹«, zum Beispiel die »alternierte Disposition«, in ihrer »Anordnung verschiedener Elemente« rhetorisch interpretiert. Denn »diese Rhetorik ist von einem anderen Blickwinkel aus zugleich eine Grammatik«: Das, »was das Funktionieren der filmischen Anordnungen kennzeichnet, ist die Tatsache, daß der Zuschauer in erster Linie mit ihrer Hilfe den genauen Sinn des Films versteht.«[57] Solange das Verstehen die halluzinierende Teilnahme des Zuschauers am Phantasma des Fiktionsfilms bedeutet, ist der Zuschauer dem Paradox eben dieser Halluzination ausgeliefert, die wirklichen Bilder und Töne des Films zugleich für eine andere, dargestellte Wirklichkeit zu nehmen.[58] Weil er jedoch das Bewußtsein seiner eigenen (leiblichen) Wirklichkeit als Topos einer bestimmenden Grenze zwischen den Realitäten der Repräsentation suspendiert hat, erfährt er die lustvolle Aufhebung des Paradox sowohl in der vereinheitlichenden filmischen Transparenz als auch in der psychischen Topik seines Unbewußten als Ort seiner onirischen Beteiligung am filmischen Diskurs unter den dispositiven Bedingungen der Kinorezeption als Realitätseffekt (*effet de réalité*). Erst im Metadiskurs der Analyse, wenn der onirische Anschluß an den filmischen Diskurs um des Gelingens der Analyse willen mißlingen muß, indem sich der Zuschauer des beobachteten Gegenstands bewußt bleibt, erscheint das Paradox der rhetorischen *dispositio* wieder an seinem theoretischen Ort der Dekonstruktion der Gleichzeitigkeit differenter Realitäten.

Diese wenigen Bemerkungen zum terminologischen Ausgangspunkt des Dispositivs als einer »Theorie medialer Topik«, die zu entwickeln wäre, haben vielleicht ausgereicht, um die doppelte Dimension des Begriffs zu verdeutlichen: 1. Das Dispositiv ist die (topische) Ordnung, in der (z. B. audiovisuelle) Diskurse ihren Effekt (z. B. den Realitätseindruck) erzielen. Diese Ebene intentionaler Diskursivität und ihrer Anordnungen wird allerdings erst in dem Moment reflexiv, in dem das Dispositiv problematisch wird, nicht mehr bruchlos funktioniert oder mißlingt. Die dispositive Theorie des Cinéma ist also 2. ihrerseits Effekt der Probleme des Cinéma, jenen Realitätseindruck herstellen zu können, den als eine persuasive Intention zu behaupten bereits Ausdruck des konstatierten Mißlingens ist.[59] Die dekonstruktive Verwendung des Begriffs Dispositiv im filmtheoretischen Diskurs ist unmittelbar mit der Mehrschichtigkeit der *dispositio* verbunden: Die Reflexion diskursiver Ordnung zielt sowohl auf die Rekonstruktion ihrer Anordnung als auch auf die Konstitution ihrer Neuordnung; sie bleibt grundsätzlich an ihre Elemente (die Sprache) gebunden und an den intendierten Effekt, ihr Gelingen oder Mißlingen. Ihr grundsätzliches Paradox wird sie immer beibehalten: Ihr Gelingen läßt sie in ihrem Erfolg unsichtbar werden, ihr Mißlingen macht die Anordnung ihrer Elemente, ihren Mechanismus sichtbar, dem sich auch das Gelingen verdankt. Soweit und so verkürzt die Problemlage, die vom rhetorischen Ursprung des Terminus *dispositio* ihren Ausgang nimmt.

Als zuerst die An/Ordnungen der Rhetorik und dann die karthographischen Eintragungen der Poetik, die die schöne Rede auch zum schönen Ort des Schreibens führen sollte, zugunsten neuer Werte der Information und Kommunikation (des Vorscheins) der Sache selbst, der Evidenz, aufgegeben wurden, blieb ein Derivat der *dispositio* als Passepartout erhalten, das der Analyse der am Diskurs beteiligten Elemente, vor allem der Redner und Hörer, dient und deshalb schnell in psychologischen Diskursen Karriere machte. Die *disposition* schließt aus der Anordnung auf das Verhalten und macht rekursiv den Habitus[60] zum Vorschein des Wesens, Charakters, der Eigenschaft oder auch nur der momentanen Befindlichkeit eines Interagierenden, dessen *disposition* zugleich auf die diskursive Anordnung und damit auf deren Effekt wesentlichen Einfluß

hat. Daraus folgt eine doppelte Determiniertheit der Interaktion (Kommunikation) aus ihrer Bedingung *zwischen* den Beteiligten (Personen oder Elementen aller Art) oder *in* den Beteiligten als ihre subjektive Disposition. In Alexander Gottlieb Baumgartens *Ästhetik* zum Beispiel wird Emmanuel Kants habituelle Disposition als Vermögen natürlicher Anlagen im Menschen zum ästhetischen Vermögen, zur *dispositio poetica* und subjektiven Voraussetzung, der spezifischen Anlage des Künstlers und seiner Bestimmung. Es verwundert nicht, daß die Einfühlungsästhetik seit Friedrich Theodor Vischer auf den Begriff der Disposition eines Subjekts als dessen Fähigkeit, in synästhetischem Einklang mit einem Kunstwerk (als Produzent und Rezipient) zu sein, zurückkommt. Auf dieser einfühlungs- resp. wirkungsästhetischen Ebene hat der Begriff schließlich auch Eingang in die Filmtheorie gefunden. Vor allem Ernst Iros hat in der Nachfolge der Ästhetik Johannes Volkelts von den Dispositionen filmischer Dramaturgie in Hinsicht auf deren Wirkung beim Zuschauer gesprochen.[61]
Die Rede von der Disposition anstelle des Dispositivs verkürzt dessen Semantik um die topische Dimension; sie bestimmt Anlagen, wo es um Anordnungen geht. In diesem Kontext ist auch die Kritik an der Apparatus-Theory und der Reduktion des Dispositivs auf den Apparat zu sehen: Die apparative Dimension stellt technisch-apparative Dispositionen innerhalb eines Dispositivs bereit; andere derartige Dispositionen betreffen die kulturelle, soziale etc. Disposition der Kinozuschauer, und sämtlich sind sie veränderbare Teilmomente innerhalb des Funktionierens eines z. B. kinematographischen Dispositivs. Selbstverständlich handelt es sich dabei nicht um kontingente Ereignisse, sondern um (dispositive) Strukturen innerhalb eines dynamischen Systems, das unter dem Aspekt medialer Topik, also einer räumlichen medialen Anordnung, Dispositiv heißt.
Eine diskurs- oder theoriegeschichtliche Annäherung an das »Dispositiv als mediale Topik« kann also nicht bei einem ihrer Momente, dem Apparativen, stehenbleiben. Sie muß vielmehr

an der Wahrnehmung des Bruchs medialen Gelingens ansetzen, dort, wo nicht nur affirmative Kritik, sondern der Diskurs des medialen Paradigmenwechsels laut wird. Dabei ist die beginnende Auflösung des Cinéma durch den Einbruch elektronischer Medien, zunächst das Fernsehen und dann Video, wiederum nur ein Aspekt einer kulturgeschichtlichen Situation, die mit McLuhan als »Ende der Gutenberg-Galaxis« umfassender beschrieben ist. Ebenso umfassend tritt in seinem Geltungsbereich der Dispositiv-Begriff auf.

Foucaults »Archäologie des Wissens« und diskursanalytisches Verfahren kann m. E. analog zur Rhetorik als Methode dispositiver Selbstreferenz aufgefaßt werden. Die »Ordnung der Dinge« wird erst zur Ordnung ihres Wissens in Form ihrer diskursiven Anordnung. Der Bruch zwischen (Wissen (*histoire/ mémoire*) und Diskurs stellt erneut die Frage nach der dispositiven Struktur, der topischen Ordnung des Wissens in den Diskursen – jenem »vollen Raum, in dessen Höhlung die Sprache ihr Volumen und ihr Maß findet«[62]; eine Ordnung, die, weil sie selbst diskursiv verfährt, versuchen muß, das »Außen zu denken«, den anderen Ort oder das Heterotop, von dem aus das Wissen in seiner topischen Ordnung infrage gestellt werden kann. Und wieder sind es die beiden Positionen mit unterschiedlichen strategischen Dimensionen, die eingenommen werden können: Foucault nennt die der »Utopien, die trösten«, weil sie die Ordnung imaginär wieder herstellen, und die der Heterotopien, die »beunruhigen, wahrscheinlich, weil sie heimlich die Sprache unterminieren.«[63] Beide Dimensionen sind dispositiv strukturiert, weil sie Elemente diskursiver An/Ordnungen in einem erweiterten Sinne sind (Foucault spricht vom Sexualitätsdispositiv, ebenso wie von Dispositiven der Macht mit ihren Diskursen, Institutionen, Gesetzen, philosophischen, moralischen etc. Meinungen). »Das Dispositiv selbst ist das Netz, das zwischen diesen Elementen geknüpft werden kann.«[64] Darüber hinaus betont Foucault die »strategische Funktion« des Dispositivs als einer »Formation, deren Hauptfunktion zu einem gegebenen historischen Zeitpunkt darin bestanden hat, auf einen Notstand (urgence) zu antworten.«[65] Jede Ordnung antwortet auf eine Unordnung (i. S. der Ordnung). Die Anordnung des Dispositivs ist das Wissen um den Bruch, der sich in seinem Diskurs artikuliert, um den Bruch zu maskieren oder ihm zum Durchbruch zu verhelfen. Dieser Januskopf des Dispositivs scheint mir in der »karthographischen Ausmessung« des Foucaultschen Begriffs bei Deleuze[66] zu kurz zu kommen. Deleuze sucht im dispositiven Netz vor allem diejenigen Linien auf, die ausgehend vom Bruch mit der alten Ordnung ermöglichen, das Neue zu (er)-finden (muß noch einmal der rhetorische Kontext von *inventio* und *dispositio* beschwört werden?), ohne jedoch diesem einen Ort in einer neuen Anordnung zu geben (das Ende der Rhetorik!), sondern vielmehr versuchen, die dispositive Struktur zu erschöpfen (*épuiser*), was Deleuze am Beispiel Becketts demonstriert.[67]

»Haben die Dinge Umrisse?« läßt Godard in seinem Film *Passion* (1982) das kleine Mädchen seinen Vater beim Ansehen eines Bilderbuchs mit den Worten Gregory Batesons[68] fragen. Nein, würden Foucault und auch Lyotard antworten, es sind die Figuren der Repräsentation, die den Darstellungen Gestalt geben, die sie konstituieren, indem sie zwischen ihnen im szenischen Raum figurieren. Ihre Ähnlichkeit wird »im Zwischenraum der Idee«[69] als symbolische Form figurativer Beziehungen in ihrer Differenz lesbar auf dem Schauplatz des Sinns. Dieses »szenische Dispositiv« ordnet die Figuren im Sinne ihrer Darstellbarkeit (Repräsentation) und ihrer ›Lesbarkeit‹ an: Wie ist es überhaupt möglich, daß wir erkennen können, was ein Bild darstellt? Weil wir in der Szene der Darstellung (dem Bild) eine Anordnung figurativer Elemente erkennen können: nicht, weil sie etwas bedeuten, sondern sie bedeuten etwas, weil sie untereinander in einer ›differenz‹ierten Beziehung angeordnet sind. Eine de/konstruktive Lektüre eines Bildes würde sich also für die konstitutiven ›Zwischenräume der Idee‹ interessieren, die Orte, an denen die figurative An/Ordnung Sinn produziert, an denen die dispositive

Struktur operiert.[70] Lyotard konzentriert den dispositiven Effekt »wandelbare[r] Operatoren« und »Energieoperator[en]« auf derartige Schaltstellen, in denen sich aus »Koppelungen [...] Dispositive«[71] bilden. »Das Dispositiv ist ein Schaltplan, der die Energie, ihre Zufuhr und ihre Abfuhr als chromatische Einschreibung kanalisiert und reguliert.«[72] Im Innern des Dispositivs, »dieser Figur, die mit dem Diskurs identisch ist«[73], in den Koppelungen der Zwischenräume, kommt das Begehren zur Sprache, um die Abwesenheit des Objekts zu symbolisieren, was ›fort‹ ist, ›da‹ zu repräsentieren (nach Freud: Jenseits des Lustprinzips). Die Wiederholung des Vorgangs etabliert die Szene, den Schauplatz, auf dem das Begehren im Diskurs einer dispositiven Struktur figuriert, die künftig in allen symbolischen Repräsentationen anwesend ist. Immer ist es der Mangel, immer ist es die Abwesenheit, auf die die Anordnungen des Dispositivs reagieren.

Vor dem Hintergrund der hier angedeuteten Entwicklung von Theorien des Dispositivs ist nun noch kurz auf die filmtheoretische Aufnahme des Dispositivs als Konzept medialer Topik zurückzukommen, dessen *dispositio* in der filmtheoretischen Rhetorik auf ein Problematischwerden ihres Gegenstandes zurückgeht.

Um die Sache abzukürzen, könnte man von folgendem Beispiel, das symptomatisch ist, ausgehen: In Jean-Luc Godards erstem Spielfilm *A bout de souffle* (1959) identifiziert sich der Held des Films Michel Poiccard mit einer der Ikonen des Hollywood-Films, Humphrey Bogart, d. h. über diesen Mechanismus mit dem klassischen diegetischen Cinéma. Diese Affinität wird jedoch an Ort und Stelle durchkreuzt, wenn seine Freundin Patricia Franchini, um der Verfolgung durch die Polizei zu entkommen, die Dunkelheit des Kinos, den Ort der Identifikation, nutzt, nicht um dort bewegungslos zu verharren, sondern um es zu durchqueren und durch ein Toilettenfenster wieder zu verlassen. In fast allen Filmen Godards ist das Kino auch Ort der Handlung, nicht von Filmen, sondern des Films, der diesen Ort durchquert. Man könnte an Benjamin erin-

nern: »Das ist keine Haltung, der Kulturwerte ausgesetzt werden.«[74] Das gilt auch für Filme, die demonstrieren, wie sie *nicht* rezipiert werden wollen.
Anfang der 60er Jahre wird die doppelte Krise des Cinéma auf allen Ebenen deutlich. Die innere Destruktion betrifft die Verminderung der (nationalen) Vielfalt des Angebots an Filmen durch die Dominanz der amerikanischen Produktion im Verleih; sie betrifft die Zerstückelung der Kinos selbst, die nicht mehr Traumhöhlen sind, sondern häufig zu bloßen Abspielstätten für Filme werden; sie betrifft die Stellung des Cinéma, dessen Monopol für die Vorführung von Filmen durch das Fernsehen, danach auch durch Video nachhaltig erschüttert worden ist (vollkommen hat dieses Monopol nie bestanden: Filme wurden immer auch anders als in der Traumhöhle Kino gesehen). Die äußere Krise des Cinéma wird durch die elektronischen Medien, zunächst das Fernsehen, bald (seit Mitte der 70er Jahre) auch durch Video, schließlich die ungeheure digitale Dissemination medialer Möglichkeiten gekennzeichnet. Es ist charakteristisch, daß das Cinéma in traditionellem Selbstverständnis versucht, der Krise mit der Verstärkung der audiovisuellen Faszination seiner Filme durch die Vergrößerung der Bild- und Tonformate zu begegnen (um im Bilde zu bleiben: man versucht, die Fesseln der in der Kinohöhle Gefangenen noch mehr festzuziehen), und es ist interessant, daß das Fernsehen analog auf die beginnende Erosion des Massenmediums[75] reagiert und zunächst die ›Blickfalle‹ für die Aufmerksamkeit des Fernsehzuschauers auf ein neues Format 16:9 vergrößert. Schließlich sind es die Filmzuschauer selbst, die entweder das Kino verlassen oder neue Rezeptionsgewohnheiten mitbringen, die sie außerhalb des Kinos in einer seit den 60er Jahren sich ausbreitenden Freizeitkultur angenommen haben. Um auf den Ausgangspunkt zurückzukommen: In dem hier skizzierten Rahmen ist Anfang der 60er Jahre »die Nouvelle Vague eine der Konsequenzen aus der Krise des Cinéma«.[76] Die sie begleitende filmtheoretische Diskussion

ist, mit entsprechender Verspätung bis Ende der 60er Jahre, eine weitere.
Die Antworten, die André Bazin auf die selbstgestellte Frage »Was ist das Cinéma?« gegeben hat, werden zunehmend in Frage gestellt. Baudry und vor allem Jean-Louis Comolli attackieren Bazin, indem sie dem Kino Bazins die ontologische Basis entziehen (und sie, wie Baudry, durch die apparative Basis ersetzen). Das szenische Dispositiv räumlicher Tiefenwirkung in kontinuierlicher Plansequenz war wie geschaffen für den tagträumenden Zuschauer: Im Kino, sagt Bazin, »schauen wir, einsam, in einem verdunkelten Raum, durch halbgeöffnete Vorhänge einem Schauspiel zu, das uns ignoriert und das ein Teil des Universums ist. Nichts widerspricht unserer imaginären Identifikation mit der Welt, die vor uns abläuft und die ›zur Welt‹ wird.«[77] Die Ideologiekritik dieser Konstruktion des identifikatorisch hergestellten Realitätseindrucks war schließlich ein Element in einem sehr konkreten Kampf um das Kino und dem Versuch einer militanten Neubestimmung des Cinéma.[78] In diesem Zusammenhang, der neben Godards Hinwendung zum neuen Medium Video unterschiedlichste Formen alternativer Filmarbeit hervorgebracht hat, ist das Cinéma als Dispositiv zum kritischen Gegenstand des filmtheoretischen Diskurses geworden.
Natürlich kann es hier nur um punktuelle Nachweise der Thematisierung dispositiver Strukturen des Cinéma gehen. Komplexe Entwicklungen, wie sie vor allem Christian Metz von der Phänomenologie der filmologischen Schule über die linguistische Semiotik bis zur (semiotischen) Psychoanalyse des Cinéma als Dispositiv durchgemacht hat, müssen unberücksichtigt bleiben.[79]
Die zwei oben bereits angedeuteten affirmativen und dekonstruktiven Möglichkeiten des Umgehens mit dem Modell des Dispositivs wiederholen sich hier. Die dekonstruktive Linie ist mit Thierry Kuntzel und Raymond Bellour verbunden. Man kann Kuntzel gewissermaßen auf dem Weg aus dem Kino (bis in Theorie und Praxis der Video Art) folgen. In einer Anmer-

kung zum »filmischen Apparat«[80] konstruiert er sorgfältig eine Analogie zwischen Freuds apparativem Modell der Aufzeichnung von Spuren des Erinnerns im Unbewußten, dem sog. »Wunderblock«, zum kinematographischen Dispositiv ›Projektor – Projektion – Leinwand‹, wo die Bilder des Films kontinuierlich (im klassischen Modus) durch ihr Verschwinden erscheinen. Was im Erscheinen verschwindet, ist auch die Bilderfolge des Filmstreifens, dessen Spuren die Projektion vorübergehend auf der Leinwand sichtbar macht; wie der Psychoanalytiker kommt auch Kuntzel auf das Ausgangsbild zurück, das, selbst unsichtbar, den Eindruck hinterlassen hat. Davon ausgehend handelt es sich um den »einen virtuellen Film, den Film jenseits des Films, den anderen Film. Dieser andere Film – um ein anderes Bild zu benutzen: der wieder aufgerollte Streifen, bloßes Volumen, ein Film frei von zeitlichen Zwängen, wo sämtliche Elemente simultan gegenwärtig sind, d. h. ohne Gegenwarts-Effekt, sondern ständig aufeinander bezogen, sich überschneidend, überlappend, zu neuen Konfigurationen gruppierend, die in der Projektion so nie zu sehen oder zu hören sind: D. i., kurz, ein Film Text.«[81] Bellour kommentiert das Verfahren so, daß »im Unterschied zu Baudrys und Metz' Konzept des Basisapparat, der Film selbst [...] der Apparat ist.«[82] Der ›andere Film‹ ist der in seinem *défilement* angehaltene Film, dessen Signifikantenketten analog zur textuellen Dekonstruktion aufgebrochen werden müssen, um darunter die Spur eines in der Projektion nicht sichtbaren, aber unbewußt gesehenen Films an die Oberfläche zu holen (s. Kuntzels dekonstruktive Analyse des Films von Peter Foldès: *Appétit d'oiseau*[83]). Die Konsequenz ist, daß der Film das Kino verläßt und sich bald dort wiederfindet, wo er als Text lesbar wird, auf dem Videorecorder, d. h. die textuelle (bisweilen auch dekonstruktive) Analyse von Filmen wird künftig auf Videorecordern stattfinden, wo der Film angehalten werden kann, um den anderen Film lesbar zu machen.[84] Kuntzel hat sich ebenso konsequent der Arbeit mit Video zugewandt. Worauf es hier ankommt, was aber im Rahmen dieser Überlegungen nicht mehr berücksichtigt werden kann, ist die Verlagerung des dispositiven Modells auf eine neue An/Ordnung der Projektion und Rezeption von Filmen per Videorecorder und Monitor. Anders gesagt, das Modell des Dispositivs muß beweglich genug sein, um diese Verlagerung als Strukturwandel deutlich zu machen.[85]

Nicht Freuds apparatives Modell des »Wunderblock«, sondern Lacans optisches Dispositiv der ›virtuellen Vase‹ dient Jean-Paul Simon als Modell für die Darstellung eines vergleichbaren Effekts (für den Mechanismus des *défilement / refoulement*, des Erscheinens der Simulation durch das Verschwinden des projizierten Objekts[86]). Darüber hinaus bezieht sich Simon auf der Ebene des filmischen Signifikanten auf die Struktur des *appareil formel de l'énonciation*, den er von Benveniste übernimmt.[87] Seine exemplarische Entfaltung verschiedener dispositiver Anordnungen (szenisches Dispositiv, perspektivisches Dispositiv, Strukturen der Spiegel-Identifikation etc.) dient dem primären Zweck zu zeigen, wie sie vom Komischen im Film, von der subversiven Aktion des Gag unterminiert und destruiert werden. Zentrales Beispiel ist die Spiegelsequenz aus dem Film *Duck Soup* (1933) der Marx Brothers. Das Lachen im Kino braucht andererseits nicht die dispositive Struktur, die für die identifikatorische Strategie des Realitätseindrucks in den dramatischen Genres vorausgesetzt wird, vielleicht lassen sich gerade deshalb die Slapstick-Comedies, die vor dem klassischen Zeitalter des Hollywood-Tonfilms entstanden sind, so problemlos auf das Fernsehen übertragen.

Marc Vernet[88] zieht in einer sehr reichen Analyse noch einmal alle Register psychoanalytischer Argumentation (Freud und Lacan), um einen Medusa-Effekt faszinierter Fesselung des Auges an die flackernde Projektion des Leinwandbildes dispositiv zu rekonstruieren, perspektivisch zu erweitern und schließlich den Zuschauer selbst zur Leinwand der Projektion eines (diegetischen) Blickes werden zu lassen, unter dem der beunruhigende Differenzeffekt des Lichts auf der Oberfläche

der Leinwand gemildert wird, um den Zuschauerblick in der perspektivischen Tiefe des diegetischen Bildes wieder zu beruhigen.
Schließlich kommt, wie in einer Kreisbewegung, der dekonstruktive Weg der dispositiven Analyse in der Affirmation des klassischen Cinéma, seines Films und seines Kinos, wieder an. Für André Gardies gibt es die Relativierungen nicht, die Christian Metz noch hinsichtlich des klassischen Kinofilms glaubte machen zu müssen. Um den Raum im Cinéma (ästhetischer, sozialer und Raum der Beziehung zwischen beiden) theoretisch und analytisch zu erfassen, konstruiert er eine ahistorische, ideale dispositive Struktur der kinematographischen Projektion und Rezeption: Zwei Halbkugeln (*boules spéculaires*[89]) schließen sich um den Blick des Zuschauers in einer symmetrischen Anordnung des Sehens zweier Partner, Leinwand und Zuschauer, beide in Distanz und face to face. Und das ist die Logik des *dispositif spectaculaire*. »Sie besteht darin, das soziale Subjekt physisch zu bearbeiten, um seine Widerstandfähigkeit zu vermindern und es gefügig zu machen. In einem ersten Schritt strukturieren die Halle und der Saal den Raum, damit der Körper diszipliniert und durch erzwungene Isolierung auf das Selbstgefühl als Individuum zurückgeführt werden kann. In einem zweiten Schritt führt der Raum durch die Vektorisierung, die die Projektion herstellt, eine doppelte und hierarchische Relation ein, die den Zuschauer dem Dispositiv unterwirft. Dann kann eine intensive Aktivität audiovisueller Stimuli sich souverän über ein Subjekt, das gefügig geworden ist und das sich in einem Zustand optimaler Rezeptivität befindet, hermachen. Das Cinéma als Schauspiel konstruiert seinen eignen Raum für seine Entfaltung, dessen Aufgabe das Sichtbarmachen und die Entfaltung von Stimuli ist.«[90] Aber das Bild oder Modell der beiden *boules spéculaires*, die sich angeblich um den Blick des Zuschauers schließen, um ihn in ihrem Dispositiv für das Spektakel des Cinéma gefügig zu machen, können kaum (noch) die Wirklichkeit des Cinéma, seine Macht über das Zuschauer-Subjekt, adäquat

beschreiben: Dieses Zuschauer-Subjekt kann sich inzwischen einbilden, einen Teil der Macht (des Handelns) zurückgewonnen zu haben, wenn es Filme vor dem Fernseh- oder Videomonitor per Fernbedienung zappend kontrolliert und sich auch vor den größten Leinwänden und lautesten Dolby-Surround-Lautsprecheranlagen der Multiplexe wie eh und je lieber dem Popcorn oder der Nachbarin (bzw. dem Nachbarn) widmet.[91] Daher trifft Foucaults Bild vom Januskopf des Dispositivs (der Macht), mit dem es auf Unordnungen und Brüche reagiert, die es zu maskieren oder in eine neue Ordnung zu überführen gilt, die Lage wesentlich genauer. Die alte An-Ordnung des Kino-Dispositivs hat ihre Schuldigkeit getan, die neue Ordnung ist die des Netzes, das die Brüche des Realen nicht mehr mit Illusionen der Kohärenz und Kontinuität überspielt, sondern operationalisiert: »Das Dispositiv selbst ist das Netz, das zwischen diesen Elementen geknüpft werden kann.«[92] Die mediale Topik und ihre Dispositive haben sich grundlegend gewandelt, die *boules spéculaires* jedenfalls können den in ihnen gefangenen Blick nicht mehr aufhalten, der sich inzwischen in einem Netz verfangen hat, das die Topographie des Sehens globalisiert und das (lokale) Kino in seine Elemente aufgelöst hat, um sie neu (anzu-)ordnen und seinem Dispositiv, der Heterogenität des Internet, unterzuordnen.

Anmerkungen

1 Ludwig Wittgenstein, *Schriften*, Bd. 7: *Vorlesungen über die Grundlagen der Mathematik* (1939), Frankfurt a. M. 1978, S. 24.

2 Vgl. Joachim Paech, »Intermedialität. Mediales Differenzial und transformative Figurationen«, in: Jörg Helbig (Hrsg.): Intermedialität. Theorie und Praxis eines interdisziplinären Forschungsgebiets, Berlin 1998, S. 14–30; J. Paech, »Intermedialitat des Films«, in: Jürgen Felix (Hrsg.): *Moderne Film Theorie. Paradigmen, Positionen, Perspektiven*, Mainz 2002, S. 287–316.

3 Von ›Cinéma‹ ist im folgenden die Rede, wenn die gesamte Institution gemeint ist unter Einschluß von Kino und Film (was auch

einen diskursiven Spielraum für die Lokalisierung des Terminus ›Dispositiv‹ läßt).

4 Jean-Louis Baudry, »Ideologische Effekte erzeugt vom Basisapparat« [zuerst in: *Cinéthique* 6/7 (1970)], übers. von Gloria Custanze und Siegfried Zielinski, in: *Eikon. Internationale Zeitschrift für Fotografie und Medienkunst*, Wien 1993, H. 5, S. 36–43, sowie J.-L. Baudry, »Das Dispositiv: Metapsychologische Betrachtungen des Realitätseindrucks« [zuerst in: *Communications* 23 (1975)], übers. von Max Looser, in: *Psyche* 48 (1994) Nr. 11.

5 Baudry, 1970/1993 (s. Anm. 4) S. 36.

6 Nach einem Terminus von Louis Althusser.

7 Jean-Paul Fargier, »Le processus de production de film«, in: *Cinéthique* (1970) Nr. 6, S. 55.

8 Baudry, 1970/1993 (s. Anm. 4) S. 42.

9 Christian Metz wird die Vergeblichkeit, durch die Einschreibung des Dispositivs in die Repräsentation oder Selbstreferenz des Films einen Bruch herbeiführen, kommentieren: »Der Wille, das Dispositiv sichtbar zu machen, hat mitunter in gewissen Fällen den naiven und ein wenig undurchsichtigen Wunsch entstehen lassen, ein pseudopolitisches Über-Ich mit der unglücklichen Verehrung für das Cinéma und seine Technik zu versöhnen« (C. Metz, »Montrer le dispositif«, in: C. M., *L'Enonciation impersonnelle ou le site du film*, Paris 1991, S. 91).

Daß das Vorzeigen der Apparate und die Darstellung der Arbeit am Film im Film keinen politischen, sondern einen ästhetischen oder Fetisch-Effekt hat, läßt sich leicht nachweisen. Filme, die ihre eigene Herstellung thematisieren, sind zunächst einmal Spielfilme (z. B. der Anfang von Godards *Le Mépris* oder *La nuit américaine* von Truffaut und die meisten Filme Fellinis, das trifft aber auch auf Vertovs *Der Mann mit der Kamera* zu) oder Dokumentarfilme wie andere auch. Nach wie vor ist die Kamera, deren Blick der Film zeigt, eine andere als die, die von der Kamera gesehen wird, die zum ›Set‹ gehört wie jedes andere Requisit auch.

10 Vgl. in deutscher Übersetzung Jean-Louis Baudry [u. a.], *Tel Quel. Die Demaskierung der bürgerlichen Kulturideologie*, München 1971 (teilweise *Tel Quel. Théorie d'ensemble*, Paris 1968).

11 Julia Kristeva, »Die Semiologie – Kritische Wissenschaft und/oder Wissenschaftskritik?«, in: Baudry [u. a.] (s. Anm. 10) S. 35.

12 Jean-Louis Baudry, »Ecriture, fiction, idéologie«, in: *Tel Quel. Théorie d'ensemble*, Paris 1968, S. 132.

13 Vgl. Baudrys Analyse von Bergmans *Persona* (»Person, Personne, Persona«, in: *Filmkritik* (1968) H. 11, S. 607–610).
14 Vgl. Pierre Francastel, »Espace et illusion«, in: P. F., *L'image, la vision et l'imagination. De la peinture au cinéma*. Paris 1983 (zuerst in: *La Revue International de Filmologie*, 1949, Nr. 5–6).
15 Francastel (s. Anm. 14) S. 77.
16 Gemeint ist vor allem die Artikelserie von Jean-Louis Comolli, »Technique et idéologie. Caméra, perspective profondeur de champ«, in: *Cahiers du Cinéma*, ab H. 229, 1971.
17 Hubert Damisch, *L'origine de la perspective* (1987), Paris 1993, S. 9.
18 Marcelin Pleynet, »Economique, idéologique, formal«, in: *Cinétique* (1969) Nr. 3 (Interview mit Marcelin Pleynet und Serge Thoubiana).
19 Jean Epstein, »Intelligence d'une machine« (1946), in: J. E., *Ecrits sur le cinéma*, Bd. 1: *1921–1947*, Paris 1974, S. 255–334.
20 Walter Benjamin, *Das Kunstwerk im Zeitalter seiner technischen Reproduzierbarkeit*, Frankfurt a. M. 1963. Benjamins Diskussion der apparativen Bedingungen kultureller Produktion hat allerdings eine andere Perspektive, in der gerade durch die Wiederholbarkeit, indem der Apparat zwischen das ›einmalige‹ auratische Kulturereignis und den Rezipienten tritt, auratische (sprich ›ideologische‹) Strukturen aufgebrochen werden: »Das Publikum fühlt sich in den Darsteller nur ein, indem es sich in den Apparat einfühlt. Es übernimmt also dessen Haltung: es testet. Das ist keine Haltung, der Kulturwerte ausgesetzt werden« (S. 28).
21 Baudry, 1970/1993 (s. Anm. 4) S. 41.
22 Ebd.
23 Baudry, 1975/1994 (s. Anm. 4).
24 Ebd., S. 1052.
25 Ebd.
26 Ebd., S. 1056.
27 Ebd.
28 Das ›Reale‹ sind keine Körper, die Schatten projizieren, sondern ist das (Sonnen-)Licht außerhalb der Höhle. Die ›Wahrheit‹ der Schatten kann nie in der Höhle, sondern nur als ihr aufgeklärtes Gegenteil außerhalb erfahren werden, weshalb die Höhlenbewohner die Höhle verlassen müssen, wenn sie die ›Wahrheit‹ wissen wollen. Sie weigern sich bekanntlich, sich der schmerzenden Helligkeit des Sonnenlichts, der Wahrheit also, auszusetzen. Es nützt gar nichts, die Fesseln zu lockern, wenn damit nicht auch das ›Verlassen‹ der Höhle gemeint ist. Vgl. Hans Blumenberg, *Höhlenausgänge*, Frankfurt a. M. 1989.

29 Baudry, 1975/1994 (s. Anm. 4) S. 1053.
30 Ebd.
31 Ebd., S. 1048.
32 Der bekannte Text von Jacques Lacan, »Das Spiegelstadium als Bildner der Ichfunktion«, in: J. L., *Schriften*, Bd. 1, Frankfurt a. M. 1975, wird von Baudry hier, ähnlich wie 1970, sehr vordergründig ›verwendet‹; 1970 hieß es: »Wenn man bedenkt, daß diese beiden Bedingungen bei der kinematographischen Projektion sich wiederholt finden – Aufhebung der Motorik und Prädominanz der visuellen Funktion – könnte man vermuten, es handle sich dabei um mehr als eine Analogie« (S. 41). Christian Metz, der sich ebenfalls ausführlich mit der Spiegel-Analogie der Kinoleinwand beschäftigt, kritisiert Baudry, den Spiegel zu buchstäblich zu nehmen, statt ihn symbolisch zu verstehen: die Leinwand ist nun mal kein tatsächlicher Spiegel. »Als Dispositiv (und zwar im sehr topographischen Sinn des Wortes) hat das Cinéma viel mehr mit der symbolischen Seite zu tun« (C. Metz, *Le signifiant imaginaire. Psychanalyse et cinéma*, Paris 1977, S. 70 (Identification, miroire); s. ebd., S. 130 (Le film de fiction ...).
33 Baudry, 1975/1994 (s. Anm. 4) S. 1058.
34 André Bazin, »Le mythe du cinéma total« (1946), in: A. B., *Qu'est-ce que le cinéma?*, Ed. définitif, Paris 1981, S. 19.
35 Baudry, 1970/1993 (s. Anm. 4) S. 38.
36 Christian Metz, »Der fiktionale Film und sein Zuschauer. Eine metapsychologische Untersuchung«, übers. von Max Looser, in: *Psyche* 48 (1994) Nr. 11 [zuerst in: *Communications*, 1975, Nr. 23; auch in Metz, 1977 (s. Anm. 32)].
37 Metz, 1975/1994 (s. Anm. 36) S. 1012.
38 Ebd., S. 1018.
39 Ebd., S. 1020.
40 Ebd., S. 1019.
41 Christian Metz, »L'image comme objet: cinéma, photo, fétiche«, in: Alain Dhote (Red.), *CinémAction* (1989) Nr. 50 (*Cinéma et psychanalyse*), S. 168–175 (Fotografie und Tod [Dubois]. Film als symbolische Form der Vermeidung eines Verlustes. Die dispositive Struktur fetischistischer Symbolisierung zentriert um Mangel, Verlust, was ihr eine andere ›offene‹ Perspektive gibt).
42 Metz, 1975/1994 (s. Anm. 36) S. 1031.
43 Siegfried Kracauer, »Die kleinen Ladenmädchen gehen ins Kino« (1927), in: S. K., *Das Ornament der Masse*, Frankfurt a. M. 1977, S. 280.

44 Ebd., S. 179.
45 Joan Copjec, »The Anxiety of the Influencing Machine«, in: *October* (1982) Nr. 23, S. 43–59, sowie Constance Penley, »Feminism, Film Theory and the Bachelor Machines«, in: C. P., *The Future of an Illusion. Film, Feminism and Psychoanalysis*, London 1989.
46 Vgl. Mary Ann Doane, »Woman's Stake: Filming the Female Body«, in: *October* (1981) Nr. 17, S. 23–36.
47 Jean Clair / Harald Szeemann (Hrsg.), *Junggesellenmaschinen / Les machines célibataires*, Venedig 1975.
48 Metz, 1975/1994 (s. Anm. 36) S. 1040.
49 Ebd., S. 1013.
50 Ian Breakwell / Paul Hammond (Hrsg.), *Seeing in the dark. A Compendium of Cinema-going*, London 1990, S. 39 (Dieses Buch ist voll von Kinoerlebnissen, die nicht hätten erzählt werden können, wenn die Zuschauer in schlafähnlichem Zustand verträumt den Filmvorführungen beigewohnt hätten! Vgl. dazu Anne und Joachim Paech, *Menschen im Kino. Film und Literatur erzahlen*, Stuttgart/Weimar 2000).
51 Metz, 1975/1994 (s. Anm. 36) S., 1006.
52 Ebd., S. 1042.
53 Siegfried Zielinski, *Audiovisionen. Kino und Fernsehen als Zwischenspiele in der Geschichte*, Reinbek 1989, S. 14 f.
54 Vgl. u. a. Gert Ueding, *Einführung in die Rhetorik. Geschichte, Technik, Methode*, Stuttgart 1976, S. 206 f.
55 Vgl. Michael Cahn, *Kunst der Überlistung. Studien zur Wissenschaftsgeschichte der Rhetorik*, München 1986, S. 22 f.
56 Ebd., S. 35.
57 Christian Metz, *Semiologie des Films*, München 1972, S. 161–164 (4. Kapitel: »Ist die ›Grammatik‹ des Kinos eine Rhetorik oder eine Grammatik?«).
58 Vgl. Christian Metz, »Le film de fiction et son spectateur«, in: Metz, 1977 (s. Anm. 32) S. 123–132 (1. Film/rêve: Le savoir du sujet).
59 Roland Barthes' Behandlung der Rhetorik (wie in der Renaissance der Rhetorik überhaupt zu diesem Zeitpunkt) könnte ihren Ort in derselben Bruchstelle kultureller Selbstgewißheiten haben, in der die Literatur und das Cinéma mit dem Nouveau Roman und dem Nouveau Cinéma (der Novelle Vague) selbstreflexiv werden, derselbe Ort, an dem auch die Dispositiv-Theorie des Cinéma in Erscheinung tritt. Charakteristisch ist, daß Barthes nach der Herausarbeitung der Differenz ›dispositio‹ und ›figur‹ eine Rhetorik des

Wahrscheinlichen einführt, deren ›effet de réalité oder Wahrheitseffekt von der Meinung des Zuschauers (von der Analyse des Hörers im Sinne M. Cahns) ausgeht, die im Bild Kracauers mit den wirklichen Wünschen der kleinen Ladenmädchen, die ins Kino gehen, übereinstimmen würde. Insofern ist das Hollywood-Kino ein Effekt der Krise einer filmischen ›elocutio‹, solange sie auf der dokumentarischen ›inventio‹ des vor-filmisch Gegebenen beruht (Flahertys *Nanook* könnte als Beispiel für diese Krise gelten). Roland Barthes, »Die alte Rhetorik«, in: R. B., *Das semiologische Abenteuer*, Frankfurt a. M. 1988, S. 26.

60 Interessanterweise hat Pierre Bourdieu seinen Begriff des ›Habitus‹ als »Vermittlung zwischen Struktur und Praxis« wieder zurück in die Rhetorik gestellt, wo er als ›symbolische Form‹ ebenso gut als ›disposition‹ im »System verinnerlichter Muster« eine Rolle spielen kann. Vgl. hierzu Pierre Bourdieu, *Zur Soziologie der symbolischen Formen*, Frankfurt a. M. 1974, S. 143.

61 Ernst Iros, *Wesen und Dramaturgie des Films*, Zürich/Leipzig 1938. Vgl. Joachim Paech, »Dispositionen der Einfühlung. Anmerkungen zum Einfluß der Einfühlungs-Ästhetik des 19. Jahrhunderts auf die Theorie des Kinofilms«, in: Knut Hickethier / Eggo Müller / Rainer Rother (Hrsg.), *Der Film in der Geschichte* [Akten der GFF-Tagung, Berlin 1994], Berlin 1997 (Schriften der Gesellschaft für Film- und Fernsehwissenschaft, 6), S. 106–122.

62 Michel Foucault, *Die Geburt der Klinik. Eine Archäologie des ärztlichen Blicks*, München 1973, S. 9.

63 Michel Foucault, *Die Ordnung der Dinge* (1966), Frankfurt a. M. 1971, S. 20.

64 Michel Foucault, *Dispositive der Macht. Über Sexualität, Wissen und Wahrheit*, Berlin 1978, S. 120.

65 Ebd.

66 Gilles Deleuze, »Was ist ein Dispositiv?«, in: François Ewald / Bernhard Waldenfels (Hrsg.), *Spiele der Wahrheit. Michel Foucaults Denken*, Frankfurt a. M. 1991, S. 153–162.

67 Gilles Deleuze, »L'Epuisé«, in: Samuel Beckett, *Quad, Trio du Fantôme*, … suivi de *L'Epuisé* par Gilles Deleuze, Paris 1992.

68 Gregory Bateson, *Ökologie des Geistes. Anthropologische, psychologische, biologische und epistemologische Perspektiven*, Frankfurt a. M. 1985, S. 60 f.

69 Foucault (s. Anm. 63) S. 102.

70 Die wichtigsten Texte in diesem Zusammenhang stammen von

Jean-Louis Schefer, *Scénographie d'un Tableau*, Paris 1969, und darauf aufbauend von Jean-Pierre Oudart, *L'effet de réel* (*Cahiers du Cinéma*, 1971, Nr. 228) und J.-P. Oudart, *Notes pour une théorie de la représentation* (*Cahiers du Cinéma*, 1971, Nr. 229).

71 Jean-François Lyotard, »Eine Figur des Diskurses«, in: J.-F. L., *Intensitäten*, Berlin 1978. S. 67 (J.-F. Lyotard, *Des dispositifs pulsionnels*, 1973, S. 127–147).

72 Jean-François Lyotard, »Die Malerei als Libido-Dispositiv«, in: J. F. L, *Essays zu einer affirmativen Ästhetik*, Berlin 1982 (aus: J.-F. Lyotard, *Des dispositifs pulsionnels*, 1973, S. 227–267).

73 Lyotard, 1978 (s. Anm. 71) S. 72.

74 Benjamin (s. Anm. 20).

75 Vgl. Florian Rötzer, »Interaktion – das Ende herkömmlicher Massenmedien«, in: Joachim Paech / Albrecht Ziemer (Hrsg.), *Digitales Fernsehen – eine neue Medienwelt?*, Mainz 1994. S. 66–80 (ZDF Schriftenreihe, 50).

76 Edgar Morin, »Conditions d'apparition de la ›Nouvelle Vague‹«, in: *Communications* (1961) Nr. 1.

77 André Bazin, »Theater und Kino«, in: A. B., *Was ist Kino? Bausteine zu einer Theorie des Films*, Köln 1975, S. 68 f.

78 Vgl. Sylvia Harvey, *May '68 and Film Culture*, London 1978.

79 In Deutschland setzt die Rezeption der hier zugrunde liegenden Debatte inclusive ›Dispositiv‹-Begriff erst spät ein. Der Begriff taucht bei der Beschreibung von Wahrnehmungs-Anordnungen in der Vorgeschichte des Kinos auf (Joachim Paech, *Literatur und Film*, Stuttgart 1988, S. 64–84); vor allem Hartmut Winkler geht intensiv auf Debatte und Begriff ein (H. Winkler, *Der filmische Raum und der Zuschauer. ›Apparatus‹-Semantik-›Ideology‹*, Heidelberg 1992); ebenfalls: Joachim Paech, »Eine Dame verschwindet. Zur dispositiven Struktur apparativen Erscheinens«, in: Hans Ulrich Gumbrecht / Karl Ludwig Pfeiffer (Hrsg.), *Paradoxien, Dissonanzen, Zusammenbrüche*, Frankfurt a. M. 1971, S. 773–790. – Zur Erweiterung des Dispositiv-Begriffs auf das Fernsehen vgl. M. Elsner / Th. Müller, »Der angewachsene Fernseher«, in: Hans Ulrich Gumbrecht / Karl Ludwig Pfeiffer (Hrsg.), *Materialität der Kommunikation*, Frankfurt a. M. 1988, S. 392–415, oder M. Elsner / Th. Müller / P. M. Spangenberg. »Zur Entstehungsgeschichte des Dispositivs Fernsehen in der Bundesrepublik Deutschland der fünfziger Jahre«, in: Knut Hickethier (Hrsg.), *Institution, Technik und Programm. Rahmenaspekte der Programmgeschichte des Fernse-*

hens. Geschichte des Fernsehens in der Bundesrepublik Deutschland, Bd. 1, München 1993, S. 31–66.
80 Thierry Kuntzel, »A Note Upon the Filmic Apparatus«, in: *Quarterly Review of Film Studies* 1 (1976) Nr. 3, S. 266–275.
81 Ebd., S. 271.
82 Raymond Bellour, »Thierry Kuntzel and the Return of Writing«, in: *Camera obscura*, Nr. 11, S. 21 f.
83 Thierry Kuntzel, »Le défilement«, in: Dominique Noguez (Hrsg.), *Cinéma. Théorie, lectures* (*Revue d'Esthétique*, 1973, Nr. 2/3/4), S. 97–110.
84 Vgl. dazu Raymond Bellour, *L'Entre-Images. Photo, Cinéma, Vidéo*, Paris 1990.
85 Vgl. neben vielen anderen Arbeiten Anne-Marie Duguet, »Dispositifs«, in: *Communications* (1988) Nr. 48 (Video).
86 Jean-Paul Simon, *Le Filmique et le Comique. Essai sur le film comique*, Paris 1979, S. 31.
87 Emil Benveniste, *Problèmes de linguistique générale*, Bd. 2, Paris 1974, S. 79–88 (L'appareil formel de l'énonciation).
88 Marc Vernet, »Clignotements du noir-et-blanc«, in: *Théorie du Film. Etudes*, hrsg. von J. Aumont und J. L. Leutrat, Paris 1980 (Le dispositif, S. 225–228).
89 André Gardies, *L'espace au cinéma*, Paris 1993, S. 29–36 (vgl. auch das Stichwort ›Boule spéculaire‹, in: André Gardies / Jean Bessalel (Hrsg.), 200 mots-clés de la théorie du cinéma, Paris 1992, S. 35 f.; entsprechend das Stichwort ›Dispositif‹, S. 62 f.).
90 Ebd., S. 21 f.
91 Die Kulturgeschichte des Ins-Kino-Gehens belegt, daß sich Kinozuschauer grundsätzlich der Macht des Kino-Dispositivs entzogen haben. Vgl. Anne und Joachim Paech, *Menschen im Kino. Film und Literatur erzählen* (s. Anm. 50).
92 Foucault (s. Anm. 64) S. 120.

Textnachweise

Die Texte folgen den angegebenen Druckvorlagen.

Dziga Vertov: Wir. Variante eines Manifestes (1922). In: D. V.: Schriften zum Film. Hrsg. von Wolfgang Beilenhoff. München: Hanser, 1973. S. 7–10. – Abdruck mit freundlicher Genehmigung des Carl Hanser Verlags, München.

Dziga Vertov: Kinoki – Umsturz (1923). In: D. V.: Schriften zum Film. Hrsg. von Wolfgang Beilenhoff. München: Hanser, 1973. S. 11–24. – Abdruck mit freundlicher Genehmigung des Carl Hanser Verlags, München.

Dziga Vertov: »Kinoglaz« (1924). In: D. V.: Aus den Tagebüchern. Bd. 1. Wien: Österreichisches Filmmuseum, 1967. S. 9–11. – Abdruck mit freundlicher Genehmigung des Österreichischen Filmmuseums, Wien.

Sergej M. Eisenstein / Wsewolod I. Pudowkin / Grigorij W. Alexandrow: Manifest zum Tonfilm (1928). Aus dem Russ. von Dieter Prokop. In: Dieter Prokop (Hrsg.): Materialien zur Theorie des Films. Ästhetik – Soziologie – Politik. München: Hanser, 1971. S. 83–85. – Abdruck mit freundlicher Genehmigung des Carl Hanser Verlags, München.

Sergej M. Eisenstein: Montage der Attraktionen (1923). Aus dem Russ. von Karla Hielscher. In: S. M. E.: Schriften. Hrsg. von Hans-Joachim Schlegel. Bd. 1: Streik. München: Hanser, 1974. S. 216–221. – Abdruck mit freundlicher Genehmigung des Carl Hanser Verlags, München.

Wsewolod I. Pudowkin: Filmregie und Filmmanuskript. Einführung zur ersten deutschen Ausgabe (1928). In: W. I. P.: Filmtechnik. Filmmanuskript und Filmregie. Übers. von Leonore Kündig. Zürich: Arche, 1961. S. 7–13. – Abdruck mit freundlicher Genehmigung des Verlags der Arche. © 1961 by Verlags AG »Die Arche«, Peter Schifferli, Zürich.

Wsewolod I. Pudowkin: Über die Montage (Anfang der vierziger Jahre). Aus dem Russ. von Hartmut Jaene. In: Der sowjetische Film. Bd. 1: 1930–1939. Frankfurt a. M.: Verband der deutschen Filmclubs e. V., 1966. S. 91–107. – Abdruck mit freundlicher Genehmigung des Arbeitskreises der Filmclubs, Bad Nauheim.

Boris M. Ejchenbaum: Probleme der Filmstilistik (1927). Aus dem Russ. von Wolfgang Beilenhoff. In: Wolfgang Beilenhoff (Hrsg.): Poetik des Films. Deutsche Erstausgabe der filmtheoretischen Texte der russischen Formalisten. München: Fink, 1974. S. 12–39. – Abdruck mit freundlicher Genehmigung des Wilhelm Fink Verlags, München.

Jurij N. Tynjanov: Über die Grundlagen des Films (1927). Aus dem Russ. von Wolfgang Beilenhoff und Karl Maurer. In: Wolfgang Beilenhoff (Hrsg.): Poetik des Films. München: Fink, 1974. S. 40–63. – Abdruck mit freundlicher Genehmigung des Wilhelm Fink Verlags, München.

Victor B. Šklovskij: Poesie und Prosa im Film (1927). Aus dem Russ. von Wolfgang Beilenhoff. In: Wolfgang Beilenhoff (Hrsg.): Poetik des Films. München: Fink, 1974. S. 97–99. – Abdruck mit freundlicher Genehmigung des Wilhelm Fink Verlags, München.

Rudolf Arnheim: Film als Kunst (1932). In: R. A.: Film als Kunst. München: Hanser, 1974. S. 23–47. – Abdruck mit freundlicher Genehmigung des Carl Hanser Verlags, München.

Béla Balázs: Zur Kunstphilosophie des Films (1938). In: Karsten Witte (Hrsg.): Theorie des Kinos. Frankfurt a. M.: Suhrkamp, 1972. S. 149–170. – Abdruck mit freundlicher Genehmigung des Suhrkamp Verlags, Frankfurt am Main.

Béla Balázs: Der sichtbare Mensch (1924). In: B. B.: Der sichtbare Mensch oder Die Kultur des Films. Wien/Leipzig: Deutsch-Österreichischer Verlag, 1924. S. 28–35.

Siegfried Kracauer: Erfahrung und ihr Material (1960). In: S. K.: Theorie des Films. Die Errettung der äußeren Wirklichkeit. Frankfurt a. M.: Suhrkamp, 1964. S. 384–389. – Abdruck mit freundlicher Genehmigung des Suhrkamp Verlags, Frankfurt am Main.

Siegfried Kracauer: Die Errettung der physischen Realität (1960). In: S. K.: Theorie des Films. Die Errettung der äußeren Wirklichkeit. Frankfurt a. M.: Suhrkamp, 1964. S. 389–400. – Abdruck mit freundlicher Genehmigung des Suhrkamp Verlags, Frankfurt am Main.

André Bazin: Die Entwicklung der kinematographischen Sprache (1958). Aus dem Französ. von Barbara Peymann. In: A. B.: Was ist Kino? Bausteine zu einer Theorie des Films. Hrsg. von Hartmut Bitomsky [u. a.]. Köln: DuMont Schauberg, 1975. S. 28–44. – Abdruck mit freundlicher Genehmigung des DuMont Buchverlags, Köln.

Sergej M. Eisenstein: Dramaturgie der Film-Form. Der dialektische Zugang zur Film-Form (1929). In: S. M. E.: Schriften. Hrsg. von Hans-Joachim Schlegel. Bd. 3: Oktober. München: Hanser, 1975. S. 200–225. – Abdruck mit freundlicher Genehmigung des Carl Hanser Verlags, München.

Umberto Eco: Einige Proben: Der Film und das Problem der zeitgenössischen Malerei (1968). In: U. E.: Einführung in die Semiotik. Autorisierte dt. Ausg. von Jürgen Trabant. München: Fink, 1972. Kap. 4, I, S. 250–262. [Wiederaufnahme und Weiterführung einzelner Argumente des Pesaro-Vortrags.] – Abdruck mit freundlicher Genehmigung des Wilhelm Fink Verlags, München.

Christian Metz: Probleme der Denotation im Spielfilm (1968). In: Ch. M.: Semiologie des Films. Übers. von Renate Koch. München.: Fink, 1972. Kap. II, 5, S. 151–198. – Abdruck mit freundlicher Genehmigung des Wilhelm Fink Verlags, München.

Jan Marie Peters: Die Struktur der Filmsprache (1962). In: Publizistik 7,4 (Juli/August 1962) S. 195–204. – Abdruck mit freundlicher Genehmigung des Universitätsverlags Konstanz, Konstanz.

Laura Mulvey: Visuelle Lust und narratives Kino. Aus dem Engl. von Karola Gramann. In: Frauen in der Kunst. Hrsg. von Gislind Nabakowski, Helke Sander, Peter Gorsen. Frankfurt a. M.: Suhrkamp, 1980. Bd. 1. S. 30–46. (Orig.-Titel: Visual Pleasure and Narrative Cinema. Erstveröff. in: Screen. H. 3 (1975). Wiederabgedr. in: L. M.: Visual and Other Pleasures. Bloomington: Indiana University Press, 1989, S. 14–26. – © der deutschen Übersetzung 1980 Suhrkamp Verlag, Frankfurt am Main. – Wiederabgedr. in: Weiblichkeit als Maskerade. Hrsg. von Liliane Weissberg. Frankfurt a. M.: Fischer Taschenbuch Verlag, 1994, S. 48–65.

Gilles Deleuze: Das Bewegungs-Bild und seine drei Spielarten. Zweiter Bergson-Kommentar. In: G. D.: Das Bewegungs-Bild. Kino 1. Übers. von Ulrich Christian und Ulrike Bokelmann. Frankfurt a. M.: Suhrkamp, 1989. [Frz. Orig.-Ausg.: Paris 1983.] S. 84–97 (Kap. 4,1 und 4,2). – Abdruck mit freundlicher Genehmigung des Suhrkamp Verlags, Frankfurt am Main.

Kristin Thompson: Neoformalistische Filmanalyse. Ein Ansatz, viele Methoden. Aus dem Amerik. von Margret Albers und Johannes von Moltke. In: montage/av. Zeitschrift für Theorie & Geschichte audiovisueller Kommunikation 4 (1995) H. 1. S. 23–62. [Auszüge.] (Orig.-Titel: K. Th.: Breaking the Glass Armor: Neoformalist Film Analysis. Princeton, N. J.: Princeton University Press, 1988. [Einleitungskapitel.]) – Abdruck mit freundlicher Genehmigung von montage/av, Berlin.

Joachim Paech: Überlegungen zum Dispositiv als Theorie medialer Topik (1997). In: J. P.: Der Bewegung einer Linie folgen ... Schriften zum Film. Berlin: Vorwerk 8, 2002. S. 85–111. – Abdruck mit freundlicher Genehmigung des Verlags Vorwerk 8, Berlin.

Kurzbiographien

RUDOLF ARNHEIM (* 1904)

Kunst- und Filmtheoretiker; 1928–33 Redakteur der *Weltbühne*; flüchtete 1939 von Berlin über Italien in die USA; Professor für Filmsoziologie am Sarah Lawrence College, Bronxville, N. Y.; lehrte zuletzt in Harvard; Präsident der Sektion Ästhetik der »American Psychological Association« und der »American Society of Aesthetics«; seine zahlreichen Werke zur Psychologie der künstlerischen Wahrnehmung und zum anschaulichen Denken haben auch in Deutschland nachhaltig gewirkt: u. a. *Art and Visual Perception: A Psychology of the Creative Eye* (1954; dt. *Kunst und Sehen. Eine Psychologie des schöpferischen Auges*, 1965, 1978); *Toward a Psychology of Art. Collected Essays* (1966; dt. *Zur Psychologie der Kunst*, 1977); *Visual Thinking* (1969; dt. *Anschauliches Denken. Zur Einheit von Bild und Begriff*, 1996).

BÉLA BALÁZS (1884–1949)

Ungarischer Schriftsteller, Szenarist und Filmtheoretiker; nach dem Fall der habsburgischen Monarchie eine der markantesten Persönlichkeiten des ungarischen Kulturlebens; emigrierte 1919 nach Österreich; 1926 Übersiedlung nach Berlin; 1932–46 Professor für Filmästhetik am Moskauer Filminstitut; kehrte 1946 nach Ungarn zurück und lehrte gleichzeitig in Rom, Warschau und Prag; seine bedeutenden filmtheoretischen Werke sind in Deutschland, Österreich und der UdSSR erschienen; seine Filmtheorie behandelt zentral die Möglichkeiten der Montage.

ANDRÉ BAZIN (1918–1958)

Bedeutendster französischer Filmkritiker nach dem Zweiten Weltkrieg und geistiger Vater der »Nouvelle Vague«; Mitarbeit an zahlreichen französischen Zeitungen und Zeitschriften unterschiedlichster politisch-ideologischer Orientierung, besonders an den *Cahiers du Cinéma*, die er 1951 gründete; sein vierbändiges, postum erschienenes Sammelwerk *Qu'est-ce que le cinéma?* (1958–62) enthält zwar kein koharentes filmästhetisches Konzept, kann jedoch das historische Verdienst für sich in Anspruch nehmen, die Filmkritik in Frankreich als intellektuell anspruchsvolles Metier etabliert zu haben.

GILLES DELEUZE (* 1925)

Französischer Philosoph und Kulturwissenschaftler; neben Jean Baudrillard, Jacques Derrida und Michael Foucault einer der Hauptvertreter der poststrukturalistischen Philosophie; starker Einfluß der deutschen (Hegel, Marx, Nietzsche, Freud) und französischen (vor allem Bergson) Philosophie und Geistesgeschichte auf sein Denken; mit Félix Guattari Schöpfer eines »Rhizom« genannten labyrinthischen Modells. Wichtigste Werke: *Empirisme et subjectivité* (1953), *Marcel Proust et les signes* (1964), *Le Bergonisme* (1966), *Spinoza et le problème de l'expression* (1968), *Différence et répétition* (1969), *Logique du sens (1969), Anti-Œdipe* (1972), *Rhizome* (1976), *Mille plateaus* (mit Guattari, 1980), *Foucault* (1986). *Critique et Clinique* (1993). Mit *Cinéma 1. L'image-mouvement* (1983) und *Cinéma 2. L'image-temps* (1985) legt Deleuze eine vieldiskutierte Philosophie des Films vor.

UMBERTO ECO (* 1932)

Studium der Philosophie, Promotion 1951 mit einer Arbeit über *Il problema estetico in San Tommaso*; seit 1961 Dozent für Ästhetik und Filmsemiotik an den Universitäten Turin, Mailand und Bologna; wichtigste Veröffentlichungen: *Opera aperta. Forma e indeterminazione nelle poetiche contemporanee* (1962: dt. *Das offene Kunstwerk*, 1973, [2]1978); *La definizione dell'arte* (1968); *La struttura assente* (1968; dt. *Einführung in die Semiotik*, 1972, [8]1994); *I sistemi di segni e lo strutturalismo sovietico* (Hrsg., 1969); *Il segno* (1973); dt. *Zeichen. Einführung in seinen Begriff und seine Geschichte*, 1977; *Trattato di semiotica generale* (1975; dt. *Semiotik. Entwurf einer Theorie der Zeichen*, 1985, [2]1991).

SERGEJ M. EISENSTEIN (1898–1948)

1920/21 Bühnenbildner am Ersten Arbeitertheater des Proletkult in Moskau; 1922 Studium an dem von W. Meyerhold geleiteten Staatlichen Regieinstitut; 1920–24 Regisseur beim Proletkult; die enge Verbindung von Theater und Film, Theorie und Praxis charakterisiert schon den jungen Eisenstein; ab 1928 arbeitet Eisenstein (mit Unterbrechungen bis zu seinem Tod) am Staatlichen Filminstitut in Moskau; 1928 Veröffentlichung des »Manifestes über den Tonfilm« (mit Alexandrow und Pudowkin); 1929–32 ausgedehnte Europa- und USA-Reise; Filmarbeit in Hollywood und Mexiko; in den dreißiger Jahren gerät Eisenstein zunehmend in Konflikt mit der stalinistischen Kulturpolitik. Realisierte Filme: *Glumows Tagebuch* (1923); *Streik* (1924); *Panzerkreuzer Potemkin* (1925); *Oktober* (1927); *Das Alte und das Neue* (1926–29); *Alexander Newski* (1938); *Iwan der Schreckliche I* (1944); *Iwan der Sckreckliche II* (1946). – Unvollendete Filme: *Que viva Mexico* (1931/32); *Die Beschin-Wiese* (1935–37); *Fergana-Kanal* (1938).

BORIS M. EJCHENBAUM (1886–1959)

Literaturhistoriker und -theoretiker; gehörte mit R. Jacobson, V. Šklovskij und J. Tynjanov zu den bedeutendsten Vertretern des russischen Formalismus; Mitbegründer der »Opojaz« (Gesellschaft zur Erforschung der poetischen Sprache), von der um 1920 die Erneuerung der Literaturtheorie in Rußland ihren Ausgang nahm; der Band *Poetica Kino* erschien 1927 in Leningrad unter seiner Redaktion; 1918–49 Professor für russische Literaturgeschichte an der Universität Leningrad; Herausgeber von Texten russischer Klassiker; Studien besonders über Tolstoi und Lermontov; *Ausgewählte Aufsätze zur Theorie und Geschichte der Literatur*, Frankfurt a. M.; Suhrkamp, 1965; seine wichtigsten formalistischen Arbeiten in: Jurij Striedter / Wolf D. Stempel (Hrsg.), *Texte der russischen Formalisten*, Bd. 1, München: Fink, 1969.

SIEGFRIED KRACAUER (1889–1966)

Soziologe, Filmhistoriker, -kritiker und -theoretiker; 1921–33 Redaktionsmitglied der *Frankfurter Zeitung*; emigrierte über Frankreich in die USA; seit 1941 wissenschaftlicher Mitarbeiter der Film Library des Museum of Modern Art, N. Y.; 1952–58 Research Director am Bureau of Applied Social Research der Columbia University; wichtigste Veröffentlichungen (neben *Theory of Film*, 1960): *Soziologie als Wissenschaft. Eine erkenntnistheoretische Untersuchung* (1922); *Die Angestellten* (1939); *Jacques Offenbach und das Paris seiner Zeit* (1937); *Propaganda and the Nazi War Film* (1942); *From Caligari to Hitler: A Psychological History of the German Film* (1947); *Das Ornament der Masse. Essais, 1920–1931* (1963); *Kino. Essais, Studien, Glossen zum Film* (1974); die *Schriften* Kracauers, hrsg. von Karsten Witte, erscheinen seit 1971 im Suhrkamp Verlag.

CHRISTIAN METZ (1931–1993)

Schüler von Roland Barthes; »Directeur d'études« an der »Ecole des Hautes Etudes en Sciences Sociales« (Paris), welche die Zeitschrift *Communications* herausgibt; Begründer der französischen Filmsemiotik und deren einflußreichster Repräsentant; seine seit 1964 erscheinenden Arbeiten zur Linguistik und Filmsemiotik sind mittlerweile in 15 Sprachen übersetzt.

LAURA MULVEY (* 1941)

Unterrichtet Film am London College of Printing. Sie veröffentlichte Aufsätze zur Filmtheorie, die zum Teil in ihrem Buch *Visual and Other Pleasures* (1989) vereint sind, eine Studie zu *Citizen Kane* (1992) und führte, zusammen mit Peter Wollen, bei zahlreichen Filmen Regie.

JOACHIM PAECH (* 1942)

Professor für Medienwissenschaft im Studiengang »Kunst- und Medienwissenschaft« an der Universität Konstanz. Forschungsschwerpunkt: die theoriegeschichtlichen Wechselbeziehungen zwischen den neuen Medien und den traditionellen Künsten. Zahlreiche Veröffentlichungen zur Filmgeschichte, Filmanalyse, Medientheorie sowie den Theater/Literatur/Film-Beziehungen: u. a. *Film- und Fernsehsprache* (1975); *Methodenprobleme der Analyse verfilmter Literatur* (1984, ^{2}1988); *»Passion« oder die EinBILDungen des Jean-Luc Godard* (1988); *Literatur und Film* (1988, ^{2}1997); *Film, Fernsehen, Video und die Künste. Strategien der Intermedialität* (1994); *Der Bewegung einer Linie folgen … Schriften zum Film* (2002).

JAN MARIE PETERS (* 1920)

Em. Prof. Dr. Phil, Gründer und erster Direktor der Filmhochschule in Amsterdam (1958), Privatdozent (1957) und später Professor für Filmtheorie an der Universität Amsterdam, seit 1967 Ordinarius für Kommunikationswissenschaft (Filmtheorie und Theorie der audiovisuellen Kommunikation) an der Katholischen Universität Leuven in Belgien. Wichtigste Buchveröffentlichungen: *De taal van de film* (1950); *Education cinématographique* (1961); *De montage bj film en televisie* (1969); *Theorie van de audiovisuele communicatie* (1971); *Leggere l'immaggine* (1973); *Roman en film* (1974); *Van woord naar beeld. De vertaling van romans in film* (1980); *Pictorial sins and the language of film* (1981); *Het filmische denken* (1989); *Over beeldcultuur: fotografie, film, televisie, video* (1993).

WSEWOLOD I. PUDOWKIN (1893–1953)

Regisseur und Filmtheoretiker; mit Eisenstein, Dowshenko und Vertov einer der vier großen Regisseure des russischen Stummfilms; außerdem zusammen mit Eisenstein der führende russische Theoretiker der Montage, insbesondere des kinematographischen Rhythmus; verfaßte mit Eisenstein und Alexandrow 1928 das Manifest zum Tonfilm. Steht zu Unrecht im Schatten Eisensteins. Gerade auch sein filmtheoretisches Werk ist bislang unzureichend ediert.

VICTOR B. ŠKLOVSKIJ (1893–1984)

Mitbegründer der »Opojaz«; führend in der formalistischen Schule, deren Methoden er vor allem in *Iskusstvo kak priëm* (»Kunst als Verfahren«, 1917) und *O teorii prozy* (1925; dt. *Theorie der Prosa*, 1966; Auszüge) darlegte; trat als Schriftsteller 1923 mit *Sentimental'noe putešestvie* (dt. *Sentimentale Reise*, 1964) hervor, schrieb Essays über Kunst und Literatur; als die formale Methode nach 1929 als nicht mit der kommunistischen Doktrin vereinbar verurteilt wurde, wandte er sich der Literaturgeschichte, der Theater- und Filmkritik zu und verfaßte historische Novellen. Sein umfangreiches Filmwerk (Szenarii, Aufsätze und Kritiken) ist bislang nur fragmentarisch ediert; seine wichtigsten formalistischen Arbeiten in: Jurij Striedter / Wolf D. Stempel (Hrsg.), *Texte der russischen Formalisten*, 2 Bde., München: Fink, 1969–72.

KRISTIN THOMPSON (* 1950)

Honorary Fellow am Department of Communication Arts der University of Wisconsin-Madison; Veröffentlichungen u. a.: *Breaking the Glass Armor: Neoformalist Film Analysis* (1988); (Koautorin) *Film Art: An Introduction* (1979); *The Classical Hollywood Cinema: Film Style and Mode of Production to 1960* (1985); *Film History: An Introduction* (1994); arbeitet derzeit an einer Geschichte der avantgardistischen Stile der Zwanziger Jahre.

JURIJ N. TYNJANOV (1894–1943)

Schriftsteller und Literaturkritiker; Mitglied der »Opojaz«; 1920–31 Professor für russische Literaturgeschichte am Leningrader Institut für Kunstgeschichte; veröffentlichte Abhandlungen über Stilfragen, literaturkritische Werke wie *Dostoevskij i Gogol'* (1921), *Problema stichotvornogo jazyka* (*Das Problem der poetischen Sprache*, 1924), *Archaisty i novatory* (1929), historische Romane und Erzählungen sowie romanhafte Biographien russischer Autoren; seine wichtigsten formalistischen Arbeiten in: Jurij Striedter / Wolf D. Stempel (Hrsg.), *Texte der russischen Formalisten*, 2 Bde., München: Fink, 1969–72.

DZIGA VERTOV [d. i. Denis A. Kaufman] (1896–1954)

Regisseur, Filmtheoretiker und Kritiker; gehört mit Eisenstein, Pudowkin, Dowshenko und Kuleschow zu den Begründern einer neuen Filmkultur; Schöpfer des »Laboratoriums des Gehörs« (1916), der »Kino-Pravda« (ab 1922), der Gruppe der »Kinoki« (1923) und des »Kinoglaz« (1924); Theorie und Praxis des Dokumentarfilms sind ohne Vertovs Beitrag undenkbar; sein Einfluß läßt sich von der russischen Stummfilmschule über das internationale Avantgarde-Kino bis auf Godard, Mitgegründer der »Gruppe Dziga Vertov«, verfolgen; über ihn vgl. Georges Sadoul, *Dziga Vertov*, Paris: Editions Champ Libre, 1971.

Bibliographie zur Filmtheorie

Die bibliographischen Angaben zur Erstausgabe von 1979 mit dem Nachtrag von 1995 wurden überarbeitet, ergänzt und auf den neuesten Stand der internationalen Forschung gebracht. Die Übergänge zwischen den drei Teilen der neu erstellten Bibliographie (Ausgewählte Quellen – Anthologien und Sammelbände – Studien) sind selbstverständlich fließend. Wichtig war die Anbindung der Filmtheorie (im engeren Sinne) an die (übergreifende) Medientheorie einerseits, an Filmanalyse und Filmgeschichte andererseits; schließlich die Zusammenführung der deutschsprachigen, russischen, anglo-amerikanischen und romanischen (besonders französischen) Quellen bzw. Forschungsergebnisse.

Weiterführende Hinweise auf Literatur zur Filmtheorie finden sich in folgenden Publikationsorganen:

film theory. Bibliographie Information and Newsletter. H. 1–27. Münster 1983–91. [Der vom Münsteraner Arbeitskreis für Semiotik (MAKS) herausgegebene Infodienst ist abgelöst worden von folgender Zeitschrift:]

montage/av. Zeitschrift für Theorie & Geschichte audiovisueller Kommunikation. H. 1 ff. Berlin 1992 ff. [Mit Beilagen zu Neuerscheinungen vor allem auf dem Gebiet der deutschsprachigen Film- und Fernsehwissenschaft.]

Medienwissenschaft: Rezensionen. H. 1 ff. Marburg 1984 ff. Seit 1995: MEDIENwissenschaft: rezensionen. reviews. Hrsg. vom Institut für Neuere Deutsche Literaturwissenschaft der Universität Marburg.

Film und Fernsehen in Forschung und Lehre. Schriften, Lehrveranstaltungen, Forschungsvorhaben, Tagungen an Universitäten, Hochschulen und Filminstitutionen der Bundesrepublik Deutschland, Österreich und der Schweiz. Hrsg.: Stiftung Deutsche Kinemathek Berlin (H. 1–9, 1978–86); Stiftung Deutsche Kinemathek Berlin und Institut für Medienwissenschaft und Film. Hochschule für Bildende Künste Braunschweig (H. 10–15, 1987–92) und HBK Braunschweig (ab H: 16, 1993). [Der jährlich erscheinende Informationsdienst hat mit Heft 20 (1997) sein Erscheinen eingestellt.]

Die Gesellschaft für Film- und Fernsehwissenschaft (GFF), seit 2000 umbenannt in Gesellschaft für Medienwissenschaft (GfM), beschäftigt

sich auf ihren Jahrestagungen, deren Dokumentationen im Schüren Verlag (Marburg) erscheinen, auch mit filmtheoretischen Themen; sie organisiert außerdem film- und fernsehwissenschaftliche Kolloquien, die für die Weiterentwicklung filmtheoretischer Ansätze von Interesse sind.
Die in Wien angesiedelte Gesellschaft für Filmtheorie gibt seit 1988 das Jahrbuch »Kinoschriften« heraus, seit 1989 die »Schriftenreihe der Gesellschaft für Filmtheorie« (Münster; MAKS Publikationen) und publiziert darüber hinaus Sammelbände zu speziellen Themen.

1. *Ausgewählte Quellen zur Filmtheorie*

Arnheim, Rudolf: Film als Kunst. Berlin: Rowohlt, 1932. Engl. Ausg.: Film as Art. Berkeley: University of California Press, 1957 / London: Faber and Faber, 1958, [2]1969. – Taschenbuchausg.: Mit einem Vorw. des Autors zur Neuausg. mit einem Nachw. von Helmut H. Diederichs. Frankfurt a. M.: Fischer, 1979. (Fischer Cinema. 3656.)
– Kritiken und Aufsätze zum Film. Hrsg. von Helmut H. Diederichs. München: Hanser, 1974. – Taschenbuchausg.: Frankfurt a. M.: Fischer, 1979. (Fischer Cinema. 3653.)
Balázs, Béla: Der sichtbare Mensch oder die Kultur des Films. Wien/Leipzig: Deutsch-Österreichischer Verlag, 1924. – 2. Aufl.: Der sichtbare Mensch. Eine Filmdramaturgie. Halle: Knapp, 1926, [3]1934.
– Der Geist des Films. Halle: Knapp, 1930, 1936. – Neuaufl. mit einer Einleitung von Hartmut Bitomsky. Frankfurt a. M.: Makol, 1972.
– Zur Kunstphilosophie des Films. In: Das Wort 3 (1938) S. 104–119. – Wiederabgedr. in: Karsten Witte (Hrsg.): Theorie des Kinos. Frankfurt a. M.: Suhrkamp, 1972. S. 149–170. Ebenso in: Béla Balázs. Essay, Kritik 1922–1932. Berlin: Staatliches Filmarchiv der DDR, 1973. S. 148–177.
– Der Film. Werden und Wesen einer neuen Kunst. Aus dem Ung. übers. von Alexander Sacher-Masoch. Wien: Globus, 1949. 4., erw. Aufl. 1972.
– Schriften zum Film. Bd. 1: Der sichtbare Mensch. Kritiken und Aufsätze 1922–1926. Hrsg. von Helmut H. Diederichs, Wolfgang Gersch und Magda K. Nagy. München: Hanser, 1982. Bd. 2: Der Geist des Films. Artikel und Aufsätze 1926–1931. Hrsg. von Helmut H. Diederichs und Wolfgang Gersch. Berlin: Henschel, 1984.
Bazin, André: Qu'est-ce que le cinéma? Bd. 1: Ontologie et langage.

Paris: Les Éditions du Cerf, 1958. Bd. 2: Le cinéma et les autres arts. Ebd. 1959. Bd. 3: Cinéma et sociologie. Ebd., 1961, Bd. 4: Une esthétique de la réalité: le néo-réalisme. Ebd. 1962. – Éd. déf. Paris: Les Éditions du Cerf., 1975. Dt. Ausg.: Was ist Kino? Bausteine einer Theorie des Films. Hrsg. von Hartmut Bitomsky [u. a.]. Köln: DuMont Schauberg, 1975. [Auswahl aus: Qu'est-ce que le cinéma?]

Bitomsky, Hartmut: Die Röte des Rots von Technicolor, Kinorealität und Produktionswirklichkeit. Neuwied/Darmstadt: Luchterhand, 1972. – Neuaufl. München: KinoKon Texte, 1995.

Canudo, Ricciotto: L'usine aux images. Éd. par Fernand Divoire. Genève: Office Général d'Édition, 1927. Éd. par F. Ducrié et Pignatel. Paris: Étienne Chiron, 1927. – Éd. intégrale établie par Jean-Paul Morel. Paris: ARTE Éditions Nouvelles / Éditions Séguier, 1995. – Siehe außerdem: Ricciotto Canudo: 1877–1977. Atti del Congresso Internazionale nel Centenario dell Nascita. Bari–Gioia del Colle, 24–27 novembre 1977. A cura di Giovanni Dotoli. Fasano: Grafischena, 1978.

Cohen-Séat, Gilbert: Essai sur les principes d'une philosophie du cinéma. Notions fondamentales et vocabulaire de filmologie. Paris: Presses Universitaires de France, 1946. – Dt. Ausg.: Film und Philosophie. Gütersloh: Bertelsmann, 1962.

Dadek, Walter: Das Filmmedium. Zur Begründung einer allgemeinen Filmtheorie. München/Basel: Reinhardt, 1968.

Deleuze, Gilles: Cinéma I: L'image-mouvement. Paris: Les Éditions Minuit, 1983. – Dt. Ausg.: Das Bewegungsbild. Kino 1. Aus dem Frz. von Ulrich Christian und Ulrike Bokelmann. Frankfurt a. M.: Suhrkamp, 1989, [2]1996.

– Cinéma II: L'image-temps. Paris: Les Éditions de Minuit, 1985. – Dt. Ausg.: Das Zeit-Bild. Kino 2. Aus dem Frz. von Klaus Englert. Frankfurt a. M.: Suhrkamp, 1991, [2]1996.

Delluc, Louis: Écrits cinématographiques. Éd. par Pierre Lherminier. Bd. 1: Le cinéma et les cinéastes. Paris: Cinémathèque Française et Éditions de l'Étoile / Cahiers du Cinéma, 1985. Bd. 2,1: Cinéma et Cie. Ebd. 1986. Bd. 2,2: Le cinéma au quotidien. Ebd. 1990. Bd. 3: Drames de cinéma. Scénarios et projets de films. Ebd. 1990.

Deren, Maya: Notes, Essays, Letters. In: Film Culture. H. 39. Winter, 1965. – Dt. Ausg.: Poetik des Films. Wege im Medium bewegter Bilder. Aus dem Amerik. übers. und eingel. von Brigitte Bühler und Dieter Hormel. Berlin: Merve, 1984.

– Choreographie für eine Kamera. Schriften zum Film. Hrsg. von Jutta

Horcher, Ute Holl, Kathrin Reichel, Kira Stein, Petra Wolff. Hamburg: Material-Verlag der Hochschule für bildende Künste, 1995.

Eco, Umberto: Die Gliederung(en) des filmischen Code. (Vortrag. Filmfestival Pesaro, Sommer 1967.) In: Sprache im technischen Zeitalter 27 (Juli–September 1968) S. 230–252. – Wiederabgedr. in: Friedrich Knilli (Hrsg.): Semiotik des Films. Mit Analysen kommerzieller Pornos und revolutionärer Agitationsfilme. München: Hanser, 1971. S. 70–93.

– La struttura assente. Mailand: Bompiani, 1968. – Autorisierte dt. Ausg. von Jürgen Trabant: Einführung in die Semiotik. München: Fink, 1972. (»Der cinematographische Code«, S. 250–262.)

Eisenstein, Sergej M.: Film Forum – The Film Sense. New York: Harcourt Brace and Meridian Books. 1957. [Zusammenfassung der beiden von Jay Leyda 1942 und 1949 herausgegebenen Bände von Filmschriften Eisensteins.]

– Ausgewählte Aufsätze. Mit einer Einf. von R. Jurenev. Berlin: Henschel, 1960.

– Film Essays with a lecture by S. E. Ed. by Jay Leyda. Forword by Grigori Kozintsev. London: Dennis Dobson, 1968.

– Schriften. 6 Bde. Hrsg. von Hans-Joachim Schlegel. München: Hanser. 1973 ff. [Bisher ersch.:] Bd. 1: Streik. Ebd. 1974. Bd. 2: Panzerkreuzer Potemkin. Ebd. 1973. Bd. 3: Oktober. Mit den Notaten zur Verfilmung von Marx' *Kapital.* Ebd. 1975. Bd. 4: Das Alte und das Neue (Die Generallinie). Ebd. 1984. [Diese Ausg. beruht auf: Ausgewählte Werke in 6 Bänden. Moskau: Iskusstvo, 1964–71.]

– / Pudowkin, Wsewolod I. / Alexandrow, Grigorij W.: Manifest zum Tonfilm. [Aus: Žizn' Iskusstva, Nr. 32. 5. August 1928.] In: Dieter Prokop (Hrsg.): Materialien zur Theorie des Films. Ästhetik – Soziologie – Politik. München: Hanser, 1971. S. 83 f.

Ejchenbaum, Boris M.: Probleme der Filmstilistik. [Aus: Poėtika Kino. Moskau/Leningrad: Kinopečat', 1927.] In: Wolfgang Beilenhoff (Hrsg.): Poetik des Films. Deutsche Erstausgabe der filmtheoretischen Texte der russischen Formalisten. München: Fink, 1974. S. 12–39.

Epstein, Jean: Écrits sur le cinéma. Bd. 1: 1921–1947. Paris: Seghers / Cinéma club, 1974. Bd. 2: 1946–1953. Ebd. 1975.

Gad, Urban: Der Film – Seine Mittel, seine Ziele. Berlin: Schuster und Loeffler, 1921.

Faure, Elie: Fonction du cinéma. De la cinéplastique à son destin social. Paris: Plon, 1953. – Rev. und erw. Neuaufl. Paris: Gonthier, 1964.

Filmische Avantgarde und politische Praxis. Gruppe Cinéthique. Hrsg. und übers. von Beatrix Schumacher, Gloria Behrens, Leo Borchard und Rainer Gansera. Hamburg: Rowohlt, 1973.

Hoffmann, Hilmar: Marginalien zu einer Theorie der Filmmontage. Bochum: Universitätsverlag, 1969. (Bochumer Texte zur visuellen Kommunikation. Bd. 1.)

Iros, Ernst: Wesen und Dramaturgie des Films. Leipzig/Zürich: Niehans, 1938. – Neue, vom Verf. bearb. Aufl., mit Erg. und einem Nachweis von M. Schlappner. Zürich: Arche, 1957, [2]1962.

Kanzog, Klaus: Der Film als philologische Aufgabe. In: Ulrich Weisstein (Hrsg.): Literatur und Bildende Kunst. Ein Handbuch zur Theorie und Praxis eines komparatistischen Grenzgebietes. Berlin: Erich Schmidt, 1992. S. 221–230.

Kouléchov, Lev: L'art du cinéma et autres écrits (1917–1934). Éd. établie par François Albéra, Ekaterina Khokhlova et Valérie Posener. Introd. par François Albéra. Lausanne: Éditions de l'Age d'Homme, 1994. – Siehe außerdem: Albéra, François / Khokhlova, Ekaterina / Posener, Valérie: Kouléchov et les siens. Locarno: Éditions du Festival International du Film de Locarno, 1990. Sowie: Albéra, François: Autor de Lev Kouléchov. Vers une théorie de l'acteur. Actes du Colloque de Lausanne (déc. 1990). Lausanne: Université de Lausanne / Éditions de L'Age d'Homme, 1994.

Kracauer, Siegfried: Theory of Film. The Redemption of Physical Reality. New York: Oxford University Press, 1960. – Dt. Ausg.: Theorie des Films. Die Errettung der äußeren Wirklichkeit. Vom Verf. rev. Übers. von Friedrich Walter und Ruth Zellschan. Frankfurt a. M.: Suhrkamp, 1964. – Neuaufl. Frankfurt a. M.: Suhrkamp, 1985. (stw 546.) 1989, [2]1993. (Schriften. 3.)

– Kino. Essays, Studien, Glossen zum Film. Frankfurt a. M.: Suhrkamp, 1974. (st 126.) – Wiederabgedr. in : Aufsätze II. Frankfurt a. M.: Suhrkamp, 1990. (Schriften. 6.)

Lindsay, Vachel: The Art of the Moving Picture. New York: MacMillan, 1915. – Neuaufl. New York: Liveright, 1970.

Lotman, Jurij M.: Probleme der Kinoästhetik. Einführung in die Semiotik des Films. Übers. von Christiane Böhler-Auras. Frankfurt a. M.: Syndikat, 1977.

Lukács, Georg: Die Eigenart des Ästhetischen. Neuwied/Berlin: Luchterhand, 1963. [Kap. 14: »Grenzfragen der ästhetischen Mimesis«, Kap. V, S. 489–521.]

– Gedanken zu einer Ästhetik des Kinos. In: Frankfurter Zeitung

Nr. 251 (10. September 1913). – Wiederabgedr. in: G. L.: Schriften zur Literatursoziologie. Ausgew. und eingel. von Peter Christian Ludz. Neuwied/Berlin: Luchterhand, [3]1968. S. 75–80.

Lyotard, Jean-François: L'acinéma. In: Des dispositifs pulsionnels. Paris: Christian Bourgeois, 1980. Dt. Ausg.: Essays zu einer affirmativen Ästhetik. Übers. von Eberhard Kienle und Jutta Kranz. Berlin: Merve, 1982. S. 25–43.

Metz, Christian: Essais sur la signification au cinéma. Bd. 1. Paris: Klincksieck, 1968, [2]1971, [3]1975, [4]1978, [5]1983. – Dt. Ausg.: Semiologie des Films. Übers. von Renate Koch. München: Fink, 1972.

– Essais sur la signification au cinéma. Bd. 2. Paris: Klincksieck, 1972, [2]1976, [3]1983.

– Language et cinéma. Paris: Larousse, 1971. – Nouv. éd. augmentée d'une postface. Paris: Éditions Albatros, 1977, [2]1982. – Dt. Ausg.: Sprache und Film. Aus dem Frz. von Micheline Theune und Arno Ros. Frankfurt a. M.: Athenäum, 1973.

– Le signifiant imaginaire. Psychoanalyse et cinéma. Paris: Union Générale d'Éditions, 1977. – Neuaufl. Paris: Christian Bourgois, 1984, [2]1993.

– L'énonciation impersonnelle ou le site du film. Paris: Méridiens Klincksieck, 1991. – Dt. Ausg.: Die unpersönliche Enunziation oder der Ort des Films. Aus dem Frz. von Frank Kessler, Sabine Lenk und Jürgen E. Müller. Münster: Nodus, 1997.

Mitry, Jean: Esthétique et psychologie du cinéma. Bd. 1: Les structures. Paris: Éditions Universitaires, 1963. Bd. 2: Les formes. Ebd. 1965. – Neuaufl. Bd. 1, 2. Ebd. 1973. Gek. Neuaufl. 1990. – Siehe dazu die beiden grundlegenden Rezensionen von Christian Metz: Une étape dans la réflexion sur le cinéma. In: Critique 214 (März 1965) S. 227–248. [Zu Bd. 1.] Problèmes actuels de théorie du cinéma. In: Revue d'Esthétique 20 (August–September 1967) H. 2–3. S. 180–221. [Zu Bd. 2.]

– La sémiologie en question. Language et cinéma. Paris: Les Éditions du Cerf, 1987. [Grundlegende Auseinandersetzung mit der Filmsemiotik von Christian Metz.]

Morin, Edgar: Le cinéma ou l'homme imaginaire. Essai d'anthropologie sociologique. Paris: Éditions de Minuit, 1956, – Neuaufl. Paris: Gonthier, 1965. – Dt. Ausg.: Der Mensch und das Kino. Eine anthropologische Untersuchung. Stuttgart: Klett, 1958.

Mulvey, Laura: Visual Pleasure and Narrative Cinema. Erstveröff. in: Screen. H. 3 (1975). Wiederabgedr. in: L. M.: Visual and Other Pleasures. Bloomington/Indianapolis: Indiana University Press, 1989. S. 14–26. – Dt. Ausg. u. d. T.: Visuelle Lust und narratives Kino. In: Gislind Nabakowski / Helke Sander / Peter Gorsen (Hrsg.): Frauen in der Kunst. Bd. 1. Frankfurt a. M.: Suhrkamp, 1980. S. 30–46. Sowie in: Liliane Weissberg (Hrsg.): Weiblichkeit als Maskerade. Frankfurt a. M.: Fischer, 1994. S. 48–65.

Münsterberg, Hugo: The Photoplay: A Psychological Study. New York: Appleton, 1916. Unveränd. Neuaufl. u. d. T.: The Film: A Psychological Study. New York: Dover, 1970. – Dt. Ausg.: Das Lichtspiel. Eine psychologische Studie (1916) und andere Schriften zum Kino. Hrsg. von Jörg Schweinitz. Wien: Synema, 1996.

Paech, Joachim: Intermedialität. Mediales Differenzial und transformative Figuration. In: MEDIENwissenschaft: rezensionen. reviews. H. 1 (1997) S. 12–30. – Wiederabgedr. in: Jörg Helbig (Hrsg.): Intermedialität. Theorie und Praxis eines interdisziplinären Forschungsgebietes. Berlin: Erich Schmidt, 1998. S. 14–30.

– Überlegungen zum Dispositif als Theorie medialer Topik. In: MEDIENwissenschaft: rezensionen. reviews. H. 4 (1997) S. 400–420.

Panofsky, Erwin: Style and Medium in the Motion Pictures. Amerik. Fass.: On Movies. In: Bulletin of the Department of Art and Archeology of Princeton University. June 1936. – Style and Medium in the Moving Pictures. In: Transition 26 (1937) S. 121–133 und in: D. L. Durling: A Preface to Our Day. New York 1940. S. 57–82. – Style and Medium in the Motion Pictures. In: Critique. A Review of Contemporary Art 1 (1947) S. 5–28. – Dt. Fass.: Stilarten und das Medium des Films. In: Alphons Silbermann (Hrsg.): Mediensoziologie. Bd. 1: Film. Düsseldorf/Wien: Econ, 1973. S. 106–122. – Stil und Medium im Film. In: E. P.: Die ideologischen Vorläufer des Rolls-Royce-Kühlers & Stil und Medium im Film. Mit Beiträgen von Irving Lavin und William S. Heckscher. Frankfurt a. M. / New York: Campus – Paris: Editions de la Fondation Maison des Sciences, 1993. S. 17–51.

Peters, Jan Marie: Die Struktur der Filmsprache. In: Publizistik 7 (Juli/August 1962) H. 4. S. 195–204.

Pudowkin, Wsewolod I.: Kinorežissër i kinomaterial. Moskau: Kinopečat', 1926. – Dt. Ausg.: Filmregie und Filmmanuskript. Mit einer Einf. von W. I. P. Berlin: Verlag der Lichtbühne, 1928. Engl. Ausg.: »Memorial edition«: Film Technique and Film Acting. Aus dem Russ. von Ivor Montagu. London: Vision Press, 1964. Dt. Ausg.: Filmtechnik. Filmmanuskript und Filmregie. Aus dem Russ. von Leonore Kündig. Zürich: Arche, 1961.

– Über die Montage. [Aus Izbrannye stat'i. Moskau: Iskusstvo, 1955.] In: Der sowjetische Film. Bd. 1: 1930–1939. Frankfurt a. M.: Verband der deutschen Filmclubs e. V., 1966. S. 91–107.

Šklovskij, Victor B.: Poesie und Prosa im Film. [Aus: Poėtika Kino. Moskau/Leningrad: Kinopečat', 1927.] In: Wolfgang Beilenhoff (Hrsg.): Poetik des Films. München: Fink, 1974. S. 97–99. Auch in: V. S.: Schriften zum Film. Frankfurt a. M.: Suhrkamp, 1966. S. 38–42.

– Schriften zum Film. [Ausw. aus dem Sammelbd. *Za sorok let,* Neuausg. der Schriften S.s zum Film, Moskau 1965.] Aus dem Russ. von Alexander Kaempfe. Frankfurt a. M.: Suhrkamp, 1966. – [Ein vollständiges Verzeichnis seiner Artikel, Kritiken und Aufsätze zum Film findet sich in: Russkie sovetskie pisateli-prozaiki. Tl. 6. Moskau: Kniga, 1969. S. 253–258. Eine nahezu vollständige Aufzählung seiner Drehbücher findet sich: ebd., S. 271–283.]

Thompson, Kristin: Breaking the Glass Armor: Neoformalist Film Analysis. Princeton, N. J.: Princeton University Press, 1988. – Dt. Übers. des leicht gekürzten Einleitungskapitels u. d. T.: Neoformalistische Filmanalyse. Ein Ansatz, viele Methoden. In: montage/av 4 (1995) H. 1. S. 23–62.

Tynjanov, Jurij N.: Über die Grundlagen des Films. [Aus: Poėtika Kino. Moskau/Leningrad: Kinopečat', 1927.] In: Poetica 3 (1979) S. 510–563. Wiederabgedr. in: Wolfgang Beilenhoff (Hrsg.): Poetik des Films. München: Fink, 1974. S. 40–63.

Vertov, Dziga: Stat'i, dnevniki, zamysly. Hrsg. von S. Dobašenko. Moskau: Iskusstvo, 1966. – Textgrundlage für: D. V.: Aufsätze, Tagebücher, Skizzen. Berlin: Henschel, 1967. D. V.: Aus den Tagebüchern. Bd. 1. Wien: Österreichisches Filmmuseum, 1967. D. V.: Schriften zum Film. Hrsg. von Wolfgang Beilenhoff. München: Hanser, 1973.

Virilio, Paul: Guerre et cinéma. Bd. 1: Logistique de la perception. Paris: Éditions de l'Étoile, 1984. – Dt. Ausg.: Krieg und Kino. Logistik der Wahrnehmung. Aus dem Frz. von Frieda Grafe und Enno Patalas. München/Wien: Hanser, 1986. Frankfurt a. M.: Fischer Taschenbuch Verlag, 1989, [3]1994. (ft 6645.)

Wuss, Peter: Der Rote Faden der Filmgeschichten und seine unbewußten Komponenten. Topik-Reihen, Kausal-Ketten und Story-Schemata – drei Ebenen filmischer Narration. In: montage/av 1 (1992) H. 1. S. 25–35.

2. *Anthologien und Sammelbände zur Film- und Medientheorie*

Abel, Richard (Hrsg.): French Film Theory and Chriticism. A History / Anthology. Bd. 1: 1907–1929. Bd. 2: 1929–1939. Princeton, N. J.: Princeton University Press, 1988, [2]1993.

Albéra, François (Hrsg.): Poétique du film. Les formalistes russes et le cinéma. Paris: Nathan, 1996.

Aristarco, Guido (Hrsg.): L'arte del film. Antologia storico-critica. A cura di G. A. Mailand: Bompiani, 1950.

Baacke, Dieter (Hrsg.): Kritische Medientheorien. Konzepte und Kommentare. München: Juventa, 1974.

Barck, Karlheinz / Gente, Peter / Paris, Heidi / Richter, Stefan (Hrsg.): Aisthesis. Wahrnehmung heute oder Perspektiven einer anderen Ästhetik. Leipzig: Reclam, 1990. [Texte von J. Baudrillard, S. Hosokawa, F. Kittler und P. Virilio.]

Beilenhoff, Wolfgang (Hrsg.): Poetik des Films. Deutsche Erstausgabe der filmtheoretischen Texte der russischen Formalisten. München: Fink, 1974.

Blümlinger, Christa (Hrsg.): Sprung im Spiegel. Filmisches Wahrnehmen zwischen Fiktion und Wirklichkeit. Wien: Sonderzahl, 1990.

Braudy, Leo / Cohen, Marshall (Hrsg.): Film Theory and Chriticism. Oxford: Oxford University Press, 5/1999.

Brauneck, Manfred (Hrsg.): Film und Fernsehen. Materialien zur Theorie, Soziologie und Analyse der audio-visuellen Massenmedien. Bamberg: C. C. Buchners, 1980.

Buckland, Warren (Hrsg.): The Film Spectator: From Sign to Mind. Amsterdam: Amsterdam University Press, 1995.

Burnett, Ron (Hrsg.): Explorations in Film Theory. Selected Essays from Ciné-Tracts. Bloomington/Indianapolis: Indiana University Press, 1991.

Doane, Mary Ann / Mellencamp, Patricia / Williams, Linda (Hrsg.): Revision: Essays in Feminist Film Criticism. Frederick/MD: University Publications of America, 1984.

Easthope, Antony (Hrsg.): Contemporary Film Theory. London / New York: Longman, 1993.

Elm, Theodor / Hiebel, Hans H. (Hrsg.): Medien und Maschinen. Literatur im technischen Zeitalter, Freiburg: Rombach, 1991.

Felix, Jürgen (Hrsg.): Moderne Film Theorie. Mainz: Bender, 2002.

Goetsch, Paul / Scheunemann, Dietrich (Hrsg.): Text und Ton im Film. Tübingen: Narr, 1997.

Greve, Ludwig / Pehle, Margot / Westhoff, Heidi (Hrsg.): »Hätte ich das Kino!« Die Schriftsteller und der Stummfilm. München: Kösel, 1976.

Güttinger, Fritz: Der Stummfilm im Zitat der Zeit. Frankfurt a. M.: Deutsches Filmmuseum, 1984.

– (Hrsg.): Kein Tag ohne Kino. Schriftsteller über den Stummfilm. Frankfurt a. M.: Deutsches Filmmuseum, 1984.

Heath, Stephen / Lauretis, Teresa de (Hrsg.): The Cinematic Apparatus. London: MacMillan, 1980.

Helbig, Jörg (Hrsg.): Intermedialität. Theorie und Praxis eines interdisziplinären Forschungsgebietes. Berlin: Erich Schmidt, 1997.

Heller, Heinz-B. / Prümm, Karl (Hrsg.): Der Körper im Bild. Schauspielen – Darstellen – Erscheinen. Marburg: Schüren, 1999.

– / Kraus, Matthias [u. a.] (Hrsg.): Über Bilder sprechen. Positionen und Perspektiven der Medienwissenschaft. Marburg: Schüren, 2000.

Hickethier, Knut / Winkler, Hartmut (Hrsg.): Filmwahrnehmung. Dokumentation der GFF-Tagung 1989. Berlin: Sigma/Bohn, 1990.

Hörisch, Jochen / Wetzel, Michael (Hrsg.): Armaturen der Sinne. Literarische und technische Medien 1870 bis 1920. München: Fink, 1990.

Kaes, Anton (Hrsg.): Kino-Debatte. Texte zum Verhältnis von Literatur und Film 1909–1929. [München:] Deutscher Taschenbuch Verlag/ Tübingen: Niemeyer, 1978. (Deutsche Texte. 48.) dtv 4307: Wissenschaftl. Reihe.)

Kaplan, E. Anne (Hrsg.): Psychoanalysis and Cinema. London / New York: Routledge, 1990.

L'Herbier, Marcel (Hrsg.): Intelligence du cinématographe. Paris: Corêa, 1946.

Lherminier, Pierre (Hrsg.): L'Art du cinéma. Paris: Seghers, 1960.

MacCann, Richard Dyer (Hrsg.): Film: a Montage of Theories. New York: Dutton, 1966, ²1984.

Mast, Gerald / Cohen, Marshall / Braudy, Leo (Hrsg.): Film Theory and Criticism: Introductory Readings. New York / London / Toronto: Oxford University Press, 1974, ²1979, ³1985, ⁴1992.

Miller, Toby / Stam, Robert (Hrsg.): A Companion to Film Theory. Oxford: Blackwell, 1999.

Müller, Corinna / Segeberg, Harro (Hrsg.): Die Modellierung des Kinofilms. Zur Geschichte des Kinoprogramms zwischen Kurzfilm und Langfilm (1905/06–1918). München: Fink, 1997. (Mediengeschichte des Films. Bd. 2.)

Nichols, Bill (Hrsg.): Movies and Methods. An Anthology (I and II).

Berkeley / Los Angeles / London: University of California Press, 1976, 1985.

Noguez, Dominique (Hrsg.): Cinéma: Théories, lectures. Textes réunis et présentés par D. N. Paris: Klincksieck, 1973.

Paech, Joachim (Hrsg.): Film, Fernsehen, Video und die schönen Künste. Strategien der Intermedialität. Stuttgart: Metzler, 1994.

Prieur, Jérôme (Hrsg.): Le spectateur nocturne. Les écrivains au cinéma. Une anthologie. Paris: Éditions de l'Étoile / Cahiers du Cinema, 1993.

Prokop, Dieter (Hrsg.): Materialien zur Theorie des Films. Ästhetik – Soziologie – Politik. München: Hanser, 1991.

Rötzer, Florian (Hrsg.): Digitaler Schein. Ästhetik der elektronischen Medien. Frankfurt a. M.: Suhrkamp, 1991. (es 1599.)

Rosen, Philip (Hrsg.): Narrative, Apparatus, Ideology: A Film Theory Reader. New York: Columbia University Press, 1986.

Ruhs, August / Riff, Bernhard / Schlemmer, Gottfried (Hrsg.): Das unbewußte Sehen. Texte zur Psychoanalyse, Film, Kino. Wien: Löcker, 1989.

Schanze, Helmut (Hrsg.): Medientheorie – Medienwissenschaft. Ansätze – Personen – Grundbegriffe. Stuttgart/Weimar: Kröner, 2002.

Schumm, Gerhard / Wulff, Hans J. (Hrsg.): Film und Psychologie I. Wahrnehmung – Kognition – Rezeption. Münster: MAKS Publikationen, 1990.

Schweinitz, Jörg (Hrsg.): Prolog vor dem Film. Nachdenken über ein neues Medium. 1909–1914. Leipzig: Reclam, 1992.

Segeberg, Harro (Hrsg.): Die Mobilisierung des Sehens. Zur Vor- und Frühgeschichte des Films in Literatur und Kunst. München: Fink, 1996. (Mediengeschichte des Films. Bd. 1.)

– (Hrsg.): Die Perfektionierung des Scheins. Das Kino der Weimarer Republik im Kontext der Künste. München: Fink, 1999. (Mediengeschichte des Films. Bd. 3.)

Sierek, Karl (Hrsg.): filmtheorie und. Wien: PVS Verleger, 1991.

– / Heiss, Gernot (Hrsg.): und². Texte zu Film und Kino. Wien: PVS Verleger, 1992.

Silbermann, Alphons (Hrsg.): Mediensoziologie. Bd. 1: Film. Düsseldorf/Wien: Econ, 1973.

Stationen der Moderne im Film. Bd. 1: Film und Foto. Berlin: Freunde der Deutschen Kinemathek, 1988. Bd. 2: Texte, Manifeste, Pamphlete. Ebd. 1989.

Stempel, Hans / Ripkens, Martin (Hrsg.): Das Kino im Kopf. Eine An-

thologie. Zürich: Arche, 1984. Frankfurt a. M.: Fischer Taschenbuch Verlag, 1989. (Fischer Cinema 4488.)
Talbot, Daniel (Hrsg.): Film: An Anthology. Berkeley / Los Angeles: University of California Press, 1967.
Turconi, Davide / Bassotto, Camillo (Hrsg.): Il film e le sue teoriche. Venedig: Edizioni Mostra Cinema, 1965.
Warnke, Martin / Coy, Wolfgang / Tholen, Georg Christoph (Hrsg.): HyperKult. Geschichte, Theorie und Kontext digitaler Medien. Frankfurt a. M.: Stroemfeld, 1997.
Wetzel, Michael / Wolf, Herta (Hrsg.): Der Entzug der Bilder. Visuelle Realitäten. München: Fink, 1994.
Williams, Christopher (Hrsg.): Realism and the Cinema. London: British Film Institute, 1980.
Witte, Karsten (Hrsg.): Theorie des Kinos. Frankfurt a. M.: Suhrkamp, 1972, ²1973.
Wuss, Peter (Hrsg.): Kunstwert des Films und Massencharakter des Mediums. Konspekte zur Geschichte der Theorie des Spielfilms. Berlin: Henschel, 1990.

3. *Studien zur Filmtheorie (unter Berücksichtigung analytischer und historischer Aspekte)*

Agel, Henri: Esthétique du cinéma. Paris: Presses Universitaires de France, ¹1957, ⁴1966.
Andrew, J. Dudley: The Major Film Theories: An Introduction. London / Oxford / New York: Oxford University Press, 1976.
– Concepts in Film Theory. Oxford / New York / Toronto / Melbourne: Oxford University Press, 1984.
Aristarco, Guido: Storia delle teoriche del film. Turin: Einaudi, 1951, ²1963. [Ausführliche Bibliographie, S. 397–420.]
– Teoriche del film da Tille ad Arnheim. Torino: Celid, 1979.
Aumont, Jacques: L'œil interminable. Cinéma et peinture. Paris: Séguier, 1989.
– L'image. Paris: Fernand Nathan, 1990, ²1994.
– / Leutrat, Jean Louis (Hrsg.): La théorie du film. Paris: Éditions Albatros, 1980.
– / Bergala, Alain / Marie, Michel / Vernet, Marc: Esthétique du film. Paris: Fernand Nathan, 1983.
– / Marie, Michel: L'analyse des films. Paris: Nathan-Université, 1988.

Bellour, Raymond: L'entre-images. Photo, cinéma, vidéo. Paris: La Différence, 1990.
Beyse, Jochen: Film und Widerspiegelung. Interpretation und Kritik der Theorie Siegfried Kracauers. Diss. Köln 1977.
Bordwell, David: Narration in the Fiction Film. Madison: University of Wisconsin Press, 1985; London: Methuen, 1985; London: Routledge, 1988. 1990, 1993.
– Making Meaning: Inference and Rhetoric in the Interpretation of Cinema. Cambridge (Mass.) / London: Harvard University Press, 1989.
– / Thompson, Kristin: Film Art: An Introduction. Reading, Mass.: Addison-Wesley, 1979, [2]1986, [3]1990, [4]1993; New York: The McGraw-Hill Companies, Inc., [5]1997.
– / Staiger, Janet / Thompson, Kristin: The Classical Hollywood Cinema: Film Style and Mode of Production to 1960. London: Routledge, 1985.
– / Carroll, Noël: Post-Theory: Reconstructing Film Studies. Madison: University of Wisconsin Press, 1996.
Branigan, Edward: Narrative Comprehension and Film. London / New York: Routledge and Kegan Paul, 1992.
Brunette, Peter / Willis, David: Screen/Play. Derrida and Film Theory. New Jersey / Oxford: Princeton University Press, 1989.
Carroll, Noël: Mystifying Movies. Fads and Fallacies in Contemporary Film Theory. New York: Columbia University Press, 1988, 1991.
Carroll, Noël: Philosophical Problems of Classical Film Theory. Princeton, N. J.: Princeton University Press, 1988.
– Theorizing the Moving Image. Cambridge: Cambridge University Press, 1996.
Casebier, Allan: Film Appreciation. New York / Chicago / San Francisco / Atlanta: Harcourt Brace Jovanovich, 1976,
– Film and Phenomenology: Toward a Realist Theory of Cinematic Representation. Cambridge: Cambridge University Press, 1991.
Casetti, Francesco: Teorie del cinema (1945–1990). Milano: Bompiani, 1993.
Chatman, Seymour: Story and Discourse: Narrative Structure in Fiction and Film. Ithaca/London: Cornell University Press, 1978, [3]1989.
– Coming to Term: The Rhetoric of Narrative in Fiction and Film. Ithaca/London: Cornell University Press, 1990.
Chion, Michel: La toile trouée. La parole au cinéma. Paris: Cahiers du Cinéma, 1988.

Collet, Jean / Marie, Michel / Percheron, Daniel / Simon, Jean-Paul / Vernet, Marc: Lectures du film. Paris: Éditions Albatros, 1976, [2]1980.
Dalle Vacche, Angela (Hrsg.): The Visual Turn: Classical Film Theory and Art History. New Brunswick: Rutgers University Press, 2003.
Dhote, Alain (Hrsg.): Cinéma et psychanalyse. Paris: L'Harmattan, 1989. (CinémAction. 50.)
Doane, Mary Ann: Femmes Fatales: Feminism, Film Theory, Psychoanalysis. New York: Routledge, 1991.
Engell, Lorenz: Das Gespenst der Simulation. Ein Beitrag zur Überwindung der Medientheorie durch Analyse ihrer Logik und Ästhetik. Weimar: Verlag und Datenbank für Geisteswissenschaften, 1994.
– Bewegen beschreiben: Theorie zur Filmgeschichte. Weimar: Verlag und Datenbank für Geisteswissenschaften, 1995.
Fahle, Oliver / Engell, Lorenz (Hrsg.): Der Film bei Deleuze / Le Cinéma selon Deleuze. Weimar/Paris: Verlag der Bauhaus-Universität / Presses de la Sorbonne Nouvelle, 1997.
Faulstich, Werner: Medienästhetik und Mediengeschichte. Mit einer Fallstudie zu »The War of the Worlds« von H. G. Wells. Heidelberg: Winter, 1982.
– Die Filminterpretation. Göttingen: Vandenhoeck & Ruprecht, 1988.
– Medientheorien. Göttingen: Vandenhoeck & Ruprecht, 1991.
Fuery, Patrick: New Developments in Film Theory. New York: St. Martin's Press, 2000.
Gardies, André (Hrsg.): 25 ans de sémiologie aus cinéma. Paris: Corlet-Télérama, 1991. (CinémAction. 58.)
Gaudreault, André: De littérature au filmique. Système du récit. Paris: Méridiens Klincksieck, 1988.
– / Jost, François: Cinéma et récit. Bd. 2: Le récit cinématographique. Paris: Fernand Nathan, 1990.
Gottgetreu, Sabine: Der bewegliche Blick. Zum Paradigmenwechsel in der feministischen Filmtheorie. Frankfurt a. M. / Bern / New York: Lang, 1992.
Heath, Stephen: Questions of Cinema. London: MacMillan, 1981.
Heller, Heinz B.: Literarische Intelligenz und Film. Zu Veränderungen der ästhetischen Theorie und Praxis unter dem Eindruck des Films 1910–1930 in Deutschland. Tübingen: Niemeyer, 1985.
Jameson, Frederic: Postmodernism, or, The Cultural Logic of Late Capitalism. Durham: Duke University Press, 1991.
– Signatures of the Visible. New York / London: Routledge, 1992.

Jost, François: L'œil-caméra. Entre film et roman. Lyon: Presses Universitaires de Lyon, 1987, [2]1989.

Kanzog, Klaus: Einführung in die Filmphilologie. Mit Beitr. von Kirsten Burghardt, Ludwig Bauer und Michael Schaudig. München: diskurs film, 1991, [2]1997.

Kerambon, Jacques (Hrsg.): Les théories du cinéma aujourd'houi. Paris: Les Éditions du Cerf, 1988. (CinémAction. 47.)

Kersting, Rudolf: Wie die Sinne auf Montage gehen. Zur ästhetischen Theorie des Kinos/Films. Basel / Frankfurt a. M.: Stroemfeld / Roter Stern, 1989.

Kittler, Friedrich: Grammophon – Film – Typewriter. Berlin: Brinkmann & Bose, 1986.

– Draculas Vermächtnis. Technische Schriften. Leipzig: Reclam, 1993.

Knops, Thilo Rudolf: Die Aufmerksamkeit des Blicks. Vom Schwinden der Sinne in der Filmtheorie und seinem Gegenmittel. Zur Kritik des Szientismus und Obskurantismus in der semiotischen und psychoanalytischen Filmtheorie. Bern: Peter Lang, 1986.

Koch, Gertrud: Was ich erbeute, sind Bilder. Zum Diskurs der Geschlechter im Film. Basel / Frankfurt a. M.: Stroemfeld / Roter Stern, 1989.

– (Hrsg.): Schwerpunkt: Philosophie und Film – ein hundertjähriges Verhältnis. In: Deutsche Zeitschrift für Philosophie 27 (1995) H. 3. S. 453–533.

Kreruzer, Helmut (Hrsg.): Filmtheorie und Filmanalyse. In: Zeitschrift für Literaturwissenschaft und Linguistik 9 (1979) H. 36.

Lapsley, Robert / Westlake, Michael: Film Theory: An Introduction. Manchester / New York: Manchester University Press, 1988. – Tb.-Ausg. Ebd. 1994, 1996.

Lauretis, Teresa de: Alice Doesn't: Feminism, Semiotics, Cinema. Bloomington: Indiana University Press, 1984.

Lauretis, Teresa de: Technologies of Gender: Essays on Theory, Film and Fiction. Bloomington: Indiana University Press, 1987.

Liebman, Stuart Elliott; Jean Epstein's Early Film Theory, 1920–1922. Diss. New York University, 1980.

Lohmeier, Anke-Marie: Hermeneutische Theorie des Films. Tübingen: Niemeyer, 1996.

Lorenz; Thorsten: Wissen ist Medium. Die Philosophie des Kinos. München: Fink, 1988.

Magny, Joël / Hennebelle, Guy (Hrsg.): Histoire des théories du cinéma. Paris: Corlet-Télérama, 1991. (CinémAction. 60.)

Marie, Michel / Vernet, Marc (Hrsg.): Christian Metz et la théorie du cinéma. Christian Metz and Film Theory. Paris: Méridiens Klincksieck, 1990. (Iris. 10.)

Matzker, Rainer: Das Medium der Phänomenalität. Wahrnehmungs- und erkennungstheoretische Aspekte der Medientheorie und Filmgeschichte. München: Fink, 1993.

Meyer, Corinna: Der Prozeß des Filmverstehens. Ein Vergleich der Theorien von David Bordwell und Peter Wuss. Alfeld: Coppi, 1996.

Möller-Naß, Karl-Dietmar: Filmsprache. Eine kritische Theoriegeschichte. Münster: MAKS Publikationen, 1986.

Monaco, James: Film verstehen. Kunst, Technik, Sprache, Geschichte und Theorie des Films und der Medien. Mit einer Einführung in Multimedia. Reinbek bei Hamburg: Rowohlt, 1995. [Teil 5: »Filmtheorie: Form und Funktion«, S. 399–442.] (Orig.-Titel: How to Read a Film: The Art, Technology, Language, History, and Theory of Film and Media. New York / Oxford: Oxford University Press, 1977, [2]1981.)

Müller, Jürgen E. (Hrsg.): Towards a Pragmatics of the Audiovisual. Theory and History. Bd. 1. Münster: Nodus, 1994. Bd. 2. Ebd. 1995.

– Intermedialität. Formen moderner kultureller Kommunikation. Münster: Nodus, 1996.

Odin, Roger: Cinéma et production de sens. Armand Colin, 1990.

Ohler, Peter: Kognitive Filmpsychologie. Verarbeitung und mentale Repräsentation narrativer Filme. Münster: MAKS Publikationen, 1994.

Paech, Joachim: Der Bewegung einer Linie folgen ... Schriften zum Film. Berlin: Vorwerk 8, 2000.

Perez, Gilberto: The Material Ghost: Films and their Medium. Baltimore/London: Johns Hopkins University Press, 1998.

Perkins, V. F.: Film as Film. Understanding and Judging Movies. Baltimore: Penguin Books, 1972, 1990.

Prokop, Dieter: Medien-Wirkungen. Frankfurt a. M.: Suhrkamp, 1981. (es 1074.)

Riecke, Christiane: Feministische Filmtheorie in der Bundesrepublik Deutschland. Frankfurt a. M. [u. a.]: Lang, 1998.

Rodowick, David Norman: The Crisis of Political Modernism: Criticism and Ideology in Contemporary Film Theory. Urbana/Chicago: University of Illinois Press, 1988.

– The Difficulty of Difference: Psychoanalysis, Sexual Difference, and Film Theory. London: Routledge, 1991.

Ropars-Wuilleumier, Marie-Claire: Le texte divisé. Essai sur l'écriture filmique. Paris: Presses Universitaires de France, 1981.
– Écraniques. Le film du texte. Lille: Presses Universitaires de Lille, 1990.
Salber, Wilhelm: Wirkungsanalyse des Films. Köln: Verlag der Buchhandlung Walther König, 1977.
Salt, Berry: Film Style and Technology: History and Analysis. London: Starword, 1983, ^{2}1992.
Schlüpmann, Heide: Ein Detektiv des Kinos. Studien zu Siegfried Kracauers Filmtheorie. Basel / Frankfurt a. M.: Stroemfeld, 1998.
Shaviro, Stephen: The Cinematic Body. Minneapolis u. a.: University of Minnesota Press, 1993.
Sierek, Karl: Aus der Bildhaft. Filmanalyse als Kinoästhetik. Wien: Sonderzahl, 1993.
– Ophüls: Bachtin. Versuch mit Film zu reden. Basel / Frankfurt a. M.: Stroemfeld, 1994.
Silverman, Kaja: The Acoustic Mirror: The Female Voice in Psychoanalysis and Cinema. Bloomington: Indiana University Press, 1988.
Stam, Robert: Subversive Pleasures: Bakhtin, Cultural Criticism, and Film. Baltimore: The Johns Hopkins University Press, 1989, ^{2}1992.
– / Burgoyne, Robert / Flitterman-Lewis, Sandy (Hrsg.): New Vocabularies in Film Semiotics: Structuralism, Poststructuralism, and Beyond. London / New York: Routledge, 1992.
– Film Theory: An Introduction. London: Blackwell, 1999.
Thal, Ortwin: Realismus und Fiktion. Literatur- und filmtheoretische Beiträge von Adorno, Lukács, Kracauer und Bazin. Dortmund: Nowotny, 1985.
Théorie du cinéma et crise dans la théorie ou Le cinéma à travers ses champs disciplinaires. Saint-Denis: Presses Universitaires de Vincennes. 1989. (Hors Cadre. 7.)
Thompson, Kristin: Breaking the Glass Armor: Neoformalist Film Analysis. Princeton, N. J.: Princeton University Press, 1988.
– / Bordwell, David: Film History: An Introduction. New York: McGraw-Hill, 1994.
Tudor, Andrew: Theories of Film. London: Secker and Warburg (in Association with the British Film Institute), 1974. – Dt. Ausg.: Film-Theorien. Aus dem Engl. von Peter Schmid. Hrsg. von Hilmar Hoffmann und Walter Schobert. Frankfurt a. M.: Kommnales Kino, 1977.
Vanoye, Francis: Récit écrit – récit filmique. Paris: Éditions CEDIC, 1979.

Vanoye, Francis: Cinema et récit. Bd. 1: Récit écrit – récit filmique. Paris: Fernand Nathan, 1989.

Winkler, Hartmut: Der filmische Raum und der Zuschauer. »Apparatus« – Semantik – »Ideology«. Heidelberg: Winter, 1992.

Winkler, Mathias: Filmerfahrung. Ansätze einer phänomenologischen Konstitutionsanalyse. Frankfurt a. M. / Bern / New York: Lang, 1985.

Winter, Rainer: Filmsoziologie. Eine Einführung in das Verhältnis von Film, Kultur und Gesellschaft. München: Quintessenz, 1992.

Wolfenstein, Martha / Leites, Nathan: Movies: A Psychological Study. Glencoe: The Free Press, 1950.

Wollen, Peter: Signs and Meaning in the Cinema. London: Secker & Warburg / British Film Institute, 1969, [3]1972.

Wulff, Hans J.: Darstellen und Mitteilen. Elemente der Pragmasemiotik des Films. Tübingen: Narr, 1999.

Wuss, Peter: Die Tiefenstruktur des Filmkunstwerks. Zur Analyse von Spielfilmen mit offener Komposition. Berlin: Henschel, 1990.

– Filmanalyse und Psychologie. Stukturen des Films im Wahrnehmungsprozeß. Berlin: edition sigma, 1993.

Zeul, Mechthild (Hrsg.): Die Sprache der Bilder – Psychoanalyse und Film. In: Psyche 48 (1994) H. 11.

– Carmen&Co. Weiblichkeit und Sexualität im Film. Stuttgart: Klett-Cotta, 1997.

Zielinski, Siegfried: Audiovisionen. Kino und Fernsehen als Zwischenspiele in der Geschichte. Reinbek: Rowohlt, 1989. (rororo enzyclopädie. 489.)

Zima, Peter V. (Hrsg.): Literatur international. Musik – Malerei – Photographie – Film. Darmstadt: Wissenschaftliche Buchgesellschaft, 1995.

Zurhake, Monika: Filmische Realitätsaneignung. Ein Beitrag zur Filmtheorie, mit Analysen von Filmen Viking Eggelings und Hans Richters. Heidelberg: Winter, 1982.

Siehe auch das Stichwort »Filmtheorie« (Autor: Hans J. Wulff), in: Rainer Rother (Hrsg.), *Sachlexikon Film*, Reinbek bei Hamburg: Rowohlt, 1997, S. 125–128; sowie die Stichwörter »Filmsemiotik« (Autor: Hans J. Wulff), »Filmtheorie« (Autor: Bernd Kiefer) sowie »Filmwissenschaft« (Autoren: Frank Kessler / Hans J. Wulff), in: Thomas Koebner (Hrsg.), *Reclams Sachlexikon des Films*, Stuttgart: Reclam, 2002, S. 209–219.

Inhalt